ESSAYS

OSCAR WILDE

ESSAYS

Aus dem Englischen von
Gustav Landauer, Hedwig Lachmann,
Paul Wertheimer, Tom Amarque,
Ulrike von Pritzbuer, Frida Strindberg-Uhl
und Max Meyerfeld

Schuber- und Umschlaggestaltung: Nele Schütz Design
unter Verwendung von shutterstock/jannet
(art nouveau Element), 100ker (Rahmen)
Druck: CPI Moravia Books s.r.o.
Printed in the Czech Republic
ISBN: 978-3-86820-522-0

www.nikol-verlag.de

INHALT

DER SOZIALISMUS UND DIE SEELE DES MENSCHEN 7
AUS DEM ZUCHTHAUS ZU READING 46
ÄSTHETISCHES MANIFEST 56
SONETT AN DIE FREIHEIT 66
DER KRITIKER ALS KÜNSTLER 67
DER VERFALL DER LÜGE 152
FEDER, PINSEL UND GIFT 191
DIE WAHRHEIT DER MASKEN 216
DIE ENTWICKLUNG DER HISTORISCH-KRITISCHEN METHODE 247
DIE ENGLISCHE RENAISSANCE IN DER KUNST 323
HAUSDEKORATION 356
DIE KUNST UND DER HANDWERKER 365
VORTRAG VOR KUNSTSTUDENTEN 380
LONDONS MODELLE 391

AM GRAB VON KEATS 399

L'ENVOI 403

AMERIKANISCHE IMPRESSIONEN 414

MR. WHISTLERS ZEHN-UHR-VORTRAG 422

DIE BEZIEHUNG ZWISCHEN KLEIDUNG UND KUNST 426

DIE AMERIKANISCHE INVASION 431

ENGLISCHE DICHTERINNEN 436

SÄTZE UND LEHREN ZUM NUTZEN DER JUGEND 446

ÜBER KINDER IN GEFÄNGNISSEN UND ANDERE GRAUSAMKEITEN AUS DEM GEFÄNGNISLEBEN 450

DAS BILDNIS DES HERRN W. H. 463

DE PROFUNDIS 500

VIER BRIEFE AUS DEM ZUCHTHAUS READING AN ROBERT ROSS 581

EDITORISCHE NOTIZ 599

Der Sozialismus und die Seele des Menschen

Der größte Nutzen, den die Einführung des Sozialismus brächte, liegt ohne Zweifel darin, dass der Sozialismus uns von der schmutzigen Notwendigkeit, für andere zu leben, befreite, die beim jetzigen Stand der Dinge so schwer auf fast allen Menschen lastet. Es entgeht ihr in der Tat fast niemand.

Hie und da ist im Lauf des Jahrhunderts ein großer Forscher wie Darwin, ein großer Dichter wie Keats, ein scharfer kritischer Kopf wie Renan, ein ungemeiner Künstler wie Flaubert imstande gewesen, sich abzusondern, sich vor den lärmenden Ansprüchen der anderen zu retten, »im Schutz der Mauer zu stehen«, wie Plato sich ausdrückt, und so zu seinem eigenen unvergleichlichen Gewinn und zum unvergleichlichen und bleibenden Gewinn der ganzen Welt die Vollendung dessen zu erreichen, was in ihm war. Das sind aber Ausnahmen. Die meisten Menschen verderben ihr Leben mit einem heillosen, übertriebenen Altruismus – sie sind geradezu gezwungen, es zu tun. Sie sehen sich von scheußlicher Armut, scheußlicher Hässlichkeit, scheußlichem Hungerleben umgeben. Es ist unvermeidlich, dass ihr Gefühl durch all das stark erregt wird. Die Gefühle des Menschen bäumen sich schneller auf als sein Verstand, und – wie ich vor einiger Zeit in einem Aufsatz über das Wesen der Kritik gesagt habe – Mitgefühl und Liebe zu Leidenden ist bequemer als Liebe zum Denken. Daher machen sie sich mit bewundernswertem, obschon falsch gerichtetem Eifer sehr ernsthaft und sehr gefühlvoll an die Arbeit, die Übel, die sie sehen, zu kurieren. Aber ihre Mittel heilen diese Krankheit nicht: sie verlängern sie nur. Ihre Heilmittel sind geradezu ein Stück der Krankheit.

Sie suchen etwa das Problem der Armut dadurch zu lösen, dass sie den Armen am Leben halten; oder – das Bestreben einer sehr vorgeschrittenen Richtung – dadurch, dass sie für seine Unterhaltung sorgen.

Aber das ist keine Lösung: das Übel wird schlimmer dadurch. *Das eigentliche Ziel ist der Versuch und Aufbau der Gesellschaft auf einer Grundlage, die die Armut unmöglich macht.* Und die altruistischen Tugenden haben tatsächlich die Erreichung dieses Ziels verhindert. Gerade wie die schlimmsten Sklavenhalter die waren, die ihre Sklaven gut behandelten und so verhinderten, dass die Grässlichkeit der Einrichtung sich denen aufdrängte, die unter ihr litten, und von denen gewahrt wurde, die Zuschauer waren, so sind in den Zuständen unserer Gegenwart die Menschen die verderblichsten, die am meisten Gutes tun wollen; und wir haben es schließlich erlebt, dass Männer, die das Problem wirklich studiert haben und das Leben kennen – gebildete Männer, die im Londoner Eastend leben – auftreten und die Gemeinschaft anflehen, ihre altruistischen Gefühle und ihr Mitleid, ihre Wohltätigkeit und dergleichen einschränken zu wollen. Das tun sie mit der Begründung, dass solches Wohltun herabwürdigt und entsittlicht. Sie haben völlig recht. Mitleid schafft eine große Zahl Sünden.

Auch das muss noch gesagt werden. Es ist unsittlich, das Privateigentum dazu zu benutzen, die schrecklichen Übel zu lindern, die die Institution des Privateigentums erzeugt hat. Es ist unsittlich und nicht loyal.

Im Sozialismus wird natürlich all das geändert sein. Es wird keine Menschen geben, die in stinkenden Höhlen und stinkenden Lumpen leben und kranke Kinder in unmöglicher und widerwärtiger Umgebung aufziehen. Die Sicherheit der Gesellschaft wird nicht wie heute von der Witterung abhängen. Wenn Kälte einsetzt, wird es nicht hunderttausend Arbeitslose geben, die in ekelhaftem Elend die Straßen ablaufen oder ihren Mitmenschen etwas vorweinen, bis sie ein Almosen kriegen, oder sich vor dem Tor eines abscheulichen Asyls für Obdachlose drängen, um ein Stück Brot und ein unsauberes Nachtquartier zu ergattern;

jedes Mitglied der Gesellschaft wird an der allgemeinen Wohlfahrt und dem Gedeihen der Gesellschaft teilhaben, und wenn die Kälte kommt, wird darum in der Tat niemand im Geringsten schlechter gestellt sein.

Andrerseits ist *der Sozialismus lediglich darum von Wert, weil er zum Individualismus führt.*

Der Sozialismus, Kommunismus, oder wie immer man den Zustand nennen will, gibt dadurch, dass er das Privateigentum in eine öffentlich-rechtliche Institution verwandelt und die Genossenschaft an die Stelle der Konkurrenz setzt, der Gesellschaft ihren eigentlichen Charakter, den eines durchweg gesunden Organismus, zurück und sichert jedem Glied der Gemeinschaft das materielle Wohlergehen. Er gibt in der Tat dem Leben seine rechte Grundlage und seine rechte Umgebung. Aber für die volle Entfaltung des Lebens zum höchsten Grad seiner Vollendung tut noch etwas mehr not. Was not tut, ist der Individualismus. Wenn der Sozialismus autoritär ist, wenn es in ihm Regierungen gibt, die mit ökonomischer Gewalt bewaffnet sind, wie jetzt mit politischer: wenn wir mit einem Wort den Zustand der industriellen Tyrannis haben werden, dann wird die letzte Stufe des Menschen schlimmer sein als die erste. Jetzt sind infolge des Vorhandenseins von Privateigentum sehr viele Menschen imstande, einen gewissen, recht beschränkten Grad des Individualismus zu erreichen. Entweder stehen sie nicht unter dem Zwange, für ihren Lebensunterhalt zu arbeiten, oder sie sind imstande, ein Tätigkeitsfeld zu wählen, das ihnen wahrhaft entspricht und ihnen Freude macht. Das sind die Dichter, die Philosophen, die Forscher, die Geistmenschen – mit einem Wort, die wirklichen Menschen, die Menschen, die sich selbst verwirklicht haben und in denen die ganze Menschheit eine teilweise Verwirklichung findet. Andrerseits gibt es sehr viele Menschen, die nicht im Besitz von Privateigentum und immer in Gefahr sind, in Not und Hunger zu sinken, so sind sie gezwungen, die Arbeit von Lasttieren zu tun, Arbeit zu tun, die ihnen ganz und gar nicht entspricht, zu der sie aber durch die unerbittliche, unvernünftige, entwürdigende Tyrannei der Not gezwungen werden. Das sind die Armen, und bei ihnen gibt es keine Grazie, keine Anmut der Rede, keine Bildung oder Kultur oder Verfeinerung der Genüsse, keine Lebensfreude. Aus ihrer Gesamtkraft zieht die Menschheit viel materiellen Wohlstand. Aber nur dieses materielle Ergebnis ist der Gewinn, und der Arme an sich ist völlig wertlos. Er ist nur das winzigste Atom einer Kraft, die, soweit er in Betracht kommt, ihn vernichtet, der es sogar lieber ist, wenn er vernichtet ist, da er in diesem Fall williger ist.

Natürlich könnte man sagen, der Individualismus, wie er unter den Bedingungen des Privateigentums entsteht, sei nicht immer, nicht einmal in der Regel von edler und erfreulicher Art, und die Armen hätten, wenn ihnen auch Kultur und Grazie abgingen, doch viele Tugenden. Beide Behauptungen wären ganz richtig. Der Besitz von Privateigentum ist sehr oft äußerst entsittlichend, und das ist natürlich eine der Ursachen, warum der Sozialismus die Einrichtung abschaffen will. Das Eigentum ist wirklich in der Tat eine Last. Vor einigen Jahren reisten etliche im Lande herum und verkündeten, das Eigentum habe Pflichten. Sie sagten es so oft und so zum Überdruss, dass schließlich die Kirche angefangen hat, dasselbe zu sagen. Man hört es jetzt von jeder Kanzel herab. Es ist völlig richtig. Das Eigentum hat nicht nur Pflichten, sondern so viele Pflichten, dass es eine Last ist, viel davon zu besitzen. Fortwährend muss man aufs Geschäft achten, fortwährend werden Ansprüche geltend gemacht, fortwährend wird man behelligt. Wenn das Eigentum nur Annehmlichkeiten brächte, könnten wir es aushalten, aber seine Pflichten machen es unerträglich. Im Interesse der Reichen müssen wir es abschaffen. Die Tugenden der Armen können bereitwillig zugegeben werden und sind sehr zu bedauern. Man sagt uns oft, die Armen seien für Wohltaten dankbar. Einige von ihnen sind es ohne Frage, aber *die besten unter den Armen sind niemals dankbar.* Sie sind undankbar, unzufrieden, unbotmäßig und aufsässig. Sie haben ganz recht, so zu sein. Sie fühlen, dass die Wohltätigkeit eine lächerlich ungenügende Art der Rückerstattung ist, oder eine gefühlvolle Spende, die gewöhnlich von einem unverschämten Versuch seitens des Gefühlvollen begleitet ist, in ihr Privatleben einzugreifen. Warum sollten sie für die Brotsamen dankbar sein, die vom Tische des reichen Mannes fallen? Sie sollten mit an der Tafel sitzen und fangen an, es zu wissen. Was die Unzufriedenheit angeht, so wäre ein Mensch, der mit solcher Umgebung und so einer niedrigen Lebenshaltung nicht unzufrieden sein wollte, ein vollkommenes Vieh. Unbotmäßigkeit ist für jeden, der die Geschichte kennt, die recht eigentliche Tugend des Menschen. Durch die Unbotmäßigkeit ist der Fortschritt gekommen, durch Unbotmäßigkeit und Aufsässigkeit. Manchmal lobt man die Armen wegen ihrer Sparsamkeit. Aber den Armen Sparsamkeit zu empfehlen, ist ebenso grotesk wie beleidigend. Es ist dasselbe, als wollte man einem Halbverhungerten empfehlen, weniger zu essen. Von einem Stadt- oder Landarbeiter wäre es unmoralisch, sparen zu wollen. Niemand sollte gewillt sein, zu zeigen, dass er wie ein schlecht gefüttertes Stück Vieh leben kann. Viele lehnen es denn auch ab und ziehen es vor zu stehlen oder aber ins Armenhaus zu gehen, was manche für eine Form des Stehlens halten. Was das Betteln angeht, so ist es sicherer zu betteln als zu nehmen, aber es ist vornehmer zu nehmen als zu betteln. Wirklich: ein armer Mann, der undankbar, unsparsam, unzufrieden und aufsässig ist, ist vielleicht eine wirkliche Persönlichkeit und hat viel in sich. In jedem Fall ist es ein heilsamer Protest. Was die tugendhaften Armen angeht, so kann man sie natürlich bemitleiden, aber es fällt schwer, sie zu respektieren. Sie haben sich mit dem Feind in Unterhandlungen eingelassen und ihre Erstgeburt für eine Bettelsuppe verkauft. Sie müssen auch außergewöhnlich dumm sein. Ich kann völlig verstehen, dass ein Mann Gesetze akzeptiert, die das Privateigentum schützen und erlauben, es aufzuhäufen, solange er selbst unter diesen Bedingungen imstande ist, sich irgend eine Form schönen und geistigen Lebens zu schaffen. Aber es ist für mich fast unglaublich, wie jemand, dessen Leben durch solche Gesetze verstümmelt und besudelt worden ist, ihre Fortdauer zu ertragen vermag.

Indessen ist die Erklärung in Wirklichkeit nicht schwer zu finden. Sie lautet einfach so. Elend und Armut sind so völlig entwürdigend und üben eine so lähmende Wirkung auf die menschliche Natur aus, dass eine Klasse sich ihres eigenen Leidens niemals wirklich selbst bewusst wird. Es muss ihnen von andern Menschen gesagt werden, und sie glauben ihnen häufig durchaus nicht. Was manche große Unternehmer gegen die Agitatoren sagen, ist ohne Frage wahr. Agitatoren sind eine Art zudringlicher Störenfriede, die sich in eine völlig zufriedene Schicht der Bevölkerung begeben und die Saat der Unzufriedenheit unter sie säen. Das ist der Grund, warum Agitatoren so absolut notwendig sind. Ohne sie gäbe es in unserem unvollkommenen Gemeinwesen keinerlei Annäherung an die Kultur. Als die Sklaverei in Amerika unterdrückt wurde, geschah es nicht infolge irgend eines Vorgehens vonseiten der Sklaven, nicht einmal infolge einer ausgesprochenen Sehnsucht ihrerseits, frei zu sein. Sie wurde lediglich durch das gröblich ungesetzliche Vorgehen gewisser Agitatoren in Boston und andern Orten unterdrückt, die nicht selbst Sklaven oder Sklavenhalter waren und in Wirklichkeit mit der Frage gar nichts zu tun hatten. Ohne Zweifel waren es die Abolitionisten, die die Fackel entzündeten, die die ganze Sache anfingen. Und es ist seltsam zu sehen, dass sie bei den Sklaven selbst nicht nur wenig Beistand, sondern sogar kaum Sympathien fanden, und als die Sklaven am Ende des Krieges vor der Freiheit standen, und zwar vor einer so vollständigen Freiheit, dass sie die Freiheit hatten, zu verhungern, da tat vielen unter ihnen der neue Stand der Dinge bitter leid. Für denkende Menschen ist das tragischste Ereignis in der ganzen französischen Revolution nicht die Hinrichtung Marie Antoinettes, die getötet wurde, weil sie eine Königin war, sondern der Aufstand der ausgesogenen Bauern der Vendée, die sich freiwillig erhoben, um für die schmachvolle Sache des Feudalismus zu sterben.

Es ist also klar, dass es mit dem autoritären Sozialismus nicht geht. Unter dem jetzigen System kann wenigstens eine recht große Zahl Menschen ein Leben führen, das eine gewisse Summe Freiheit und Glück aufweist, aber unter einem Industriekasernensystem oder einem System wirtschaftlicher Tyrannei wäre niemand imstande, überhaupt irgend solche Freiheit zu haben. Es ist sehr schlimm, dass ein Teil unserer Gemeinschaft sich tatsächlich in Sklaverei befindet, aber der Vorschlag, das Problem so zu lösen, dass man die ganze Gemeinschaft versklavt, ist kindisch. Jedem muss völlig die Freiheit gelassen sein, sich selbst seine Arbeit auszusuchen. Keine Form des Zwangs darf geübt werden. Wenn Zwang herrscht, dann wird seine Arbeit nicht gut für den Arbeitenden sein und nicht gut für die andern. Unter Arbeit verstehe ich lediglich irgendeine Betätigung.

Ich glaube kaum, dass irgendein Sozialist heutzutage im Ernst vorschlagen könnte, ein Inspektor solle jeden Morgen jedes Haus visitieren, um nachzusehen, ob jeder Bürger aufgestanden ist und sich an seine achtstündige körperliche Arbeit gemacht hat. Die Menschheit ist über diese Stufe hinausgekommen und überlässt diese Art Leben den Menschen, die sie sehr unvernünftigerweise Verbrecher zu nennen beliebt. Aber ich gestehe, viele sozialistische Anschauungen, denen ich begegnet bin, scheinen mir mit unsaubern Vorstellungen von autoritärer Gewalt, wenn nicht tatsächlichem Zwang behaftet zu sein. Autoritäre Gewalt und Zwang können natürlich nicht infrage kommen. Alle Vereinigung muss ganz freiwillig sein. *Nur in freiwilligen Vereinigungen ist der Mensch schön.*

Aber es kann gefragt werden, wie der Individualismus, der jetzt zu seiner Entfaltung mehr oder weniger die Existenz des Privateigentums braucht, aus der Abschaffung dieses Privateigentums Nutzen ziehen soll. Die Antwort ist sehr einfach. Allerdings haben unter den bestehenden Verhältnissen ein paar Männer, die im Besitz von Privatmitteln waren, wie Byron, Shelley, Browning, Victor Hugo, Baudelaire und andere, ihre Persönlichkeit mehr oder weniger vollständig verwirklichen können. Keiner von diesen Männern tat je ein Tagewerk um des Lohnes willen. Sie waren der Armut ledig. Sie hatten einen ungeheuren Vorteil. Die Frage ist, ob es dem Individualismus zugutekäme, wenn ein so großer Vorteil abgeschafft würde. Nehmen wir an, er sei abgeschafft. Was wird dann aus dem Individualismus? Welchen Nutzen hat er davon?

Der Nutzen wird so beschaffen sein. Unter den neuen Umständen wird der Individualismus viel freier, viel schöner und viel intensiver sein als heutigen Tags. Ich spreche nicht von der großen Fantasiewirklichkeit der Individualität bei solchen Dichtern, wie ich sie eben genannt habe, sondern von der großen tatsächlich wirklichen Individualität, die in der Menschheit im Allgemeinen latent und bereit ist. Denn die Anerkennung des Privateigentums hat in der Tat den Individualismus geschädigt und verdunkelt, indem es den Menschen verwechselte mit dem, was er besitzt. Es hat den Individualismus völlig in die Irre geführt. Es hat ihm Gewinn, nicht Wachstum zum Ziel gemacht. Sodass der Mensch dachte, die Hauptsache sei, zu haben, und nicht wusste, dass es die Hauptsache ist, zu sein. *Die wahre Vollkommenheit des Menschen liegt nicht in dem, was er hat, sondern in dem, was er ist.* Das Privateigentum hat den wahren Individualismus vernichtet und einen falschen hingestellt. Durch Aushungern hat es einem Teil der Gemeinschaft die Möglichkeit benommen, individuell zu sein. Es hat dem andern Teil der Gemeinschaft die Möglichkeit, individuell zu sein, benommen, indem es ihn auf den falschen Weg brachte und ihn überbürdete. In der Tat ist die Persönlichkeit des Menschen so völlig von seinem Besitz aufgesogen worden, dass das englische Gesetz stets einen Angriff gegen das Eigentum eines Menschen weit strenger behandelt hat als gegen seine Person, und ein guter Bürger wird immer noch daran erkannt, dass er Eigentum hat. Die Betriebsamkeit, die zum Geldverdienen erforderlich ist, ist gleichfalls sehr demoralisierend. In einer Gemeinschaft wie der unsern, wo das Eigentum Rang, gesellschaftliche Stellung, Ehre, Würde, Titel und andere angenehme Dinge der Art verleiht, macht es der Mensch, ehrgeizig wie er von Natur wegen ist, zu seinem Ziel, solches Eigentum anzuhäufen, und fährt damit bis zur Ermüdung und zum Überdruss fort, auch wenn er weit mehr aufgehäuft hat, als er braucht oder benutzen kann, ja sogar mehr, als ihn erfreut, und mehr als er weiß. Der Mensch arbeitet sich zu Tode, um Eigentum zu erlangen, und wenn man freilich die ungeheuren Vorteile sieht, die das Eigentum mit sich führt, ist es nicht zum Verwundern. Bedauern muss man, dass die Gesellschaft so aufgebaut ist, dass der Mensch in eine Grube gezwängt ist, wo er nichts von dem frei zur Entfaltung kommen lassen kann, was Schönes und Bannendes und Köstliches in ihm ist – wo er tatsächlich die wahre Lust und die wahre Freude am Leben entbehrt. Auch lebt er unter den gegenwärtigen Umständen sehr unsicher. Ein ungeheuer reicher Kaufmann kann in jedem Augenblick seines Lebens auf Gnade und Ungnade Dingen überliefert sein – ist es oft –, auf die er keinen Einfluss hat. Der Sturm wütet ein bisschen mehr als sonst oder so ähnlich, oder das Wetter ändert sich plötzlich, oder irgend eine triviale Sache tritt ein, und sein Schiff geht unter, seine Spekulationen gehen schief, er ist ein armer Mann und seine gesellschaftliche Stellung ist verloren. Nun, nichts sollte einen Menschen schädigen können, es sei denn er selbst. Nichts überhaupt sollte einen Menschen ärmer machen können. Was in ihm ist, das hat der Mensch wirklich. Was draußen ist, sollte ohne Bedeutung sein.

Nach der Abschaffung des Privateigentums werden wir also den wahren, schönen, gesunden Individualismus haben. Niemand wird sein Leben damit vergeuden, dass er Sachen und Sachwerte anhäuft. Man wird leben. Leben – es gibt nichts Selteneres in der Welt. Die meisten Leute existieren, weiter nichts.

Es ist die Frage, ob wir jemals eine Persönlichkeit sich völlig haben ausleben sehen, es sei denn in der Fantasiesphäre der Kunst. In der Wirklichkeit haben wir es nie gesehen. Cäsar, so sagt uns Mommsen, war der vollkommene und vollendete Mensch. Aber wie tragisch unsicher war Cäsars Existenz! Immer, wenn es einen Mann gibt, der Macht ausübt, gibt es auch einen Mann, der der Macht widersteht. Cäsar war sehr vollkommen, aber seine Vollkommenheit ging einen zu gefährlichen Weg. Marc Aurel war der vollkommene Mensch, sagt Renan. Ja, der große Kaiser war ein vollkommener Mensch. Aber wie unerträglich waren die ewigen Forderungen, die an ihn gestellt wurden! Er taumelte unter der Last des Römischen Reiches. Er war sich bewusst, wie widersinnig es war, dass ein einzelner Mensch die Last dieses titanischen, ungeheuren Reiches tragen sollte. Unter einem vollkommenen Menschen verstehe ich einen, der sich unter vollkommenen Zuständen ausleben kann, einen, der nicht verwundet oder zerbissen oder verkrüppelt oder in ewiger Gefahr ist. *Die meisten Persönlichkeiten waren genötigt, Empörer zu sein. Ihre halbe Kraft hat die Reibung mit der Außenwelt verbraucht.* Byrons

Persönlichkeit zum Beispiel wurde in ihrem Kampf mit der Dummheit und Heuchelei und Philisterhaftigkeit der Engländer schrecklich mitgenommen. Solche Kämpfe machen die Kraft nicht immer intensiver; oft lassen sie die Schwäche ins Ungemessene wachsen. Byron hat uns niemals geben können, was er uns hätte geben können. Shelley kam besser davon. Gleich Byron verließ er England sobald als möglich. Aber er war nicht so bekannt. Wenn die Engländer eine Ahnung gehabt hätten, was für ein großer Dichter er in Wirklichkeit gewesen ist, sie wären über ihn hergefallen und hätten ihm sein Leben so unerträglich gemacht, wie sie irgend konnten. Aber er spielte in der Gesellschaft keine große Rolle und entrann daher bis zu gewissem Grad. Aber auch in Shelley ist die Nuance der Empörung manchmal noch zu stark. Die Nuance der vollkommenen Persönlichkeit ist nicht Empörung, sondern Friede.

Sie wird etwas Wunderbares sein – die eigentliche Persönlichkeit des Menschen – wenn sie sich uns zeigen wird. Sie wird in natürlicher und einfacher Art wachsen, wie eine Blume oder wie ein Baum wächst. Sie wird nicht im Streit liegen. Sie wird nie argumentieren oder disputieren. Sie wird nichts in der Welt beweisen. Sie wird alles wissen. Und doch keinen Wissenschaftsbetrieb kennen. Sie wird weise sein. Ihr Wert wird nicht mit materiellen Dingen messbar sein. Sie wird nichts haben. Und wird doch alles haben, und so viel man ihr auch nimmt, sie hat noch immer, so reich ist sie. Sie wird sich nicht immer um andere kümmern oder von ihnen verlangen, sie sollten ebenso sein wie sie selbst. Sie wird sie lieben, weil sie anders sind. Und doch, während sie sich um andere nicht kümmert, wird sie allen helfen, wie etwas Schönes uns hilft, indem es ist, wie es ist. Die Persönlichkeit des Menschen wird sehr wundervoll sein. Sie wird so wundervoll sein wie die Persönlichkeit eines Kindes.

In ihrer Entfaltung wird sie vom Christentum gefördert werden, wenn die Menschen das lieben, wenn sie es aber nicht lieben, wird sie sich auch so mit Sicherheit entfalten. Denn sie wird sich nicht um Vergangenes zerreißen und wird sich's nicht kümmern lassen, ob sich etwas ereignet hat oder nicht ereignet hat. Auch wird sie keine Gesetze anerkennen als ihre eigenen und keine Autorität als ihre eigene. Doch lieben wird sie die, die ihre Mächtigkeit vorbereitet haben, und wird oft von ihnen sprechen. Und derer einer war Christus.

»Erkenne dich selbst«, stand über dem Portal der antiken Welt zu lesen. Ueber dem Portal der neuen Welt wird stehen: »Sei du selbst.« Und die Botschaft Christi an den Menschen lautete einfach: »Sei du selbst.« Das ist das Geheimnis Christi.

Wenn Jesus von den Armen spricht, meint er einfach Persönlichkeiten, gerade wie er, wenn er von den Reichen spricht, einfach Leute meint, die ihre Persönlichkeit nicht ausgebildet haben. Jesus lebte in einer Gemeinschaft, die gerade wie unsere die Anhäufung von Privateigentum erlaubte, und das Evangelium, das er predigte, hieß nicht, es sei in einer solchen Gemeinschaft von Vorteil, von karger, verdorbener Nahrung zu leben, zerlumpte, beschmutzte Kleider zu tragen, in entsetzlichen, ungesunden Wohnungen zu hausen, und es sei von Nachteil, in gesunden, erfreulichen und geziemenden Verhältnissen zu leben. Solch ein Standpunkt wäre damals und in Palästina falsch gewesen und wäre natürlich heute und in unserm Himmelsstrich noch falscher, denn je weiter der Mensch nach Norden rückt, um so lebenentscheidender wird die materielle Notdurft, und unsere Gesellschaft ist unendlich komplizierter und weist weit stärkere Gegensätze von Luxus und Armut auf als irgendeine Gesellschaft der antiken Welt. Was Jesus gemeint hat, ist Folgendes. Er sagte dem Menschen: »Du hast eine wundervolle Persönlichkeit. Bilde sie aus. Sei du selbst. Wähne nicht, deine Vollkommenheit liege darin, äußere Dinge aufzuhäufen oder zu besitzen. Deine Vollkommenheit ist in dir. Wenn du die nur verwirklichen könntest, dann brauchtest du nicht reich zu sein. Der gemeine Reichtum kann einem Menschen gestohlen werden. Der wirkliche Reichtum nicht. In der Schatzkammer deiner Seele gibt es unendlich wertvolle Dinge, die dir nicht genommen werden können. Und also, suche dein Leben so zu gestalten, dass äußere Dinge dich nicht kränken können. Und suche auch das persönliche Eigentum loszuwerden. Es führt niedriges Gebaren, endlose Angst, ewiges Unrecht mit sich. Persönliches Eigentum hemmt die Individualität bei jedem Schritt.« Es ist zu beachten, dass Jesus nie sagt, arme Leute seien notwendig gut oder reiche Leute notwendig schlecht. Das wäre nicht wahr gewesen. Reiche Menschen sind als Klasse besser als arme, moralischer, geistiger, gesitteter. *Es gibt nur eine Klasse in der Gemeinschaft, die mehr ans Geld denkt, als die Reichen, und das sind die Armen.* Die Armen können an nichts anderes denken. Das ist der Jammer der Armut. Jesus also sagt, dass der Mensch seine Vollendung erreicht: nicht durch das, was er hat, nicht einmal durch das, was er tut, sondern ganz und gar durch das, was er ist. Daher also ist der reiche Jüngling, der zu Jesus kommt, als durchaus guter Bürger hingestellt, der kein Staatsgesetz, kein Gebot seiner Religion verletzt hat. Er ist ganz respektabel, im gewöhnlichen Sinn dieses ungewöhnlichen Wortes. Jesus sagt zu ihm: »Du solltest das Privateigentum aufgeben. Es hindert dich an der Verwirklichung deiner Vollkommenheit. Es ist eine Fessel für dich. Es ist eine Last. Deine Persönlichkeit braucht es nicht. In dir selbst, nicht draußen findest du, was du wirklich bist und was du wirklich brauchst.« Seinen Jüngern sagt er dasselbe. Er fordert sie auf, sie selbst zu sein und sich nicht immer um andere Dinge zu ängstigen. Was bedeuten andere Dinge? Der Mensch ist in sich vollendet. Wenn sie in die Welt gehen, wird die Welt sich ihnen widersetzen. Das ist unvermeidlich. Die Welt hasst die Individualität. Aber das soll sie nicht kümmern. Sie sollen still und in sich gekehrt sein. Wenn jemand ihnen den Mantel nimmt, sollen sie ihm den Rock noch dazu geben, eben um zu zeigen, dass materielle Dinge keine Bedeutung haben. Wenn die Leute sie beschimpfen, sollen sie nicht antworten. Was liegt daran? Was die Leute von einem Menschen sagen, ändert den Menschen nicht. Er ist, was er ist. Die öffentliche Meinung hat keinerlei Wert. Selbst wenn die Leute Gewalt anwenden, sollen sie sich nicht zur Wehr setzen. Damit sänken sie auf dieselbe niedrige Stufe. Und schließlich kann ein Mensch selbst im Gefängnis völlig frei sein. Seine Seele kann frei sein. Seine Persönlichkeit kann unbekümmert sein. Friede kann in ihm sein. Und vor allem sollen sie sich nicht in andrer Leute Sachen einmischen oder sie irgendwie richten. Um die Persönlichkeit ist es etwas sehr Geheimnisvolles. Ein Mensch kann nicht immer nach dem, was er tut, beurteilt werden. Er kann das Gesetz halten und doch nichtswürdig sein. Er kann das Gesetz brechen und doch edel sein. Er kann schlecht sein, ohne je etwas Schlechtes zu tun. Er kann eine Sünde gegen die Gesellschaft begehen, und doch durch diese Sünde seine wahre Vollkommenheit erreichen.

Es war da eine Frau, die beim Ehebruch ergriffen worden war. Man berichtet uns nichts über die Geschichte ihrer Liebe, aber diese Liebe muss sehr groß gewesen sein; denn Jesus sagte, ihre Sünden seien ihr vergeben, nicht weil sie bereute, sondern weil ihre Liebe so stark und wunderbar war. Später, kurze Zeit vor seinem Tode, als er beim Mahle saß, kam das Weib herein und goss kostbare Wohlgerüche auf sein Haar. Seine Jünger wollten sie davon abhalten und sagten, es sei eine Verschwendung, und das Geld, das dieses köstliche Wasser wert sei, hätte mögen für wohltätige Zwecke, für arme Leute oder dergleichen verwendet werden. Jesus trat dem nicht bei. Er betonte, die leiblichen Bedürfnisse des Menschen seien groß und immerwährend, aber die geistigen Bedürfnisse seien noch größer, und in einem einzigen göttlichen Moment, in einer Ausdrucksform, die sie selbst bestimmt, könne eine Persönlichkeit ihre Vollkommenheit erlangen. Die Welt verehrt das Weib noch heute als Heilige.

Wahrlich, es ist viel Wundervolles im Individualismus. Der Sozialismus zum Beispiel vernichtet das Familienleben. Mit der Abschaffung des Privateigentums muss die Ehe in ihrer bisherigen Form verschwinden. Das ist ein Teil des Programms. Der Individualismus nimmt das auf und verwandelt es in Schönheit. Er macht aus der Abschaffung gesetzlichen Zwanges eine Form der Freiheit, die die volle Entfaltung der Persönlichkeit fördern wird, und die Liebe des Mannes und der Frau wunderbarer, schöner und edler macht. Jesus wusste das. Er wies die Ansprüche des Familienlebens zurück, obwohl sie in seiner Zeit und seiner Gemeinschaft in sehr ausgeprägter Form bestanden. »Wer ist meine Mutter? Wer sind meine Brüder?«, fragte er, als man ihm sagte, dass sie ihn zu sprechen wünschten. Als einer seiner Jünger um Urlaub bat, um seinen

Vater zu beerdigen, war seine schreckliche Antwort: »Lass die Toten ihre Toten begraben.« Er wollte nicht dulden, dass irgendein Anspruch an die Persönlichkeit herantrat.

So also ist der, der ein christusgleiches Leben führen will, vollkommen und vollständig er selbst. Er mag ein großer Dichter sein oder ein großer Forscher; ein junger Student oder ein Schafhirt auf der Heide; ein Dramatiker wie Shakespeare oder ein gottdenkender Mensch wie Spinoza; ein spielendes Kind im Garten oder ein Fischer, der seine Netze auswirft. Es kommt nicht darauf an, was er ist, solange er die Vollkommenheit der Seele verwirklicht, die in ihm ist. Alle Nachahmung in moralischen Dingen und im Leben ist von Übel. Durch die Straßen Jerusalems schleppt sich heutigen Tages ein Wahnsinniger, der ein hölzernes Kreuz auf den Schultern trägt. Er ist ein Symbol der Leben, die die Nachahmung verkrüppelt hat. Vater Damien war christusgleich, als er hinausging und mit den Aussätzigen lebte, weil er in diesem Dienst völlig verwirklichte, was Bestes in ihm war. Aber er war nicht mehr christusgleich als Wagner, der seine Seele in der Musik verwirklichte, oder als Shelley, der die Verwirklichung seiner Seele im Liede fand. Es gibt nicht nur einen Typus des Menschen. Es gibt so viele Vollendungen, als es unvollkommene Menschen gibt. Den Anforderungen des Mitleids kann ein Mann nachgeben und doch frei sein; den Ansprüchen aber, die alle gleich machen wollen, kann niemand nachgeben und dabei frei bleiben.

Zum Individualismus also werden wir durch den Sozialismus kommen. Es liegt in der Natur der Sache, dass der Staat das Regieren ganz und gar sein lassen muss. Er muss es sein lassen; denn, wie ein weiser Mann einst viele Jahrhunderte vor Christus gesagt hat, so etwas, wie die Menschheit in Ruhe lassen, gibt es; aber so etwas, wie die Menschheit regieren, gibt es nicht. *Alle Arten, regieren zu wollen, sind verkehrt.* Der Despotismus ist ungerecht gegen jedermann, den Despoten inbegriffen, der wahrscheinlich für Besseres bestimmt war. Oligarchien sind ungerecht gegen die vielen, und Ochlokratien sind ungerecht gegen die wenigen. Große Hoffnungen setzte man einst auf die Demokratie; aber Demokratie bedeutet lediglich, dass das Volk durch das Volk für das Volk niedergeknüppelt wird. Man ist dahintergekommen. Ich muss sagen, dass es hohe Zeit war, denn jede autoritäre Gewalt ist ganz entwürdigend. Sie entwürdigt die, die sie ausüben, und ebenso die, über die sie ausgeübt wird. Wenn sie gewalttätig, roh und grausam verfährt, bringt sie eine gute Wirkung hervor, indem sie den Geist der Rebellion und des Individualismus erzeugt oder wenigstens hervorruft, der ihr ein Ende machen wird. Wenn sie in einer gewissen freundlichen Weise verfährt und Belohnungen und Preise verleiht, ist sie schrecklich entsittlichend. Die Menschen merken dann den schrecklichen Druck, der auf ihnen lastet, weniger und gehen in einer Art gemeinen Behagens durchs Leben wie gehätschelte Haustiere, und sie merken nie, dass sie anderer Leute Gedanken denken, dass sie nach anderer Leute Normen leben, dass sie wahrhaftig anderer Leute abgelegte Kleider tragen und nie einen einzigen Augenblick lang sie selbst sind. »Wer frei sein will«, sagt ein großer Denker, »muss Dissident sein.« Die Autorität aber, die die Menschen dazu bringt sich zu nivellieren und anzupassen, erzeugt unter uns eine sehr rohe Art satter Barbarei.

Mit der autoritären Gewalt wird die Justiz verschwinden. Das wird ein großer Gewinn sein – ein Gewinn von wahrhaft unberechenbarem Wert. Wenn man die Geschichte erforscht, nicht in den gereinigten Ausgaben, die für Volksschüler und Gymnasiasten veranstaltet sind, sondern in den echten Quellen aus der jeweiligen Zeit, dann wird man völlig von Ekel erfüllt, nicht wegen der Taten der Verbrecher, sondern wegen der Strafen, die die Guten auferlegt haben; *und eine Gemeinschaft wird unendlich mehr durch das gewohnheitsmäßige Verhängen von Strafen verroht als durch das gelegentliche Vorkommen von Verbrechen.* Daraus ergibt sich von selbst, dass, je mehr Strafen verhängt werden, umso mehr Verbrechen hervorgerufen werden, und die meisten Gesetzgebungen unserer Zeit haben dies durchaus anerkannt und es sich zur Aufgabe gemacht, die Strafen, soweit sie es für angängig hielten, einzuschränken. Überall, wo sie wirklich eingeschränkt wurden, waren die Ergebnisse äußerst gut. Je weniger Strafe, umso weniger Verbrechen. Wenn es überhaupt keine

Strafe mehr gibt, hört das Verbrechen entweder auf, oder, falls es noch vorkommt, wird es als eine sehr bedauerliche Form des Wahnsinns, die durch Pflege und Güte zu heilen ist, von Ärzten behandelt werden. Denn was man heutzutage Verbrecher nennt, sind überhaupt keine Verbrecher. Entbehrung, nicht Sünde ist die Mutter des Verbrechens unserer Zeit. Das ist in der Tat der Grund, warum unsere Verbrecher als Klasse von einem irgend psychologischen Standpunkt aus so völlig uninteressant sind. Sie sind keine erstaunlichen Macbeths und schrecklichen Vautrins. Sie sind lediglich das, was gewöhnliche respektable Dutzendmenschen wären, wenn sie nicht genug zu essen hätten. Wenn das Privateigentum abgeschafft ist, wird es keine Notwendigkeit und keinen Bedarf für Verbrechen geben; sie werden verschwinden. Natürlich sind nicht alle Verbrechen Verbrechen gegen das Eigentum, obwohl das die Verbrechen sind, die das englische Gesetz, das dem, was ein Mensch hat, mehr Wert beimisst als dem, was er ist, mit der grausamsten und fürchterlichsten Strenge bestraft, wofern wir vom Mord absehen und den Tod für ebenso schlimm halten wie das Zuchthaus, worüber unsere Verbrecher, glaube ich, anderer Meinung sind. Aber wenn auch ein Verbrechen nicht gegen das Eigentum gerichtet ist, kann es doch aus dem Elend und der Wut und der Erniedrigung entstehen, die unsere verkehrte Privateigentumswirtschaft hervorbringen, und wird so nach der Abschaffung dieses Systems verschwinden. Wenn jedes Glied der Gemeinschaft so viel hat, als es braucht, und von seinen Mitmenschen nicht behelligt wird, hat es kein Interesse daran, andern lästig zu werden. Der Neid, dem im Leben unserer Zeit außerordentlich viele Verbrechen entspringen, ist ein Gefühl, das mit unseren Eigentumsbegriffen eng verbunden ist; im Reiche des Sozialismus und Individualismus wird er verschwinden. Es ist bemerkenswert, dass der Neid bei kommunistischen Stämmen völlig unbekannt ist.

Wenn nun der Staat nicht zu regieren hat, kann gefragt werden, was er zu tun hat. Der Staat wird eine freiwillige Vereinigung sein, die die Arbeit organisiert, und der Fabrikant und Verteiler der notwendigen Güter ist. *Der Staat hat das Nützliche zu tun. Das Individuum hat das Schöne zu tun.* Und da ich das Wort Arbeit gebraucht habe, will ich nicht unterlassen zu bemerken, dass heutzutage sehr viel Unsinn über die Würde der körperlichen Arbeit geschrieben und gesprochen wird. An der körperlichen Arbeit ist ganz und gar nichts notwendig Würdevolles, und meistens ist sie ganz und gar entwürdigend. Es ist geistig und moralisch genommen schimpflich für den Menschen, irgendetwas zu tun, was ihm keine Freude macht, und viele Formen der Arbeit sind ganz freudlose Beschäftigungen und sollten dafür gehalten werden. Einen kotigen Straßenübergang bei scharfem Ostwind acht Stunden im Tag zu fegen ist eine widerwärtige Beschäftigung. Ihn mit geistiger, moralischer oder körperlicher Würde zu fegen, scheint mir unmöglich. Ihn freudig zu fegen, wäre schauderhaft. Der Mensch ist zu etwas Besserem da, als Schmutz zu entfernen. Alle Arbeit dieser Art müsste von einer Maschine besorgt werden.

Und ich zweifle nicht, dass es so kommen wird. Bis jetzt war der Mensch bis zu gewissem Grade der Sklave der Maschine, und es liegt etwas Tragisches in der Tatsache, dass der Mensch, sowie er eine Maschine erfunden hatte, die ihm seine Arbeit abnahm, Not zu leiden begann. Das kommt indessen natürlich von unserer Eigentums- und Konkurrenzwirtschaft. Ein Einzelner ist der Eigentümer einer Maschine, die die Arbeit von fünfhundert Menschen tut. Fünfhundert Menschen sind infolgedessen beschäftigungslos; und da man ihre Arbeit nicht braucht, sind sie dem Hunger preisgegeben und legen sich auf den Diebstahl. Der Einzelne eignet sich das Produkt der Maschine an und behält es und hat fünfhundertmal so viel als er haben sollte, und wahrscheinlich, was viel wichtiger ist, bedeutend mehr, als er tatsächlich braucht. Wäre diese Maschine das Eigentum aller, so hätte jedermann Nutzen davon. Sie wäre der Gemeinschaft von größtem Vorteil. Jede rein mechanische, jede eintönige und dumpfe Arbeit, jede Arbeit, die mit widerlichen Dingen zu tun hat und den Menschen in abstoßende Situationen zwingt, muss von der Maschine getan werden. Die Maschine muss für uns in den Kohlengruben arbeiten und gewisse hygienische Dienste tun und Schiffsheizer sein und die Straßen reinigen und an Regentagen Botendienste tun und muss alles tun, was unangenehm ist. *Jetzt verdrängt die Maschine den Menschen. Unter richtigen Zuständen wird sie ihm dienen.* Es ist durchaus kein Zweifel, dass das die Zukunft der Maschine ist, und ebenso wie die Bäume wachsen, während der Landwirt schläft, so wird die Maschine, während die Menschheit sich der Freude oder edler Muße hingibt – Muße, nicht Arbeit, ist das Ziel des Menschen – oder schöne Dinge schafft oder schöne Dinge liest oder einfach die Welt mit bewundernden und geniessenden Blicken umfängt, alle notwendige und unangenehme Arbeit verrichten. Es steht so, dass die Kultur Sklaven braucht. Darin hatten die Griechen ganz recht. Wenn es keine Sklaven gibt, die die widerwärtige, abstoßende und langweilige Arbeit verrichten, wird Kultur und Beschaulichkeit fast unmöglich. Die Sklaverei von Menschen ist ungerecht, unsicher und entsittlichend. Von mechanischen Sklaven, von der Sklaverei der Maschine hängt die Zukunft der Welt ab. Und wenn gebildete und gelehrte Männer es nicht länger nötig haben, in ein fürchterliches Armenviertel hinabzusteigen und schlechten Kakao und noch schlechtere Decken an halbverhungerte Menschen zu verteilen, so werden sie eben köstliche Muße haben, wundervolle und herrliche Dinge zu ihrer eigenen und aller andern Freude zu ersinnen. Es wird große Kraftstationen für jede Stadt und, wenn nötig, für jedes Haus geben, und diese Kraft wird der Mensch je nach Bedarf in Wärme, Licht oder Bewegung verwandeln. Ist dies utopisch? Eine Weltkarte, in der das Land Utopia nicht verzeichnet ist, verdient keinen Blick, denn sie lässt die eine Küste aus, wo die Menschheit ewig landen wird. Und wenn die Menschheit da angelangt ist, hält sie Umschau nach einem besseren Land und richtet ihre Segel dahin. Der Fortschritt ist die Verwirklichung von Utopien.

Ich habe also gesagt: Die Gemeinschaft sorgt mithilfe der Organisation der Maschinenarbeit für die nützlichen Dinge, und die schönen Dinge werden vom Individuum hergestellt. Das ist nicht bloß notwendig, sondern der einzig mögliche Weg, um das eine wie das andere zu erreichen. Ein Individuum, das Dinge für den Gebrauch anderer zu machen und auf ihre Bedürfnisse und Wünsche Rücksicht zu nehmen hat, arbeitet nicht mit Interesse und kann also in sein Werk nicht das Beste hineinlegen, das es in sich hat. Überall andrerseits, wo eine Gemeinschaft oder eine mächtige Gesellschaftsschicht oder irgend eine Regierung den Versuch macht, dem Künstler vorzuschreiben, was er tun soll, geht die Kunst entweder völlig zugrunde oder wird stereotyp oder verfällt zu einer niedrigen und gemeinen Form des Handwerks. Ein Kunstwerk ist ein einziges Ergebnis eines einzigen Temperamentes. Seine Schönheit entspringt der Tatsache, dass der Künstler ist, was er ist. Es hat nichts mit der Tatsache zu tun, dass andere brauchen, was sie brauchen. In der Tat hört ein Künstler in dem Augenblick, wo er den Bedürfnissen anderer Beachtung schenkt und den Bedarf zu befriedigen sucht, auf ein Künstler zu sein und wird ein trauriger oder amüsanter Handwerker, ein ehrbarer oder unehrlicher Handelsmann. Er hat keinen Anspruch mehr darauf, als Künstler zu gelten. Die Kunst ist die intensivste Art Individualismus, die die Welt kennt. Ich bin geneigt zu sagen, sie sei die einzige wirkliche Art Individualismus, die die Welt kennt. Das Verbrechen, das unter bestimmten Umständen den Individualismus zu erzeugen scheinen kann, muss von andern Menschen Kenntnis nehmen und sich um sie kümmern. Es gehört zum Bereich des Handelns. Aber der Künstler kann allein, ohne sich um seine Mitmenschen zu kümmern und ohne jede Einmischung etwas Schönes gestalten, und wenn er es nicht lediglich zu seiner eigenen Lust tut, ist er überhaupt kein Künstler.

Und es ist zu beachten, dass gerade die Tatsache, dass die Kunst eine so intensive Form des Individualismus ist, das Publikum zu dem Versuch bringt, über sie eine Autorität auszuüben, die ebenso unmoralisch wie lächerlich und ebenso korrumpierend wie verächtlich ist. Es ist nicht ganz seine Schuld. Das Publikum ist immer, zu allen Zeiten, schlecht erzogen worden. Sie verlangen fortwährend, die Kunst solle populär sein, solle ihrer Geschmacklosigkeit gefallen, ihrer törichten Eitelkeit schmeicheln, ihnen sagen, was ihnen früher gesagt wurde, ihnen zeigen, was sie müde sein sollten zu sehen, sie amüsieren, wenn sie nach zu reichlichem Essen schwermütig geworden sind, und ihre Gedanken zerstreuen, wenn sie ihrer eigenen Dummheit überdrüssig sind. *Die Kunst aber dürfte nie populär sein wollen. Das Publikum müsste versuchen, künstlerisch zu werden*. Das ist ein sehr großer Unterschied. Wenn man einem Forscher sagte, die Ergebnisse seiner Experimente, und die Schlüsse, zu denen er gelangte, müssten dergestalt sein, dass sie die hergebrachten populären Vorstellungen über den Gegenstand nicht umstürzten oder das populäre Vorurteil nicht verwirrten oder die Empfindlichkeiten von Leuten nicht störten, die nichts von der Wissenschaft verstehen: Wenn man einem Philosophen sagte, er habe ein vollkommenes Recht, in den höchsten Sphären des Denkens zu spekulieren, vorausgesetzt, dass er zu denselben Schlüssen käme, wie sie bei denen in Geltung sind, die überhaupt niemals in irgendeiner Sphäre gedacht haben – nun, heutzutage würden der Forscher und der Philosoph beträchtlich darüber lachen. Aber es ist in der Tat nur sehr wenige Jahre her, dass Philosophie wie Wissenschaft der rohen Volksherrschaft und in Wirklichkeit der Autorität unterworfen waren – entweder der Autorität der in der Gemeinschaft herrschenden allgemeinen Unwissenheit oder der Schreckensherrschaft und der Machtgier einer kirchlichen oder Regierungsgewalt. Nun sind wir zwar bis zu sehr hohem Grade alle Versuche vonseiten der Gemeinschaft oder der Kirche oder der Regierung, sich in den Individualismus des spekulativen Denkens einzumischen, losgeworden, aber das Unterfangen, sich in den Individualismus der Fantasie und der Kunst einzumischen, ist immer noch am Leben. Oder vielmehr: Es lebt noch sehr lebhaft – es ist aggressiv, gewalttätig und brutal.

In England sind die Künste am besten daran, an denen das Publikum kein Interesse nimmt. Die Lyrik ist ein Beispiel für das, was ich meine. Wir haben in England eine Lyrik voller Schönheit haben können, weil das Publikum sie nicht liest und daher auch nicht beeinflusst. Das Publikum liebt es, die Poeten zu beschimpfen, weil sie individuell sind; aber nachdem das erledigt ist, lässt es sie in Ruhe. Im Fall des Romans und des Dramas, an welchen Künsten das Publikum Interesse nimmt, war das Ergebnis der Ausübung der Volksautorität absolut lächerlich. Kein Land liefert so jämmerlich geschriebene Belletristik, so widerwärtige gemeine Arbeit in Romanform, so alberne, pöbelhafte Stücke wie England. Es ist Notwendigkeit, dass es so ist. Der Maßstab des Volkes ist so beschaffen, dass kein Künstler ihm entsprechen kann. Es ist beides: zu leicht und zu schwer, ein populärer Romanschreiber zu sein. Es ist zu leicht, weil die Anforderungen des Publikums, soweit Fabel, Stil, Psychologie, Behandlung des Lebens und der Literatur infrage kommen, von der kleinsten Begabung und dem ungebildetsten Geist erfüllt werden können. Es ist zu schwer, weil der Künstler, um solchen Anforderungen zu entsprechen, seinem Temperament Gewalt antun müsste, nicht um der künstlerischen Freude am Schreiben willen arbeiten dürfte, sondern zu dem Zweck, schlecht erzogene Leute zu amüsieren, und so seine Individualität unterdrücken, seine Kultur vergessen, seinen Stil austilgen und alles Wertvolle in sich vernichten müsste. Mit dem Drama steht es ein bisschen besser: Das Theaterpublikum liebt allerdings das Alltägliche, aber es liebt nicht das Langweilige; und die burleske Komödie und die Posse, die beiden populärsten Formen, sind ausgesprochene Formen der Kunst. Entzückende Sachen können in Form der Burleske und der Posse geschrieben werden, und bei Arbeiten dieser Art sind dem Künstler in England große Freiheiten erlaubt. Erst wenn man zu den höheren Formen des Dramas kommt, ist das Resultat der Volksherrschaft zu sehen. Was dem Publikum am meisten missfällt, ist Neuheit. Jeder Versuch, das Stoffgebiet der Kunst zu erweitern, ist dem Publikum äußerst zuwider; und doch hängt Leben und Fortschritt der Kunst in hohem Maße von der fortwährenden Erweiterung des Stoffgebietes ab. Dem Publikum missfällt die Neuheit, weil es Angst davor hat. Sie stellt ihm eine Art Individualismus vor, eine Behauptung vonseiten des Künstlers, dass er seinen eigenen Stoff wählt und ihn behandelt, wie es ihn gut dünkt. Das Publikum hat mit seiner Haltung ganz recht. Die Kunst ist Individualismus, und der Individualismus ist eine zerstörende und zersetzende Kraft. Darin liegt seine ungeheure Bedeutung. Denn was er zu zerstören sucht, ist die Eintönigkeit des Typus, die Sklaverei der Gewohnheit, die Tyrannei der Sitte und die Erniedrigung des Menschen auf die Stufe einer Maschine. In der Kunst lässt sich das Publikum gefallen, was gewesen ist, weil sie es nicht ändern können, nicht weil sie Geschmack daran finden. Sie verschlucken ihre Klassiker mit Haut und Haar und sie schmecken ihnen nie. Sie ertragen sie als das Unvermeidliche, und da sie sie nicht vernichten können, schwatzen sie über sie und ziehen wichtige Gesichter dazu. Sonderbar genug, oder auch nicht sonderbar – je nachdem man einen Standpunkt einnimmt – diese Anerkennung der Klassiker tut großen Schaden. Die unkritische Bewunderung der Bibel und Shakespeares in England ist ein Beispiel für das, was ich meine. Bei der Bibel übt die kirchliche Autorität einen Einfluss aus, sodass ich dabei nicht zu verweilen brauche.

Aber im Fall Shakespeares ist es ganz offenbar, dass das Publikum in Wirklichkeit weder die Schönheiten noch die Schwächen seiner Stücke sieht. Wenn sie die Schönheiten sähen, würden sie sich der Weiterentwicklung des Dramas nicht entgegenstellen; und wenn sie die Schwächen sähen, würden sie sich ebenfalls der Weiterentwicklung des Dramas nicht entgegenstellen. *Tatsächlich benutzt das Publikum die Klassiker eines Landes als Mittel, den Fortschritt der Kunst zu hindern.* Sie degradieren die Klassiker zu Autoritäten. Sie benutzten sie als Knüppel, um den freien Ausdruck der Schönheit in neuen Formen zu hindern. Sie fragen jeden Schriftsteller, warum er nicht wie der oder jener schreibt, jeden Maler, warum er nicht wie der oder jener malt, und vergessen ganz die Tatsache, dass jeder, der etwas der Art täte, aufhörte, ein Künstler zu sein. Eine frische Gestalt der Schönheit ist ihnen durchaus zuwider, und jedes Mal, wenn sie erscheint, werden sie so aufgebracht und bestürzt, dass sie immer dieselben zwei Arten sich auszudrücken haben – die eine ist, das Kunstwerk sei heillos unverständlich, und die andere, das Kunstwerk sei heillos unmoralisch. Was sie mit diesen Worten meinen, scheint mir Folgendes zu sein. Wenn sie sagen, ein Werk sei heillos unverständlich, meinen sie, der Künstler habe etwas Schönes gesagt oder vollbracht, das neu ist; wenn sie ein Werk als heillos unmoralisch bezeichnen, meinen sie, der Künstler habe etwas Schönes gesagt oder vollbracht, das wahr ist. Der erste Ausdruck bezieht sich auf den Stil, der zweite auf den Gegenstand. Aber gewöhnlich gebrauchen sie die Worte ganz unbestimmt, wie ein gewöhnlicher Pöbel fertige Pflastersteine benutzt. Es gibt zum Beispiel nicht einen einzigen wirklichen Dichter oder Prosaisten in diesem Jahrhundert, dem das britische Publikum nicht feierlich das Diplom für Unmoral überreicht hat, und diese Diplome haben in der Tat in England die Bedeutung, die in Frankreich die formelle Aufnahme in die Akademie hat, sodass gottlob die Einführung einer solchen Institution in England ganz überflüssig ist. Natürlich ist das Publikum sehr wahllos in seiner Anwendung des Wortes. Dass sie Wordsworth einen unmoralischen Dichter nannten, war nur zu erwarten. Wordsworth war ein Dichter. Aber dass sie Charles Kingsley einen unmoralischen Romanschreiber genannt haben, ist erstaunlich. Kingsleys Prosa war nicht sonderlich gut. Nun, das Wort ist da, und sie benutzen es, so gut sie können. Ein Künstler lässt sich natürlich dadurch nicht beirren. Der wahre Künstler ist ein Mensch, der durchaus an sich glaubt, weil er durchaus er selbst ist. Aber ich kann mir vorstellen, dass ein Künstler, wenn er in England ein Kunstwerk veröffentlicht hätte, das gleich bei seinem Erscheinen vom Publikum vermittelst der Presse als ganz verständliches und hochmoralisches Werk anerkannt worden wäre, anfinge sich ernsthaft zu fragen, ob er bei seiner Schöpfung wirklich überhaupt er selbst gewesen sei und ob also das Werk nicht ganz seiner unwürdig und entweder durchaus zweiten Ranges oder ganz und gar ohne künstlerischen Wert sei.

Zwei andere Adjektive sind übrigens in den paar letzten Jahren dem sehr knappen Schimpflexikon zugefügt worden, das dem Publikum gegen die Kunst zur Verfügung steht. Das eine ist das Wort »ungesund«, das andere das Wort »exotisch«. Dies Letztere drückt nur die Wut des vergänglichen Pilzes gegen die unsterbliche, berauschend schöne und unbeschreiblich liebliche Orchidee aus. Es ist eine Huldigung, aber eine Huldigung ohne besondere Bedeutung. Das Wort »ungesund« jedoch lässt eine Untersuchung zu. Es ist ein recht interessantes Wort. Es ist in der Tat so interessant, dass die Leute, die es anwenden, nicht wissen, was es bedeutet. Was bedeutet es? Was ist ein gesundes, und was ein ungesundes Kunstwerk? Alle Ausdrücke, die man auf ein Kunstwerk anwendet, vorausgesetzt, dass man sie vernünftig anwendet, beziehen sich entweder auf seinen Stil oder auf seinen Gegenstand oder auf beide zugleich. Hinsichtlich des Stils ist ein Kunstwerk gesund, wenn sein Stil die Schönheit des Materials, das es verwendet, erkennen lässt, bestehe es nun aus Worten oder aus Bronze, aus Farben oder aus Elfenbein, und wenn es diese Schönheit als Mittel zur Erzeugung der ästhetischen Wirkung benutzt. Hinsichtlich des Gegenstandes ist ein Kunstwerk gesund, wenn die Wahl dieses Gegenstandes vom Temperament des Künstlers bedingt ist und unmittelbar aus ihm entspringt. Kurz, ein Kunstwerk ist gesund, wenn es sowohl Vollendung wie Persönlichkeit hat. Natürlich können Form und Inhalt bei einem Kunstwerke nicht getrennt werden; sie sind immer eins. Aber für die Zwecke der Untersuchung können wir für einen Augenblick die Ungeteiltheit des ästhetischen Eindrucks übersehen und sie also im Verstande getrennt betrachten. Ungesund ist andrerseits ein Kunstwerk, wenn sein Stil gewöhnlich, hergebracht und vulgär ist, und wenn sein Gegenstand sorgsam ausgewählt ist, nicht weil der Künstler seine Freude daran hat, sondern weil er denkt, das Publikum werde ihn dafür bezahlen. *In der Tat ist der populäre Roman, den das Publikum gesund nennt, immer ein durchaus ungesundes Produkt; und was das Publikum einen ungesunden Roman nennt, ist immer ein schönes und gesundes Kunstwerk.*

Vielleicht jedoch habe ich dem Publikum unrecht getan, als ich seinen Wortschatz auf Ausdrücke wie »unmoralisch«, »unverständlich«, »exotisch« und »ungesund« beschränkte. Es gibt noch ein anderes Wort, das sie anwenden. Es lautet: »dekadent.« Sie wenden es nicht oft an. Der Sinn des Wortes ist so deutlich, dass sie sich scheuen, es oft zu gebrauchen. Aber immerhin gebrauchen sie es manchmal, und hie und da trifft man es in den Tageszeitungen. Es ist natürlich in Anwendung auf ein Kunstwerk ein lächerliches Wort. Denn was ist Dekadenz anders als eine Seelenstimmung oder ein Gedankengang, den man nicht ausdrücken kann? Die Publikumsmenschen sind alle dekadent, denn das Publikum kann für nichts einen Ausdruck finden. *Der Künstler ist nie dekadent. Er drückt alles aus.* Er steht jenseits seines Gegenstandes und bringt durch ihn unvergleichliche und künstlerische Wirkungen hervor. Einen Künstler dekadent zu nennen, weil er die Dekadenz als Gegenstand behandelt, ist ebenso albern, als wenn einer Shakespeare verrückt nennen wollte, weil er den »König Lear« geschrieben hat.

Im Ganzen gewinnt der Künstler in England etwas, wenn er angegriffen wird. Seine Individualität wird intensiver. Er wird vollständiger er selbst. Natürlich sind die Angriffe sehr grob, sehr unverschämt und sehr verächtlich. Aber schließlich erwartet kein Künstler vom vulgären Geist Grazie und ebensowenig Stil vom Vorstadtintellekt. Gemeinheit und Dummheit sind im Leben unserer Zeit zwei sehr lebendige Erscheinungen. Man bedauert sie natürlich. Aber sie sind einmal da. Sie sind ein Gegenstand der Beobachtung, wie andere Dinge auch. Und es ist nur loyal, wenn hinsichtlich der Journalisten unserer Zeit konstatiert wird, dass sie einen Künstler immer unter vier Augen um Entschuldigung für das bitten, was sie öffentlich gegen ihn geschrieben haben.

Ich brauche kaum zu sagen, dass ich mich nicht einen Augenblick lang darüber beklage, dass das Publikum und die öffentliche Presse diese Worte missbrauchen. Ich sehe nicht ein, wie sie bei ihrem Mangel an Verständnis für das, was die Kunst ist, sich irgendwie richtig ausdrücken könnten. Ich stelle bloß den Missbrauch fest, und die Erklärung für seinen Ursprung und für die Bedeutung der ganzen Erscheinung ist sehr einfach. Sie geht auf den barbarischen Begriff der Autorität zurück. Sie geht zurück auf die natürliche Unfähigkeit einer Gemeinschaft, die durch die autoritäre Herrschaft verderbt ist, den Individualismus zu verstehen oder zu schätzen. Mit einem Wort, der Missbrauch kommt von dem ungeheuerlichen und unwissenden Gebilde, das man öffentliche Meinung nennt, die schlimm und wohlwollend ist, wenn sie den Versuch macht, das Handeln der Menschen zu beherrschen, die aber infam und übelwollend wird, wenn sie versucht, in die Sphäre des Geistes oder der Kunst überzugreifen.

Es ist in der Tat viel mehr zugunsten der physischen Gewalt des Volkes zu sagen als zugunsten seiner Meinung. Die Erstere kann gut und schön sein. Die Letztere muss töricht sein. Man hat oft gesagt, mit Gewalt lasse sich nichts beweisen. Das hängt jedoch ganz davon ab, was man beweisen will. Viele der wichtigsten Probleme der paar letzten Jahrhunderte, wie die Frage der Fortdauer des persönlichen Regiments in England oder des Feudalismus in Frankreich, sind ganz und gar vermittelst der physischen Gewalt gelöst worden. Gerade die Gewalttätigkeit einer Revolution ist es, die das Volk einen Moment lang großartig und glänzend erscheinen lässt. Es war ein verhängnisvoller Tag, als das Volk entdeckte, dass die Feder mächtiger als der Pflasterstein ist. Nun suchten und fanden sie gleich den Journalisten, bildeten ihn aus und machten ihn zu ihrem eifrigen und gut bezahlten Diener. Es ist für beide Teile sehr zu bedauern. Hinter der Barrikade kann viel Edles und Heroisches stehen. Aber was steht hinter dem Leitartikel als Vorurteil, Dummheit, Heuchelei und Geschwätz? Und wenn diese vier zusammentreffen, machen sie eine fürchterliche Macht aus und bilden die neue autoritäre Gewalt.

In früheren Zeiten hatten die Menschen die Folter. Jetzt haben sie die Presse. Gewiss, das ist ein Fortschritt. Aber es ist doch noch sehr schlimm und demoralisierend. Jemand – war es Burke? – hat den Journalismus den vierten Stand genannt. Das war seinerzeit ohne Frage wahr. Aber in unserer Zeit ist es tatsächlich der einzige Stand. Er hat die andern drei aufgefressen. Der weltliche Adel sagt nichts, die Bischöfe haben nichts zu sagen, und das Haus der Gemeinen hat nichts zu sagen und sagt es. Der Journalismus beherrscht uns. In Amerika ist der Präsident vier Jahre am Regiment, und der Journalismus herrscht für immer und ewig. Zum Glück hat in Amerika der Journalismus seine Herrschaft bis zur äußersten Rohheit und Brutalität getrieben. Als natürliche Folge hat er angefangen, einen Geist der Auflehnung hervorzurufen. Man lacht über ihn oder wendet sich mit Ekel ab, je nach dem Temperament. Aber er ist nicht mehr die tatsächliche Macht, die er war. Man nimmt ihn nicht ernst. Bei uns spielt der Journalismus, da er, von einigen bekannten Fällen abgesehen, nicht solche Exzesse der Gemeinheit begangen hat, noch eine große Rolle und ist eine tatsächlich bedeutende Macht. Die Tyrannei, die er über das Privatleben der Menschen ausüben möchte, scheint mir ganz außerordentlich zu sein. *Sie kommt daher, dass das Publikum eine unersättliche Neugier hat, alles zu wissen, es sei denn das Wissenswerte.* Der Journalismus, dem diese Tatsache bekannt ist, befriedigt die Nachfrage, wie es der Kaufmann eben zu tun pflegt. In früheren Jahrhunderten nagelte das Publikum den Journalisten die Ohren an die Pumpe. Das war recht hässlich. In unserm Jahrhundert nageln die Journalisten ihr eigenes Ohr ans Schlüsselloch. Das ist weit übler. Und was den Unfug verschlimmert, ist die Tatsache, dass die Journalisten, die am meisten Tadel verdienen, nicht die Spaßmacher sind, die für die Klatschblätter schreiben. Am schädlichsten sind die ernsthaften und gedankenschweren Journalisten, die feierlich, wie es jetzt ihre Gepflogenheit ist, einen Vorfall aus dem Privatleben eines großen Staatsmannes, eines Mannes, der der Träger eines politischen Gedankens und der Schöpfer einer politischen Macht ist, vor die Augen des Publikums zerren und es einladen, den Vorfall zu erörtern, in der Sache seine Autorität geltend zu machen, seine Ansicht zu äußern, und nicht bloß zu äußern, sondern sie auch in Handlung umzusetzen, dem Mann gegenüber in allen anderen Sachen, und nicht nur ihm, auch seiner Partei, seinem Lande gegenüber den Diktator zu spielen, kurz, sich lächerlich, lästig und schädlich zu machen. Aus dem Privatleben von Männern und Frauen sollte dem Publikum nichts mitgeteilt werden. Es geht das Publikum durchaus nichts an. In Frankreich sieht es um diese Dinge besser aus. Da ist es nicht statthaft, dass die Einzelheiten der Verhandlungen in Ehescheidungsprozessen zum Vergnügen oder zur Lästersucht des Publikums veröffentlicht werden. Das Publikum darf nichts weiter erfahren, als dass die Scheidung aufgrund des Antrages des einen oder des anderen der beiden Gatten oder beider ausgesprochen wurde. In Frankreich wird tatsächlich der Journalist beschränkt und dem Künstler fast vollkommene Freiheit gewährt. *In England hat der Journalist absolute Freiheit, und der Künstler wird völlig beschränkt.* Die englische öffentliche Meinung, das muss gesagt werden, sucht den Mann, der tatsächlich Schönes erzeugt, zu fesseln und zu hindern und zu verkrüppeln, und zwingt den Journalisten Dinge breitzutreten, die hässlich und widerwärtig und empörend sind, sodass wir die ernsthaftesten Journalisten der Welt und die unanständigsten Zeitungen haben. Es ist keine Übertreibung, von Zwang zu sprechen. Es gibt möglicherweise einige Journalisten, denen die Veröffentlichung hässlicher Dinge Vergnügen macht oder die so arm sind, dass sie auf der Lauer nach

Skandalen liegen, die eine Art dauernde Einkommensgrundlage bilden. Aber es gibt nach meiner Überzeugung andere Journalisten, gebildete und wohlerzogene Männer, denen die Veröffentlichung dieser Dinge wirklich zuwider ist, die wissen, dass es unrecht ist es zu tun, und die es nur tun, weil die ungesunden Verhältnisse, unter denen sie ihrer Beschäftigung nachgehen, sie zwingen, dem Publikum das zu liefern, was das Publikum haben will, und mit anderen Journalisten zu wetteifern, um dem rohen Appetit der Leute möglichst viel und möglichst Starkes zu liefern. Es ist eine sehr entwürdigende Stellung für jeden gebildeten Menschen, und ich zweifle nicht, dass die meisten es lebhaft empfinden.

Wir wollen indessen diese wirklich schmutzige Seite der Sache verlassen und zu der Frage der Volksherrschaft in Sachen der Kunst zurückkehren, worunter ich die öffentliche Meinung verstehe, die dem Künstler die Form vorschreibt, die er anwenden soll, und die Art und Weise, wie er es tun soll, und das Material, mit dem er arbeiten soll. Ich habe gesagt, dass die Künste in England am besten daran sind, an denen das Publikum kein Interesse nimmt. Am Drama jedoch nimmt es Interesse, und da in den letzten zehn oder fünfzehn Jahren im Drama gewisse Fortschritte erreicht worden sind, ist es wichtig festzustellen, dass dieser Fortschritt ganz und gar einigen individuellen Künstlern zu verdanken ist, die es ablehnten, die Geschmacklosigkeit der Menge zu ihrer Norm zu machen und die Kunst als bloße Sache von Angebot und Nachfrage zu betrachten. Mit seiner glänzenden und lebendigen Persönlichkeit, mit einem Stil, der tatsächlich farbenprächtig ist, mit seiner ungewöhnlichen Macht nicht zu bloßer Nachahmung, sondern zu fantasievoller und geistesstarker Schöpfung hätte Herr Irving, wenn sein einziger Zweck gewesen wäre, dem Publikum zu Willen zu sein, die gemeinsten Stücke in der gemeinsten Manier spielen können und hätte dabei so viel Erfolg und Geld eingeheimst, als jemand irgend verlangen kann. Aber das war nicht sein Zweck. Sein Zweck war, seine eigene Vollkommenheit als Künstler unter bestimmten Bedingungen und in einer bestimmten Kunstform zu verwirklichen. Zuerst wandte er sich an die wenigen: jetzt hat er die vielen erzogen. Er hat im Publikum Geschmack und Temperament gebildet. Das Publikum würdigt seinen künstlerischen Erfolg ungemein. Ich frage mich indessen oft, ob das Publikum es weiß, dass dieser Erfolg lediglich der Tatsache zu verdanken ist, dass er nicht ihren Maßstab anlegte, sondern seinen eigenen durchsetzte. Mit ihrem Maßstab wäre das Lyceum-Theater eine Bude zweiten Ranges geworden, wie es einige populäre Theater in London zur Zeit sind. Ob sie es wissen oder nicht, es bleibt jedenfalls Tatsache, dass bis zu einem gewissen Grad im Publikum Geschmack und Temperament ausgebildet worden sind und dass das Publikum die Anlage hat, diese Eigenschaften aus sich zu entwickeln. Das Problem ist also: warum bekommt das Publikum nicht mehr Kultur? Es hat die Anlage. Was steht im Wege?

Was im Wege steht, noch einmal sei es gesagt, ist ihr Verlangen, über Künstler und Kunstwerke eine autoritäre Gewalt auszuüben. In manche Theater, wie das Lyceum- und das Haymarket-Theater, scheint das Publikum in geeigneter Verfassung zu kommen. In diesen beiden Theatern hat es individuelle Künstler gegeben, denen es gelungen ist, in ihrem Zuhörerkreis – jedes Londoner Theater hat seinen eigenen Zuhörerkreis – das Temperament zu erzeugen, an das die Kunst sich wendet. Was für ein Temperament ist das nun? Es ist das Temperament der Empfänglichkeit. Das ist alles.

Wenn jemand an ein Kunstwerk mit dem Verlangen herantritt, irgendeine autoritäre Gewalt darüber oder über den Künstler auszuüben, so ist er von einem Geist besessen, der ihn unfähig macht, überhaupt irgendwelchen künstlerischen Eindruck zu empfangen. *Das Kunstwerk muss den Betrachter überwältigen: der Betrachter darf nicht das Kunstwerk überwältigen.* Der Betrachter muss empfänglich sein. Er muss das Instrument sein, auf dem der Meister spielen soll. Und je vollständiger er seine eigenen albernen Ansichten, seine eigenen Vorurteile, seine eigenen törichten dummen Ideen über das, was die Kunst sein soll und nicht sein soll, unterdrücken kann, um so geeigneter ist er, das Kunstwerk zu verstehen und zu würdigen. Das ist natürlich im Fall der Männer und Frauen, die das gewöhnliche Theaterpublikum bilden, ganz selbstverständlich. Aber es gilt ebensosehr für die sogenannten Gebildeten. Denn die Ideen eines Gebildeten über die Kunst sind natürlich aus dem genommen, was die Kunst gewesen ist, wohingegen das neue Kunstwerk dadurch schön ist, dass es ist, was die Kunst nie gewesen ist, und wer es mit dem Maßstab des Vergangenen misst, legt einen Maßstab an, auf dessen Überwindung gerade seine Vollkommenheit beruht. Ein Temperament, das die Gabe hat, vermittelst der Fantasie und im Reiche der Fantasie neue und schöne Eindrücke aufzunehmen, ist das einzige Temperament, das ein Kunstwerk würdigen kann. Und wenn dies für den Fall der Würdigung der Skulptur und Malerei gilt, so gilt es noch mehr für die Würdigung solcher Künste wie das Drama. Denn ein Gemälde oder eine Statue liegen nicht im Krieg mit der Zeit. Das Nacheinander der Zeit spielt bei ihnen keine Rolle, In einem Moment kann ihre Einheit erfasst werden. Mit der Literatur steht es anders. Es ist Zeit erforderlich, bevor die Einheit der Wirkung erreicht ist. Und so kann im Drama im ersten Akt des Stückes etwas vorfallen, dessen wahre künstlerische Bedeutung dem Zuschauer erst im dritten oder vierten Akt aufgeht. Soll da der alberne Kerl ärgerlich werden und schimpfen und das Stück stören und die Künstler belästigen? Nein. Der ehrenwerte Mann soll ruhig sitzen und die köstlichen Gefühle des Staunens, der Erwartung und der Spannung in sich erfahren. Er soll nicht ins Theater gehen, um seine triviale Laune zu verderben. Er soll ins Theater gehen, um eine künstlerische Stimmung zu verwirklichen. Er soll ins Theater gehen, um eine künstlerische Stimmung, ein künstlerisches Temperament zu gewinnen. Er ist nicht der Richter des Kunstwerks. Er ist einer, der zur Betrachtung des Kunstwerks zugelassen ist und dem es, wenn das Werk schön ist, vergönnt ist, in seiner Betrachtung all den Ichwahn, der ihn quält, zu vergessen – den Ichwahn seiner Unwissenheit und den Ichwahn seiner Bildung. Diese Besonderheit des Dramas ist, glaube ich, noch kaum genug beachtet worden. Ich kann mir wohl vorstellen, dass, wenn »Macbeth« zum ersten Mal vor einem modernen Londoner Publikum gespielt würde, viele Anwesende die Einführung der Hexen im ersten Akt mit ihrer grotesken Redeweise und ihren lächerlichen Worten streng und entschieden tadeln würden. Aber wenn das Stück vorbei ist, dann merkt man, dass das Gelächter der Hexen in »Macbeth« so schrecklich ist wie das Gelächter des Wahnsinns in »Lear« und schrecklicher als das Gelächter Jagos in der Tragödie des Mohren. Kein Kunstbetrachter braucht die Stimmung der Empfänglichkeit vollendeter als der Zuschauer im Schauspiel. In dem Augenblick, wo er Autorität auszuüben sucht, wird er der erklärte Feind der Kunst und seiner selbst. Die Kunst macht sich nichts daraus. Er aber leidet darunter.

Mit dem Roman steht es ebenso. Die Autorität der Menge und die Anerkennung dieser Autorität sind verhängnisvoll, Thackerays »Esmond« ist ein schönes Kunstwerk, weil er es zu seiner eigenen Lust schrieb. In seinen anderen Romanen, in »Pendennis«, in »Philip« und sogar manchmal in »Vanity fair« denkt er zu sehr ans Publikum und verdirbt sein Werk, indem er direkt an die Sympathien des Publikums appelliert, oder sich direkt über es lustig macht. *Ein wahrer Künstler nimmt keinerlei Notiz vom Publikum. Das Publikum existiert nicht für ihn.* Er hat keinen Mohnkuchen oder Honigkuchen, um damit dem Ungeheuer Schlaf oder angenehme Stimmung zu geben. Er überlässt das dem Verfasser populärer Romane. Einen Dichter unvergleichlicher Romane haben wir jetzt in England: George Meredith. Frankreich hat größere Künstler, aber Frankreich hat keinen, dessen Lebensanschauung so umfassend, so mannigfaltig, so überwiegend wahr ist. Es gibt Erzähler in Russland, deren Sinn für die Bedeutung von Qual und Leiden für die erzählende Dichtung lebhafter ausgebildet ist. Aber er ist der Philosoph der Romandichtung. Seine Gestalten leben nicht nur, sie leben im Geiste. Man kann sie von unendlich vielen Standpunkten aus sehen. Sie sind suggestiv. Es ist Seele in ihnen und um sie. Sie sind aufschließend und symbolisch. Und der sie geschaffen hat, diese wundervollen beweglichen Gestalten, schuf sie zu seiner eigenen Lust und hat das Publikum nie gefragt, was sie haben wollten, hat dem Publikum nie erlaubt, ihm Vorschriften zu machen oder ihn irgendwie zu beeinflussen, sondern er hat seine eigene Persönlichkeit immer intensiver herausgebildet und hat sein eigenes individuelles Werk geschaffen. Zuerst kam niemand zu ihm. Das machte nichts aus. Dann kamen die wenigen. Das änderte ihn nicht.

Jetzt sind die vielen gekommen. Er ist derselbe geblieben. Er ist ein unvergleichlicher Dichter.

Mit den dekorativen Künsten steht es nicht anders. Das Publikum klammerte sich mit wirklich pathetischer Zähigkeit an das, was ich für die unmittelbaren Überlieferungen der großen Weltausstellung internationaler Gewöhnlichkeit halte, an Überlieferungen, die so schauderhaft waren, dass die Häuser, in denen die Leute lebten, nur für Blinde zum Wohnen geeignet waren. Man fing an, schöne Dinge zu machen, schöne Farben kamen aus den Händen des Färbers, schöne Muster aus dem Hirn des Künstlers, und der Nutzen schöner Dinge und ihr Wert und ihre Bedeutung wurden dargetan. Das Publikum war wirklich sehr aufgebracht. Es wurde wütend. Es sagte Albernheiten. Niemand kehrte sich daran. Niemand war weniger wert. Niemand fügte sich der Autorität der öffentlichen Meinung. Und jetzt ist es fast unmöglich, in ein modernes Haus zu kommen, ohne an irgendeiner Stelle den guten Geschmack und den Wert schönen Wohnens anerkannt zu sehen; überall finden sich Anzeichen, dass man weiß, was Schönheit ist. In der Tat sind heutzutage in der Regel die Wohnungen der Leute ganz reizend. Die Leute sind bis zu sehr hohem Grade zivilisiert worden. Loyalerweise muss indessen festgestellt werden, dass der außerordentliche Erfolg der Revolution in der Wohnungsdekoration, der Möblierung und dergleichen nicht in Wirklichkeit dem Umstand zu verdanken ist, dass die Mehrheit des Publikums einen sehr feinen Geschmack in diesen Dingen bekommen hat. Er war hauptsächlich dem Umstand zu verdanken, dass die Handwerker von solcher Freude erfüllt wurden, schöne Dinge machen zu können, und dass ein so lebhaftes Gefühl von der Hässlichkeit und Gemeinheit dessen in ihnen wach wurde, was das Publikum früher verlangt hatte, dass sie das Publikum mit seinem Geschmack einfach aushungerten. Es wäre zurzeit ganz unmöglich, ein Zimmer so einzurichten, wie es vor einigen Jahren noch eingerichtet wurde, ohne dass man jedes Stück auf einer Versteigerung von alten Möbeln erstände, die aus einem Logierhaus dritten Ranges stammen. Die Sachen werden nicht mehr gemacht. So sehr sie sich dagegen stemmen, die Leute müssen heute schöne Dinge um sich haben. Zu ihrem Glück ging ihr Anspruch auf Autorität in diesen Kunstdingen völlig in die Brüche.

Es ist also offenbar, dass alle Autorität in diesen Dingen von Übel ist. Die Leute fragen manchmal, unter welcher Regierungsform der Künstler am besten lebe. Auf diese Frage gibt es nur eine Antwort. *Die Regierungsform, die für den Künstler am geeignetsten ist, ist: überhaupt keine Regierung.* Autoritäre Gewalt über ihn und seine Kunst ist lächerlich. Es ist behauptet worden, in Despotien hätten Künstler schöne Werke geschaffen. Das stimmt so nicht ganz. Künstler haben Despoten besucht, nicht als Untertanen, die tyrannisiert wurden, sondern als wandernde Wundermänner, als Vagabunden mit bezaubernder Persönlichkeit, die man bewirtete und beschenkte und in Frieden leben und schaffen ließ. Es ist das zugunsten des Despoten zu sagen, dass er, der ein Individuum ist, Kultur haben kann, während der Pöbel, der ein Ungeheuer ist, keine hat. Wer Kaiser oder König ist, kann sich bücken, um einem Maler den Pinsel aufzuheben, aber wenn die Demokratie sich bückt, geschieht es nur, um mit Schmutz zu werfen. Und dabei braucht sich doch die Demokratie nicht so tief hinunterzubücken wie der Kaiser. Wenn sie mit Schmutz werfen wollen, brauchen sie sich sogar gar nicht zu bücken. Aber es ist nicht nötig, den Monarchen vom Pöbel zu trennen, alle autoritäre Gewalt ist gleich schlecht.

Es gibt drei Arten von Despoten. Erstens den Despoten, der die Gewalt über den Körper ausübt. Zweitens den Despoten, der die Gewalt über die Seele ausübt. Drittens den Despoten, der zugleich über Seele und Leib die Gewalt ausübt. Der erste heißt der Fürst. Der zweite heißt der Papst. Der dritte heißt das Volk. Der Fürst kann gebildet sein. Viele Fürsten waren es. Doch der Fürst ist gefährlich. Man muss an Dante auf dem bitteren Fest von Verona denken, an Tasso in der Tobsuchtszelle Ferraras. Es ist für den Künstler besser, nicht mit Fürsten zu leben. Der Papst kann gebildet sein. Viele Päpste sind es gewesen, die schlechten Päpste sind es gewesen. Die schlechten Päpste liebten die Schönheit fast so leidenschaftlich, ja sogar mit derselben Leidenschaft wie die guten

Päpste das Denken hassten. Den schlechten Päpsten dankt die Menschheit vieles. Die guten Päpste haben eine furchtbare Schuld gegen die Menschheit auf dem Gewissen. Obwohl der Vatikan die Rhetorik seiner Donner behalten und die Rute seiner Blitze verloren hat, ist es doch besser für Künstler, nicht mit Päpsten zu leben. Es war ein Papst, der von Cellini zu einem Kardinalskonklave sagte, das gemeine Recht und die gemeine Autorität seien für Männer, wie ihn, nicht gemacht; aber es war auch ein Papst, der Cellini ins Gefängnis warf und ihn darin ließ, bis sein Geist in Raserei verfiel und er unwirkliche Visionen hatte und die goldene Sonne in sein Gemach treten sah und sich so in sie verliebte, dass er zu entfliehen suchte und von Turm zu Turm kletterte und bei Sonnenaufgang schwindlig hinabfiel und schwer zu Schaden kam. Ein Winzer fand ihn, bedeckte ihn mit Weinblättern und fuhr ihn in einem Karren zu einem, der schöne Dinge liebte und ihn pflegte. Päpste sind gefährlich. Und das Volk – was ist von ihm und seiner Herrschaft zu sagen? Vielleicht hat man von ihm und seiner Herrschaft genug gesprochen. Seine Herrschaft ist ein blindes, taubes, scheußliches, groteskes, tragisches, spaßhaftes, ernsthaftes und schmutziges Ding. Es ist für den Künstler unmöglich, mit dem Volke zu leben. Alle Despoten bestechen. Das Volk besticht und ist brutal. Wer hat sie zur Herrschaft berufen? Sie waren bestimmt: zu leben, zu lauschen, zu lieben. Ihnen ist großes Unrecht geschehen. Sie haben sich Schaden getan durch Nachahmung Geringerer. Sie haben das Szepter des Fürsten ergriffen. Wie sollten sie es handhaben können? Sie haben sich die dreifache Krone des Papstes aufgesetzt. Wie sollten sie die Last tragen können? Sie sind wie ein Clown mit gebrochenem Herzen. Sie sind ein Priester mit noch ungeborener Seele. Alle, die die Schönheit lieben, mögen Mitleid mit ihnen haben. Wenn sie schon die Schönheit nicht lieben, mögen sie doch selbst Mitleid mit sich haben. Wer lehrte sie das Handwerk der Tyrannen?

Es gibt noch viele Dinge, die zu sagen wären. Man könnte zeigen, wie die Renaissance groß war, weil sie kein soziales Problem zu lösen suchte und sich nicht mit solchen Dingen abgab, aber dem Individuum erlaubte, sich frei, schön und natürlich zu entfalten und so große und individuelle Menschen hatte. Man könnte zeigen, wie Ludwig XIV. dadurch, dass er den modernen Staat schuf, den Individualismus des Künstlers zerstörte und bewirkte, dass die Dinge in der Eintönigkeit ihrer Wiederholung schauderhaft wurden und verächtlich in ihrer Fügsamkeit unter die Regel und im ganzen Frankreich die entzückenden Freiheiten des Ausdrucks zerstörte, die das Überlieferte in Schönheit neu gemacht und neue Formen in Einklang mit der Antike geschaffen hatten. Aber das Vergangene ist ohne Bedeutung. Wir haben es mit der Zukunft zu tun. Denn die Vergangenheit ist, was der Mensch nicht hätte sein sollen. Die Gegenwart ist, was der Mensch nicht sein sollte. Die Zukunft ist, was Künstler sind.

Es wird natürlich gesagt werden, ein solcher Plan, wie er hier vorgebracht ist, sei ganz unpraktisch und gehe gegen die Natur des Menschen. Das ist völlig wahr. Er ist unpraktisch und er geht gegen die Natur des Menschen. Darum verdient er es, durchgeführt zu werden, und darum schlägt man ihn vor. Denn was ist ein praktischer Plan? *Ein praktischer Plan ist entweder ein Plan, der bereits besteht, oder ein Plan, der unter den bestehenden Verhältnissen durchgeführt werden könnte.* Aber gerade gegen die bestehenden Verhältnisse wendet man sich; und jeder Plan, der sich in diese Verhältnisse fügen könnte, ist schlecht und töricht. Mit den Verhältnissen wird aufgeräumt werden, und die Natur des Menschen wird sich ändern. Das Einzige, was man von der Natur des Menschen wirklich weiß, ist, dass sie sich ändert. Veränderung ist die Eigenschaft, die wir von ihr aussagen können. Die Systeme, die fehlschlagen, sind die, die auf die Konstanz der menschlichen Natur bauen anstatt auf ihr Wachstum und ihre Entwicklung. Der Irrtum Ludwigs XIV. war, dass er glaubte, die Natur des Menschen werde immer dieselbe bleiben. Das Ergebnis seines Irrtums war die französische Revolution. Ein wundervolles Ergebnis. Alle Ergebnisse der Irrtümer der Regierungen sind ganz wundervoll.

Es ist auch zu beachten, dass, wenn der Individualismus zum Menschen kommen soll, dazu kein schwächliches Pfaffengeschwätz über die Pflicht verhilft, worunter lediglich das Tun zu verstehen ist, das andere Leute haben wollen, weil sie es haben wollen; und ebensowenig das widerliche Pfaffengeschwätz von Selbstaufopferung, die bloß ein Überrest des Brauchs der Wilden ist, sich zu verstümmeln. *In der Tat kommt er mit gar keinen Forderungen und Ansprüchen zum Menschen. Er kommt natürlich und unvermeidlich aus dem Menschen heraus.* Er sollte auf dieselbe Art denken und dieselben Ansichten haben. Warum sollte er? Wenn er denken kann, wird er wahrscheinlich anders denken. Wenn er nicht denken kann, ist es ungeheuerlich, irgendwelche Gedanken von ihm zu verlangen. Eine rote Rose ist nicht selbstsüchtig, weil sie eine rote Rose sein will. Sie wäre furchtbar selbstsüchtig, wenn sie verlangte, alle andern Blumen im Garten sollten rot und Rosen sein. Im Reiche des Individualismus werden die Menschen ganz natürlich und völlig uneigennützig sein und werden den Sinn der Worte verstehen und ihn in ihrem freien, schönen Leben verwirklichen. Die Menschen werden nicht egoistisch sein, wie sie es heute sind. Denn Egoist ist, wer an andere Ansprüche stellt, und der Individualist wird das nicht tun wollen. Es wird ihm kein Vergnügen machen. Wenn der Mensch den Individualismus verwirklicht hat, wird er auch das Mitgefühl verwirklichen und es frei und ungehemmt walten lassen. Bis jetzt hat der Mensch das Mitgefühl überhaupt kaum geübt. Er hat bloß Mitgefühl mit Leiden, und das ist nicht die höchste Form des Mitgefühls. *Jedes Mitgefühl ist schön, aber Mitleid ist die niedrigste Form.* Es ist mit Egoismus durchsetzt. Es kann leicht krankhaft werden. Es liegt in ihm ein gewisses Element der Angst um unsere eigene Sicherheit. Wir fürchten, wir selbst könnten so werden wie der Aussätzige oder der Blinde und es kümmerte sich dann niemand um uns. Es ist auch seltsam beschränkt. Man sollte mit der Ganzheit des Lebens mitfühlen, nicht bloß mit den Wunden und Krankheiten des Lebens, sondern mit der Freude und Schönheit und Kraft und Gesundheit und Freiheit des Lebens. Je umfassender das Mitgefühl ist, um so schwerer ist es natürlich. Es erfordert mehr Uneigennützigkeit. Jeder kann die Leiden eines Freundes mitfühlen, aber es erfordert eine sehr vornehme Natur – es erfordert eben die Natur eines wahren Individualisten – den Erfolg eines Freundes mitzufühlen. In dem Gedränge der Konkurrenz und dem Ellbogenkampf unserer Zeit ist solches Mitgefühl natürlich selten und wird auch sehr erstickt durch das unmoralische Ideal der Gleichförmigkeit des Typus und der Fügsamkeit unter die Regel, das überall so sehr vorherrscht und vielleicht am schädlichsten in England ist.

Mitleid wird es natürlich immer geben. Es ist einer der ersten Instinkte des Menschen. Die Tiere, die individuell sind, das heißt die höheren Tiere, haben es wie wir. Aber man muss sich vergegenwärtigen, dass – während die Mitfreude die Summe der Freude, die es in der Welt gibt, erhöht – das Mitleid die Menge des Leidens nicht wirklich vermindert. Es kann den Menschen in Stand setzen, das Übel besser zu ertragen, aber nahe. Sie entzückte es, wenn sie die Männer und Frauen malen konnten, die sie bewunderten, wenn sie den Reiz dieser reizenden Erde zeigen konnten. Sie malten viele religiöse Bilder – tatsächlich malten sie viel zu viele, und die Eintönigkeit des Typus und des Motivs ist ermüdend und war von Übel für die Kunst. Sie kam von der Autorität des Publikums in Sachen der Kunst und ist zu beklagen. Aber ihre Seele war nicht dabei. Raffael war ein großer Künstler, als er sein Papstbildnis malte. Als er seine Madonnen und Christusknaben malte, war er durchaus kein großer Künstler. Christus hatte der Renaissance nichts zu sagen, die wundervoll war, weil sie ein Ideal brachte, das ein anderes war als seines, und wenn wir die Darstellung des wirklichen Christus finden wollen, müssen wir uns an die Kunst des Mittelalters wenden. Da ist er ein Gemarterter und Verwundeter, einer, der nicht lieblich anzusehen ist, weil Schönheit eine Freude ist, einer, der kein schönes Gewand anhat, weil das auch eine Freude sein kann: er ist ein Bettler mit einer strahlenden Seele, er ist ein Aussätziger mit göttlicher Seele, er braucht nicht Eigentum noch Gesundheit, er ist ein Gott, der seine Vollendung durch Schmerzen verwirklicht.

Die Entwicklung des Menschen ist langsam. Die Ungerechtigkeit der Menschen ist groß. Es war notwendig, dass das Leiden als Form der Selbstverwirklichung hingestellt wurde. Selbst jetzt ist an manchen

Punkten der Welt die Botschaft Christi notwendig. Niemand, der im modernen Russland lebt, kann seine Vollkommenheit erreichen, es sei denn durch Leiden. Ein paar russische Künstler haben sich in der Kunst verwirklicht, in Romanen, die im Charakter mittelalterlich sind, denn ihr vorherrschender Zug ist die Verwirklichung der Menschen durch das Leiden. Aber für die andern, die keine Künstler sind und für die es keine andere Form des Lebens gibt als das tatsächliche Leben der Wirklichkeit, ist das Leiden das einzige Tor zur Vollendung. Ein Russe, der sich unter dem gegenwärtigen Regierungssystem in Russland glücklich fühlt, muss entweder glauben, dass der Mensch keine Seele hat oder dass sie, wenn er eine hat, nicht wert ist, sich zu entfalten. Ein Nihilist, der alle Autorität verwirft, weil er weiß, dass die Autorität von Übel ist, und der alles Leiden begrüßt, weil er dadurch seine Persönlichkeit verwirklicht, ist ein wirklicher Christ. Ihm ist das christliche Ideal zur Wahrheit geworden.

Und doch lehnte sich Christus nicht gegen die Obrigkeit auf. Er fügte sich der autoritären Gewalt des römischen Kaiserreichs und zahlte Tribut. Er duldete die geistliche Gewalt der jüdischen Kirche und wollte ihrer Gewalt nicht mit eigener Gewalt begegnen. Er hatte, wie ich vorhin sagte, keinen Plan für einen Neubau der Gesellschaft. Aber die moderne Welt hat solche Pläne. Sie schlägt vor, die Armut und das Elend, das sie mit sich bringt, abzuschaffen. Sie will das Leiden loswerden und das Elend, das es mit sich bringt. Sie hat sich den Sozialismus und die Wissenschaft als Methoden gewählt. Was sie erstrebt, ist ein Individualismus, der sich durch die Freude zum Ausdruck bringt. Dieser Individualismus wird umfassender, völliger, reizender sein als je einer gewesen ist, Das Leiden ist nicht die letzte Form der Vollendung. Es ist nur vorläufig und ein Protest. Es entsteht in schlechten, ungesunden, ungerechten Zuständen. Wenn das Übel und die Krankheit und die Ungerechtigkeit entfernt sind, hat es keine Stätte mehr. Es hat dann sein Werk getan. Es war ein gewaltiges Werk, aber es ist beinahe vorüber. Sein Gebiet wird von Tag zu Tag kleiner.

Und der Mensch wird es nicht entbehren. *Denn wonach der Mensch gesucht hat, das ist wahrhaftig nicht Leiden und nicht Lust, sondern einfach Leben.* Der Mensch hat danach gesucht, intensiv, völlig, vollkommen zu leben. Wenn er das tun kann, ohne gegen andere Zwang zu üben oder ihn je zu dulden, und wenn all seine Betätigungen ihm lustvoll sind, dann wird er gesünder und kraftvoller sein, mehr Kultur haben, mehr er selbst sein. Lust ist das Siegel der Natur, ihr Zeichen der Zustimmung. Wenn der Mensch glücklich ist, dann ist er in Harmonie mit sich selbst und seiner Umgebung. Der neue Individualismus, in dessen Diensten der Sozialismus, ob er es will oder nicht, am Werke ist, wird vollendete Harmonie sein. Er wird sein, wonach die Griechen suchten, was sie aber, außer im Geiste, nicht vollständig verwirklichen konnten, weil sie Sklaven hatten und sie ernährten, er wird sein, wonach die Renaissance suchte, was sie aber, außer in der Kunst, nicht vollständig verwirklichen konnte, weil sie Sklaven hatte und sie hungern ließ. Er wird vollständig sein, und durch ihn wird jeder Mensch zu seiner Vollendung kommen. Der neue Individualismus ist der neue Hellenismus.

Aus dem Zuchthaus zu Reading

Die Londoner Zeitung »The Daily Chronicle« hatte berichtet, ein Gefängnisaufseher sei entlassen worden, weil er einem hungrigen Kinde, das im Gefängnis eingesperrt war, ein paar Kekse zu essen gegeben habe. Darauf richtete O. W. folgenden Brief an den Herausgeber des Blattes.

Mit großem Bedauern entnehme ich den Spalten Ihrer Zeitung, dass der Aufseher Martin aus dem Reading-Gefängnis von der Gefängnisinspektion entlassen wurde, weil er einem armen hungrigen Kinde ein paar Kekse gegeben hat. Ich habe die drei Kinder selbst an dem Montag, der meiner Entlassung vorherging, gesehen. Sie waren verurteilt worden und standen der Reihe nach in der Zentralhalle, sie hatten die Gefängniskleidung an, trugen ihre Bettbezüge unter dem Arm und warteten, bis man sie in die für sie bestimmten Zellen abführte. Ich kam gerade auf einer der letzten Galerien vorbei, auf dem Wege zum Besuchszimmer, wo ich eine Besprechung mit einem Freunde haben sollte. Es waren ganz kleine Kinder, das jüngste – eben das, dem der Aufseher die Kekse gab – ein winziges Kerlchen, für das sie offenbar keine passenden Kleider finden konnten, die vorhandenen waren alle zu groß. Ich habe natürlich im Gefängnis in den zwei Jahren, in denen ich eingesperrt war, viele Kinder gesehen. Besonders das Wandworth-Gefängnis beherbergte immer eine Anzahl Kinder. Aber das kleine Kind, das ich am Montag nachmittag in Reading sah, war winziger als irgendein anderes. Ich kann kaum beschreiben, wie äußerst betrübt ich war, diese Kinder in Reading zu sehen, denn ich kannte die Behandlung, die ihrer wartete. Die Grausamkeit, die man bei Tag und bei Nacht an Kindern in englischen Gefängnissen verübt, ist unglaublich für alle, die sie nicht selbst mit angesehen haben und die Brutalität des Systems nicht kennen.

Die Menschen unserer Zeit wissen nicht, was Grausamkeit ist. Sie halten sie für eine Art schreckliche mittelalterliche Leidenschaft und bringen sie in Verbindung mit Männern vom Schlage Ezzelins da Romano und anderer, denen es in der Tat einen wahnsinnigen Genuss bereitete, absichtlich Schmerzen zuzufügen. Aber Männer vom Gepräge Ezzelins sind nur außergewöhnliche Typen eines perversen Individualismus. Die Grausamkeit des Alltags ist nichts weiter als Dummheit. Sie ist der gänzliche Mangel der Fähigkeit, sich ein Bild von den Dingen zu machen – des Verstandes. Sie ist in unseren Tagen die Folge der stereotypierten Systeme, der harten und festen Gesetze, der Dummheit. Wo Zentralisation herrscht, herrscht Dummheit. Wo im modernen Leben der Beamte anfängt, hört der Mensch auf. Die Autorität ist ebenso gefährlich für die, die sie ausüben, wie für die, gegen die sie ausgeübt wird. Die Gefängnisbehörde und das System, das sie durchführt, ist die ursprüngliche Quelle der Grausamkeit, die an einem Kinde im Gefängnis verübt wird. Die Leute, die das System aufrechterhalten, haben vielleicht vortreffliche Absichten. Die es ausführen, sind in ihren Absichten ebenfalls human. Die Verantwortlichkeit ruht auf den Vorschriften der Disziplin. Es wird angenommen, eine Sache sei recht, wenn sie Gesetz ist.

Die gegenwärtige Behandlung der Kinder ist schrecklich, besonders wo es sich um Leute handelt, die die besondere Psychologie der Kindesnatur nicht verstehen. Ein Kind kann eine Bestrafung, die von einem einzelnen Individuum, so vom Vater oder vom Vormund, ausgeht, verstehen und sie mit einem gewissen Grad von Fügsamkeit ertragen. Was es aber nicht verstehen kann, das ist eine Bestrafung vonseiten der Gesellschaft. Es kann sich nicht vorstellen, was das ist: die Gesellschaft. Mit erwachsenen Personen verhält es sich natürlich umgekehrt. Diejenigen unter uns, die im Gefängnis sind oder gewesen sind, können und werden verstehen, was die Kollektivkraft, die man Gesellschaft nennt, bedeutet; und was wir auch von ihrer Methode und ihren Ansprüchen halten mögen, wir können uns dazu zwingen, uns zu fügen. Andrerseits aber ist eine Bestrafung, die uns von einem Individuum zugefügt wird, eine Sache, die kein Erwachsener duldet, wenigstens erwartet es niemand von ihm.

Das Kind also, das von Leuten, die es nie gesehen hat und von denen es nichts weiss, seinen Eltern entrissen wird, das sich in einer öden und abstoßenden Zelle befindet, das von fremden Gestalten beobachtet wird, das von den Vertretern eines Systems, das es nicht verstehen kann, kommandiert und abgestraft wird, wird dem ersten und schlimmsten unter den Gefühlen, die das Gefängnisleben hervorbringt, zum Raub: dem Gefühl des Schreckens. Der Schrecken eines Kindes im Gefängnis ist grenzenlos. Ich erinnere mich, einmal in Reading, als ich zur Freistunde ging, in der düsteren Zelle, die der meinen gegenüberlag, einen Knaben gesehen zu haben. Zwei Aufseher – keine unfreundlichen Männer – sprachen zu ihm, offenbar etwas strenge, oder gaben ihm einen nützlichen Rat in Bezug auf sein Verhalten. Einer war bei ihm in der Zelle, der andere stand außen. Das Antlitz des Kindes war voller Schrecken und totenblass. In seinen Augen lag der Schrecken eines gehetzten Wildes. Am nächsten Morgen, zur Frühstückszeit, hörte ich ihn schreien und rufen, man solle ihn herauslassen. Er schrie nach seinen Eltern. Von Zeit zu Zeit konnte ich die tiefe Stimme des Aufsehers hören, der ihm sagte, er solle sich ruhig verhalten. Und dabei war er nicht einmal wegen irgendeines Vergehens verurteilt. Er war in Untersuchungshaft. Das sah ich daran, dass er seine eigenen Kleider trug, die ziemlich sauber schienen. Indessen trug er Anstaltsstrümpfe und -schuhe, und das zeigte, dass er ein wirklich armer Knabe war, dessen eigene Schuhe, wenn er welche hatte, in einer bösen Verfassung waren.

Richter und Beamte, in der Regel ein ganz dummer Menschenschlag, stecken oft Kinder für acht Tage ein und erlassen dann irgend eine Strafe, die zu verhängen sie berechtigt sind. Sie nennen dies »ein Kind nicht ins Gefängnis schicken«. Das ist natürlich eine blöde Auffassung von ihnen. Ein Kind kann die Spitzfindigkeit, ob es in Untersuchungs- oder Strafhaft ist, nicht unterscheiden. Das Schreckliche für das Kind ist, überhaupt da zu sein. In den Augen der Menschheit sollte es etwas Schreckliches sein, dass es überhaupt da ist.

Dieser Schrecken, der das Kind beherrscht, ebenso wie er auch den Erwachsenen beherrscht, wird natürlich über alle Maßen verstärkt durch die Einsamkeit des Zellensystems. Jedes Kind ist dreiundzwanzig Stunden von vierundzwanzig in seiner Zelle eingesperrt. Dies ist das Schreckliche an der Sache. Dass ein Kind dreiundzwanzig Stunden im Tag in eine dunkle Zelle gesperrt wird, ist ein Beispiel für die Grausamkeit der Dummheit. Wenn ein Individuum, ein Vater oder Vormund, etwas der Art einem Kinde antäte, würde es streng bestraft werden. Der Schutzverein gegen die Kinderquälerei würde sich der Sache annehmen. Auf allen Seiten würde sich die lebhafteste Entrüstung über solche Grausamkeit erheben. Aber unsere eigene gegenwärtige Gesellschaft tut selbst noch Schlimmeres, und für ein Kind, das von einer unverständlichen abstrakten Gewalt so behandelt wird, für deren Ansprüche es keinen Verstand hat, ist solches viel schlimmer, als wenn es von seinem Vater oder seiner Mutter oder sonst einem Bekannten geschähe. Die unmenschliche Behandlung eines Kindes ist immer unmenschlich, von wem sie auch zugefügt wird. Aber die unmenschliche Behandlung, die von der Gesellschaft ausgeht, ist für das Kind schrecklicher, weil es gegen sie keine Berufung gibt. Ein Vater oder ein Vormund kann gerührt werden, sodass er das Kind aus dem dunkeln, öden Raum, in dem es eingesperrt ist, herauslässt. Aber ein Aufseher kann das nicht. Die meisten Aufseher sind aufrichtige Kinderfreunde. Aber das System verwehrt es ihnen, dem Kind irgendwelchen Beistand zu leisten. Falls sie das tun, wie in dem Fall des Aufsehers Martin, werden sie entlassen.

Das zweite, worunter ein Kind im Gefängnis zu leiden hat, ist der Hunger. Die Nahrung, die es erhält, besteht aus einem Stück Gefängnisbrot, das gewöhnlich schlecht gebacken ist, und einem Krug Wasser zum Frühstück um halb sieben Uhr. Um zwölf Uhr gibt es Mittagessen, das aus einem Topf Haferbrei besteht, und um halb sechs Uhr bekommt es ein Stück trockenes Brot und einen Krug Wasser zum Abendessen. Diese Ernährung bringt bei einem starken erwachsenen Manne immer irgendwelches Unwohlsein hervor, besonders natürlich Durchfall und in seinem Gefolge Schwäche. In der Tat werden in jedem größeren Gefängnis stopfende Medizinen regelmäßsig, als ob es sich von selbst verstünde, von den Aufsehern verabreicht. Was aber das Kind angeht, so ist es in der Regel überhaupt nicht imstande, die Kost zu essen.

Jeder, der etwas von Kindern versteht, weiß, wie leicht die Verdauung eines Kindes durch das viele Weinen oder durch Kummer und Seelenschmerz gestört wird. Ein Kind, das den ganzen Tag und vielleicht die halbe Nacht in einer öden dunklen Zelle geweint hat und vom Schrecken gepeinigt wird, kann solche schlechte grobe Kost einfach nicht essen. In dem Fall des kleinen Kindes, dem der Aufseher Martin die Kekse gab, weinte das Kind am Dienstag morgen vor Hunger und war völlig unfähig, das Brot und das Wasser, das ihm zum Frühstück gegeben wurde, zu sich zu nehmen. Martin ging, nachdem er das Frühstück ausgegeben hatte, aus und kaufte dem Kinde lieber die paar Kekse, als dass er es Hunger leiden sah. Das war schön von ihm gehandelt, und es wurde von dem Kinde so dankbar empfunden, dass es, ohne eine Ahnung von den Gefängnisvorschriften zu haben, einem der Oberaufseher erzählte, wie freundlich dieser Aufseher zu ihm gewesen sei. Die Folge davon war natürlich eine Anzeige und die Entlassung.

Ich kannte Martin sehr gut; er war in den letzten sieben Wochen meiner Gefangenschaft mein Aufseher. Er hatte in Reading auf dem C-Flügel Dienst, in dem ich eingesperrt war, und so sah ich ihn fortwährend.

Ich war überrascht über die seltene Freundlichkeit und Menschlichkeit, mit der er zu mir und den übrigen Gefangenen sprach. Freundliche Worte sind im Gefängnis viel wert, und ein einfaches »Guten Morgen« oder »Guten Abend« machen einen so glücklich, als es im Gefängnis möglich ist. Er war immer mild und maßvoll. Ich erinnere mich an einen andern Fall, in dem er sich einem der Gefangenen gegenüber sehr freundlich erwies, und ich nehme keinen Anstand, ihn zu erwähnen. Einer der schrecklichsten Zustände im Gefängnis sind die schlechten hygienischen Einrichtungen. Es ist dem Gefangenen unter keinen Umständen erlaubt, nach halb sechs Uhr die Zelle zu verlassen. Wenn er also an Durchfall leidet, muss er seine Zelle als Klosett benutzen und die Nacht in einer sehr stinkenden und ungesunden Luft verbringen. Einige Tage vor meiner Entlassung machte Martin um halb acht Uhr mit einem der Oberaufseher die Runde, um die Werkzeuge und das Werg aus den Zellen zu schaffen. Ein jüngst Verurteilter, der infolge der ungewohnten Nahrung an heftigem Durchfall litt, bat den Oberaufseher, ihm zu erlauben, das Gefäss in seiner Zelle leeren zu dürfen, wegen des schlechten Geruchs, und da er noch einmal in der Nacht unwohl werden könnte. Der Oberaufseher lehnte das strikt ab; es war gegen die Vorschrift. Der Mann hätte die Nacht in seiner schrecklichen Lage verbringen müssen. Martin aber, der den armen Mann nicht in einer so abscheulichen Situation lassen wollte, sagte, er wolle ihm das Gefäß selbst ausleeren, und tat das auch. Ein Aufseher, der das Gefäß eines Gefangenen ausleert, ist natürlich gegen die Vorschrift, aber Martin erwies dem Mann diese Gefälligkeit aus der einfachen Menschlichkeit seiner Natur heraus, und der Mann war natürlich sehr dankbar.

Was die Kinder angeht, so ist in letzter Zeit viel über den verderbenden Einfluss des Gefängnisses auf junge Kinder geredet und geschrieben worden. Was da gesagt wird, ist sehr wahr. Ein Kind wird durch das Gefängnisleben sehr verdorben. Aber der verderbliche Einfluss geht nicht von den Gefangenen aus. Er geht aus von dem ganzen Gefängnissystem – vom Direktor, dem Geistlichen, den Aufsehern, der öden Zelle, der Isolierung, der empörenden Ernährung, den Gefängnisvorschriften, der Art, wie die Disziplin ausgeübt wird, dem ganzen Leben. Es ist alle erdenkliche Sorgfalt getroffen, dass das Kind die Gefangenen über sechzehn Jahren nicht einmal zu sehen bekommt. Die Kinder sitzen in der Kirche hinter einem Vorhang und haben ihre Freistunde in kleinen Höfen, wo keine Sonne hinkommt, nur damit sie die älteren Gefangenen nicht zu sehen bekommen. Aber in Wahrheit geht der einzige wirklich menschliche Einfluss, der im Gefängnis ausgeübt wird, von Gefangenen aus. Ihre Heiterkeit unter schrecklichen Umständen, ihre Sympathie füreinander, ihre Bescheidenheit, ihre Liebenswürdigkeit, ihr freundliches Lächeln, mit dem sie sich beim Begegnen begrüßen, die völlige Ruhe, mit der sie sich in ihre Strafe fügen, alles das ist ganz wundervoll, und ich selbst habe manches Gute von ihnen gelernt. Ich will nicht vorschlagen, die Kinder sollten in der Kirche nicht hinter einem Vorhang sitzen oder sie sollten mit den andern zusammen ihre Freistunde haben. Ich will nur feststellen, dass der schlechte Einfluss nicht von den Gefangenen, sondern vom Gefängnissystem selbst ausgeht. Es ist nicht ein einziger Mann im Reading-Gefängnis, der nicht gern die Strafe der drei Kinder auf sich genommen hätte. Ich sah sie zuletzt an dem Dienstag, der ihrer Verurteilung folgte. Ich ging um halb zwölf Uhr mit ungefähr zwölf andern Männern zur Freistunde, und die drei Kinder gingen an uns vorbei, in Begleitung eines Aufsehers; sie kamen von dem dumpfigen, traurigen Hof, wo sie zur Freistunde gewesen waren. Ich sah in den Augen meiner Gefährten das größte und herzlichste Mitgefühl, als sie die Kinder erblickten. Gefangene sind, als eine zusammengehörige Menschenklasse, außerordentlich freundlich und liebevoll zueinander. Leiden und die Gemeinsamkeit der Leiden machen die Menschen gütig, und Tag für Tag, wenn ich auf dem Hof einherging, fühlte ich mit Befriedigung und Freude, was Carlyle irgendwo »den stillen rhythmischen Reiz der menschlichen Kameradschaft« nennt. In diesem und in allen anderen Dingen sind die Philanthropen und Leute ihres Schlages auf dem Holzwege. Nicht die Gefangenen bedürfen der Wandlung, sondern die Gefängnisse.

Ich möchte jetzt die Aufmerksamkeit auf eine andere schreckliche Sache lenken, die in englischen Gefängnissen, in der Tat in den Gefängnissen der ganzen Welt umgeht, wo das System des Schweigens und der Zelleneinsperrung ausgeübt wird. Ich spreche von der großen Zahl derer, die im Gefängnis wahnsinnig oder geistesgestört werden. In Zuchthäusern ist dies natürlich ganz allgemein; aber ebenso in anderen Gefängnissen, so z. B. in dem, wo ich eingesperrt war.

Vor etwa drei Monaten bemerkte ich unter den Gefangenen, die mit mir Freistunde hatten, einen jungen Mann, der mir blödsinnig oder schwachsinnig zu sein schien. Jedes Gefängnis hat seine schwachsinnigen Kunden, die immer wiederkommen, von denen man fast sagen kann, dass sie ihr Leben im Gefängnis zubringen. Aber dieser junge Mensch schien mir mehr als gewöhnlich schwachsinnig zu sein, wegen seines blöden Grinsens und der idiotischen Art, in der er in sich hineinlachte, und wegen der Ruhelosigkeit seiner Hände, die ewig zu zupfen hatten. Er fiel allen anderen Gefangenen wegen seines sonderbaren Wesens auf. Von Zeit zu Zeit blieb er in der Freistunde aus, ein Zeichen, dass er zur Strafe in seiner Zelle eingesperrt war. Endlich bemerkte ich, dass er unter Beobachtung stand und Tag und Nacht von Aufsehern bewacht wurde. Wenn er in der Freistunde erschien, schien er immer hysterisch zu sein und ging schreiend und lachend herum. In der Kirche saß er unter der strengen Beobachtung zweier Aufseher, die ihn sorgsam die ganze Zeit über bewachten. Manchmal wollte er sein Haupt in den Händen bergen, was ein Verstoß gegen die Kirchenordnung war, und sein Kopf wurde sofort von einem der Aufseher zurückgebogen, sodass er seine Augen fortwährend nach dem Altar richten musste. Manchmal wollte er aufschreien, aber er durfte keine Störung machen, die Tränen liefen in Strömen über sein Gesicht, und ein hysterisches Schluchzen drang aus seiner Kehle. Manchmal grinste er idiotisch in sich hinein und schnitt Gesichter. Bei mehr als einer Gelegenheit wurde er aus der Kirche in seine Zelle zurückgeführt, und natürlich wurde er fortwährend bestraft. Da die Bank, auf der ich gewöhnlich in der Kirche saß, direkt hinter der Bank war, an deren Ende der Unglückliche seinen Platz hatte, hatte ich oft Gelegenheit, ihn zu beobachten. Ich sah ihn auch oft in der Freistunde, und ich sah, dass er im Begriff war, wahnsinnig zu werden, während er als Simulant behandelt wurde.

Am Samstag der letzten Woche war ich ungefähr um ein Uhr damit beschäftigt, die Gefäße, die ich zum Mittagessen benutzte, zu reinigen und blank zu putzen. Plötzlich wurde ich heftig erschreckt: Die Stille des Gefängnisses wurde gebrochen durch furchtbares Geschrei oder eigentlich

Geheul; ich dachte zuerst, ein Tier, ein Stier oder eine Kuh werde außerhalb der Gefängnismauern ungeschickt geschlachtet. Ich hörte indessen bald, dass das Geheul aus dem Erdgeschoss des Gefängnisses kam, und ich merkte, dass irgendein Unseliger gepeitscht wurde. Ich kann nicht beschreiben, wie entsetzlich und schrecklich es für mich war, und ich fragte mich erstaunt, wer in dieser empörenden Weise gezüchtigt wurde. Plötzlich kam mir der Gedanke, dass es wohl dieser unglückliche Wahnsinnige war, der gepeitscht wurde. Was ich dabei empfand, brauche ich nicht mitzuteilen, es hat nichts mit dieser Frage zu tun.

Am nächsten Tag, am Sonntag, den 16., sah ich den armen Mann in der Freistunde, sein hässliches Gesicht war von Tränen und hysterischen Krämpfen so entstellt, dass er kaum zu erkennen war. Er ging in dem inneren Ring mit den alten Männern, den Bettlern und Lahmen, so dass ich ihn die ganze Zeit über beobachten konnte. Es war mein letzter Sonntag im Gefängnis, es war ein sehr lieblicher Tag, der schönste Tag, den wir im ganzen Jahr gehabt hatten, und da in diesem herrlichen Sonnenlicht ging dieses arme Geschöpf – das einst nach dem Ebenbilde Gottes geschaffen war – grinsend wie ein Affe und mit seinen Händen die seltsamsten Gestikulationen machend, als ob er in der Luft auf einem unsichtbaren Saiteninstrument spielte, oder wie wenn er auf einem sonderbaren Spielbrett die Steine ordnete und verteilte. Mittlerweile hatten diese hysterischen Tränen, ohne die keiner von uns ihn jemals sah, tiefe Rinnen in sein verschwollenes Gesicht gegraben. Seine scheußlichen und bedächtigen Gesten machten ihn einem Possenreißer vergleichbar. Er war ein Urbild des Grotesken. Die andern Gefangenen beobachteten ihn alle und nicht einer von ihnen lächelte. Jeder wusste, was ihm zugestossen war und dass er in den Wahnsinn getrieben worden war, dass er bereits wahnsinnig war. Nach einer halben Stunde befahl ihm einer der Aufseher hineinzugehen, ich vermute, dass er wieder bestraft wurde. Wenigstens war er am Montag nicht in der Freistunde, obwohl ich glaube, ihn an einer Ecke des Hofes in Begleitung eines Aufsehers gesehen zu haben.

Am Dienstag – meinem letzten Tag im Gefängnis – sah ich ihn in der Freistunde. Er befand sich schlimmer als vorher und wurde wieder hineingeschickt. Seitdem weiß ich nichts von ihm, aber ich erfuhr von einem der Gefangenen, der mit mir in der Freistunde ging, dass er am Samstagnachmittag auf Befehl der Inspektionsbehörde auf Grund eines Berichtes des Arztes im Küchenraum 24 Hiebe erhalten habe. Das Geheul, das uns allen Entsetzen eingeflößt hatte, war von ihm gekommen.

Dieser Mann wird ohne Zweifel unheilbar wahnsinnig. Gefängnisärzte haben keine Kenntnis von Geisteskrankheiten. Sie sind durch die Bank unwissende Menschen. Die Lehre von den Krankheiten des Geistes ist ihnen unbekannt. Wenn ein Mann wahnsinnig wird, behandeln sie ihn als Simulanten. Sie haben ihn wieder und wieder bestraft. Natürlich wird der Zustand des Mannes schlimmer. Wenn die gewöhnlichen Strafen erschöpft sind, berichtet der Arzt über den Fall an die Behörde. Die Folge davon ist: Er wird ausgepeitscht. Gewiss wird das Peitschen nicht mit der neunschwänzigen Katze ausgeführt, man benutzt eine Birkenrute; aber die Folgen, die diese Prozedur bei dem unseligen, halb verrückten Opfer hervorbringt, kann man sich vorstellen. Dieser Fall ist ein treffendes Beispiel für die Grausamkeit, die von einem unsinnigen System nicht zu trennen ist, denn der gegenwärtige Direktor von Reading ist ein Mann von edlem und menschenfreundlichem Charakter, der bei allen Gefangenen sehr beliebt und angesehen ist. Es ist ihm aber doch ganz unmöglich, das System zu ändern. Ohne Zweifel sieht er täglich vieles, was er selbst für ungerecht, töricht und grausam hält. Aber die Hände sind ihm gebunden.

Ästhetisches Manifest

Unter den vielen jungen Leuten in England, die mit mir zusammen die englische Renaissance zu vollenden und vollkommen zu machen suchen – Jeunes guerriers du drapeau romantique, wie Gautier uns genannt haben würde – gibt es keinen, der eine makellosere und glühendere Liebe zur Kunst hat, keinen, dessen künstlerischer Schönheitssinn zarter und feiner ist – keinen fürwahr, der mir lieber ist –, als der junge Dichter, dessen Verse ich mit nach Amerika gebracht habe; Verse voll süßem Leid und doch voller Freude; denn nicht der ist der freudigste Dichter, der auf den öden Landstraßen dieser Welt den unfruchtbaren Samen des Lachens sät, sondern wer seinem Schmerz am meisten Musik verleiht – dies nämlich ist der wahre Sinn der künstlerischen Freude – dies unaussprechliche Element künstlerischen Genusses, das in der Lyrik zum Beispiel davon kommt, was Keats das »sinnliche Leben der Verse« nennt, das Element des Gesangs in dem Liede, das Element, das uns durch das Wunder der rhythmischen Bewegung so ganz hinnimmt, das oft aus einer rein musikalischen Stimmung entspringt und das in der Malerei nie im behandelten Gegenstand, immer nur im malerischen Reiz zu finden ist – im Ton und der Symphonie der Farbe, der beruhigenden Schönheit der Konturen: sodass der höchste Ausdruck unserer Kunstbewegung in der Malerei nicht die vergeisteten Visionen der Präraphaeliten gewesen sind, trotz all ihrem Wunder griechischer Legende und ihrem Mysterium italienischen Lieds, sondern die Arbeit solcher Männer wie Whistler und Albert Moore, die die Zeichnung und Farbe auf die ideale Stufe der Poesie und Musik gehoben haben. Denn die Eigenheit ihrer erlesenen Malerei kommt lediglich von der originellen und schöpferischen Behandlung der Linie und der Farbe, von einer bestimmten Form und Auswahl schöner Technik, die jede literarische Reminiszenz und jede metaphysische Idee verwirft und so dem ästhetischen Sinn für sich allein völlig genügt – sie ist, wie die Griechen gesagt hätten, Selbstzweck; die Wirkung ihrer Werke ist dieselbe wie die Wirkung, die die Musik hervorbringt: denn die Musik ist die Kunst, wo Form und Stoff immer eins sind – die Kunst, deren Gegenstand von der Form, wie er zum Ausdruck kommt, nicht getrennt werden kann; die Kunst, die uns das künstlerische Ideal am vollständigsten verwirklicht, die da steht, wohin alle andern Künste immer unterwegs sind.

Dieser gesteigerte Sinn nun für den in sich ruhenden und völlig gesättigten Wert schöner Technik, diese Anerkennung der ausschlaggebenden Bedeutung des sinnlichen Elements in der Kunst, diese Liebe zur Kunst um der Kunst willen ist der Punkt, wo wir, eine jüngere Richtung, uns von den Lehren Ruskins getrennt haben – endgültig und entschieden getrennt.

Meister in jeder Wissenschaft edler Lebensführung und in der Weisheit aller Dinge des Geistes wird er uns immer sein; er war es ja doch, der durch die zwingende Kraft seiner Persönlichkeit und die Musik seiner Rede uns in Oxford die begeisterte Liebe zur Schönheit lehrte, die das Geheimnis des Hellenismus ist, und den schöpferischen Drang, der das Geheimnis des Lebens ist; der einigen von uns wenigstens die erhabene und leidenschaftliche Sucht schuf, in weite, schöne Lande hinauszugehen und den Völkern eine Botschaft und der Welt eine Sendung zu künden; und doch, in seiner Kunstkritik, seiner Einschätzung des künstlerischen Genusses, seiner ganzen Art, an die Kunst heranzugehen, gehen wir nicht mehr mit ihm; denn das Kriterium seines ästhetischen Systems ist immer ein ethisches. Er beurteilt ein Gemälde nach der Summe vornehmer Moralprinzipien, die es zum Ausdruck bringt; für uns aber sind die Wege, auf denen allein die vornehme malerische Arbeit uns berühren kann und wirklich berührt, nicht Wege von Lebenswahrheiten oder von metaphysischen Wahrheiten. Ihm bedeutet vollendete Technik nur ein Zeichen äußerlichen Glanzes, und Mangelhaftigkeit des technischen Könnens schreibt er einer Fantasie zu, die zu schrankenlos ist, als dass sie in den Schranken der Form ihren völligen Ausdruck finden könnte, oder einer

Hingebung, die zu schlicht ist, um in ihrer Gestaltung nicht zu stammeln. Für uns aber ist das Gebot der Kunst etwas anderes als die Gebote der Moral. In einem ethischen System natürlich, das nur einigermaßen menschenfreundlich ist, wird freilich der gute Wille anerkannt werden; aber wer in das helle Haus der Schönheit eingehen will, den fragen wir nicht, was er allenfalls tun möchte, sondern was er vollbracht hat. Nicht seine pathetischen Vorsätze haben Wert für uns, sondern nur seine verwirklichten Schöpfungen. Pour moi je préfère les poètes qui font des vers, les médecins qui sachent guérir, les peintres qui sachent peintre.

Auch sollten wir uns bei Betrachtung eines Kunstwerkes nicht in Träume verlieren, was es bedeutet, sondern es um deswillen lieben, was es ist. In der Tat ist der Geist der Transzendenz dem Geist der Kunst fremd. Der metaphysische Geist Asiens mag sich das ungeheuerliche und vielbrüstige Götzenbild schaffen, aber für den Griechen, der lediglich Künstler ist, ist das Werk am reichsten seelisch belebt, das den vollkommenen Erscheinungen auch des leiblichen Lebens am nächsten kommt. Und ein Gemälde zum Beispiel hat in dem, was es von Haus aus in sich birgt, durchaus nicht mehr geistige Beziehung oder Bedeutung für uns als ein blauer Ziegel aus der Mauer von Damaskus oder eine Hizenvase. Es ist eine schöngefärbte Fläche, nichts anderes, und wirkt auf uns mit keiner aus der Philosophie gestohlenen Idee, mit keinem aus der Literatur mitgenommenen Pathos, mit keinem dem Dichter entwendeten Gefühl, sondern mit seiner eigenen unsagbaren künstlerischen Wesenheit – mit der besonderen Form der Wahrheit, die wir Stil nennen, und mit dem Verhältnis von Werten, das die Kennmarke der Malerei ist, mit der ganzen Qualität der Ausführung, mit der ganzen Arabeske der Zeichnung, dem Glanz der Farbe, denn diese Dinge genügen, um die göttlichsten und verborgensten Saiten zu erschüttern, die in unserer Seele musizieren, und die Farbe ist wahrhaftig schon an sich ein mystisches Lebendigsein in den Dingen, und der Ton eine Art Empfindung.

Dies also – die neue Auffassung unserer jüngeren Richtung – ist das Hauptmerkmal der Lyrik Rennell Rodds – denn obschon sich in seinem

Buch vieles findet, was den Verstand interessieren kann, vieles, was zum Gefühl spricht, und viele rhythmische Akkorde süßer und schlichter Empfindung – denn denen, die die Kunst um ihrer selbst willen lieben, ist alles andere dazugegeben –, ist doch die Wirkung, die sie vorwiegend üben will, eine rein artistische. Ein Gedicht wie »Das Grab des Seekönigs« mit all seiner majestätischen Melodie, die so tönend und gewaltig ist wie das Meer, an dessen kieferumwallten Ufern es so schön empfangen und gestaltet wurde; oder das kleine Gedicht, das dahinter steht, dessen geschickte Arbeit, die mit einem so künstlerischen Sinn für Beschränkung gefertigt ist, man mit der Kunst des erlesenen Ziseleurs vergleichen möchte, die sein Motiv ist; oder »In einer Kirche«, die blasse Blüte eines köstlichen Augenblicks, wie man sie wohl kennt, wo alle Dinge außer dem Augenblick selbst so seltsam wirklich scheinen, und wo die alten Gedächtnisse vergessener Tage angerührt und besänftigt werden und der vertraute Ort plötzlich in einer Vision der unsterblichen Schönheit der gestorbenen Götter glühend und feierlich wird; oder die Szene in der »Kathedrale von Chartres«, düsteres Schweigen brütet auf Gewölben und Bogen, stumm knien da und dort Leute im Staub der leeren Fließen und der junge Priester erhebt den Leib des Herrn in kristallenem Stern; und dann brechen gewalttätig Strahlen scharlachenen Lichts durch die Glasmalerei des Fensters und schlagen an das geschnitzte Gitterwerk des Lettners, und rasche Orgelstöße rollen und dröhnen in mächtiger Musik vom Chor zum Baldachin des Altars und von Säule zu Säulenbündel, und über allem die helle, frohe Stimme eines singenden Knaben, die so überwältigend süß ins Ohr geht und eben den rechten künstlerischen Grundton für unsere Gefühle trifft; oder das Gedicht »In Lavunium«, wo man durch die Musik seiner Linien hindurch das Sausen der Bienen von Mantua wieder zu vernehmen glaubt, die aus den grünen Tälern ihrer Heimat und von den Flüssen im Lande drinnen in dicken Haufen durch die Lüfte kommen, um den Bernsteinhonig einzusammeln, den die Blumen am Meere bergen; oder das Gedicht, das »Im Kolosseum« geschrieben ist, das einem denselben künstlerischen Genuss gibt, wie wenn man einem Handwerker bei seiner Arbeit zusieht – einem Goldschmied, der sein Gold in so dünne Blättchen hämmert, dass sie zart sind wie gelbe Rosenblätter, oder der es zu langen Fäden zieht wie ineinandergeworrene Sonnenstrahlen – so vollkommen und köstlich im bloßen Machwerk; oder die kleinen lyrischen Zwischenspiele, die hie und da wie der Gesang einer Drossel einfallen und die so flink und so sicher sind wie der Flügelschlag eines Vogels, so schwank und blank wie die Apfelblüten, die in langsamem Hin und Her nach einem Frühlingsgewitter auf den Rasen flattern und noch lieblicher sind, da die Regentropfen auf ihrem zarten rosenroten Perlengeäder liegen; oder die Sonette – denn Rodd ist einer von denen qui sonnent le sonnet, wie die Ronsardisten zu sagen pflegten – das eine, das sich »An den Hügeln des Ufers« nennt, mit dem feurigen Wunder seiner Fantastik und der seltsamen Schönheit seiner achten Zeile; oder das andere, das von dem Schmerz des großen Königs um das tote kleine Kind spricht – nun, all diese Gedichte streben, wie gesagt, eine rein artistische Wirkung an und haben die köstliche und erlesene Eigenheit, die solcherlei Arbeit auszeichnet; und ich finde, dass die völlige Unterordnung aller bloß gefühls- und verstandesmäßigen Motive unter das entscheidende formende Prinzip der Poesie das sicherste Zeichen für die Gesundheit unserer ästhetischen Bewegung ist.

Aber es ist nicht genug, dass ein Kunstwerk den ästhetischen Forderungen der Zeit entspricht: es muss auch, wenn es uns irgend dauernden Genuss gewähren soll, den Stempel einer besonderen Individualität tragen. Jedes Werk, das in unserm Jahrhundert gelten soll, muss auf den zwei Polen der Persönlichkeit und der Vollendung ruhen. Und so könnte man in diesem dünnen Band die frühere und schlichtere Stufe von der späteren und kräftigeren trennen, wo der Dichter mehr technische Macht und mehr künstlerische Anschauung besitzt, und dann reizt es einen, diese auseinanderfallenden Gedichte, diese wirren und vereinzelten Fäden zu einem feuerfarbenen Band des Lebens zu weben: Zuerst stößt man auf die bloße Fröhlichkeit eines Knaben darüber, dass er jung ist, mit all seiner einfachen Freude im Feld und den Blumen, im Sonnenschein und Gesang, und dann die Bitterkeit plötzlichen Schmerzes, wenn der Tod einer kurzen und schönen Jugendfreundschaft ein Ende macht, mit all dem vergeblichen Sehnen und hoffnungslosen Fragen, mit dem wir so nutzlos das starre Marmorantlitz des Todes bewegen wollen; wobei der künstlerische Gegensatz zwischen der Unvollkommenheit des Geistes und der vollkommenen Vollendung des Stils, der ihn zum Ausdruck bringt, das Hauptelement des ästhetischen Reizes dieser besonderen Gedichte ausmacht; und dann die Geburt der Liebe und all das Wunder und all die Angst und gefahrvolle Wonne, wenn zum ersten Mal die Schwingen der Liebe die Stirne des Knaben streifen; und die Liebeslieder, zart und fein, mit einer inneren Musik, als flögen leichte Schwalben, und so voller Freiheit und Duft, dass man sie alle im Freien und auf fließendem Wasser singen möchte; und dann der Herbst mit seinen verstummten Wäldern und seiner duftenden Verwesung und der untergehenden Lieblichkeit, wo die Liebe im Tode daliegt; und die Klage darüber.

Hier möchte man innehalten, denn von einem jungen Dichter dürfte man keine tieferen Klänge des Lebens verlangen als diese, die Liebe und Freundschaft uns zu ewigen Klängen machen; und die besten Gedichte in diesem Bande gehören offenbar einer späteren Zeit an, wo diese Erfahrungen des Wirklichen in eine Form aufgelöst und zusammengezogen werden, die solchen Erfahrungen des Wirklichen sehr entfremdet und entfernt scheint; wo der einfache Ausdruck von Freude oder Schmerz nicht länger genügt und mehr in der Hoheit des Rhythmus, in der Musik und Farbe der verketteten Worte liegt als in unmittelbarem Aussprechen der Dinge; mehr, möchte man sagen, in der Vollendung der Form lebt als im Pathos des Gefühls. Und doch können wir, nach der zerbrochenen Musik der Liebe und der Grablegung der Liebe in den Wäldern des Herbstes, wohl das Wandern unter seltsamen Menschen und in Ländern, die wir nicht kennen, darin spüren, wodurch wir so tragisch versuchen, die Stöße des Lebens, das wir kennen, zu heilen, und die reine, inständige Hingebung an die Kunst, die den Menschen überkommt, wenn die raue Wirklichkeit des Lebens ihn zu plötzlich verwundet hat und ihm die Jugend mit Verzweiflung oder Kummer zerstört, und die, meine ich, nicht seltener daher kommt als von irgendeiner natürlichen Freude am Leben; und die sonderbare Gewalt des Blicks, die in Momenten überwältigender Trauer und unbezwinglicher Verzweiflung künstlerische Dinge im Gedächtnis zu lebendiger Wirklichkeit beseelt, zu einer Wirklichkeit, die dem Leben angehört, das diese Dinge uns vergessen helfen – ein altes graues Grab in Flandern mit einer seltsamen Inschrift, das uns den Gedanken gibt, dass leidenschaftliche Liebe vielleicht den Tod überlebt, eine Schnur aus blauen und bernsteingelben Perlen und ein zerbrochener Spiegel, die im Grab eines Mädchens in Rom gefunden wurden, ein Marmorbild eines Knaben, der wie Eros gekleidet ist, und mit der pathetischen Gebärde der Tragik eines großen Königs, die wie ein purpurner Schatten darin umgeht, hat sich über dem allem der müde und verklärte Geist mit der ruhigen und sicheren Freudigkeit gelagert, die über einen kommt, wenn man etwas gefunden hat, was die Welt nicht zerstören und die Zeit nicht verwittern kann; und mit ihr kommt die Sehnsucht nach den Dingen Griechenlands, die oft das Mittel des Künstlers ist, die Sehnsucht nach der Vollendung auszudrücken, und das Verlangen nach den alten gestorbenen Tagen, das so modern ist und so unvollkommen und so rührend und gewissermaßen die umgekehrte Fackel der Hoffnung vorstellt, die die Hand verbrennt, die sie führen sollte; und über viele Dinge eine leichte Trauer, und zu allen Dingen eine große Liebe; und zuletzt, im Kiefernwald an der See, noch einmal der rasche, lebendige Puls froher Jugend, der in jeder Zeile lacht und hüpft, die frische, unverzagte Freiheit von Welle und Wind, die die ausgebrannte Asche des Lebens zu Flammen erwecken und zu Gesang die stummen Lippen der Qual – wie klar scheint man es alles zu sehen, die lange Zeile der Kiefern, durch die Wolken und Meer hie und da wie ein Silberblick aufblitzen; den freien Platz im Grünen, das Herz des Waldes mit dem moosumsponnenen Altar des alten italischen Gottes darauf und die Blumen ringsherum, Alpenveilchen an schattigen Plätzen, und die Sterne der weißen Narzissen, die wie Schneeflocken über dem Gras liegen, wo die behände glanzäugige Eidechse über den Stein schießt, und die Schlange zusammengerollt auf dem heißen Sand in der Sonne liegt, und zu Häupten von den Zweigen fließen die Marienfäden, dünne, zitternde, goldene Fäden – die Szene ist in ihrem Motiv ganz vollendet, denn hier fürwahr, wenn irgendwo, könnte die wahre Freudigkeit des Lebens einer

Jugend offenbart werden – die Freudigkeit, die nicht kommt, wenn man die Leidenschaft verstößt, sondern wenn man sie in sich einzieht, und die so ist wie die ruhige Heiterkeit, die im Gesicht der griechischen Statuen liegt, und die Verzweiflung und Schmerz nicht vernichten, sondern nur verdichten und verstärken können.

So etwa könnten wir diese losen und zerstreuten Blumenblätter der Dichtung zu einer vollkommenen Rose des Lebens sammeln und doch möchten wir vielleicht, wenn wir es tun, das wahre Wesen der Gedichte nicht treffen; des Menschen wirkliches Leben ist so oft das Leben, das er nicht führt, und schöne Gedichte können wie schöne Seidenfäden zu vielerlei Mustern verwoben werden, die alle wunderbar und verschieden sind: und dazu ist die romantische Dichtung wesentlich die Dichtung der Impressionen, und wie die letzte Richtung in der Malerei, die Richtung Whistlers und Albert Moores, wählt sie zu ihrer Situation nicht eine Fabel oder ein Thema, sie behandelt lieber die Ausnahmen als die Typen des Lebens, sie liebt die intensive Kürze in dem, was man ihre feuerfarbene Augenblicklichkeit nennen könnte, denn in der Tat sind es jetzt die Augenblickssituationen des Lebens, das momentane Aussehen der Natur, was Dichtung und Malerei uns vermitteln wollen. Ehrlichkeit und Treue wird der Künstler natürlich immer haben, aber künstlerische Ehrlichkeit ist bloß die plastische Vollendung der Ausführung, ohne die ein Gedicht oder ein Gemälde, mag die Empfindung noch so edel, seine Herkunft noch so menschlich sein, nur vergeudete und unwirkliche Arbeit ist, und treu sein kann der Künstler nicht einem festgelegten Lebensgesetz oder System, sondern nur dem Prinzip der Schönheit, durch das die schwankenden Schatten des Lebens in ihrem flüchtigsten Augenblick festgehalten und verewigt werden. Er wird sich zum Beispiel in Dingen der Erkenntnis nicht bei der bequemen Orthodoxie unserer Zeit beruhigen und ebensowenig verlangt es ihn nach dem feurigen Glauben der antiken Zeit, der die Fantasie zwar intensiver machte, aber beschränkte, noch weniger wird er zugeben, dass der Friede seiner Kultur von der misstönenden Verzweiflung des Zweifels oder der Düsterkeit unfruchtbarer Skepsis zerrissen wird, denn das Tal der Gefahr, wo die

Heere der Unwissenden zur Nacht rasselnd zusammenstoßen, ist kein schicklicher Ruheplatz für die, denen die Götter das helle Hochland, den heiteren Gipfel und die sonnige Luft bestimmt haben – lieber wird er es immer in Neugier mit neuen Formen des Glaubens versuchen, wird seine Natur in den Gefühlen untertauchen lassen, die noch um alten schönen Glauben zittern, und wenn er, der die Erfahrung selbst, nicht ihre Früchte sucht, ihr Geheimnis geborgen hat, wird er ohne Bedauern vieles lassen, was ihm einmal sehr teuer war. »Ich bin immer unaufrichtig«, sagt Emerson irgendwo, »da ich weiß, es gibt auch andere Stimmungen.« »Les émotion«, schrieb Théophile Gautier einmal in einer Kritik über Arsène Houssaye, »les émotions ne se ressemblent pas, mais être ému – voilà l'important.«

Dies also ist das Geheimnis der Kunst der romantischen Schule unserer Zeit und gibt uns den rechten Grundton, sie zu erfassen; aber das eigentliche Wesen aller Werke, die wie die Gedichte Rodds, wie ich sagte, nach einer rein künstlerischen Wirkung streben, kann nicht mit den Worten, die der Sprache begrifflicher Kritik zur Verfügung stehen, beschrieben werden; sie sind dafür unzugänglich. Man kann vielleicht am besten in Ausdrücken zu ihnen führen, die den andern Künsten entnommen sind und auf sie hinweisen; und wirklich, einige dieser Gedichte irisieren wie ein entzückendes Stück venezianisches Glas und sind ebenso köstlich; andere sind so duftig in der Vollkommenheit ihrer Ausführung und so einfach im Naturmotiv wie eine Radierung Whistlers oder wie eine der schönen kleinen griechischen Figuren, die man in den Olivenhainen um Tanagra heute noch finden kann, mit der matten Vergoldung und dem Hauch von Karmesin, die noch nicht ganz von Haar und Lippen und Gewand geschwunden sind; und viele von ihnen gleichen den Dämmerungen Corots, die eben zu Musik werden, denn nicht bloß in der sichtbaren Farbe, sondern auch in der Empfindung – die die Farbe der Poesie ist – kann wohl eine Art Ton liegen.

Aber ich glaube, das beste Gleichnis für das Wesen der Gedichte dieses jungen Poeten, das ich je sah, fand ich in der Loirelandschaft. Er und ich hielten uns einmal in dem kleinen Städtchen Amboise auf, mit seinen grauen Schieferdächern und seinen steilen Straßen und dem schmalen, finsteren Torweg, wo die friedlichen Hütten wie weiße Tauben in den düstern Spalten der großen Felsenfestung nisten, und die stattlichen Renaissancegebäude schweigsam und vornehm dastehen – jetzt sehr öde, aber die feingedrehten Säulen und geschnitzten Tore mit ihren grotesken Tieren und lachenden Masken und wunderlichen Wappensprüchen noch von mancher Erinnerung an die alten Tage umschwebt, und das alles erzählt von einem Menschenschlag, der sich das Leben nicht wirklich denken konnte, solange er's nicht fantastisch gemacht hatte. Und oberhalb des Städtchens, jenseits der Biegung des Flusses, gingen wir gewöhnlich nachmittags und zeichneten von einem der großen Kähne aus, die im Herbst den Wein und im Winter das Holz zum Meer bringen, oder wir lagen im hohen Gras und entwarfen Pläne pour la gloire, et pour ennuyer les Philistins, oder wir spazierten an den niedrigen, schilfbewachsenen Ufern und »bliesen unsere Rohrpfeife in fröhlichem Wettkampf«, wie es Gefährten in den alten Tagen Siziliens gern taten; und das Land war ein ziemlich gewöhnliches Land und sogar kahl, wenn man an Italien dachte, wie da die Oleanderbäume die Berge bei Genua mit Scharlach schmückten und die Cyklamen mit ihrem Purpur jedes Tal von Florenz bis Rom erfüllten; denn es gab nicht viel wirkliche Schönheit hier, nur lange, weiße, staubige Straßen und gerade, feierliche Pappelalleen, aber dann und wann verlieh ein kleiner flüchtiger Schimmer gebrochenen Lichts dem grauen Feld oder der stillen Scheune ein Geheimnis und eine Weihe, die sie nicht wirklich besaßen, und verklärte für einen einzigen köstlichen Augenblick die Bauern, die den Weinberg herabstiegen, oder den Schäfer, der auf dem Hügel weidete, betupfte die Weidenbäume mit Silber und verwandelte den Fluss in fließendes Gold; und die wunderbare Wirkung zusammen mit der seltsamen Einfachheit des Materials schien mir immer ein wenig wie die Art dieser Verse meines Freundes.

Sonett an die Freiheit

(Oscar Wilde, Poems. London 1881.)

Nicht darum, weil ich hold bin deinen Söhnen,
In deren Sinn nichts lebt als festgeballt
Der eignen dumpfen Leiden Missgestalt, –
Doch weil aus deinem wilden Machtverhöhnen,
Aus deines Schreckenreichs Gewitterdröhnen
Mir meiner eignen Leidenschaft Gewalt
Und meinem Grimm ein Echo widerhallt, –
Darum, du Freiheit! jauchzt bei deinen Tönen
Mein Innerstes, sonst könnte Tyrannei
Das heilge Recht der Völker immerhin
Mit Knuten treffen und mit Kanonaden,
Und meine Seele bliebe kalt dabei –
Und doch, und doch! Gott weiß, wie eins ich bin
Mit jenen Heilanden der Barrikaden.

Der Kritiker als Künstler

Ein Dialog

Nebst einigen Bemerkungen über den Wert des Nichtstuns

I. Teil

Personen: Gilbert und Ernst

Szene: Die Bibliothek eines Hauses in Piccadilly, von der aus man den Green Park überblickt

Gilbert *(am Klavier)*: Mein lieber Ernst, worüber lachst du?

Ernst *(aufblickend)*: Über eine prächtige Geschichte, die ich eben in diesem Band Erinnerungen, der auf deinem Tische liegt, gelesen habe.

Gilbert: Was für ein Buch ist es? Ah! Ich sehe schon. Ich hab' es noch nicht gelesen. Taugt es etwas?

Ernst: Nun, ich habe, während du spieltest, nicht ohne Vergnügen darin geblättert, obwohl ich in der Regel kein Freund moderner Memoiren bin. Erinnerungen werden gewöhnlich von Leuten niedergeschrieben, die sich überhaupt nicht mehr zu erinnern vermögen oder die nie etwas des Erinnerns Wertes vollbracht haben. Das erklärt ohne Zweifel ihre weite Verbreitung. Dem englischen Publikum wird stets behaglich zumute, wenn eine Mittelmäßigkeit zu ihm spricht.

Gilbert: Jawohl, unser Publikum ist wunderbar duldsam. Es verzeiht alles – nur nicht das Genie. Doch ich bekenne, mir gefällt jede Art von Memoiren. Und zwar um ihrer Form wie um ihres Gegenstandes willen. In der Literatur ist der reine Egoismus von besonderem Reiz. Darin liegt für uns der Zauber von Briefen so verschiedener Persönlichkeiten wie Cicero und Balzac, Flaubert und Berlioz, Byron und Madame de Sevigne. Wo immer wir ihm begegnen – es ist merkwürdigerweise ziemlich selten der Fall –, müssen wir ihn willkommen heißen; wir verlieren ihn nicht leicht aus dem Gedächtnis. Die Menschheit wird Rousseau stets aus dem Grunde lieben, weil er seine Sünden nicht dem Priester, sondern der Welt gebeichtet hat. Die schlummernden Nymphen, die Cellini in Bronze für das Schloss des Königs Franz geschaffen hat, selbst der grün-goldene Perseus, der in der offenen Loggia zu Florenz dem Mondlicht jenes todesstarre Entsetzen zeigt, das einst Leben zu Stein gewandelt hat: diese Bildwerke haben der Welt nicht mehr Vergnügen gewährt, als Cellinis Selbstbiografie, in der dieser Erzschuft der Renaissance die Geschichte seines Glanzes und seiner Schmach erzählt. Die Meinungen, das Wesen, die Taten eines Mannes fallen wenig ins Gewicht. Er mag ein Skeptiker sein wie der adelige Sieur de Montaigne oder ein Heiliger wie der verbitterte Sohn der Monika – sobald er uns seine Geheimnisse offenbart, ist er stets imstande, unser Ohr zu bezaubern und unsern Lippen Schweigen zu gebieten. Die Art des Denkens, die Kardinal Newman vertreten hat – wenn man den Versuch, geistige Probleme durch die Leugnung der Herrschaft des Verstandes zu lösen, überhaupt eine Art des Denkens nennen darf –, diese Methode wird und kann schwerlich von Dauer sein. Aber die Welt wird nie müde werden, dieser geängsteten Seele zuzuschaun, wie sie von Finsternis zu Finsternissen weiterschreitet. Das einsame Kirchlein zu Littlemore, in dem »der Hauch des Morgens dumpfig weht und wenige Gläubige sich versammeln«, wird uns stets teuer sein. Wann immer man das gelbe Löwenmaul auf dem Wall von Trinity blühn sieht, wird man dieses gottseligen Studenten gedenken, der in der steten Wiederkehr der Blumen die prophetische Kunde fand, dass er für immer mit der Gnadenmutter vereint bleiben werde – eine Prophezeiung, die der Glaube sehr kluger- oder sehr törichterweise nicht zur Erfüllung kommen ließ. Ja, in der Selbstbiografie liegt ein unwiderstehlicher Zauber. Der arme, einfältige eingebildete Herr Sekretär Pepys hat sich in den Kreis der Unsterblichen hineingeschwätzt. Da er sehr wohl wusste, dass indiskretes Ausplaudern des Mutes besserer Teil ist, läuft er geschäftig in dieser Versammlung umher, in seinem »purpurnen Flausrock mit goldenen Knöpfen, Schnüren und Tressen«, den er uns so gern beschreibt. Er schwätzt zu seinem eigenen und zu unserm unendlichen Vergnügen über den indisch-blauen Unterrock, den er für sein Weib gekauft hat, über den »guten Schweinebraten« und das »köstliche französische Kalbsfrikassee«, das er so gerne aß, über sein Bowlingspiel mit Will Joyce, sein Umherschwärmen um alle schönen Frauen. Er erzählt, wie er am Sonntag Hamlet rezitierte, wie er an Wochentagen die Bratsche spielte, und dergleichen langweilig-alltäglicher Dinge mehr. Selbst im wirklichen Leben ist der Egoismus nicht ohne Reiz. Wenn die Leute über andere reden, sind sie gewöhnlich langweilig. Erzählen sie uns dagegen über sich selbst, so werden sie beinahe immer interessant. Wenn man ihnen in dem Augenblick, wo sie uns langweilen, so leicht den Mund schließen könnte, wie man ein Buch zuklappt, dessen man müde geworden, dann wäre an den meisten nichts auszusetzen.

Ernst: In diesem »Wenn«, würde Probstein sagen, liegt ungemeine Kraft. Schlägst du aber im Ernst vor, jeder solle sein eigener Boswell sein? Was sollte aus den emsigen Leuten werden, die das Material für Lebensbeschreibungen und Erinnerungen sammeln?

Gilbert: Was ist aus ihnen geworden? Sie sind geradezu die Pest dieser Zeit. Jeder Mann von Bedeutung findet heutzutage seine Jünger, und immer ist es Judas, der seine Biografie schreibt.

Ernst: Aber mein lieber Freund!

Gilbert: Ich fürchte, ich habe recht. Früher pflegten wir unsre Heroen zu Heiligen zu erheben. Jetzt ist es Sitte, sie dem Pöbel gleichzustellen. Billige Volksausgaben großer Werke sind vielleicht etwas sehr Köstliches, aber billige Ausgaben bedeutender Menschen sind einfach abscheulich.

Ernst: Darf ich fragen, Gilbert, auf wen du da anspielst?

Gilbert: Oh – auf alle unsre Literaten zweiten Ranges. Wir werden von einer Klasse von Menschen heimgesucht, die nach dem Tod eines Dichters oder Malers zugleich mit dem Leichenbestatter das Haus stürmen, von Leuten, die vergessen, dass sie nur eine Aufgabe haben: sich ganz still zu verhalten. Aber sprechen wir nicht von ihnen. Sie sind die Leichenräuber der Literatur. Der eine rafft den Staub, der andere die Asche an sich, die Seele bleibt jenseits ihres Bereichs. Und nun will ich dir Chopin vorspielen, oder ziehst du Dvorak vor? Soll ich dir eine Fantasie von Dvorak spielen? Sein Stil ist leidenschaftlich, seltsam farbig.

Ernst: Nein; mich verlangt jetzt nicht nach Musik. Die Musik ist viel zu unbestimmt. Überdies habe ich gestern Abend die Baronin Bernstein zu Tische geführt, und so reizend die Dame sonst ist, sie hörte nicht auf, von Musik zu sprechen, als wäre diese wirklich in deutscher Sprache geschrieben. Nun, wie immer Musik klingen mag, sie klingt erfreulicherweise keineswegs, auch nicht im Entferntesten, wie deutsch. Der Patriotismus äußert sich zuweilen auf wirklich erniedrigende Art. Nein, Gilbert, spiele nicht mehr. Dreh dich um und plaudere mit mir. Plaudere mit mir, bis der weißhörnige Tag ins Zimmer steigt. In deiner Stimme liegt etwas Bezauberndes.

Gilbert *(sich vom Klavier erhebend)*: Ich bin nicht in der Stimmung, heute Nacht zu plaudern. Warum lächelst du so abscheulich? Es ist wirklich so. Wo sind die Zigaretten? Ich danke. Wie köstlich sind diese gelben Narzissen! Sie scheinen aus Bernstein und kühlem Elfenbein geschnitzt zu sein. Sie gleichen den Gebilden griechischer Kunst aus der besten Zeit. Was ist dies nun für eine Geschichte in den Bekenntnissen des »reuezerknirschten Akademikers«, die dich so sehr belustigt hat? Erzähl' sie mir. Wenn ich Chopin gehört habe, fühl' ich mich seltsam erregt, als hätte ich über Sünden geweint, die ich niemals begangen habe, über Tragödien getrauert, die mich nichts angingen. Ich glaube, die Musik übt immer diese Wirkung. Sie ruft in uns eine Vergangenheit wach, von der man bis dahin nichts wusste, sie erfüllt uns mit der Empfindung von Leiden, die unsern Tränen bisher verborgen blieben. Ich kann mir vorstellen, dass jemand, der bis dahin ein ganz alltägliches Leben geführt hat, zufälligerweise seltsame Musik vernimmt und dann plötzlich entdeckt: seine Seele habe, ihm selbst unbewusst, furchtbare Erfahrungen durchgemacht, schrecklichen Jubel, wild romantische Liebe, furchtbare Entsagungen erlebt. Erzähle mir also diese Geschichte, Ernst. Ich brauche Aufheiterung.

Ernst: Oh – die Sache ist durchaus von keiner Bedeutung. Ich meinte nur: diese Geschichte gibt ein gutes Beispiel für den wahren Wert der landläufigen Kunstkritik. Eine Dame soll nämlich einst den »reuezerknirschten Akademiker«, wie du ihn nennst, sehr ernsthafterweise gefragt haben, ob sein berühmter »Frühlingstag in Whiteley« oder »Das Warten auf den letzten Omnibus« oder andere ähnliche Bilder ganz mit der Hand gemalt seien.

Gilbert: Nun, wurden sie mit der Hand gemalt?

Ernst: Du bist ganz unverbesserlich. Aber reden wir ernsthaft: Worin besteht der Nutzen der Kunstkritik? Warum überlässt man nicht den Künstler ganz sich selbst, auf dass er – geht sein Streben dahin – eine neue Welt erschaffe, oder die bestehende, bekannte nachbilde, deren wir alle wohl längst überdrüssig wären, wenn sie nicht die Kunst mit ihrem feinen Geist der Auswahl und Auslese gleichsam für uns reinigt und ihr für einen Augenblick eine gewisse Vollkommenheit gäbe. Ich glaube, die Fantasie verbreitet um sich oder sollte doch eine Atmosphäre der Einsamkeit um sich verbreiten; sie schafft am besten in der Stille und Abgeschlossenheit. Warum sollte der Künstler durch das schrille Geschrei der

Kritik aus seiner Ruhe gestört werden? Wie kommen Leute, die selbst nicht imstande sind, etwas zu schaffen, dazu, den Wert einer Schöpfung zu beurteilen? Was wissen sie davon? Ist der Sinn eines Kunstwerks leicht zu erkennen, dann ist die Erklärung überflüssig ...

Gilbert: Ist dagegen das Werk unverständlich, dann ist jede Deutung von Übel.

Ernst: Das hab' ich nicht behauptet.

Gilbert: Ah! Du hättest es behaupten sollen. Heutzutage hat man uns so wenig Geheimnisse übrig gelassen, dass wir nicht auf ein einziges verzichten können. Ich glaube, die Mitglieder der »Browning-Gesellschaft« verschwenden ebenso wie die Theologen der liberalen kirchlichen Partei und die Autoren der »Sammlung von Lebensbeschreibungen großer Schriftsteller« ihre Zeit damit, dass sie an ihrer Gottheit so lang herumerklären, bis von ihr nichts übrig bleibt. Da ist eine Stelle bei Browning, aus der man die Hoffnung schöpfen dürfte, er sei ein Mystiker gewesen; sogleich gibt man sich Mühe, zu zeigen, dass er hier nur unklar war. Da ist eine andere Stelle, aus der man schließen könnte, dass er etwas zu verbergen hatte – sie klären uns sogleich auf, dass er nur sehr wenig zu enthüllen hatte. Ich spreche aber nur von den einzelnen, aus dem Zusammenhang gehobenen Werken. Als Gesamterscheinung betrachtet, war dieser Mann groß. Er war nicht vom Rang der Olympier, die ganze Unvollkommenheit der Titanen haftete ihm an. Es fehlte ihm der Überblick und ein Sänger war er nur selten. Sein Werk zeigt die Spuren des Kampfes, heftiger Erregung und Anstrengung. Er ging nicht vom Gefühl aus und formte es, er wurzelt vielmehr im Gedanklichen und verschwimmt im Chaos. Dennoch war er groß. Man hat ihn einen Denker genannt – er war sicherlich stets von Gedanken bewegt, und immer dachte er laut. Aber es war nicht das Denken, das ihn reizte, vielmehr waren es die Vorgänge, die das Denken erregen. Die Maschine war es, die er liebte, nicht das Produkt der Maschine. Der Weg, auf dem der Tor zu seiner Torheit gelangt, war ihm so wert wie die letzte Weisheit des Weisen. Der subtile Mechanismus des Geistes übte auf ihn solchen Reiz, dass er die Kunst der Sprache gering schätzte und auf sie als ein unvollkommenes Instrument des Ausdrucks herabblickte. Der Reim, das köstliche Echo, das im gewellten Hügelland der Musen den Ton gebiert und ihn widerklingen lässt; der Reim, der in den Händen des wirklichen Künstlers nicht bloß ein sinnliches Element metrischer Schönheit, sondern auch ein geistiges des Denkens und der Leidenschaft wird – denn er lockt vielleicht neue Stimmungen, neue Gedankengänge hervor oder lässt durch süße und betörende Gewalt des Klangs die goldene Pforte aufspringen, an die selbst die Fantasie vergebens pochte – der Reim, der das Stammeln des Menschen zur Sprache der Götter erheben kann; der Reim, die einzige Saite, die wir der griechischen Leier hinzugefügt haben, – der Reim wurde in Robert Brownings Hand zur grotesken Missgeburt. Er machte sein Dichten zuweilen zur Maskerade eines kleinen Komödianten, er gab ihm allzuoft den Schein eines Pegasusreiters, der einhergaloppiert, die Zunge in die Backen gepresst. Manchmal verletzt er durch seine schrecklichen Dissonanzen. Ja, wenn seine Musik nur durch Zerreißen der Saiten seiner Laute zu gewinnen vermag, zerreißt er sie; sie schlagen misstönend zusammen, und keine attische Zikade lässt sich, die zitternden Flügel melodisch schwingend, auf dem elfenbeinernen Horn nieder, den Rhythmus vollkommen zu machen oder die Intervalle zu mildern. Und doch war er groß: Formte er gleich die Sprache zu unedlem Lehm um, er hat daraus Männer und Frauen gebildet, die leben. Seit Shakespeare reichte kein zweiter so dicht an ihn. Shakespeare vermochte mit Myriaden Lippen zu singen, Browning konnte durch tausend Munde stammeln. Noch jetzt, da ich nicht gegen ihn, sondern für ihn spreche, gleiten durch den Raum die Schatten seiner Gestalten. Schleicht hier nicht Fra Lippo Lippi, die Wangen glühend von eines Mädchens heißem Kuß? Hier sieht der furchtbare Saul, in seinem Turban schimmern die fürstlichen, großen Saphire. Da ist Mildred Tresham und der spanische Mönch, das Antlitz gelb vor Hass, und Blougram und Ben Ezra und der Bischof von St. Praxed. In der Ecke kauert des Setebos Brut. Sebald blickt, da er Pippas vorübergleitenden Schritt vernimmt, auf das wilde Antlitz der Ottima; ihn ekelt vor ihr, vor der eigenen Sünde, vor sich selbst. Bleich wie der weiße Atlas seines Wamses blickt der melancholische König mit träumerischen Verräteraugen auf den allzu treuen Strafford hin, der seinem Verderben entgegengeht. Andrea erschauert, da er in dem Garten das Pfeifen seiner Vettern hört, er bittet sein edles Weib, hinabzugehen. Ja, Browning war groß. Und wie wird er in der Menschheit Erinnerung fortleben? Als Dichter? Nein, nicht als ein Dichter. Man wird ihn als einen, der in Versen zu fabulieren wusste, im Gedächtnis behalten, vielleicht als den vornehmsten Versfabulisten, den wir je besaßen. In seiner Empfindung für die dramatische Situation hat er keinen Rivalen. Kann er auch die Probleme, die er selbst aufrollt, nicht lösen – er hat doch wenigstens Probleme hingestellt. Vermag ein Künstler mehr? Als Schöpfer von Gestalten steht er dem zunächst, der Hamlet schuf. Wäre er klar und bestimmt gewesen, er hätte neben ihm stehen dürfen. Der Einzige, der den Saum seines Gewandes berühren darf, ist George Meredith. Meredith ist ein Browning in Prosa, aber auch Browning ist Prosaiker. Er bediente sich der Poesie als eines Mittels, Prosa zu schreiben.

Ernst: In dem, was du sagst, ist manches Richtige, doch sagst du nicht alles. In manchen Punkten bist du ungerecht.

Gilbert: Es ist schwer, dort, wo man liebt, nicht ungerecht zu sein. Aber kehren wir zu unserem Ausgangspunkt zurück. Was meinst du noch?

Ernst: Einfach dies: In den besten Tagen der Kunst hat es keine Kunstkritik gegeben.

Gilbert: Diese Bemerkung muss ich schon einmal gehört haben, Ernst. Sie hat die Lebenszähigkeit eines Irrtums und ist so langweilig wie ein alter Freund.

Ernst: Sie spricht die Wahrheit aus. Ja, schüttle nur spöttisch den Kopf. Sie spricht völlig die Wahrheit. In den besten Tagen der Kunst gab es keine Kunstkritik. Der Bildhauer schlug aus dem Marmorblock den großen, weißen, geschmeidigen Hermes, der in ihm schlief. Die Polierer und Vergolder gaben der Statue Färbung und Gefüge. Wenn die Welt sie erblickte, ward sie von Ehrfurcht erfasst und verstummte. Er goss die glühende Bronze in die Sandform, der Strom roten Metalls kühlte sich zu edlen Linien ab und zeigte im Umriss den Leib eines Gottes. Durch Emaille oder geschliffene Juwelen gab er den blinden Augen Leben. Die hyazinthengleichen Locken kräuselten sich unter seinem Stichel. Und wenn dann der Sohn der Leto im dämmrigen, freskengeschmückten Tempel oder in der Säulenhalle, die im Sonnenlicht glänzte, auf dem Piedestal stand, fühlten die Vorüberschreitenden, άβρῶς βαισοστες διά λαμπροτάτου αἰθερος, eine neue Gewalt habe von ihrem Leben Besitz ergriffen. Träumerisch oder mit dem Gefühl seltsam beseligender Freude kehrten sie heim und machten sich an ihre Tagesarbeit, oder sie wanderten vielleicht durch die Pforte der Stadt zu jener Wiese, wo die Nymphen spielten, dort, wo der junge Phädrus die Füße netzte. Auf dem weichen Gras, unter den schlanken, im Winde raunenden Platanen, unter dem blühenden agnus castus gelagert, sannen sie über die Wunder der Schönheit nach und schwiegen in ungewohnter Ehrfurcht. In jenen Tagen war der Künstler frei. Aus dem Bach schöpfte er mit seinen Fingern den zarten Ton. Mit einem kleinen Stäbchen aus Holz oder Bein bildete er daraus Formen, so köstlich, dass man sie den Toten als Spielzeug mitgab; wir finden dergleichen noch in den düstern Grabgewölben der gelblichen Hügelgehänge Tanagras – noch liegt auf Haar und Lippe und Gewand das matte Gold, das erblassende Rot. Auf eine frisch betünchte, rötlich glänzende oder durch Milch und Safran getönte Wand malte er eine Gestalt, die mit ermattetem Fuß über die purpurnen, weißsternigen Asphodeloswiesen dahineilte: Polyxena, Priamus' Tochter, »in deren Lidern des trojanischen Krieges Geheimnis schlief«. Oder er stellte den Odysseus dar, den weisen, listenreichen, mit straffen Seilen an den Mastbaum gebunden, um ohne Gefahr dem Gesang der Sirenen zu lauschen, oder wie er an dem Gestade des klaren acherontischen Stroms dahinwandelte, dort, wo die Geister der Fische über den Kies gleiten. Oder er malte die Perser in ihrer Tracht, mit Hosen und Mitra, wie sie vor den Griechen bei Marathon flohn, oder wie die Schnäbel der Galeeren in der kleinen salaminischen Bucht sich ineinanderhakten. Er zeichnete mit silbernem Stift und Holzkohle auf Pergament und wohlbereitetes Zedernholz. Auf Elfenbeingrund und rosafarbene Terrakotta malte er mit Wachs, das er in Olivenöl flüssig und durch glühendes Eisen fest machte. Das Holzgetäfel, der Marmor, die Leinwand erglänzten herrlich, wenn sein Pinsel darüberfuhr. Und das Leben verstummte, da es sich widergespiegelt fand, kein Laut wagte sich hervor. Ihm war in der Tat das ganze Leben zu eigen: von den Kaufleuten, die auf dem Marktplatz saßen, bis zu den in Mäntel gehüllten, auf dem Hügel lagernden Schäfern. Von den Nymphen, versteckt in Lorbeerhainen, und den Faunen, die um die Mittagstunde flöten, bis zu dem König, den Sklaven auf ölschimmernden Schultern in der schmalen, durch einen grünen Vorhang geschlossenen Sänfte trugen und mit Pfauenfedern fächelten. Männer und Frauen, das Antlitz freudig oder kummervoll bewegt, zogen an ihm vorbei; der Künstler warf einen Blick auf sie und kannte ihr Geheimnis. Durch Farbe und Form schuf er eine neue Welt.

Auch das ganze Gebiet der Kleinkunst beherrschte der Künstler. Er hielt den Edelstein wider die drehende Scheibe – da ward auf dem Amethyst das purpurne Lager des Adonis sichtbar, durch den geäderten Sardonyx hetzte Artemis mit ihren Hunden. Er hämmerte aus dem Gold Rosen und band sie zum Halsschmuck oder Armband zusammen. Er hämmerte aus dem Gold Kränze für Siegerhelme, den Saum für lyrische Kleider, Masken für die toten Könige. Auf der Rückseite des silbernen Spiegels stellte er Thetis dar, wie sie von ihren Nereiden geführt wird, oder die liebessieche Phaedra mit ihrer Amme, oder Persephone, die, des Erinnerns müde, den Mohn in ihr Haar flicht. Der Töpfer saß in seiner Hütte, und blütengleich erwuchs unter seinen Händen die Vase aus der stillen Scheibe. Er schmückte Fuß und Stiel und Griff der Vase mit zarten Olivenblattmustern oder mit Blätterwerk des Akanthus oder mit gekrümmten, schaumgekrönten Wellen. Dann malte er in schwarzen und roten Farben Knabengestalten im Ringkampf oder Wettlauf, Helden in voller Rüstung, die von ihrem muschelartig geformten Wagen sich über die bäumenden Rosse beugen – ihre Schilde zeigen seltsame

Wappen, ihre Visiere sind merkwürdig geformt. Er malte Götter, die beim Gastmahl sitzen oder Wunder verrichten, Heroen in ihrem Siegesjubel oder ihrem Weh. Zuweilen ätzte er mit zarten rötlichen Linien auf weißem Grunde den sehnsüchtigen Bräutigam und die Braut. Eros umschwebt sie, einem der Engel des Donatello ähnlich, ein kleines, lachendes Ding mit vergoldeten oder azurnen Flügeln. Auf die Rückseite grub er vielleicht den Namen seines Freundes. ΚΑΛΟΣ ΑΛΚΙΒΙΑΔΗΕ oder ΚΑΛΟΣ ΧΑΡΜΙΔΗΣ – solche Worte künden uns die Geschichte seiner Tage. Vielleicht zeichnete er um den Rand des weiten, flachen Bechers den äsenden Hirsch oder den ruhenden Löwen, wie die Fantasie es ihm gebot. Von dem kleinen Salbölfläschchen lacht uns Aphrodite, die sich eben putzt, entgegen, und Dionysus tanzt, umgeben von nackt-geschmeidigen Mänaden, um den Weinkrug, bloßen, weinbenetzten Fußes, während der greise Eilen satyrgleich die Glieder auf üppigen Fellen spreizt oder den magischen, von einem Tannenzapfen gekrönten Stab schwingt, den dunkler Efeu umlaubt. Und niemand kam, den Künstler bei seinem Werk zu stören. Er ward durch kein gedankenloses Geschwätz verwirrt. Er wurde nicht durch Meinungen geplagt. An den Ufern des Ilyssos, mein lieber Gilbert, gab es keine albernen Kunstkongresse, die den Provinzialismus in die Provinzen tragen und die Mittelmäßigkeit lehren, den Mund aufzureißen. An den Ufern des Ilyssos gab es keine öden Kunstzeitschriften, worin betriebsame Leute über Dinge schwätzen, die sie nicht verstehen. An den schilfumwachsenen Ufern dieses Flüsschens gab es nicht jenen lächerlichen Journalismus, der sich den Richterstuhl anmaßt, während er sich auf der Anklagebank verteidigen sollte. Kunstkritiker gab es bei den Griechen nicht.

Gilbert: Du bist ganz entzückend, Ernst, aber deine Anschauungen sind durchaus falsch. Ich fürchte, du hast dem Gespräch von Leuten gelauscht, die älter sind als du selbst. Das ist stets gefährlich. Du wirst, wenn du diese Gewohnheit dauernd annimmst, merken, dass man dadurch jede geistige Entwicklung unterbindet. Was den modernen Journalismus betrifft: Ich bin nicht zu seiner Verteidigung bestellt. Er rechtfertigt sein Bestehen nach dem großen Darwinschen Grundsatz, dass das Gemeinste sein Dasein behauptet. Ich habe es nur mit der Literatur zu tun.

Ernst: Was ist aber der Unterschied zwischen Literatur und Journalismus?

Gilbert: Oh! Zeitungen kann man nicht lesen, die Literatur wird nicht gelesen. Das ist der ganze Unterschied. Deine Behauptung, die Griechen hätten keine Kunstkritiker besessen – sei versichert, diese Meinung ist ganz absurd. Man könnte mit mehr Recht sagen: Die Griechen waren ein Volk von Kunstkritikern.

Ernst: Wirklich?

Gilbert: Ja, ein Volk von Kunstkritikern. Doch möcht' ich durchaus nicht das entzückend unrichtige Gemälde zerstören, das du von dem Verhältnis des hellenischen Künstlers zu dem Geist seines Zeitalters entworfen hast. Was sich nie zugetragen hat, genau zu beschreiben, ist nicht bloß das recht eigentliche Amt des Geschichtsschreibers, sondern das unveräußerliche Vorrecht eines jeden, der Begabung und Kultur besitzt. Noch weniger wünsche ich eine gelehrte Unterhaltung zu führen. Derlei maßt sich nur der Unwissende an, und der geistig Unbeschäftigte macht daraus seinen Beruf. Das sogenannte veredelnde Gespräch aber ist nichts als ein alberner Versuch der noch albernern Philanthropen, auf solche Weise den gerechten Groll der verbrecherischen Klassen zu entwaffnen. Nein, ich will dir lieber einen tollen, scharlachnen Traum Dvoraks vorspielen. Die bleichen Figuren des Teppichs lächeln uns an, die schweren Augenlider meines bronzenen Narzissus sind zum Schlummer geschlossen. Keine feierlichen Erörterungen worüber auch immer, ich bitte dich. Ich bin mir nur allzusehr der Tatsache bewusst, dass wir in einer Zeit geboren sind, die nur die Langweiligen ernst nimmt. Ich lebe unaufhörlich in der Angst, nicht missverstanden zu werden. Würdige mich nicht dazu herab, dir nützliche Kenntnisse zu vermitteln. Erziehung ist ja etwas ganz Wundersames, doch muss man sich von Zeit zu

Zeit erinnern, dass nichts Wissenswertes gelehrt werden kann. Ich sehe durch den Spalt im Fenstervorhang den Mond; er gleicht einem Stück beschnittenen Silbers. Goldenen Bienen gleich drängen sich die Sterne um ihn. Der Himmel ist ein kantiger, gehöhlter Saphir. Komm, lass uns gehn, schreiten wir in die Nacht hinaus. Denken ist wundervoll, aber noch wundervoller ist abenteuerliches Erleben. Wer weiß, vielleicht treffen wir den Prinzen Florizel von Böhmen, vielleicht hören wir die herrliche Kubanerin, die uns erzählt: Ich bin nicht, was ich scheine?

Ernst: Du bist schrecklich eigensinnig. Ich beharre darauf, dieses Thema mit dir zu erörtern. Du sagtest, die Griechen seien ein Volk von Kunstkritikern gewesen. Was haben sie uns Kunstkritisches hinterlassen?

Gilbert: Mein lieber Ernst, selbst wenn kein einziges kunstkritisches Fragment aus hellenischen oder hellenistischen Tagen auf uns gekommen wäre, gälte nicht minder die Wahrheit: die Griechen waren ein Volk von Kunstkritikern. Sie haben die Kritik der Kunst, wie jede andere Kritik erfunden. Was verdanken wir schließlich den Griechen in erster Linie? Einfach den kritischen Geist. Und mit diesem kritischen Geist, den sie in Fragen der Religion und der Wissenschaft, der Ethik und Metaphysik, der Politik und Pädagogik bekundeten, haben sie auch Kunstfragen behandelt. Sie haben uns in der Tat das lückenloseste aller der Welt geoffenbarten kritischen Systeme der beiden höchsten und edelsten Künste hinterlassen.

Ernst: Was sind für dich die beiden edelsten und höchsten Künste?

Gilbert: Das Leben und die Literatur. Das Leben und der vollendete Ausdruck des Lebens. Die Grundsätze der Lebensführung, die die Griechen aufgestellt haben, wagen wir in einem Zeitalter nicht zu verwirklichen, das, wie das unsre, durch falsche Ideale verderbt ist. Die für die Literatur geltenden Grundsätze, wie sie uns die Griechen aufbewahrt haben, sind in mancher Richtung so fein, dass wir sie kaum zu verstehen vermögen. Sie erkannten sehr wohl, dass die vollendetste Kunst die ist, die den Menschen in seiner ganzen unendlichen Mannigfaltigkeit widerspiegelt. Darum haben die Griechen ihre Kritik der Sprache, die sie nur als künstlerisches Material ansahen, zu einer Durchbildung gebracht, an die wir mit unserem System der Betonung der logischen oder durchs Gefühl hervorgehobenen Stellen kaum heranreichen. Sie erforschten beispielsweise die metrischen Elemente der Prosa so gründlich-wissenschaftlich, wie ein moderner Musiker Harmonie- und Kontrapunktlehre studiert. Noch dazu, dies versteht sich beinahe von selbst, mit weit schärferem ästhetischen Instinkt. Sie hatten mit dieser Methode, wie mit allem, was sie unternahmen, völlig recht. Seit der Erfindung der Buchdruckerkunst und seitdem das Lesen unter den mittlern und niedrigen Bevölkerungsschichten dieses Landes sich in so schädlicher Weise verbreitet hat, herrscht in unserem Schrifttum die Neigung vor, sich immer mehr ans Auge, immer weniger ans Ohr zu wenden. Doch ist gerade das Gehör der Sinn, dessen Wohlgefallen, vom Standpunkte der reinen Kunst geurteilt, geweckt werden sollte. Nur an dem, was dem Ohr gefällt, an seine Regeln sollte man sich halten. Selbst das Werk Mr. Paters, der, im Ganzen betrachtet, die englische Prosa am vollendetsten unter uns allen meistert, gleicht zuweilen mehr einem Stück Mosaik als einem musikalischen Gebilde. Hier und da entbehren seine Worte der echten rhythmischen Lebendigkeit und jener vornehmen Freiheit und reichen Wirkung, die solch rhythmisches Leben hervorbringt. Wir haben ja das Schreiben zur endgültigen Kunstform erhoben, wir betrachten es als absoluten Endzweck. Den Griechen bedeutete das Schreiben nichts anderes als eine Form chronologischer Aufzeichnung. Ihr Prüfstein war immer das gesprochene Wort in seinen musikalisch-metrischen Beziehungen. Die Stimme war das Kunstmittel, das Ohr übte Kritik. Ich habe mir schon manchmal gedacht, ob nicht die Erzählung von der Blindheit Homers vielleicht wirklich ein Kunstmythos ist. Entstanden in den Tagen kritischer Betrachtung, soll es uns vielleicht daran erinnern, dass ein großer Dichter nicht bloß immer ein Seher ist – freilich nicht so sehr mit leiblichen Augen wie mit den Augen der Seele – sondern auch ein wahrer Sänger, einer, der seinen Sang aus Musik webt, der jede Zeile immer wieder und wieder so lange laut vor sich hinspricht, bis er das Geheimnis ihrer Melodie erfasst, bis er die lichtbeschwingten Worte ins Dunkel singt. Ob ich nun damit im Rechte bin oder nicht, das eine ist gewiss: Englands großer Dichter hat seiner Blindheit, als einem Anlass oder einer wesentlichen Ursache, viel von der majestätischen Haltung, dem klangvollen Glanz seiner späteren Verse zu danken. Als Milton nicht mehr zu schreiben vermochte, begann er zu singen. Wer legt an »Comus« den Maßstab, mit dem man »Simon den Kämpfer« oder das »Verlorene –« oder das »Wiedergewonnene Paradies« messen darf? Der erblindete Milton hat nur nach dem Klang der Stimme gedichtet, wie jeder dichten sollte. Solcherart wurde aus dem Rohr, der Flöte – das war er in seinen Anfängen – die mächtige, stimmreiche Orgel, deren brausend widerhallende Klänge die Pracht des homerischen Verses zeigen, wenn sie sich auch nicht um seinen schnellen, leichten Gang bemühen. So ist sein Werk ein unvergängliches Erbgut des englischen Schrifttums. So zieht er strahlend durch alle Zeiten, weil er sie überstrahlt. So ist er ewig bei uns, in seiner Kunstform ein Unsterblicher. Jawohl, das Schreiben hat den Schriftstellern viel Schaden gebracht. Wir müssen uns wieder an die Stimme halten. Sie bildet unsern Prüfstein. Dann wird es uns vielleicht gelingen, manche der Feinheiten griechischer Kunstbeurteilung zu würdigen. Gegenwärtig sind wir noch keineswegs so weit. Manchmal überfällt mich, wenn ich ein Stück Prosa niederschrieb, das ich bescheidenerweise für völlig fehlerlos halte, der furchtbare Gedanke, dass ich mich vielleicht unziemlicher Sprachverweichlichung durch den Gebrauch trochäischer und tribrachyscher Rhythmen schuldig gemacht habe. Dieses Verbrechen wirft ein gelehrter Kritiker des Augusteischen Zeitalters mit gerechter Strenge dem glänzenden, wenn auch manchmal paradoxen Hegesias vor. Es überläuft mich kalt, wenn ich mir solches vorstelle. Ich frage mich oft, ob die wundervoll-sittliche Wirkung der Prosa jenes entzückenden Schriftstellers, der einmal in einer Stimmung rücksichtsloser Offenheit wider den unkultivierten Teil unserer Gesellschaft die schreckliche Lehre verfocht, das Betragen bedeute drei Viertel des Lebens: ich frage mich, ob seine Wirkung nicht eines Tages dadurch völlig vernichtet werden könnte, dass man die Entdeckung macht, dass seine Päone an unrichtiger Stelle stehen.

Ernst: Ah, jetzt sprichst du nicht ernst.

Gilbert: Wie sollte man ernst bleiben, wenn man allen Ernstes hört, die Griechen hätten keine Kunstkritiker gehabt. Ich könnte die Ansicht, der schöpferische Geist der Griechen sei in der Kritik untergegangen, begreifen. Aber dass jenes Volk, dem wir den kritischen Geist danken, niemals Kritik geübt haben sollte, diese Anschauung verstehe ich nicht. Du verlangst wohl von mir nicht einen Überblick der griechischen Kunstkritik von den Zeiten Platos bis zu Plotin. Dazu ist die Nacht allzu lieblich. Der Mond würde, wenn er uns hörte, noch mehr Asche als bisher auf sein Antlitz streun. Erinnere dich nur an ein vollendetes kleines kritisch-ästhetisches Werk, an Aristoteles' Poetik! In der Form ist es keineswegs vollendet, denn es ist schlecht geschrieben. Vielleicht stellt es nur eine Zusammenfassung von Notizen für eine Kunstvorlesung dar oder von einzelnen Fragmenten, die für ein umfänglicheres Buch bestimmt waren. In der Stimmung und dem Ton der Behandlung aber ist es ganz vollkommen. Die sittliche Wirkung der Kunst, ihre Bedeutung für die Kultur, ihre Wichtigkeit für die Charakterbildung, diese Fragen waren bereits durch Plato ein für allemal entschieden. Hier wird aber die Kunst nicht vom moralischen, sondern vom rein ästhetischen Gesichtspunkt betrachtet. Auch Plato hatte sich selbstverständlich mit vielen ausgesprochen künstlerischen Themen befasst: mit der Bedeutung der Einheit für ein Kunstwerk, der Notwendigkeit von Klang und Harmonie, dem ästhetischen Wert der Erscheinungsformen, mit der Beziehung der sichtbaren Künste zur äußeren Welt und der Dichtung zur Wirklichkeit. Er war vielleicht der erste, der in die Seele des Menschen jenen Wunsch pflanzte, den wir noch nicht befriedigt haben: den Wunsch, den Zusammenhang zwischen Schönheit und Wahrheit zu erkennen und den Rang der Schönheit in der sittlichen und geistigen Ordnung des Weltalls. Die Probleme des Idealismus und Realismus erscheinen vielleicht manchem in jener abstrakt metaphysischen Sphäre, in die Plato sie verlegt, etwas unfruchtbar. Übertrage sie aber in die Sphäre der Kunst, dann wirst du finden: sie sind noch immer lebendig und sinnvoll. Vielleicht ist es Plato bestimmt, als Schönheitskritiker weiterzuleben, vielleicht gewinnen wir eine neue Philosophie, wenn wir nur den Namen seiner Denksphäre ändern. Aristoteles jedoch beschäftigt sich wie Goethe mit der Kunst hauptsächlich in ihren sichtbaren Offenbarungen. Er betrachtet beispielsweise die Tragödie und untersucht ihren Stoff, nämlich die Sprache, ihren Gegenstand, das Leben, die Methode, wonach sie arbeitet, das ist die Handlung, ihre Voraussetzungen, nämlich die Aufführung auf dem Theater, er forscht nach ihrem logischen Aufbau, der Verwicklung, ihrem ästhetischen Endergebnis, der Einwirkung auf den Schönheitssinn durch die Erregung der Leidenschaften Furcht und Mitleid. Diese Reinigung und Vergeistigung der Natur, die er Katharsis nennt, ist, wie Goethe bemerkt, von durchaus ästhetischer, keineswegs, wie Lessing annahm, von moralischer Art. Aristoteles durchforschte in erster Linie den Eindruck, den das Kunstwerk hervorruft, er versucht, diesen Eindruck zu zergliedern, seinen Ursprung aufzufinden, sein Entstehen aufzudecken. Als Physiologe und Psychologe war ihm die Tatsache wohlbekannt, dass das gesunde Fortbestehen einer Kraft in ihrer Betätigung liegt. Die Fähigkeit für ein leidenschaftliches Gefühl zu besitzen und es nicht wirklich zu durchleben, heißt, sich selbst begrenzen, nicht zu seiner Fülle reifen. Des Lebens mimisches Schauspiel, das uns die Tragödie zeigt, reinigt das Herz von manchem »gefährlichen Stoff«. Dadurch, dass man den Gefühlen hohe und würdige Gegenstände darbietet, wird der Mensch selbst gereinigt und vergeistigt. Und nicht nur dies: Er wird auch in edle Gefühle eingeweiht, von denen er sonst vielleicht nichts erfahren hätte. Das Wort Katharsis enthält, wie mir manchmal schien, eine Anspielung auf die Zeremonien der Einweihung. Zuweilen möchte ich sogar glauben, dass dies die einzig wahre Bedeutung des Wortes ist. Ich gebe hier natürlich nur eine Skizze des Buches. Aber du siehst bereits, wie viel ästhetische Kritik es enthält. Wer sonst als ein Grieche wäre fähig gewesen, die Kunst so scharf zu zergliedern? Nach der Lektüre dieses Buches wundert man sich nicht länger darüber, dass Alexandria sich so ganz und gar der Kunstkritik ergab, dass die künstlerischen Temperamente jener Zelt jede Frage des Stils und der Technik untersuchten und dass man über die großen akademischen Malerschulen, wie etwa die Schule von Sikyon, welche die erhabene Tradition der Antike zu bewahren suchte, nicht minder heftig diskutierte als über die Realisten und Impressionisten, deren Ziel es war, das Leben der Gegenwart widerzuspiegeln. Auch über die ideale Richtung in der Porträtmalerei oder die künstlerische Bedeutung des Epos in einer Zeit, die so modern war wie diese, oder über das Stoffgebiet des Künstlers hat man damals Betrachtungen angestellt. In der Tat, ich fürchte, auch die unkünstlerischen Naturen jener Tage waren in Literatur und Kunst emsig am Werke, denn der Plagiatsbeschuldigungen gab es endlos viele. Solche Anklagen werden aber stets von den dünnen Lippen der Unfähigkeit oder von den verzerrten Mäulern jener erhoben, die zwar keine eigene Art besitzen, aber Ansehen dadurch zu gewinnen hoffen, dass sie laut hinausschreien, sie seien bestohlen worden. Ich versichere dir, mein lieber Freund, die Griechen schwätzten über Maler genau so viel, wie man dies heutzutage tut. Sie hatten ihre Privatansichten, Ausstellungen gegen Entree, Kunst-Handwerkergilden, ihre präraffaelische und ihre naturalistische Bewegung, ihre Vorlesungen über Kunst. Sie schrieben ganz gewiss Essays über Kunst, sie hatten Kunsthistoriker und Archäologen und den ganzen Plunder. Ja noch mehr: Theaterunternehmer nahmen auf ihren Gastspielen ihre Theaterreferenten mit und zahlten ihnen sehr ansehnliche Honorare für lobende Artikel. Man sieht, alles, was unserem modernen Leben das Gepräge gibt, verdanken wir den Griechen. Das Unzeitgemäße stammt aus dem Mittelalter. Die Griechen haben uns das System der Kunstkritik überliefert. Wie fein ihr kritischer Instinkt gewesen ist, mag man aus der Tatsache schließen, dass das Material, das sie kritisch am sorgsamsten durchforschten, wie ich sagte, die Sprache war; denn der Stoff, dessen sich der Maler oder der Bildhauer bedient, ist im Vergleich mit dem Worte dürftig. Aus den Worten tönt nicht nur Musik hervor, die nicht minder süß ist als der Klang der Viola und Laute, Farben leuchten auch daraus, so reich, so lebendig wie die Farbenglut, die die Leinwand der Venezianer und Spanier für uns so lieblich macht. Den Worten ist Plastik eigen, gerundete Fülle nicht minder als der Bronze oder dem Marmor. Aber auch Denken und Leidenschaft und Geistigkeit strömt aus den Worten – und diese gehören den Worten allein. Hätten die Griechen nur die Sprachkritik geschaffen, sie wären schon deswegen allein die großen Kunstkritiker der Welt. Die Prinzipien der höchsten Kunst zu kennen heißt, die Prinzipien aller Künste kennen. Ich merke aber: der Mond hat sich hinter eine schwefelfarbene Wolke verborgen. Aus lohgelber Sturmmähne schimmert er wie das Auge des Löwen. Er fürchtet, ich werde dir von Lucian und Longinus, von Quinctilian und Dionysius, von Plinius und Fronto und Pausanias, von all den Männern erzählen, die in der Antike über Kunstthemen geschrieben oder gesprochen haben. Er sei unbesorgt. Ich bin meines Forschens in dem dunkeln, dumpfen Abgrund der Tatsachen müde. Nun bleibt mir nichts übrig als die göttliche μουοχρουσς ηδουη einer neuen Zigarette. Zigaretten haben wenigstens das eine Reizvolle: Sie gewähren uns keine Befriedigung.

Ernst: Nimm eine von den meinen. Sie sind ziemlich gut. Ich beziehe sie direkt aus Kairo. Unsre Attachés taugen nur zu einem: Sie versehen ihre Freunde mit ausgezeichnetem Tabak. Allein, da der Mond sein Antlitz verborgen hat, lass uns wieder ein wenig plaudern. Ich gebe gerne zu: was ich über die Griechen sagte, ist ein Irrtum gewesen. Sie waren, wie du ausgeführt hast, ein Volk von Kunstkritikern. Ich räume es ein und bedauere sie fast ein wenig. Denn die schöpferische Gabe steht höher als die kritische. Die beiden können wirklich nicht miteinander verglichen werden.

Gilbert: Dieser Gegensatz ist ein ganz willkürlicher. Ohne kritisches Vermögen ward noch nie eine Kunstschöpfung, die solche Bezeichnung verdient, hervorgebracht. Du sprachst vor einem Augenblick von dem feinen Sinn für Auswahl, dem zarten Instinkt für die Auslese, wodurch der Künstler das Leben für uns verwirklicht und ihm für einen Augenblick Vollendung leiht. Nun, dieses Empfinden für die Auslese, dieser feinfühlende Takt für das Ausscheiden ist nichts anderes als die kritische Fähigkeit in einer ihrer wesentlichsten Äußerungen. Wer dieser kritischen Fähigkeit ermangelt, vermag in der Kunst überhaupt nichts Schöpferisches hervorzubringen. Arnolds Definition der Literatur als einer Kritik des Lebens ist in der Form nicht sehr glücklich, doch zeigt er damit, wie scharf er die Bedeutung des kritischen Elements in jeder Kunstschöpfung erkannt hat.

Ernst: Ich meine: Große Künstler schaffen unbewusst, sie sind »weiser als sie selbst wissen«, wie Emerson, glaub' ich, irgendwo bemerkt.

Gilbert: Das ist in Wirklichkeit nicht so, Ernst. Alle feine Arbeit der Fantasie ist bewusst und überlegt. Kein Dichter singt, weil er singen muss, wenigstens kein großer Dichter. Ein großer Dichter singt, weil er singen will. So ist es jetzt, so ist es immer gewesen. Wir sind manchmal geneigt, zu glauben, jene Stimmen, die in den Dämmerzeiten der Dichtung tönten, seien einfacher, frischer, natürlicher als die unserer Tage gewesen. Wir meinen, jener Welt, worauf der Blick der früheren Dichter fiel und durch die sie schritten, sei etwas Poetisches ursprünglich eigen gewesen, das fast unverändert in Gesang hinübergleiten konnte. Jetzt liegt der Schnee dicht auf dem Olympus, seine schroff zerklüfteten Abhänge sind frostig-unfruchtbare Heide. Vor Zeiten aber – so träumen wir – streiften die weißen Füße der Musen am Morgen den Tau von den Anemonen und zur Abendstunde nahte Apoll und sang im Tal den Schäfern sein Lied. Doch da leihen wir anderen Zeiten nur, was wir für unsere Zeit ersehnen oder zu ersehnen glauben. Unser historischer Sinn ist da in einem Irrtum befangen. Jedes Jahrhundert ist, soweit es Dichtungen hervorbringt, ein künstliches Jahrhundert, und das Werk, das uns als die natürlich einfache Frucht seiner Zeit scheint, ist stets das Ergebnis höchst bewussten Wollens. Glaube mir, Ernst, es gibt keine Kunst ohne Selbstbewusstsein. Selbstbewusstsein aber und kritischer Geist sind das nämliche.

Ernst: Ich sehe, worauf du hinauswillst; es liegt viel Wahres darin. Doch wirst du gewiss zugeben, dass die großen Dichtungen der Frühzeit, die primitiven, namenlosen, zusammenfassenden Dichtungen mehr der Volksfantasie als der Fantasie eines Einzelnen entsprungen sind?

Gilbert: Nicht, als sie Poesie wurden. Nicht, als sie die herrliche Form empfingen. Denn es gibt keine Kunst ohne Stil und keinen Stil ohne Einheit. Einheit aber setzt das Individuum voraus. Homer fand ohne Zweifel für sein Werk alte Balladen und Märlein vor, wie Shakespeare

Chronikеn, Schauspiele und Novellen, aus denen er schöpfen konnte; doch boten sie ihm bloß Rohmaterial. Er bediente sich ihrer und gestaltete sie zum Gesang. Sie wurden sein eigen, denn er war es, der ihnen Lieblichkeit gab. Sie waren aus Klängen gebaut:

> *»Und so gar nicht gebaut,*
> *Und drum gebaut für immer.«*

Je länger man Leben und Literatur studiert, desto deutlicher empfindet man, dass hinter allem Wundervollen die Persönlichkeit steht, dass nicht der Augenblick den Menschen, sondern der Mensch seine Zeit erschafft. Ich neige mich in der Tat der Anschauung zu, dass alle Mythen und Legenden, von denen wir meinen, sie seien dem Wunderglauben, dem Grauen, der Einbildungskraft eines Stamms, eines Volks entsprungen, einem einzelnen erfinderischen Kopf ihr Entstehn verdanken. Die erstaunlich begrenzte Zahl dieser Mythen scheint eine solche Schlussfolgerung nahezulegen. Verlieren wir uns aber nicht in Fragen der vergleichenden Mythologie. Halten wir uns an die Kritik. Was ich ausführen möchte, ist Folgendes: Ein Zeitalter, das der Kunstkritik entbehrt, ist entweder ein solches, dessen Kunst sich hieratisch-starr auf die Wiedergabe herkömmlicher Typen beschränkt oder das überhaupt keine Kunst besitzt. Es hat kritische Zeitalter gegeben, die, in der gewöhnlichen Bedeutung des Wortes, unschöpferisch gewesen sind – Zeitalter, in denen der menschliche Geist sich damit beschäftigte, die Schätze seiner Schatzkammer zu ordnen, das Gold vom Silber zu scheiden, das Silber vom Blei, die Juwelen zu zählen, den Perlen Namen zu geben. Allein, es gab nie eine schöpferische Zeit, die nicht zugleich eine kritische gewesen wäre. Denn der kritische Geist ist es, der neue Formen findet. Alles Schaffen neigt dazu, sich selbst zu wiederholen. Dem kritischen Instinkt allein danken wir jede neu auftauchende Schule, jede neue Form, die die Kunst bereit findet. Es gibt wirklich nicht eine Kunstform unserer Zeit, die uns nicht der kritische Geist Alexandrias überliefert hätte; dort wurden diese Formen entweder befestigt oder ersonnen oder zur Vollendung gebracht. Ich sage Alexandria, nicht bloß, weil der griechische

Geist dort die höchste Bewusstheit gewann und schließlich sich in Skeptizismus und Theologie verlor, sondern weil Rom aus dieser Stadt, nicht aus Athen seine Vorbilder bezog. Und nur durch ein gewisses Fortleben der lateinischen Sprache ist uns Kultur überhaupt erhalten geblieben. Als zur Zeit der Renaissance griechisches Schrifttum über Europa aufdämmerte, war der Boden dafür in mancher Richtung vorbereitet worden. Lassen wir aber solch historische Einzelheiten; sie ermüden immer und sind gewöhnlich ungenau. Die allgemeine Bemerkung genüge, dass wir dem kritischen Geist der Griechen die Kunstformen verdanken. Ihm verdanken wir Epik und Lyrik, das Drama in all seinen Entwicklungsstufen, die Burleske mit eingeschlossen, wir danken ihm das Idyll, den romantischen, den Abenteurerroman, den Essay, den Dialog, die Rede, leider auch die Vorlesung – diese sollte man ihm vielleicht nicht verzeihen – und das Epigramm in der ganzen umfassenden Bedeutung des Wortes. In der Tat, wir danken ihm jede Form außer dem Sonett – doch finden sich auch dazu bereits in der griechischen Anthologie einige merkwürdige gedankliche Parallelen –, außer dem amerikanischen Journalismus, zu dem es nirgendwo Parallelen gibt, und außer der im unecht-schottischen Dialekt gehaltenen Ballade, die jüngst einer unserer emsigsten Skribenten zur Grundlage einer endgültigen und einmütigen Bewegung machen wollte, deren Ziel es wäre, unseren Dichtern zweiten Rangs das wirklich romantische Gepräge zu verleihen. Jede neue Richtung beklagt sich, so scheint es, über die Kritik, doch ihr allein verdankt sie ihr Entstehen. Der nur schöpferische Trieb erneuert nicht, er schafft nach alten Formen.

Ernst: Du hast über die Kritik als einen wesentlichen Teil des schöpferischen Geistes gesprochen; ich schließe mich jetzt deiner Theorie völlig an. Was soll uns aber die Kritik außerhalb des Schaffens? Ich habe die törichte Gewohnheit, periodische Zeitschriften zu lesen, und ich glaube, der größte Teil der Kritik von heute ist völlig wertlos.

Gilbert: Das gilt auch von den meisten schöpferischen Werken unserer Tage. Die Mittelmäßigkeit hält der Mittelmäßigkeit die Waage, Unfähigkeit klatscht ihrer Schwester Beifall – dieses Schauspiel gewährt uns Englands künstlerische Geschäftigkeit von Zeit zu Zeit. Doch empfinde ich, dass ich hier nicht ganz gerecht bin. In der Regel sind die Kritiker – ich spreche natürlich von den Kritikern höheren Ranges, von denen, die für die Wochenschriften schreiben – weit gebildeter als die, deren Werke sie zu rezensieren haben. Dies entspricht völlig dem, was man erwarten darf; denn das Kritisieren erfordert unendlich mehr Bildung als das Schaffen.

Ernst: Wirklich?

Gilbert: Gewiss. Jeder kann einen dreibändigen Roman verfassen. Dazu bedarf es nur völliger Unkenntnis, sowohl des Lebens wie der Literatur. Für den Rezensenten, mein ich, liegt die Schwierigkeit darin, irgendeinen Maßstab der Beurteilung durchzuführen. Der Stillosigkeit gegenüber ist ein solcher Maßstab natürlich unmöglich. Die armen Rezensenten werden offenbar dazu herabgewürdigt, den literarischen Polizeigerichten als Reporter zu dienen. Sie müssen lediglich die Taten der künstlerischen Gewohnheitsverbrecher registrieren. Man hört oft, sie läsen die Werke, die sie kritisieren sollen, nicht einmal zu Ende. Das tun sie in der Tat nicht. Sie sollten es wenigstens nicht. Würden sie diese Dinge lesen, dann müssten sie für den Rest ihrer Tage ausgesprochene Menschenhasser werden. Es ist auch keineswegs nötig. Um die Zeit der Lese und die Güte eines Weines zu erkennen, braucht man nicht das ganze Fass zu leeren. Man wird in einer halben Stunde sehr leicht ein Urteil darüber gewinnen, ob ein Buch etwas oder gar nichts taugt. Wahrhaftig, zehn Minuten genügen dem, der Formgefühl besitzt. Wozu durch einen dicken Band waten? Man kostet nur, das genügt völlig – es ist mehr als genug, sollte ich meinen. Ich weiß, es gibt viele redliche Handwerker, sowohl auf dem Felde der Malerei wie auch der Literatur, die der Kritik ihre Berechtigung ganz absprechen. Diese Leute haben ganz recht. Ihre Werke stehen mit dem Zeitalter in keinem geistigen Zusammenhang. Sie erwecken in uns nicht eine neue Nuance der Freude. Sie bieten uns keinen Ausblick auf ein neues Gebiet des Denkens, der Leidenschaft, der

Schönheit. Man sollte gar nicht über sie sprechen. Man sollte sie der verdienten Vergessenheit überlassen.

Ernst: Aber mein Lieber – verzeih, wenn ich dich unterbreche –, deine Leidenschaft für die Kritik führt dich wohl ein gutes Stück zu weit. Selbst du wirst zugeben müssen: es ist viel schwerer, etwas zu tun, als darüber zu reden.

Gilbert: Schwerer, etwas zu tun als darüber zu reden? Keineswegs. Dies ist ein grober, weitverbreiteter Irrtum. Es ist viel schwieriger, über etwas zu reden, als es zu tun. In der Sphäre des äußerlich-tätigen Lebens liegt das natürlich klar zutage. Jeder kann Geschichte machen. Nur ein bedeutender Mensch vermag sie zu schreiben. Es gibt keine Art des Tuns, keine Art Gemütsbewegung, die wir nicht mit den niedrigeren Lebewesen teilten. Nur durch die Sprache erheben wir uns über sie oder auch über die Mitmenschen – durch die Sprache allein, und sie ist die Mutter des Denkens, nicht sein Kind. Das Handeln ist wirklich immer leicht. Tritt es uns in der übertriebensten, der Form stetiger Tätigkeit, als Fleiß entgegen, dann bedeutet es einfach die Zuflucht jener, die sonst nichts zu tun haben. Nein, Ernst, reden wir nicht davon. Das Handeln ist immer etwas Blindes. Es hängt von äußerlichen Einflüssen ab, es wird von unbewussten Trieben in Bewegung gesetzt. Alles Handeln muss seinem Wesen nach unvollkommen sein, denn es wird durch den Zufall beschränkt, es kennt im Voraus seine Richtung nicht, es führt immer zu einem anderen Ziel als dem vorgesetzten. Fantasiemangel bildet seine Grundlage. Es ist die letzte Zuflucht derer, die nicht zu träumen verstehen.

Ernst: Du behandelst die Welt wie einen gläsernen Ball. Sie ruht in deiner Hand, sie muss sich nach deiner Stimmung drehen. Du tust nichts anders als die Geschichte umschreiben.

Gilbert: Das eben ist unsere einzige Pflicht der Geschichte gegenüber: Wir müssen sie umschreiben. Das ist keine der geringsten Aufgaben des kritischen Geistes. Haben wir einmal die wissenschaftlichen Gesetze, die das Leben beherrschen, ganz durchgeforscht, dann werden wir finden, dass es nur einen gibt, der in Selbsttäuschungen noch weit befangener ist als der Träumer – der Tatenmensch. Er kennt in der Tat weder den Ursprung seiner Handlungen noch deren Ergebnisse. Er glaubt, Dornen auf einem Felde gesät zu haben, doch wir ernten Wein daraus. Der Feigenbaum, den er zu unserer Freude gepflanzt hat, ist so unfruchtbar wie die Distel, und noch bitterer. Nur weil die Menschheit niemals wusste, wohin sie schritt, hat sie noch immer vermocht, ihren Weg zu finden.

Ernst: Du bist also der Meinung, in der Sphäre des Handelns sei Zielbewusstheit nur Täuschung?

Gilbert: Weit schlimmer als Täuschung. Lebten wir lange genug, die Resultate unserer Handlungen zu erblicken, wie leicht könnte es geschehen, dass die, die sich die Guten nennen, unter dumpfen Gewissensbissen dahinsiechten und dass die sogenannten Bösen ganz geschwellt wären von stolzer Freude. Was wir tun, es sei das Geringste, gerät in die große Maschine des Lebens. Sie zermalmt vielleicht unsere Tugenden zu Staub und nimmt ihnen den Schimmer des Werts. Aus dem, was wir Verbrechen nennen, formt sie das Element einer neuen Kultur – einer Kultur, herrlicher, glanzvoller als irgendeine, die uns vorausging. Allein der Mensch ist der Sklave des Wortes. Man ereifert sich wider den sogenannten Materialismus und vergisst, dass es keinen materiellen Fortschritt gibt, der nicht die Welt vergeistigt hätte, und dass fast jedes geistige Erwachen die Kräfte der Welt in vergeblichen Hoffnungen, unfruchtbarer Sehnsucht, in leeren oder hemmenden Glaubensbekenntnissen verbraucht hat. Was man gemeinhin »Sünde« nennt, bildet ein wesentliches Element des Fortschritts. Ohne sie würde die Welt stagnieren, alt oder farblos werden. Durch ihre Neugierde vermehrt die Sünde die Erfahrung der Rasse. Durch ihr starkes und bewusstes Betonen des Individuellen bewahrt sie uns vor der Eintönigkeit des Typischen. In ihrem Verwerfen der landläufigen Moralbegriffe ist sie mit der höheren Ethik eins. Und die »Tugenden« erst! Was sind – »Tugenden«? Die Natur, erzählt uns M. Renan, kehrt sich wenig an Keuschheit. Der Schande der Magdalenen, nicht ihrem Keuschsein danken die Lukretien von heute vielleicht ihre Unbeflecktheit. Die Mildtätigkeit, das haben selbst die zugeben müssen, in deren Glaubensbekenntnis dieser Begriff einen großen Platz einnimmt, ruft eine Menge Unheil hervor. Schon die Tatsache, dass wir mit einem solchen Ding wie einem Gewissen begabt wurden, diese Tatsache, worüber man so viel schwätzt, worauf man so stolz ist, beweist die Unvollkommenheit unserer Entwicklung. Das Gewissen muss ganz im Instinkt versinken – früher werden wir nicht erlesen sein. Durch Selbstverleugnung hemmt man einfach das Fortschreiten des eigenen Wesens. Selbstaufopferung ist nur ein Überbleibsel der Verstümmelung aus barbarischer Zeit, ein Rest jener uralten Anbetung des Leidens, die in der Geschichte der Menschheit einen so furchtbar breiten Raum behauptet, die noch jetzt Tag für Tag ihre Opfer heischt, der noch immer Altäre in unserem Lande errichtet werden. Tugend! Wer weiß genau, was dieses Wort besagt? Du nicht. Auch ich nicht. Niemand. Es schmeichelt unserer Eitelkeit, dass wir den Verbrecher töten. Würden wir ihm das Weiterleben gestatten, er könnte uns eines Tages beweisen, wie viel wir durch sein Verbrechen gewonnen haben. Es ist gut für die Seelenruhe des Heiligen, dass er den Märtyrertod erduldet. So wird er davor bewahrt, zu schauen, wie schrecklich die Ernte ist, die seine Saat gezeitigt.

Ernst: Gilbert, du stimmst ein raues Lied an. Kehren wir zu den lieblicheren Gefilden der Dichtung zurück. Was war es, was du eben sagtest? Es sei schwerer, über etwas zu reden, als es zu tun.

Gilbert *(nach einer Pause):* Jawohl; ich sprach, glaube ich, diese einfache Wahrheit aus. Du siehst jetzt gewiss ein, dass ich recht habe? Der Mensch ist, wenn er handelt, eine Puppe. Wenn er schildert, wird er ein Poet. Darin liegt das ganze Geheimnis. Es war leicht genug, auf den sandigen Schlachtfeldern des sturmumflatterten Ilion den geschnitzten Pfeil vom bemalten Bogen zu schnellen oder den mächtigen eschenen Speer wider den aus Häuten und Erz gefügten Schild zu schleudern. Es fiel der ehebrecherischen Königin leicht, die lyrischen Teppiche vor ihrem Gebieter auszubreiten und dem im Marmorbad Liegenden das purpurne Netz übers Haupt zu werfen und ihren glattwangigen Liebsten zu rufen, dass er durch die Maschen mit dem Dolch das Herz treffe, das in Aulis hätte brechen sollen. Selbst für Antigone, die der Tod als Bräutigam erwartete, war es leicht, durch die verpestete Luft des Mittags den Hügel hinanzusteigen und mit sanfter Erde den nackten, unglücklichen Leichnam, der kein Grab hatte, zu bedecken. Was ist jedoch über die zu sagen, die solche Taten beschrieben? Die ihnen Leben verliehen, ihnen für immer Dauer gegeben haben? Sind sie nicht größer als jener Mann, und jenes Weib, von denen sie künden? »Hektor, der süße Recke, ist tot«, und Luzian berichtet, wie Menippus in der Düsternis der Unterwelt den bleichenden Schädel der Helena erblickte und wie er sich wunderte, dass um einer so grauenhaften Bildung willen all diese gehörnten Schiffe vom Stapel gelassen wurden, all diese herrlich gepanzerten Helden dahinsanken, all diese betürmten Städte in Staub zerfielen. Dennoch erscheint jeden Morgen die schwanengleiche Tochter der Leda auf den Zinnen und blickt auf das Kriegsgetümmel nieder. Graubärtige Greise bewundern ihre Lieblichkeit, und sie steht an der Seite des Königs. In seinem Gemach aus buntem Elfenbein liegt ihr Buhle. Er putzt seine zierliche Rüstung und streicht über den scharlachroten Helmbusch. Mit Schildknappen und Pagen schreitet ihr Gatte von Zelt zu Zelt. Sie erblickt sein blondes Haar, sie hört oder meint wenigstens, seine klare, kalte Stimme zu hören. Unten im Hof legt der Sohn Priamos den ehernen Panzer an. Die weißen Arme der Andromache sind um seinen Nacken geschlungen. Er stellt den Helm zu Boden, damit ihr Kind nicht erschrecke. Hinter den gestickten Vorhängen seines Zeltes sitzt Achill in wohlduftendem Gewände, während der Freund seiner Seele den Harnisch von Gold und Silber anschnallt, in den Kampf zu ziehen. Einem seltsam geschnitzten Kästchen, das Mutter Thetis ihm an sein Schiff gebracht hat, entnimmt der Gebieter der Myrmidonen den geheimnisvollen Kelch, den Menschenmund nie berührt hat; er reinigt ihn mit Schwefel und füllt ihn mit frischem Wasser. Er wäscht die Hände, er füllt mit schwarzem Wein die glatte Höhlung des Kelchs und gießt das dicke Blut der Trauben auf den

Boden, zur Ehre dessen, den barfüßige prophetische Priester zu Dodona anbeteten. Zu ihm fleht er, unwissend, dass er vergeblich fleht und dass unter den Händen zweier trojanischer Helden, des Euphorbus, des Panthous Sohn, dessen Liebeslocken mit Gold durchflochten waren, und des Priamiden, des Löwenbeherzten, Patroklus, der Gefährte der Gefährten, sein Schicksal erfüllen muss. Sind diese Gestalten Phantome? Helden des Nebels und der Berge? Schatten in einem Lied? Nein: sie leben wirklich. Handeln! Was ist Handeln? Im Augenblick tatkräftiger Entfaltung erstirbt es schon. Handeln ist ein niedriges Zugeständnis an die Tatsachen. Die Welt wird durch den Sänger für den Träumer geschaffen.

Ernst: Solange du sprichst, muss ich dir recht geben.

Gilbert: Ich spreche wahr. Auf dem zu Staub zerfallenen Festungsgemäuer Trojas liegt die Eidechse wie ein Gebilde aus grüner Bronze. Die Eule hat ihr Nest in Priamus' Palast gebaut. Über die leere Heide ziehen Schaf- und Ziegenherden mit ihren Hirten; dort, wo auf der öligen, weinfarbenen Seeflut, dem οιυοψ πουτος, wie Homer sie nennt, die rotgestreiften mächtigen Galeeren der Danaer mit kupferschimmerndem Bug einherschwammen, sitzt setzt der einsame Fischer im kleinen Boot und achtet auf den zitternden Kork seines Netzes. Und doch werden jeden Morgen die Tore der Stadt weit aufgetan, und zu Fuß oder in rossegezogenen Wagen ziehen die Krieger in die Schlacht und spotten der Feinde hinter ihrer eisernen Vermummung. Den Tag über fechten sie grimmig. Sinkt aber die Nacht herab, dann glühen die Fackeln an den Zelten, und der Dreifuß raucht in der Halle. Gestalten, die im Marmor oder auf der Leinwand leben, kennen vom Dasein nur einen einzigen köstlichen Augenblick, der allerdings in die Ewigkeit reicht, aber auf den einen Ton der Leidenschaft oder ruhiger Betrachtung gestimmt ist. Die der Dichter ins Dasein ruft, haben unzählige freudige und schreckliche Empfindungen. Mut und Verzweiflung, Jauchzen und Kummer sind ihnen eigen. Die Zeiten wandeln im frohen oder ernsten Gepränge, die Jahre gleiten beschwingten oder schweren Schrittes an ihnen vorüber. Sie haben ihre Jugend, ihre Mannheit, ihre Kindheit und ihr Alter. Um die heilige Helene webt immer jene Dämmerung, in der Veronese sie am Fenster sah. Durch die Morgenluft bringen ihr die Engel das Symbol des Leidens ihres Gottes. Der kühle Morgenwind hebt die goldenen Fäden von ihrer Stirn. Auf jenem kleinen Hügel bei Florenz, wo die Liebenden des Giorgione lagern, leuchtet noch immer die nämliche Mittagssonne im Zenit. So erschlaffend ist diese Sommersonne, dass das schmächtige, nackte Mädchen kaum das klare, gerundete Glas in den Marmorbrunnen zu tauchen vermag und die schmalen Finger des Lautenschlägers träg auf den Saiten ruhen. Zwielicht spielt noch immer um die tanzenden Nymphen, die Corot um die silbernen Pappeln Frankreichs schweben ließ. Im ewigen Zwielicht gleiten sie dahin, diese zarten, durchsichtigen Gestalten. Ihre weißen, zitternden Füße scheinen mit ihrem Tritt das tauige Gras kaum zu streifen. Aber jene Gestalten, die durch das Epos, das Drama, den Roman schreiten, sehn im Kreise der Monate die jungen Monde wechseln und verrinnen, sie können den Zug der Nacht vom Abend- bis zum Morgenstern belauschen, den wechselnden Tag mit seinem Gold und seinen Schatten vom Sonnenaufgang bis zum Sonnenuntergang beobachten. Für sie blühen und welken die Blumen wie für uns, und die Erde, die grüngelockte Göttin, wie Coleridge sie nennt, wechselt zu ihrer Freude ihr Gewand! Die Statue gewährt einem einzigen Augenblick der Vollendung Dauer. Dem Bild auf der Leinwand wohnt nichts Geistiges inne, es wächst und entwickelt sich nicht. Diese Gebilde kennen zwar nicht die Schauer des Todes, aber nur deshalb nicht, weil sie wenig vom Leben wissen. Denn die Geheimnisse des Lebens und Sterbens werden nur denen offenbar, nur denen allein, die der Kreislauf der Zeit berührt, die nicht nur Gegenwart, sondern auch Zukunft in sich hegen, die auch vergangener Ruhm, vergangene Schmach zu erheben oder zu stürzen vermag. Bewegung, dieses Problem der sinnfälligen Künste, kann nur durch die Literatur getreu verwirklicht werden. Nur die Literatur zeigt uns den Leib in seiner Hast, die Seele in ihrer Unrast.

Ernst: Jawohl, ich verstehe jetzt, was du meinst. Aber das eine ist sicher: Je höher du den schaffenden Künstler stellst, einen desto niedrigeren Rang muss der Kritiker einnehmen.

Gilbert: Wieso?

Ernst: Weil das Beste, das er uns zu gewähren vermag, nichts ist als ein Widerhall reicher Musik, ein blasser Schatten klar umrissener Formen. Das Leben mag in der Tat ein Chaos sein, wie du mir kündest. Vielleicht sind seine Martyrien armselig, seine Heldentaten unedel. Vielleicht ist es wirklich Aufgabe der Dichtung, aus dem Rohstoff äußerlichen Daseins eine Welt zu schaffen, die wunderbarer, dauernder, wahrhaftiger sein wird, als jene, worauf das gemeine Auge blickt, worin die gemeine Natur ihre Vollendung sucht. Doch sicherlich, wenn diese neue Welt durch den Geist und die Kraft eines großen Künstlers einmal geschaffen ist, dann wird sie so vollkommen sein, dass dem Kritiker zu tun nichts übrig bleibt. Ich verstehe jetzt sehr wohl und räume bereitwillig ein, dass es viel schwerer ist, über etwas zu reden, als es zu tun. Doch scheint mir, dass dieser gesunde und verständige Grundsatz, der unser Empfinden so außerordentlich beruhigt, den jede Literaturakademie der Welt zu ihrem Wahlspruch wählen sollte, bloß die Beziehungen zwischen Kunst und Leben angeht, keineswegs die, die vielleicht zwischen Kunst und Kritik bestehen.

Gilbert: Aber ist nicht die Kritik selbst eine Kunst? Und wie die künstlerische Schöpfung der Arbeit des kritischen Geists bedarf und ohne ihn – man darf es sagen – durchaus nicht bestehen kann, so ist die Kritik selbstschöpferisch in der höchsten Bedeutung des Worts. Die Kritik ist in der Tat sowohl schöpferisch als unabhängig.

Ernst: Unabhängig?

Gilbert: Jawohl, unabhängig. Die Kritik darf von irgendeinem niedrigen Gesichtspunkte der Nachahmung oder Ähnlichkeit so wenig beurteilt werden wie das Werk des Dichters oder bildenden Künstlers. Die Kritik nimmt dem kritisierten Kunstwerke gegenüber die nämliche Stellung ein, wie der Künstler gegenüber der sichtbaren Welt der Form und Farbe oder der unsichtbaren Welt der Leidenschaft und des Denkens.

Der Kritiker bedarf, um seine Kunst zur Vollendung zu bringen, nicht einmal des vornehmsten Materials. Alles dient seinen Zwecken. Wie Gustav Flaubert aus den gemeinen und sentimentalen Liebesgeschichten der albernen Frau eines kleinen Landarztes in dem schmutzigen Dorfe Donville-l'Abbaye bei Rouen ein klassisches Werk zu schaffen vermochte, ein Meisterwerk des Stils, so kann der echte Kritiker aus Dingen von sehr geringer oder gar keiner Bedeutung ein Werk von fleckenloser Schönheit und Tiefe des Gedankens hervorbringen – etwa aus den Gemälden der Königlichen Akademie dieses oder irgendeines Jahres, aus den Gedichten von Mr. Lewis Morris, aus den Romanen Ohnets oder den Komödien von Mr. Artur Jones, vorausgesetzt, dass es ihm Freude macht, seine Aufmerksamkeit auf solche Dinge zu lenken, vielmehr zu verschwenden. Warum sollte er es nicht? Trübheit lockt immer den Glanz unwiderstehlich hervor, Dummheit ist die ewige »Bestia trionfans«, die die Klugheit aus ihrer Höhle ruft. Was bedeutet einem so schöpferischen Künstler, wie es der Kritiker ist, das Thema? Nicht mehr und nicht minder als es dem Erzähler und dem Maler bedeutet. Wie diese kann er seinen Motiven überall begegnen. Die Behandlung allein ist das Entscheidende. Es gibt nichts, was nicht Stimmungs- oder Wirkungsmöglichkeiten in sich berge.

Ernst: Ist aber die Kritik wirklich eine schöpferische Kunst?

Gilbert: Warum sollte sie es nicht sein? Sie hat ihre Materialien und bringt sie in Formen, die zugleich neu und entzückend sind. Was kann man von der Dichtung mehr sagen? Fürwahr, ich möchte die Kritik eine Schöpfung innerhalb der Schöpfung nennen. Wie die großen Künstler von Homer und Äschylus bis zu Shakespeare und Keats ihre Stoffe niemals direkt dem Leben entnahmen, sondern in Mythen und Legenden und alten Erzählungen danach suchten, so benutzt der Kritiker Stoffe, die die anderen gewissermaßen für ihn gereinigt und denen sie bereits dichterische Form und Farbe gegeben haben. Ja noch mehr. Ich möchte behaupten: Die höchste Form der Kritik ist – da sie zugleich die reinste Form persönlicher Empfindung darstellt – schöpferischer als das Schaffen; denn sie kann nur an sich selbst gemessen werden, nur in ihr liegt ihre Daseinsberechtigung; sie ist, wie die Griechen sagen würden, in und für sich selbst ein Zweck. Sicherlich ist sie niemals durch irgendwelche Fesseln der Lebensechtheit geknebelt. Keine unedle Rücksicht auf die Wahrscheinlichkeit, dieses feige Zugeständnis an die endlos langweiligen Wiederholungen unseres privaten und öffentlichen Lebens, behindert sie. Von der Dichtung mag man an die Wirklichkeit appellieren. Über der Seele gibt es kein höheres Gericht.

Ernst: Über der Seele?

Gilbert: Ja, über der Seele. Die höchste Kritik ist nämlich in Wahrheit nichts anderes als der Bericht über die eigene Seele. Darum ist sie bezaubernder als die Geschichte; sie beschäftigt sich ja nur mit dem Schriftsteller selbst. Sie ist fesselnder als die Philosophie, denn ihr Gegenstand ist sinnfällig, nicht begrifflich, wirklich, nicht unbestimmt. Sie ist die einzige eines gebildeten Menschen würdige Form der Selbstbiografie; sie beschäftigt sich ja nicht mit den Ereignissen, sondern mit den Gedanken eines Lebens; nicht mit den greifbaren Tatsachen oder Zufälligkeiten des Daseins, sondern mit den Geistesstimmungen, den Leidenschaften der Seele. Die alberne Eitelkeit der Schriftsteller und Künstler unserer Tage, die zu glauben scheinen, die wichtigste Aufgabe des Kritikers bestehe darin, über ihre mittelmäßigen Werke zu schwätzen, bildet für mich eine Quelle steten Vergnügens. Das Beste, das man über den größten Teil unserer modernen schöpferischen Kunst sagen kann, ist etwa, dass sie nicht ganz so gemein ist wie die Wirklichkeit. Der Kritiker mit seinem feinen Unterscheidungsvermögen, seinem ausgebildeten Instinkt für zarte Verfeinerung wird darum lieber in den silbernen Spiegel oder durch den gewobenen Schleier blicken. Er wird sein Auge von dem Wirrwarr und dem Geschrei des wirklichen Lebens abwenden, mag auch der Spiegel getrübt, der Schleier zerrissen sein. Er kennt kein anderes Ziel als dieses: seine Eindrücke aufzuzeichnen. Für ihn werden Bilder gemalt, Bücher geschrieben, für ihn wird der Marmor geformt.

Ernst: Ich glaube, ich habe bereits eine andere Theorie über das Wesen der Kritik vernommen.

Gilbert: Jawohl: sie ist von einem Mann aufgestellt, dessen teures Bild wir alle ehrfürchtig im Gedächtnis bewahren. Der Klang seiner Flöte hat ja einst Proserpina aus ihren sizilischen Gefilden fortgelockt, sodass ihre weißen Füße, und nicht vergeblich, die Primeln von Cumnor bewegten. Er hat gesagt, das wahre Ziel der Kritik sei, die Dinge so zu sehen, wie sie in Wirklichkeit sind. Dies ist jedoch ein sehr großer Irrtum, der von der vollkommensten Form der Kritik keine Kenntnis nimmt, der rein subjektiven Kritik, die sich nur bemüht, das in ihr selbst schlummernde Geheimnis, nicht das Geheimnis der andern zu enthüllen. Denn die Kritik in ihrer höchsten Form beschäftigt sich mit der Kunst nur so weit, wie sie Eindrücke wachruft, keineswegs, sofern sie sich bemüht, etwas auszudrücken.

Ernst: Ist dem wirklich so?

Gilbert: Ganz gewiss. Wer kümmert sich darum, ob Mr. Ruskins Anschauungen über Turner begründet sind oder nicht? Was liegt daran? Die schimmernde, wundervolle Prosa, die ihm eigen, so glühend, so voll wundersam flammender Farben in dem adeligen Schwung ihrer Beredsamkeit, so reich in ihren durchdachten symphonischen Klängen, so sicher und treffend in der feinen Wahl des Haupt- und des Beiworts: diese Prosa ist ein nicht geringeres Kunstwerk als einer jener herrlichen Sonnenuntergänge, die auf verblichener Leinwand in der Galerie Englands verwesen und verderben. Ja, ein größeres Kunstwerk, möchte man meinen – nicht nur deshalb, weil die nicht geringere Schönheit dieses Werkes dauernden Bestand besitzt, sondern weil dieses Werk eine buntere Fülle von Stimmen in uns wachruft. Seele spricht zu Seele in diesen mächtigen, lange nachhallenden Kadenzen, nicht durch Form und Farbe allein – durch sie allerdings völlig –, sondern auch durch die Ausdrucksmittel des Geistes und der Empfindung: durch erhabene Leidenschaft und den noch erhabeneren Gedanken, durch intuitive Einsicht und dichterische Absicht. Ja, dies Werk Ruskins ist größer, wie denn die literarische Kunst überhaupt die größte ist. Wer fragt, ob Mr. Pater in das Bildnis der Mona Lisa Dinge hineingelegt hat, an die Lionardo auch nicht im Traum dachte? Der Maler ist vielleicht wirklich nur der Sklave eines archaischen Lächelns gewesen, wie manche meinen. Sooft ich aber die kühlen Galerien des Louvre durchschreite und vor jener seltsamen Gestalt stehe, »die in ihrem Marmorstuhle lehnt, umgeben von einem Halbrund phantastischer Felsen, wie in mattem Licht der Meerestiefe«, flüstere ich mir selber zu: »Sie ist älter als jene Felsen, in deren Mitte sie ruht; dem Vampir gleich ist sie schon lange gestorben, sie hat die Geheimnisse der Gruft erfahren. Sie ist in tiefe Meere hinabgetaucht und bewahrt um sich deren ermattetes Licht; sie hat um seltsame Gewebe mit Kaufleuten des Orients gefeilscht; sie ist Leda, die Mutter der trojanischen Helena, und die heilige Anna, Marias Mutter, gewesen. Und all dies war für sie nicht mehr als Lauten- und Flötenklang; es prägt sich nur in den zart gegrabenen Linien des wechselnden Mienenspiels aus; es hat ihr bloß Lider und Hände gestreift.« Und ich sage zu meinen Freunden: »Jenes Wesen, das so seltsam neben den Wassern emporstieg, drückt aus, was die Menschen nach einer Wanderung durch Jahrtausende endlich herbeisehnen.« Und einer antwortet: »Ihr ist das Haupt eigen, worauf jedes Ende der Welt fiel, darum sind ihre Lider ein wenig müde.« So wird das Gemälde für uns wunderreicher, als es in Wirklichkeit ist. Es entschleiert uns ein Geheimnis, das ihm selbst fremd geblieben; der Klang der geheimnisvollen Prosa tönt in unser Ohr so süß wie der Laut des Flötenspielers, der den Lippen der Gioconda jene feinen, verderblichen Furchen lieh. Du fragst, was Lionardo geantwortet haben würde, wenn ihm jemand von diesem Bilde erzählt hätte: »Alle Gedanken und Erfahrungen der Welt haben an diesem Werk mit ihrer ganzen Kraft gebildet und geformt, um seinen Ausdruck zu verfeinern, noch mehr zu beseelen: griechischer Sensualismus, römische Lüsternheit, der Traum des Mittelalters mit seinem übersinnlichen Streben und seinen verzückten Leidenschaften, die Wiederkehr der heidnischen Welt, die Verbrechen der Borgias?« Er hätte vermutlich geantwortet, er habe derlei gar nicht im Sinn gehabt: sondern nur an eine gewisse Anordnung der Linien und Massen gedacht, an neue und seltsame Farbenzusammenklänge von Blau und Grün. Und eben deshalb stellt eine solche Kritik, von der ich sprach, die höchste Form der Kritik dar. Sie nimmt das Kunstwerk nur zum Ausgangspunkt für eine neue Schöpfung. Sie gibt sich keineswegs endgültig zufrieden – nehmen wir das wenigstens für einen Augenblick an –, die wirkliche Absicht des Künstlers zu erforschen. Und darin hat sie völlig recht. Denn der Sinn einer schönen Schöpfung liegt zumindest so sehr bei dem Betrachter wie in der Seele dessen, der sie schuf. Ja, durch den Betrachter selbst findet erst das Werk die ungezählten Möglichkeiten seiner Deutung. Erst durch den Betrachter wird das Werk wundervoll und gewinnt ungeahnte Zusammenhänge mit der Zeit, sodass es ein Stück unseres Selbst wird, ein Sinnbild dessen, was wir erfleht haben, oder dessen, wovon wir fürchten, dass es unserem Flehen gewährt werde. Je länger ich sinne, mein lieber Ernst, um so deutlicher wird es mir: Die Schönheit der sichtbaren Künste beruht wie die Schönheit der Musik in erster Linie auf dem Empfinden, das sie in uns erweckt. Sie wird durch das Überwiegen geistiger Absichten des Künstlers leicht getrübt. Denn das Werk führt, wenn es einmal vollendet dasteht, ein unabhängiges Leben für sich selbst; es kann anderen eine Botschaft künden, die der Künstler ihm nicht auf die Lippen gelegt hat. Manchmal ist es mir wirklich, wenn ich der Tannhäuser-Ouvertüre lausche, als sähe ich den edlen Ritter, wie er zart das blumenübersäte Gras betritt, als vernähme ich die Stimme der Venus, die aus der Bergeshöhle nach ihm ruft. Ein anderes Mal spricht mir diese Musik von tausend anderen Dingen: von mir selbst und meinem eigenen Leben vielleicht, oder von dem Dasein der anderen, jener anderen, die man liebte und die zu lieben man überdrüssig ward. Oder von den Leidenschaften, die man durchlebte, oder von jenen, die man nicht durchlebte und darum ersehnt hat. Zur Nacht erfüllt uns diese Musik vielleicht mit dem ΕΡΩΣ ΤΩΝ ΑΔΥΝΑΤΟΝ, diesem »Amour de I'Impossible«,« der wie ein Wahn viele überfällt, die außerhalb des Bereichs des Leidens in Sicherheit zu leben vermeinen, bis sie plötzlich am Gift unendlicher Sehnsucht erkranken. Im unermüdlichen Einherjagen hinter dem, was sie nie erreichen werden, ermatten sie endlich, sinken hin oder straucheln. Und morgen werden uns diese Töne gleich der Musik, von der uns Aristoteles und Plato berichten, der edlen dorischen Musik der Griechen, lindernd wie ein Arzt berühren. Sie werden uns ein Heilmittel wider den Kummer reichen und die verletzte Seele heilen, sie werden »die Seele in Einklang mit allen rechten Dingen wiegen«. Und was für die Musik gilt, gilt für die anderen Künste nicht minder. Die Schönheit bietet Deutungen, so zahlreich wie die Stimmungen des Menschen. Die Schönheit ist das Sinnbild der Sinnbilder. Die Schönheit enthüllt uns alles, da sie nichts besagen will. Zeigt sie uns ihr eigenes Antlitz, dann hat sie uns die ganze feuerfarbene Welt geoffenbart.

Ernst: Darf man aber ein derartiges Werk überhaupt noch kritisch nennen?

Gilbert: Es ist der Gipfel der Kritik; denn es handelt nicht bloß vom einzelnen Kunstwerk, sondern von der Schönheit selbst. Es füllt eine Form, die der Künstler selbst vielleicht leer ließ, die er nicht erfasste, oder nicht völlig erfasste, mit Wundern.

Ernst: Diese höchste Kritik ist also schöpferischer als das Schaffen selbst? Die erste Aufgabe der Kritik wäre demnach, wenn ich deine Theorie recht verstehe, das Objekt anders zu sehen, als es in Wirklichkeit ist?

Gilbert: Jawohl, das ist meine Theorie. Den Kritiker soll das Kunstwerk bloß zu einem neuen, eigenen Werke anregen, das keineswegs notwendigerweise offenkundige Ähnlichkeit mit dem kritisierten Werke zeigen muss. Dies eben ist das Kennzeichen der herrlichen Form: Man kann, was immer man will, in sie legen und darin erblicken, was man zu erblicken wünscht; die Schönheit, die dem geschaffenen Werke den allgemein gültigen ästhetischen Wert verleiht, macht aus dem Kritiker selbst einen schöpferischen Geist. Sie flüstert ihm tausend Dinge zu, die nicht in der Seele dessen lebendig waren, der die Statue gebildet oder das Bild gemalt oder den Edelstein geschnitten hat. Oft hört man von solchen, die weder das Wesen höchster Kritik noch den Reiz höchster Kunst erfassen, die Meinung, der Kritiker schreibe am liebsten über solche Gemälde, die das Anekdotengebiet der Malerei behandeln und Szenen aus der Literatur- oder Weltgeschichte darstellen. Dem ist keineswegs so. Gemälde dieser Art wirken fürwahr viel zu sehr auf den Verstand. Im Ganzen genommen, stehen sie auf der Stufe von Illustrationen und sind, selbst von diesem Standpunkt, ein Missgriff. Sie entfachen keineswegs die Fantasie, sondern setzen ihr Schranken. Das Reich des Malers ist ja, wie ich früher ausgeführt habe, von dem des Dichters durchaus verschieden. Diesem gehört das ganze Leben in seiner Fülle und Ganzheit; nicht nur die Schönheit, die man erblickt, sondern auch jene, die man erlauscht, nicht bloß die vorüberflatternde Anmut der Form oder der erbleichende Glanz der Farbe, vielmehr das ganze Reich des Empfindens, der ganze Umkreis des Denkens. Der Maler findet seine Begrenzung darin, dass er uns das Geheimnis der Seele bloß in der Maske des Leibes zu zeigen vermag. Ideen kann er nur durch herkömmliche Zeichen versinnbildlichen; nur durch den körperlichen Ausdruck vermag er, sich dem Psychologischen zu nähern. Und wie unvollkommen wird dann eine solche Darstellung! In dem zerrissenen Turban des Mohren sollen wir den edlen Zorn Othellos, in einem alten, im Sturm irrenden Narren den wilden Wahnsinn Lears erblicken! Und doch vermag man es nicht, diesen Leuten, so scheint es, Einhalt zu gebieten. Die meisten unserer älteren englischen Maler vergeuden ihr traurig verlorenes Leben damit, dass sie ins Land der Dichtung einbrechen. Sie verderben sich ihre Stoffe dadurch, dass sie sie plump behandeln, dass sie sich mühen, die Wunder des Unsichtbaren, den Glanz des niemals Geschauten durch sichtbare Form und Farbe wiederzugeben. Ihre Gemälde sind darum natürlich unerträglich langweilig. Sie haben die sichtbaren Künste zu gemeinverständlichen Künsten herabgewürdigt, und wenn etwas überhaupt nicht verdient, beachtet zu werden, so ist es das Gemeinverständliche. Ich behaupte keineswegs, dass Dichter und Maler nicht den nämlichen Gegenstand behandeln dürfen. Sie haben es stets getan und werden davon nicht lassen. Doch mag der Dichter nach seinem Gutdünken malerisch sein oder nicht – der Maler muss Maler bleiben. Er muss sich beschränken, und zwar nicht auf das, was er in der Natur wahrnimmt, sondern auf das, was auf der Leinwand wahrgenommen werden kann. Darum, mein lieber Ernst, werden Gemälde solcher Art den Kritiker niemals wirklich fesseln. Er wird den Blick von diesen weg zu Kunstwerken wenden, die ihn sinnen und träumen und dichten machen, zu solchen Werken, die ihn geheimnisvoll anregen, die ihm zu sagen scheinen: Es gibt auch von uns ein Entrinnen in eine weitere Welt hinaus. Man hat oft behauptet, die Tragödie des Künstlerlebens bestehe darin, dass der Künstler sein Ideal nicht zu verwirklichen vermöge. Doch liegt die wahre Tragödie, die den Schritten der meisten Künstler folgt, darin, dass sie ihr Ideal allzusehr verwirklichen. Ist es einmal verwirklicht, dann ist es seiner Wunder, seines geheimnisvollen Duftes beraubt; es wird wieder zum Ausgangspunkt für ein neues, von dem früheren verschiedenes Ideal. Darum ist die Musik der vollkommenste Typus der Kunst. Die Musik vermag nie ihre letzten Geheimnisse zu entschleiern. So erklärt sich zugleich der Wert der Beschränkung in der Kunst. Der Bildhauer leistet gern auf die nachahmende Kraft der Farbe, der Maler auf die wirklichen Maße Verzicht. Durch solchen Verzicht können beide die allzu deutliche Wiedergabe der Wirklichkeit und damit die bloße Nachahmung und die allzu deutliche, nur verstandesgemäße Darstellung des Gedankens vermeiden. Eben durch ihre Unvollkommenheit erreicht die Kunst die vollendete Schönheit. Nur so wendet sie sich nicht an die Fähigkeit des Wiedererkennens oder der Vernunft, sondern allein an den ästhetischen Sinn. Dieser betrachtet Vernunft und Erkennen als Etappen der Wahrnehmung, ordnet jedoch beide dem reinen, synthetischen Eindruck des Kunstwerks als eines Ganzen unter. Mag auch das Werk noch andere Erregungselemente in sich schließen, es bedient sich ihrer Vielfältigkeit nur, dem letzten Eindruck reichere Einheit zu gewähren. Du begreifst also die Gründe, aus denen der geschmackvolle Kritiker jene allzu deutlichen Arten der Kunst ablehnt, die bloß eine Botschaft zu bringen haben und sodann nichtssagend und unfruchtbar werden. Du begreifst, warum er sich lieber solchen Formen zuwendet, die Traum und Stimmung erwecken und durch ihre unwirkliche Schönheit alle Deutungen wahr und keine Deutung als die letzte erscheinen lassen. Einige Ähnlichkeit mag das schöpferische Werk des Kritikers allerdings mit dem Werk verbinden, das ihn zu seiner Schöpfung angeregt hat. Doch ist es jene Ähnlichkeit, die besteht – nicht zwischen der Natur und dem Spiegel, den der Landschafts- oder Figurenmaler ihr angeblich vorhält, sondern zwischen der Natur und dem Gemälde des dekorativen Künstlers. Wie auf den blumenlosen persischen Teppichen Tulpe und Rose wirklich blühn – ein lieblicher Anblick –, obwohl sie darauf nicht in sichtbarer Gestalt und Linie wiedergeformt sind; wie Perlen- und Purpurfarben der Seemuschel in der Markuskirche in Venedig widertönen, wie die gewölbte Decke der wundervollen Kapelle zu Ravenna herrlich vom Gold und Grün und Saphir der Pfauenschweife schimmert, wenn auch die Vögel der Juno nicht durch den Raum fliegen: so reproduziert der Kritiker das Werk, das er beurteilt, nicht durch bloßes Nachbilden – ein großer Teil des Reizes der Kritik liegt eben darin, dass er dies verschmäht. Auf diese Weise enthüllt uns der Kritiker nicht nur den Sinn, sondern auch das Geheimnis der Schönheit. Er gießt jede Kunst in die literarische Form um und löst so das Problem der Kunsteinheit. Ich merke jedoch: es ist Zeit zum Abendessen. Jetzt wollen wir uns ein wenig mit dem Chambertin und den Ortolanen unterhalten. Dann gehen wir dazu über, die Kritiker als Interpreten zu betrachten.

Ernst: Ah! Du gibst also zu, dass man dem Kritiker zuweilen gestatten darf, ein Ding so zu sehen, wie es in Wirklichkeit ist!

Gilbert: Ich weiß es nicht ganz bestimmt. Vielleicht gebe ich das nach Tisch zu. Das Abendessen übt eine feine Wirkung aus.

II. Teil

Nebst einigen Bemerkungen über die Notwendigkeit, alles zu erörtern

Dieselben Personen

Dieselbe Szene

Ernst: Die Ortolanen waren wundervoll, am Chambertin ist nichts auszusetzen. Und nun kehren wir zu unserem Ausgangspunkt zurück.

Gilbert: Ach! genug davon! Das Gespräch sollte an alles rühren, doch sich in nichts vertiefen. Plaudern wir über »moralische Entrüstung, ihre Ursache und Heilung«, ein Thema, worüber ich zu schreiben gedenke. Plaudern wir über das »Fortleben des Thersites« – nämlich in den englischen Witzblättern. Plaudern wir über irgend etwas, was uns in den Weg läuft.

Ernst: Nein! Ich möchte über den Kritiker und die Kritik diskutieren. Du sagtest mir, die höchste Kritik beschäftigte sich mit der Kunst, nicht soweit sie etwas ausdrücke, sondern sofern sie Eindrücke hervorrufe. Die Kritik sei demnach zugleich schöpferisch und unabhängig, selbst eine Kunst, und stehe dem schöpferischen Werk so gegenüber, wie dieses nur zur sichtbaren Welt der Form und Farbe oder zur unsichtbaren Welt der Leidenschaft und des Denkens steht. Nun, sage mir: Ist der Kritiker nicht manchmal ein wirklicher Ausleger?

Gilbert: Ja, der Kritiker ist auch, wenn sein Wunsch dahin geht, ein Ausleger. Er kann von seiner Gesamtauffassung eines Kunstwerks zur Analyse oder Erklärung des Werkes selbst übergehen. In dieser niedrigen Sphäre – ich halte sie für niedriger – kann viel Schönes gesagt und getan werden. Doch wird die Deutung des Kunstwerks keineswegs immer seine Aufgabe bilden. Vielleicht wird er sich vielmehr bemühen, das Geheimnis des Werkes zu vertiefen, um das Werk und seinen Schöpfer den Schleier des Wunders zu bereiten, der den Göttern und den Anbetenden gleich teuer ist. Gewöhnlich fühlen sich die Leute »in Zion schrecklich behaglich«. Sie nehmen sich vor, mit den Dichtern Arm in Arm zu wandeln. Sie haben eine glatte, aus der Unwissenheit entspringende Art zu fragen: »Warum sollten wir lesen, was über Shakespeare und Milton geschrieben ist? Wir können ja die Schauspiele und Dichtungen selbst lesen. Das genügt.« Aber das Verständnis Miltons bildet, wie einmal der selige Rektor von Lincoln bemerkte, nur den Lohn für ein höchst intensives Studium. Wer Shakespeare wirklich verstehen will, muss die Zusammenhänge begreifen, in denen Shakespeare mit der Renaissance und der Reformation, mit dem Zeitalter Elisabeths und dem Zeitalter Jakobs stand. Er muss vertraut sein mit der Geschichte des Kampfes um die Herrschaft zwischen der alten klassischen Form und dem neuen Geist der Romantik, des Kampfes zwischen den Schulen Sidneys, Daniels und Jonsons und der Schule Marlows und Marlows größeren Sohnes. Er muss wissen, welche Stoffe Shakespeare zur Verfügung standen, er muss die Art und Weise kennen, wie Shakespeare sie benützte. Er muss die Voraussetzungen theatralischer Darstellung im sechzehnten und siebzehnten Jahrhundert, deren Beschränkungen und Freiheitsmöglichkeiten beherrschen, desgleichen die literarische Kritik in den Tagen Shakespeares, ihre Ziele, ihre Methode, ihre Grundsätze. Er muss die englische Sprache in ihrem Wachstum, den Blankvers und den gereimten Vers in seinen verschiedenen Entwicklungsstufen studieren. Er muss das griechische Drama und den Zusammenhang zwischen der Kunst des Schöpfers Agamemnons und Macbeths durchforschen. Mit einem Wort, er muss imstande sein, das London der Elisabeth mit dem Perikleischen Athen zu verknüpfen, er muss Shakespeares wahre Stellung in der Geschichte des europäischen Dramas, ja der Weltliteratur kennen. Der Kritiker wird ohne Zweifel Ausleger und Ausdeuter sein, doch wird er die Kunst nicht als Rätselsphinx betrachten, deren dumpfes Geheimnis ein Wanderer erraten und enthüllen kann, dessen Füße verwundet sind und der seinen eigenen Namen nicht kennt. Er wird vielmehr die Kunst als eine Göttin ansehen, deren Geheimnis zu vertiefen sein Amt, deren Majestät in den Augen der Menschen noch wunderreicher erscheinen zu lassen sein Vorrecht ist.

Und hier, Ernst, ereignet sich etwas Seltsames. Der Kritiker wird in der Tat ein Erklärer sein, aber keineswegs in dem Sinn, dass er nur in anderer Form eine Botschaft verkündet, die auf seine Lippen gelegt ward. Denn wie nur durch die Berührung mit der Kunst fremder Nationen die Kunst eines Landes jenes persönliche und gesonderte Gepräge, das wir Nationalität nennen, gewinnt, so vermag in seltsamer Verkehrung der Kritiker nur durch Vertiefung seines eigenen Ichs die Persönlichkeit und das Werk anderer zu deuten. Und je tiefer seine Persönlichkeit in die Auslegung eingeht, desto wirklicher wirkt sie, desto befriedigender, überzeugender und wahrer.

Ernst: Ich wäre der Meinung gewesen, die Persönlichkeit sei ein störendes Element.

Gilbert: Keineswegs. Sie ist ein notwendiges Element der Enthüllung. Wer andere zu verstehen begehrt, muss das eigene Ich vertiefen.

Ernst: Was ist demnach das Ergebnis?

Gilbert: Ich will es dir sagen; vielleicht wird, was ich meine, durch ein bestimmtes Beispiel am deutlichsten. Ich meine, dass der literarische Kritiker allerdings den obersten Rang einnimmt, da er über den weiteren Kreis, den umfassenderen Blick, den vornehmeren Stoff gebietet. Doch hat jede Kunst gewissermaßen ihre vorbestimmten Kritiker. Der Schauspieler ist der Kritiker des Dramas. Er zeigt uns das Werk des Dichters unter neuen Voraussetzungen und durch die ihm eigentümliche Methode. Das ist das geschriebene Wort; durch Bewegung, Gesten, Tonfall der Stimme enthüllt er uns seinen Sinn. Der Sänger, der Flöten- und Lautenspieler sind die Kritiker der Musik. Der Radierer nimmt dem Gemälde die glühenderen Farben; doch zeigt er uns eben durch das Anwenden eines neuen Materials die wahren Farbeneigentümlichkeiten des Werks, seine Tönungen und Vorzüge, die Beziehungen seiner Massen: so wird er auf diesem Weg zum kritischen Beurteiler des Werkes. Ein Kritiker ist ja nur, wer uns ein Kunstgebilde in einer von diesem Gebilde selbst verschiedenen Form klarlegt, und die Verwendung eines neuen Materials bildet so sehr ein kritisches wie ein schöpferisches Element. Auch die Bildhauerkunst hat ihre Kritiker. Entweder sind dies, wie in Griechenland, Edelsteinschneider oder auch Maler, Mantegna zum Beispiel, der bestrebt war, die Herrlichkeit plastischer Linien und die symphonische Würde des feierlichen Zuges von Basrelieffiguren auf Leinwand zu übertragen. Aus all diesen Beispielen schöpferischer Kunstkritik erhellt sich das eine klar: Die Persönlichkeit ist eine wesentliche Voraussetzung jeder wirklichen Kunsterklärung.

Wenn Rubinstein Beethovens »Sonata Appassionata« spielt, gibt er uns nicht bloß Beethoven, sondern sich selbst; und so gibt er uns Beethoven ganz – Beethoven, der uns durch eine reiche künstlerische Natur nahegebracht, der uns durch diese starke neue Persönlichkeit selbst wundervoll lebendig wird. Spielt ein großer Schauspieler Shakespeare, dann machen wir dieselbe Erfahrung: Seine eigene Individualität wird zu einem lebendigen Teil der Auslegung. Man hört zuweilen, Schauspieler gäben uns ihren Hamlet, nicht den Hamlet Shakespeares. Diese schiefe Bemerkung – denn das ist sie – wird leider selbst von jenem entzückenden und anmutigen Schriftsteller wiederholt, der sich jüngst aus der erregten Sphäre der Literatur in den Frieden des »Hauses der Gemeinen« geflüchtet hat, ich meine den Autor von »Obiter Dicta«. Fürwahr, ein Wesen wie Shakespeares Hamlet gibt es überhaupt nicht. Wenn »Hamlet« etwas von der Bestimmtheit eines Kunstwerkes an sich hat, so ist ihm auch die ganze Dunkelheit, die dem Leben anhaftet, zu eigen. In jedem Melancholiker lebt ein Hamlet.

Ernst: Also so viele Hamlets als es Melancholiker gibt?

Gilbert: Jawohl; und wie die Kunst der Persönlichkeit entspringt, so kann sie sich nur auch der Persönlichkeit enthüllen. Wenn diese beiden

Voraussetzungen zusammentreffen, entsteht die wahre, auslegende Kritik.

Ernst: Der Kritiker, als Erklärer betrachtet, gibt uns demnach nicht weniger, als er empfängt? Er leiht so viel, wie er borgt?

Gilbert: Er wird uns stets das Kunstwerk in irgendwelchem neuen Zusammenhang mit unserem Zeitalter zeigen. Er wird uns stets daran erinnern, dass große Kunstwerke lebendige Wesen sind, – dass sie in der Tat die einzigen Wesen sind, die leben. Er wird sich dessen völlig bewusst sein, ja ich bin überzeugt, dass mit dem Fortschreiten der Kultur, mit unserer höheren Entwicklung die erlesenen Geister jeder Zeit, die kritischen gebildeten Geister, gewiss immer weniger Anteil am wirklichen Leben nehmen werden. Ihr Bestreben wird sein, ihre Eindrücke nur aus dem, was die Kunst berührt hat, zu schöpfen. Denn das Leben hat schrecklich wenig Formgefühl. Mit seinen Katastrophen sucht es auf ungeschickte Art die Schuldlosen heim. Um die Komödien des Lebens spielt ein gewisser grotesker Humor; seine Tragödien gipfeln in possenhafter Wirkung. Man wird immer verwundet, wenn man ihm nahe kommt. Die Dinge währen immer zu lange oder nicht lange genug.

Ernst: O armes Leben! Armes Menschenleben! Wirst du nicht einmal von seinen Tränen gerührt? Ein römischer Dichter sagt uns, sie bilden einen Teil seines Wesens.

Gilbert: Sie rühren mich nur allzu sehr, fürcht' ich. Denn, blickt man auf sein Leben zurück, wie es einmal in seiner ganzen Empfindungsfülle so lebendig war, von solch glühenden Augenblicken der Entzückung oder des Jubels erfüllt, dann scheint es Traum und Täuschung. Was sind die unwirklichen Dinge? Jene Leidenschaften sind es, die einmal wie Feuer in uns glühten! Was sind die unglaublichen Dinge? Jene, die wir einst so aufrichtig glaubten. Was ist das Unwahrscheinliche? Was man selbst getan hat. Nein, Ernst, das Leben narrt uns mit Schatten wie der Leiter einer Marionettenbühne. Wir erflehen vom Leben Freude. Die wird uns zuteil, aber in ihrem Gefolge sind Verbitterung und Enttäuschung. Ein edler Kummer kreuzt unsern Pfad – von ihm erwarten wir Purpurwürde der Tragödie unseres Daseins. Allein, auch dieser Kummer gleitet an uns vorbei. Nichtiges tritt an seine Stelle, und in einer grauen, stürmischen Dämmerstunde oder an einem Abend voll Duft und silbernem Schweigen entdecken wir mit Schrecken an uns selbst, dass wir stumpfen Sinns das Wunderbare betrachten, dass wir ohne Empfindung das goldschimmernde Lockenhaar betrachten, das wir einmal so wild liebten, so toll küssten.

Ernst: Das Leben ist also verfehlt?

Gilbert: Vom künstlerischen Standpunkt betrachtet gewiss. Und eben das, was das Leben vom künstlerischen Gesichtspunkt hauptsächlich als etwas Verunglücktes erscheinen lässt, ist das Nämliche, was dem Leben seine gemeine Sicherheit gewährt: die Tatsache, dass man die nämliche Empfindung niemals genau zu wiederholen vermag. Wie verschieden ist das alles in der Welt der Kunst! In einem Fach des Bücherregals hinter dir steht »Die göttliche Komödie«. Ich weiß: wenn ich dieses Buch bei einer gewissen Stelle aufschlage, dann werde ich mit grimmem Hass wider einen erfüllt, der mir nie Übles tat, ich werde von heftiger Liebe für einen erfasst, den ich nie erblicken soll. Es gibt keine Stimmung, keine Leidenschaft, die die Kunst uns nicht einflößen könnte. Wer ihr Geheimnis ergründet hat, vermag vorher zu sagen, welcher Art unsre Erfahrungen sein werden. Wir können unseren Tag, wir können unsre Stunde wählen. Wir können zu uns selbst sagen: »Morgen zur Dämmerzeit werden wir mit dem feierlichen Virgil durchs Tal der Todesschatten schreiten.« Und sieh da! Die Dämmerung findet uns in dem dunklen Wald, der Mantuaner steht an unserer Seite. Wir wandern durch das Tor mit der Inschrift, die jede Hoffnung tötet; wir erblicken mitleidig oder freudig die Schrecken einer anderen Welt. Die Heuchler ziehen vorüber mit ihren bemalten Gesichtern und ihren Kappen aus vergoldetem Blei. Aus den unaufhörlich wehenden Stürmen, die ihn vor sich her treiben, blickt uns der Lüstling entgegen. Wir sehen den Ketzer sein Fleisch zerreißen, den Vielfraß vom Regen gepeitscht. Wir brechen die dürren Zweige vom Baum im Haine der Harpyen, und jeder dunkel gefärbte, vergiftete Ast tropft im bitteren Jammer vor unseren Augen rotes Blut und schreit jammervoll. Aus feurigem Horn redet Odysseus zu uns. Der große Ghibelline erhebt sich aus seiner Flammengruft, und wir empfinden für einen Augenblick selbst den Stolz, der über die Martern dieses Grabes triumphiert. Durch die düstre, purpurne Luft fliegen die, die die Welt durch die Schönheit ihrer Sünden geschändet haben. In der Grube der ekeln Krankheit, den Leib von Wassersucht geschwellt, einem ungeheuerlichen Klumpen ähnlich, liegt Adamo di Brescia, der Falschmünzer. Er fleht uns an, die Geschichte seines Elends zu vernehmen. Wir hemmen unsern Schritt, und mit trocknen, weit geöffneten Lippen erzählt er uns, wie er Tag und Nacht von jenen klaren Wassern träumt, die durch kühle, tauige Rinnen die grünen Hügel von Casento hinabströmen. Sinon, der falsche Grieche von Troja, verspottet ihn. Er schlägt ihn ins Antlitz, und sie ringen. Wir stehen säumend, wie gebannt durch ihre Schmach. Da schilt Virgil und geleitet uns zu der von Riesen umtürmten Stadt, wo der gewaltige Nimrod in sein Horn stößt. Hier erwarten uns wieder neue Schrecklichkeiten. Im Gewande Dantes und mit dem Herzen Dantes eilen wir ihnen entgegen. Wir schreiten über die Sümpfe des Styx, und Argenti schwimmt durch die Schlammwogen ans Boot heran. Er ruft uns, wir werfen ihn zurück. Wir vernehmen seine tiefe Verzweiflung und atmen froh, und Virgil lobt uns um unseres Hohnes Härte. Wir beschreiten die kalte Kristallflut des Cocytus, worin die Verräter gleich Halmen im Glase stecken. Unser Fuß stößt wider den Kopf des Bocco. Er will uns seinen Namen nicht nennen. Wir reißen sein Haar mit vollen Händen aus dem schreienden Schädel. Alberigo bittet uns, das Eis, das auf seinem Antlitz lastet, zu zerbrechen, dass er ein wenig weine. Wir versprechen es ihm, er kündet uns seine schmerzliche Geschichte, doch wir halten unser Versprechen nicht und schreiten weiter; solche Grausamkeit ist unsere Pflicht. Denn was ist gemeiner als Mitleid mit den Verdammten Gottes? Im Rachen Luzifers erblicken wir den Mann, der Christus verraten hat, und im Rachen Luzifers den, der Cäsar erschlug. Wir zittern und eilen fort, wieder die Sterne zu schauen.

Im Fegefeuer ist die Luft freier, und der heilige Berg steigt ins reine Licht des Tages. Da winkt uns Frieden; auch all denen, die hier eine Zeit lang hausen, ist ein wenig Freude gewährt. Doch gleitet, bleich vom Gift der Maremma, Madonna Pia an uns vorüber und Ismene; auf ihrem Antlitz brütet noch der Kummer der Erde. Seele nach Seele lässt uns ihre Reue oder ihre Freude mitempfinden. Er, den die Trauer seiner Witwe den süßen Wermut des Leids trinken lehrte, erzählt uns von Nella, die auf einsamem Lager betet. Aus dem Munde des Buonconte erfahren wir, wie eine einzelne Träne einen sterbenden Sünder aus der Gewalt des Teufels erretten kann, Sordello, der vornehme und hochmütige Lombarde, betrachtet uns von Weitem mit dem Blick eines ruhenden Löwen. Kaum erfährt er, Virgil sei ein Bürger Mantuas, so fällt er auf den Rücken. Ihm wird Kunde, er sei der Sänger Roms: da sinkt er ihm zu Füßen. In jenem Tal, dessen Gras, dessen Blumen schimmernder sind als geschliffener Smaragd und indisches Holz, strahlender als Scharlach und Silber, singen, die einst auf Erden König waren. Allein Rudolf von Habsburgs Lippen schwellen sich zu dem Gesange der andern, Philipp von Frankreich schlägt sich an die Brust, und Heinrich von England sitzt in Einsamkeit. Wir gehen weiter und weiter. Wir erklimmen die wundervolle Stiege, die Sterne werden größer als zuvor, der Gesang der Könige verhallt, und zuletzt gelangen wir zu den sieben goldenen Bäumen und zum Garten des irdischen Paradieses. In einem greifen-gezogenen Wagen erscheint die eine, um deren Stirn Olivenlaub geschlungen ist, gehüllt in einen weißen Schleier, von einem grünen Mantel bedeckt, in einem Gewande, strahlend in Farben wie lebendiges Feuer. In uns erwacht die alte Flamme. Unser Blut jagt schrecklich durch die Pulse. Wir erkennen sie: Beatrice, die Frau, die wir ehrfürchtig verehrten. Da schmilzt unser eiserstarrtes Herz. Wilde Tränen der Angst brechen aus unsern Augen, wir neigen die Stirn zur Erde, denn wir wissen, wir haben gesündigt. Wir tun Buße, wir werden gereinigt, wir trinken aus Lethes Quell und baden im Quell der Eunoe; sodann hebt uns die Gebieterin unserer Seele zu des Himmels Paradies empor. Aus der ewigen Perle, dem Mond, neigt sich das Antlitz Piccarda Donatis zu uns herab. Ihre Schönheit verwirrt uns einen Augenblick. Da sie gleich einem Stein, der durch Wasser hinabgleitet, entschwebt, schauen wir sehnsüchtigen Blickes ihr nach. Das süße Gestirn der Venus ist voll von Liebenden. Cunizza, Ezzelins Schwester, Sordellos Herzensbeherrscherin ist da, und Folco, der leidenschaftliche Sänger der Provence, der aus Kummer um Azalais die Welt verließ, und die Kanaanitische Dirne, deren Seele die erste war, die Christus befreite. Joachim von Flora sieht in der Sonne, und in der Sonne erzählt Thomas von Aquino die Geschichte des heiligen Franziskus, Bonaventura die Geschichte des heiligen Dominikus. Durch die Glutrubinen des Mars nähert sich Cacciaguida. Er berichtet von dem Pfeile, der vom Bogen der Verbannung geschnellt ward. Er erzählt uns, wie salzig-bitter das Brot, gereicht von andern, schmeckt, wie steil die Stufen im Hause eines Fremden sind. Auf dem Saturn singen die Seelen nicht; selbst sie, die uns führt, wagt nicht zu lächeln. Auf goldner Leiter steigen die Flammen empor und sinken. Endlich erblicken wir die prunkend mystische Rose. Beatrice richtet ihren Blick auf Gottes Antlitz und bleibt darin versunken. Die selige Erscheinung wird uns zuteil. Wir erkennen jetzt die Liebe, die Sonne und Sterne bewegt.

Ja, wir können die Erde um sechshundert Umläufe zurückschieben, mit dem großen Florentiner eins zu werden, mit ihm am nämlichen Altar zu knien, seine Verzückung und seinen Hohn zu teilen. Sind wir der vergangenen Tage überdrüssig geworden, begehren wir, die eigene Zeit mit all ihren Müdigkeiten und Sünden vor uns erstehen zu lassen – gibt es da nicht Bücher genug, die uns in einer einzigen Stunde das Leben stärker empfinden lassen, als das Leben selbst es in vielen schmachvollen Jahren vermag? Dir zur Hand liegt ein kleines Buch, gebunden in nilgrünes, mit vergoldeten Wasserlinien verziertes Leder, geglättet mit hartem Elfenbein. Es ist jenes Buch, das Gautier so geliebt hat: Baudelaires Meisterwerk. Schlag es auf, dort, wo jenes Madrigal steht, das mit den Worten beginnt

»Que m'importe que tu sois sage?
Sois belle! et sois triste!«

und du wirst merken, wie du den Kummer nunmehr andächtig verehrst, so wie du nie die Freude verehrtest. Nimm dann jenes Gedicht vor, das von dem Mann handelt, der sich selbst martert. Lass seine zarte Musik sich dir ins Herz stehlen und dein Denken färben, dann wirst du für einen Augenblick der sein, der dieses Lied geschrieben. Nein, viele dürre Mondnächte, viele sonnenlos-unfruchtbare Tage lang wird, nicht bloß für einen Augenblick, eine Verzweiflung, die nicht dir selbst gehört, in dir hausen, an deinem Herzen wird die Not eines andern nagen. Lies das ganze Buch, lass es deiner Seele eines seiner Geheimnisse offenbaren. Dann wird sie mehr zu erfahren begierig werden. Sie wird sich mit vergiftetem Honig nähren, sie wird versuchen, seltsame Verbrechen, woran sie schuldlos ist, zu bereuen. Sie wird für fruchtbare Verzückungen, die sie niemals gekannt hat, büßen. Und wenn du dieser Blumen des Bösen müde geworden, wende dich zu den Blüten im Garten der Perdita; in ihren taugebadeten Kelchen kühle deine glühende Stirn und lass deine Seele durch ihre Lieblichkeit heil und stark werden. Oder weck aus seiner vergessenen Gruft den süßen Syrer Meleager, und bitte den Liebhaber Heliodors, er möge vor dir seine Musik erschallen lassen. Auch in seinem Gesang blühen ja Blumen, rote Granatblüten, Iris, duftend nach Myrrhen, runder Asphodill, dunkelblaue Hyazinthen und Majoran und gefurchte Kamillen. Lieb war ihm der Wohlgeruch, der aus den Bohnenfeldern am Abend steigt, lieb der Duft der Ähren, die auf syrischen Hügeln wachsen, lieb der frische, grüne Thymian, des Weinbechers Zier. Wandelte seine Geliebte im Garten, dann war es, als glitten Lilien über Lilien hin. Sanfter als die schlafbeschwerten Blumenblätter des Mohns waren ihre Lippen, sanfter als Veilchen, und nicht minder duftend. Der flammenlichte Krokus schoss, sie zu betrachten, aus dem Grase hervor. Für sie sammelte die schmächtige Narzisse den kühlen Regen. Um ihretwillen vergaßen die Anemonen die sizilischen Winde, die sie umschmeicheln. Und weder Krokus noch Anemone noch Narzisse waren so herrlich wie sie.

Es ist etwas Seltsames um diese Empfindungsübertragung. Wir fühlen die Krankheit des Dichters, der Sänger beschert uns sein Leid. Tote

Lippen künden uns ihre Botschaft, Herzen, die zu Staub zerfielen, teilen uns ihren Jubel mit. Wir eilen, den blutenden Mund der Fantina zu küssen, wir folgen Manon Lescaut über die ganze Welt. Unser ist die Liebesraserei des Tyrers, unser das Grauen des Orestes. Keine Leidenschaft, die wir nicht empfinden könnten, keine Freude, die uns nicht zu erfüllen vermöchte. Wir dürfen die Stunde der Weihe, die Stunde der Freiheit wählen. Leben! Leben! Wenden wir uns nicht an das Leben, um zu unserer Erfüllung, zu unserer Erfahrung zu gelangen. Es ist ein Ding, beschränkt durch Umstände, unzusammenhängend in seinen Äußerungen, ohne jene feine Beziehung von Form und Geist, die einzig und allein dem künstlerischen und kritischen Temperament zu genügen vermag. Wir müssen für seine Siege einen viel zu hohen Preis bezahlen, wir erkaufen das geringste seiner Geheimnisse um einen abenteuerlich großen Betrag.

Ernst: Wir müssen also alles von der Kunst empfangen?

Gilbert: Alles. Denn die Kunst verletzt uns nicht. Die Tränen, die wir im Schauspiel vergießen, sind ein Beispiel jener köstlichen, zwecklosen Erregungen, die zu erwecken Aufgabe der Kunst ist. Wir weinen, doch wir fühlen uns nicht verwundet. Wir härmen uns, aber unser Harm ist nicht bitter. Im wirklichen Dasein des Menschen ist der Kummer, wie Spinoza irgendwo bemerkt, ein Tor, das zu einer geringeren Vollkommenheit führt. Allein der Kummer, mit dem die Kunst uns erfüllt, »reinigt und weiht uns zugleich« – den großen griechischen Kunstkritiker noch einmal zu zitieren. Durch die Kunst – und nur durch die Kunst erreichen wir unsre Vollendung; durch die Kunst – und nur durch die Kunst schirmen wir uns vor den schmutzigen Gefahren unseres gegenwärtigen Daseins. Das liegt nicht nur in der Tatsache begründet, dass nichts von alledem, was man ersinnt, der Ausführung wert ist, und dass man alles Erdenkliche zu ersinnen vermag, sondern in dem geheimnisvollen Gesetz, wonach die Empfindungskräfte nicht minder als die Kräfte der sinnlichen Sphäre in ihrem Umfang und ihrer Stärke begrenzt sind. Man kann bis zu einer gewissen Grenze empfinden, weiter nicht.

Und was liegt daran, mit welchen Wonnen das Leben uns lockt, durch welche Pein es unsre Seele verstümmeln und vernichten will, was liegt daran, wenn man nur im Betrachten der Lebensläufe jener, die nie gelebt haben, das wahre Geheimnis der Freude fand, wenn man seine Tränen um den Tod derer vergoss, die gleich Cordelia und der Tochter Brabantios niemals sterben können?

Ernst: Halt hier einen Augenblick inne. Ich glaube, in alldem, was du gesagt hast, ist etwas durchaus Unmoralisches enthalten.

Gilbert: Jede Kunst ist unmoralisch.

Ernst: Jede Kunst?

Gilbert: Jawohl. Denn Erregung um ihrer selbst willen, das ist das Ziel der Kunst, und Erregung als Antrieb zum Handeln ist das Ziel des Lebens und jener praktischen Organisation des Lebens, die wir Gesellschaft nennen. Die Gesellschaft, die Wurzel und Grundlage aller Moral, hat nur den Zweck, die menschliche Kraft zu konzentrieren. Um ihre eigene Fortdauer, ihr gesundes Bestehenbleiben zu sichern, verlangt sie von jedem Bürger – sie verlangt es ohne Zweifel mit Recht –, dass er irgendwelche nutzbringende Arbeit zum Wohl der Gesamtheit verrichte, dass er sich schinde und plage, damit des Tages Werk geleistet werde. Die Gesellschaft findet oft für den Verbrecher Verzeihung, niemals für den Träumer. Die wundervollen, nutzlosen Erregungen, die die Kunst in uns wachruft, scheinen ihr hassenswert. So völlig beherrscht die Tyrannei dieses schrecklichen gesellschaftlichen Ideals die Leute, dass sie einen in Privatzirkeln und an anderen allgemein zugänglichen Orten mit der lauten, im Stentortone vorgebrachten Frage »Was treibst du?« überfallen. Doch ist die Frage »Was denkst du?« die einzige, die ein zivilisiertes Wesen je einem andern zuflüstern dürfte. Sie meinen es ja gewiss sehr gut, diese ehrenfesten, strahlenden Leute. Das ist vielleicht der Grund, warum sie uns so furchtbar langweilen. Jemand sollte sie darüber aufklären, dass, solange die Betrachtung in den Augen der Leute als schweres

Verbrechen gilt, sie in den Augen der Höchstkultivierten als die einzige menschenwürdige Beschäftigung gelten wird.

Ernst: Die Betrachtung?

Gilbert: Jawohl, die Betrachtung. Ich sagte eben: es ist weit schwerer, über etwas zu reden, als es zu tun. Gestatte mir nun die Bemerkung: Gar nichts zu tun, das ist die allerschwierigste Beschäftigung auf dieser Welt, die schwierigste und die, die am meisten Geist voraussetzt. Plato, der sich um die Weisheit leidenschaftlich bemühte, erkannte darin die vornehmste Lebensbetätigung. Aristoteles, der um Erkenntnis leidenschaftlich rang, war der nämlichen Anschauung. Zu der gleichen Erkenntnis gelangten der Heilige und der Mystiker des Mittelalters.

Ernst: Wir sind also auf der Welt, um nichts zu tun?

Gilbert: Nichts zu tun, leben die Auserwählten. Alles Tun ist begrenzt und unabhängig. Unbegrenzt und völlig frei ist bloß der Traum dessen, der ruht und lauscht, wie es ihm eben gefällt, der in der Einsamkeit wandelt und sinnt. Aber wir, geboren an der Neige dieses wundervollen Zeitalters, wir sind zugleich zu überbildet und zu kritisch, allzu geistig verfeinert, allzusehr auf erlesene Genüsse erpicht, um das Durchdenken des Lebens für das Leben selbst hinzunehmen. Uns ist die »città divina« ohne Farbe, die »fruitio Dei« sagt uns nichts. Die Metaphysik genügt unseren Stimmungen nicht mehr, und religiöse Verzückungen sind nicht mehr zeitgemäß. Die Welt, die den Universitätsphilosophen zu einem »Betrachter aller Zeiten und aller Wesen macht«, ist keineswegs eine wirklich ideelle, sondern einfach eine Welt der abstrakten Ideen. Treten wir in diese Welt, dann verschmachten wir inmitten der kühlen mathematischen Denkformeln. Die Höfe der Stadt Gottes sind jetzt nicht für uns geöffnet. Die Unwissenheit bewacht ihre Pforten. Um sie zu passieren, müssen wir alles Göttliche, das in unserer Natur liegt, ausliefern. Genug, dass unsere Väter gläubig waren. Sie haben die Glaubensfähigkeit der Rasse erschöpft. Sie haben uns jenen Skeptizismus, den sie so fürchteten, als Vermächtnis hinterlassen. Hätten sie ihn in Worte gefasst, dann wäre er nicht in unser Denken gedrungen. Nein, Ernst, nein. Wir finden nicht mehr den Weg zum Heiligen. Vom Sünder kann man weit mehr lernen. Wir finden uns nicht zum Philosophen zurück, und der Mystiker führt uns irre. Wer würde, wie Mr. Pater irgendwo überzeugend ausführt, die Rundung eines einzelnen Rosenblatts für jenes gestaltlose nicht greifbare Sein, das Plato so hochstellt, dahingeben? Was bedeutet für uns die Erleuchtung Philos, Eckharts Abgrund, Böhmes visionäres Gesicht, der ungeheure Himmel selbst, der sich vor dem geblendeten Blick Swedenborgs auftat? Dies alles sagt uns weniger als der gelbe Kelch einer einzigen Narzisse des Feldes, weit weniger als die geringste der sichtbaren Künste; denn wie die Natur Materie ist, die sich zum Geist durchgerungen hat, so ist Kunst Geist, der im Gewand der Materie erscheint. Daher spricht, selbst in den niedrigsten ihrer Offenbarungen die Kunst zu den Sinnen und zur Seele zugleich. Das Verschwommene stößt immer die ästhetische Empfindung ab. Die Griechen waren ein Volk von Künstlern, weil ihnen der Sinn fürs Grenzenlose fehlt. Wir ersehnen wie Aristoteles, wie Goethe, nachdem er Kant gelesen hatte, das Sinnfällige; nur das Sinnfällige vermag uns zu genügen.

Ernst: Was schlägst du also vor?

Gilbert: Ich glaube, durch die Entwicklung des kritischen Geistes werden wir imstande sein, nicht nur unser geistiges Leben, sondern auch das gesamte Leben der Rasse zu erleben und auf diese Weise völlig modern zu werden, modern in der wahren Bedeutung dieses Wortes. Denn der, dem nur die Gegenwart gegenwärtig ist, weiß nichts von der Zeit, in der er lebt. Um das neunzehnte Jahrhundert zu durchleben, muss man alle Jahrhunderte, die ihm vorausgingen und zu seiner Gestaltung beitrugen, durchgelebt haben. Um das Geringste von sich selbst zu wissen, muss man die anderen bis ins Innerste kennen. Es darf keine Stimmung geben, die man nicht mitzuempfinden, keine abgestorbene Lebensform, die man nicht lebendig zu machen vermag. Ist dies unmöglich? Ich glaube nicht. Das wissenschaftliche Prinzip der Vererbung hat uns darüber aufgeklärt, dass alles Handeln völlig mechanisch vor sich geht. Auf diese Weise hat es uns von der behindernden Last moralischer Verantwortlichkeit, die wir uns selbst auferlegt haben, befreit und uns gewissermaßen das Fortbestehen des kontemplativen Lebens verbürgt. Es hat uns bewiesen, dass wir nie weniger frei sind als in dem Augenblick, wo wir zu handeln versuchen. Es hat um uns das Netz des Jägers gestellt und unsers Schicksals Weissagung auf die Wände geschrieben. Da es in uns lebt, können wir es nicht erspähen. Wir können es nur in einem Spiegel erblicken, der die Seele widerspiegelt. Es ist die Nemesis ohne ihre Maske. Es ist unser letztes Schicksal und unser schrecklichstes. Es ist der einzige der Götter, dessen wirklichen Namen wir kennen.

Und dennoch, mag es auch in der Sphäre des tätigen und äußerlichen Lebens die Tatkraft ihrer Freiheit, das Handeln seines Willens beraubt haben: Im Bannkreis der Persönlichkeit, dort, wo die Seele webt, kommt es zu uns, dieses schreckliche Gespenst, und hält manche Gaben in seinen Händen – die Gaben des seltsamen Wesens und der verfeinerten Empfänglichkeit, die Gaben wildleidenschaftlicher Glut und kühler Gleichgültigkeit, die vielfältigen Gaben der einander widerstreitenden Gedanken, der einander bekriegenden Leidenschaften. So leben wir nicht unser eigenes Leben, sondern das Leben der Toten, und die Seele, die in uns wohnt, ist kein einzelnes geistiges Wesen, das uns das Gepräge des Individuellen gewährt, das, zu unserem Dienste geschaffen, zu unserer Freude in uns einkehrt. Sie ist ein Wesen, das an furchtbaren Stätten geweilt, das in alten Grüften gehaust hat. Sie krankt an vielen Gebrechen und bewahrt die Erinnerung seltsamer Sünden. Sie ist weiser als wir, und ihre Weisheit ist bitter. Sie erfüllt uns mit unerfüllbaren Wünschen; sie lässt uns Dingen nachjagen, von denen wir wissen, dass wir sie niemals erreichen können. Doch einen Nutzen mag sie uns, mein lieber Ernst, gewähren. Sie kann uns aus einer Umgebung führen, deren Schönheit durch den Nebel der Vertraulichkeit getrübt wird, deren unedle Hässlichkeit, deren gemeines Bestreben die Vollendung unserer Entwicklung stört. Sie kann uns helfen, aus der Zeit, in der wir geboren sind, zu flüchten, in andre Zeiten zu tauchen, in deren Sphäre wir uns zu Hause fühlen. Sie kann uns lehren, dem Reiche unserer Erfahrungen zu entfliehen und die Erfahrungen derer zu erleben, die größer sind als wir. Des Leopardi Leid, das wider das Leben laut aufstöhnte, wird unser eigenes Leid. Theokritus spielt auf seiner Flöte, und wir lachen mit den Lippen der Nymphen und Hirten. Im Wolfsfell des Pierre Vidal fliehn wir vor den Hunden, und in Lancelots Rüstung reiten wir von der Laube der Königin fort. Wir haben in der Kutte Abälards das Geheimnis unserer Liebe geflüstert und bekleidet mit Villons beflecktem Gewand pressten wir unsere Schmach in Lieder. Wir sehen mit den Augen Shelleys die Dämmerung. Wandern wir mit Endymion dahin, so schwillt der Mond in Liebe zu unserer Jugend. Wir empfinden die Qual des Atys, den schwächlichen Zorn und den edlen Kummer des Dänenprinzen. Meinst du, wir danken der Fantasie die Fähigkeit, so zahllos viele Leben zu leben? Allerdings: der Fantasie; und die Fantasie ist das Ergebnis der Vererbung. Sie ist nichts als verdichtete Rassenerfahrung.

Ernst: Wo liegt aber in alldem die Aufgabe des kritischen Geistes?

Gilbert: Die Kultur, die durch diese Übertragung der Rassenerfahrung ermöglicht wird, kann nur durch den kritischen Geist zur Vollkommenheit gelangen; sie fällt in der Tat, man darf es sagen, mit ihm in eins zusammen. Denn wer ist der richtige Kritiker, wenn nicht der, der in sich die Träume und Gedanken und Empfindungen von Myriaden Generationen hegt, er, dem keine Nuance des Denkens fremd, kein Empfindungsimpuls dunkel ist? Und wer ist wahrhaft gebildet, wenn nicht der, dem es durch verfeinerte Bildung und wählerische Ablehnung gelungen ist, seinen Instinkt so bewusst und scharfsinnig zu gestalten, dass er das erlesene Werk vom gemeinen zu unterscheiden vermag? Wer außer dem Manne, der durch inniges Sichversenken und Vergleichen zu den Geheimnissen des Stils und der Schulen durchgedrungen ist und ihre Ziele begreift und ihren Stimmen lauscht und den Geist jener uneigennützigen Neugier zur Entfaltung bringt, der die wahre Wurzel und die wahre Blüte des geistigen Lebens bildet? Wer sonst hat so geistige Klarheit gewonnen und lebt – man darf es ohne Fantasterei behaupten – mit den

Unsterblichen, da er das »Beste, was die Welt weiß und was sie gedacht hat«, in sich aufgenommen hat?

Ja, Ernst, das kontemplative Leben, jenes Leben, das nicht das Handeln, sondern das Sein und nicht nur das Sein, sondern das Werden sich zum Ziel gesetzt hat – dieses Leben vermag uns der kritische Geist zu gewähren. Die Götter leben also: in ihre eigene Vollkommenheit versunken, wie Aristoteles erzählt, oder, wie Epikur es ausmalt, mit dem ruhigen Blicke des Zuschauers die Tragikomödie der Welt betrachtend, die sie selbst geschaffen haben. Auch unser Leben könnte dem ihren gleichen, auch wir könnten den mannigfaltigen Szenen, die Menschen und Natur uns darbieten, mit den entsprechenden Empfindungen zusehen. Wir könnten uns vergeistigen, wenn wir uns vom Handeln frei machten, wir könnten zur Vollkommenheit gelangen, wenn wir es ablehnten, Energie zu betätigen. Ich habe oft den Eindruck, als ob Browning etwas Ähnliches fühlte. Shakespeare stößt seinen Hamlet ins tätige Leben; er lässt ihn seine Sendung durch Kraftanspannung vollführen. Browning würde uns vielleicht einen Hamlet beschert haben, der seine Sendung durch Denken erfüllt hätte. Zufälligkeiten und Ereignisse waren ihm unwirklich und unwesentlich. Er machte die Seele zum Protagonisten in der Tragödie des Lebens, er betrachtete die Handlung als das einzig undramatische Element eines Dramas. Für uns aber bildet ohne Zweifel der ΒΙΟΣ ΘΕΩΡΗΤΙΚΟΣ das wahre Ideal. Wir können die Welt von der hohen Zinne des Denkens betrachten. Ruhig, in sich ruhend und in sich vollendet, so betrachtet der ästhetische Kritiker das Leben, und kein zufällig abgeschnellter Pfeil kann in die Fugen seines Panzers dringen. Er wenigstens bleibt heil. Er hat entdeckt, wie man leben sollte.

Ist eine solche Art des Lebens unmoralisch? Jawohl: Alle Künste sind unmoralisch, außer jenen niedrigen Formen der sinnlichen oder lehrhaften Kunst, die zu bösen oder guten Handlungen anzuregen suchen. Handlungen gehören, sie mögen wie immer beschaffen sein, ins Gebiet der Ethik. Ziel der Kunst ist einfach, eine Stimmung zu erzeugen. Ist eine solche Art des Lebens etwas Unpraktisches? Ah! es ist nicht so einfach, unpraktisch zu sein, wie sich der unwissende Philister vorstellt. Wäre dies der Fall, dann stünde es um England gut. Kein Land der Welt bedarf so sehr der unpraktischen Leute wie unser Land. Hierzulande ist das Denken durch die stete Verbindung mit praktischen Erwägungen um seine Würde gebracht worden. Kann man von Leuten, die sich im Wirbel und Gewühl des Alltags bewegen, vom lärmenden Politiker, vom schwatzenden Sozialreformer oder von jenen armen, kurzsichtigen Priestern, deren Blick durch die Leiden jenes unwesentlichen Teiles der Gesellschaft, in den das Schicksal sie gestellt hat, getrübt ist – kann man von solchen Leuten im Ernst ein uninteressiertes Urteil über irgendetwas verlangen? Jeder Beruf bedeutet ein Vorurteil. Die Notwendigkeit, sich einer Karriere zuzuwenden, zwingt jeden, Partei zu ergreifen. Wir leben in einer Zeit, wo man zu viel arbeitet und zu wenig erzogen ist, in einer Zeit, wo die Menschen vor lauter Fleiß ganz dumm werden. Und so hart es klingen mag, ich muss es aussprechen: Die Menschen verdienen ihr Schicksal. Der sichere Weg dazu, nichts vom Leben zu erfahren, ist, eine nützliche Beschäftigung zu ergreifen.

Ernst: Eine reizende Lehre, Gilbert!

Gilbert: Vielleicht. Aber das eine ist sicher: Sie hat wenigstens das geringere Verdienst, wahr zu sein. Dass der Wunsch, anderen Gutes zu erweisen, Pedanten üppig in die Halme schießen lässt, ist das allergeringste der dadurch hervorgerufenen Übel. Der Pedant ist ein höchst interessantes psychologisches Studienobjekt, und wenn auch unter allen Posen die moralische die ärgerlichste ist, so bedeutet es immerhin etwas, überhaupt eine Pose zu besitzen. Man erkennt dadurch ausdrücklich an, wie wichtig es ist, das Leben von einem bestimmten überlegten Standpunkt zu behandeln. Die Tatsache, dass Nächstenliebe und Mitgefühl wider die Natur streiten, da sie das Überleben des Unpassenden fördern, mag vielleicht dem Mann der Wissenschaft das Vergnügen an diesen beiden leicht zu erringenden Tugenden verkümmern. Der Nationalökonom mag seine Stimme dawider erheben, weil sie den in den Tag Hineinlebenden dem Sparsamen gleichstellen und auf diese Art das Leben seines stärksten – weil gemeinsten – Antriebs zum Fleiß berauben. Doch in den Augen des Denkers liegt der wirkliche Schaden, den die Mitleidsgefühle hervorgerufen, darin, dass sie unser Wissen eindämmen und uns auf diese Weise hindern, irgendein soziales Problem zu lösen. Wir bemühen uns gegenwärtig, die nahende Krise, die nahende Revolution, wie meine Freunde, die Fabier, sie nennen, durch Almosenspenden hintanzuhalten. Nun, wenn die Revolution oder die Krise einmal da ist, werden wir infolge unserer Unwissenheit machtlos sein. Mein lieber Ernst, täuschen wir uns nicht. England wird nicht eher ein kultiviertes Land werden, bis es die Provinz Utopia seinen Besitzungen hinzugefügt hat. Es könnte mehr als eine seiner Kolonien mit Nutzen für ein so herrliches Reich dahingeben. Die Unpraktischen, die über den Augenblick hinüberschauen, über den Tag hinauszudenken vermögen – das sind die Menschen, derer wir bedürfen. Die das Volk zu leiten versuchen, bringen solches nur dadurch zuwege, dass sie selbst dem Mob folgen. Durch den Ruf des Predigers in der Wüste müssen den Göttern die Wege bereitet werden.

Du bist aber vielleicht der Meinung, im Schauen und Betrachten bloß um des Schauens und Betrachtens willen liege etwas Egoistisches. Wenn du das glaubst, so sprich es ja nicht aus. Nur ein durchaus selbstsüchtiges Zeitalter, wie es das unsere ist, kann die Selbstaufopferung zur Gottheit erheben. Nur ein durchaus habsüchtiges Zeitalter, wie das, in dem wir leben, kann jene seichten Tugenden des Gefühls, die in sich selbst sogleich den Lohn finden, über die schönen Tugenden des Geistes stellen. Sie verfehlen auch ihr Ziel, diese Philanthropen und Gefühlsweichlinge unserer Tage, die stets von den Pflichten gegen die Nebenmenschen schwätzen. Denn die Entwicklung der Rasse ist von der Entwicklung des Individuums bedingt, und dort, wo man aufgehört hat, in der Kultivierung seines Ichs das Ideal zu erblicken, senkt sich der geistige Maßstab und geht oft ganz verloren. Kommst du bei Tisch neben einen Menschen zu sitzen, der sein Leben mit der Erziehung seines Selbst verbracht hat – ich gebe zu, das ist heutzutage ein seltener Typus, aber man trifft ihn gelegentlich noch immer –, dann erhebst du dich vom Mahl, bereichert mit dem Gefühle, dass ein hohes Ideal für einen Augenblick deine Tage berührt und geheiligt hat. Aber ach! mein lieber Ernst, neben einem Menschen zu sitzen, der sein Leben mit dem Versuch, andere zu erziehen, verbracht hat! Wie schrecklich ist die Erfahrung, die man da gewinnt! Wie schauderhaft ist die Unwissenheit, die unvermeidlich aus der verhängnisvollen Gewohnheit, Meinungen einprägen zu wollen, entspringt! Wie beschränkt ist der Gesichtskreis eines solchen Menschen! Wie sehr ermüdet er uns, wie sehr muss er sich selbst durch sein endloses Wiederholen, durch sein widerliches Wiederanfangen ermüden! Wie sehr fehlt ihm jede Voraussetzung geistigen Wachstums! In was für einem Kreise falscher Schlüsse drehte er sich hin und her!

Ernst: Du redest, Gilbert, so seltsam ergriffen. Hat dich jüngst diese schreckliche Erfahrung, wie du sie nennst, betroffen?

Gilbert: Ihr entgehen nur wenige. Man sagt, der Schulmeister sei im Aussterben. Ach! ich wünschte, es wäre so. Doch der Typus, von dem er gewissermaßen nur ein Vertreter und keineswegs der wichtigste ist – dieser Typus scheint wirklich unser Leben zu beherrschen. Und wie auf ethischem Gebiet der Philanthrop am meisten Schaden stiftet, so ist in der geistigen Sphäre der ein Schädling, der sich mit der Erziehung der andern so sehr beschäftigt, dass er niemals Zeit zur Selbsterziehung findet. Nein, mein lieber Ernst: Entwicklung seines Ichs ist das wahre Mannesideal. Goethe hat das erkannt, daher sind wir Goethe größern Dank schuldig als irgendeinem Manne seit den Tagen der Griechen. Die Griechen haben dieses Ideal erkannt; sie haben dem modernen Denken den Begriff des kontemplativen Lebens wie die kritische Methode, durch die ein solches Dasein einzig und allein zur Erfüllung gebracht werden kann, überliefert. Dadurch allein ist die Renaissance zu ihrer Größe gelangt, dadurch allein haben wir den Humanismus gewonnen. Dadurch allein könnte auch unser Zeitalter groß werden. Denn Englands wirkliche Schwäche liegt nicht in der Unvollkommenheit der Geschütze, nicht in unbefestigten Küsten, nicht in der Armut, die durch finstere Gassen schleicht, nicht in der Trunkenheit, die in wüsten Höfen lärmt;

sie liegt einfach in der Tatsache, dass die Ideale unsers Landes dem Gefühl, nicht dem Geist entspringen.

Ich bestreite keineswegs, dass ein solches geistiges Ideal schwer zu erreichen ist. Noch weniger leugne ich, dass es bei den Massen vielleicht noch unbeliebt ist und viele Jahre lang bleiben wird. Es fällt dem Menschen so leicht, Mitgefühl mit dem Leiden zu hegen, es fällt ihm so schwer, Gedanken zu lieben. In der Tat, die Alltagsmenschen verstehen so wenig, was das Denken überhaupt ist, dass sie glauben, eine Theorie zu verurteilen, wenn sie sie als gefährlich bezeichnen, während eben solche Theorien die einzigen sind, die irgendwelchen wirklichen geistigen Wert besitzen. Ein Gedanke, der nicht Gefahren birgt, ist unwert, überhaupt ein Gedanke zu sein.

Ernst: Gilbert, du machst mich ganz irre. Du sagtest eben, die Kunst sei ihrem Wesen nach etwas Unmoralisches. Gehst du nun so weit, zu behaupten, alles Denken sei dem Wesen nach gefährlich?

Gilbert: Ja, in der Sphäre des wirklichen Lebens ist das der Fall. Die Sicherheit der Gesellschaft beruht auf Gewohnheit und unbewusstem Instinkt. Der Fortbestand der Gesellschaft als eines gesunden Organismus ist durch das völlige Fehlen der Intelligenz bei ihren Mitgliedern bedingt. Die Mehrzahl der Leute weiß das ganz genau. Daher werden sie natürlich Anhänger jenes herrlichen Systems, das die Menschen zur Würde von Maschinen erhebt. Aus diesem Grund rebellieren sie so wild gegen das Eindringen des geistigen Elements in irgendeine Frage des Lebens. Man ist wirklich versucht, den Menschen als ein mit Vernunft begabtes Wesen zu bezeichnen, das stets außer sich gerät, sobald von ihm etwas Vernünftiges verlangt wird. Allein, verlassen wir das Gebiet des praktischen Lebens, reden wir nicht mehr von den abscheulichen Philanthropen. Überlassen wir sie der Gnade des mandeläugigen Weisen am gelben Flusse, Chuang Tsu. Er war es, der nachwies, dass diese geschäftigen, aggressiven Leutchen die einfachen, ursprünglich im Menschen schlummernden Tugendkräfte vernichtet haben. Doch das ist ein langwieriges Thema. Kehren wir wiederum zu jener Sphäre zurück, wo der kritische Geist sich frei bewegen darf.

Ernst: Zur geistigen Sphäre?

Gilbert: Ja. Du erinnerst dich, dass ich behauptete, der Kritiker sei auf seine Weise nicht minder schöpferisch als der Künstler. Ja, des Künstlers Werk ist vielleicht nur von Wert, sofern es dem Kritiker die Anregung zu einer neuen Nuance des Denkens oder der Empfindung bietet – einer Nuance, der der Kritiker in gleicher oder vielleicht größerer Erlesenheit der Form Gestalt zu geben und durch das Anwenden eines neuen Ausdrucksmittels eine neue und vollendetere Schönheit zu gewähren vermag. Nun, ich glaube, du bist gegen meine Theorie ein wenig skeptisch. Oder tue ich dir da unrecht?

Ernst: Ich bin in diesem Punkt keineswegs Skeptiker. Doch muss ich zugeben: ich empfinde sehr deutlich, dass dieses Werk, das der Kritiker nach deiner Darstellung hervorbringt – und es ist ohne Zweifel ein schöpferisches Werk –, notwendigerweise ein rein subjektives ist, während die größten Schöpfungen immer objektiv sind, objektiv und unpersönlich.

Gilbert: Der Unterschied zwischen dem objektiven und subjektiven Werk besteht nur in äußerlicher Form. Dieser Unterschied ist ein zufälliger, kein wesentlicher. Jede künstlerische Schöpfung ist durchaus subjektiv. Sogar die Landschaft war Corot, da er sie betrachtete – er sagt es selbst –, nichts als eine Stimmung der eigenen Seele. Die großen Gestalten des griechischen oder englischen Dramas, die ein eigenes wirkliches Dasein, losgelöst vom Dichter, der sie geformt und gebildet hat, zu führen scheinen, diese Gestalten sind – wenn man sie bis ins letzte zergliedert – nichts als die Dichter selbst: die Dichter, nicht wie sie zu sein, sondern, wie sie nicht zu sein glaubten. Durch diesen Glauben wurden sie seltsamerweise, wenn auch nur einen Augenblick lang, wirklich. Denn wir können nie aus uns selbst heraus. Auch liegt in der

Schöpfung nichts, was nicht im Schöpfer gelegen hätte. Ja ich möchte sagen: Je objektiver eine Schöpfung scheint, desto subjektiver ist sie in Wirklichkeit. Shakespeare mag Rosenkranz und Güldenstern in den weißen Straßen Londons begegnet sein, er mag gesehen haben, wie die Diener der feindlichen Häuser auf offenen Plätzen wider einander mit den Fäusten losschlugen: doch Hamlet ist aus seiner Seele, Romeo aus seiner Leidenschaft hervorgewachsen. Sie waren Bestandteile seines Wesens; er gab ihnen sichtbaren Ausdruck. Sie waren in ihm treibende Kräfte und wühlten ihn so heftig auf, dass er sie gewissermaßen gewaltsam sich betätigen lassen musste, und das keineswegs auf dem niedrigeren Felde des wirklichen Daseins, denn dort wären sie gehemmt und behindert worden, sie wären nie zu ihrer Entfaltung gelangt, sondern in jenem Traumlande der Kunst, wo die Liebe wirklich im Tod reiche Erfüllung findet, wo man den Lauscher hinter der Tapete ersticht und im neu geschaufelten Grabe ringt, wo man den schuldbeladenen König den Tod zu trinken nötigt, wo man den Geist des eigenen Vaters erschaut, wie er im Mondesschimmer in voller Stahlrüstung von Nebelmauer zu Nebelmauer schreitet. Das Handeln hätte in seiner Begrenztheit Shakespeare nicht befriedigt, auch hätte es sein Wesen nicht zum Ausdruck gebracht. Wie er imstande war, alles zu vollbringen, weil er nichts zu verrichten hatte, so enthüllt er sich uns in seinen Stücken völlig, eben weil er nie über sich selbst redet. In diesen Dramen offenbart er uns sein wahres Wesen, seine wahren Anlagen weit erschöpfender als selbst in jenen seltsamen, köstlichen Sonetten, worin er seines Herzens verschlossenen Schrank dem hellen Blick eröffnet. Ja, die objektive Form ist in Wahrheit die allersubjektivste. Der Mensch ist am wenigsten er selbst, wenn er in eigener Person spricht. Gib ihm eine Maske, und er wird die Wahrheit reden.

Ernst: Der Kritiker wird also, da er an die subjektive Form gebunden ist, sein Wesen notwendigerweise nicht so völlig auszudrücken imstande sein wie der Künstler. Dem Künstler stehen ja immer alle objektiven und unpersönlichen Formen zur Verfügung.

Gilbert: Das ist keineswegs notwendigerweise und sicher dann nicht der Fall, wenn er erkennt, dass jede Art der Kritik auf ihrer höchsten Entwicklungsstufe nichts als eine Stimmung ausspricht und dass wir niemals uns selber getreuer sind als in den Augenblicken der Inkonsequenz. Der ästhetische Kritiker, nur dem Grundsatz der Schönheit in allen Dingen ergeben, wird immer nach neuen Eindrücken spähen und aus den verschiedenen Schulen das Geheimnis ihres Zaubers schöpfen. Er neigt sich darum vielleicht vor fremden Altären oder lächelt, wenn es seiner Laune gefällt, fremdartigen, neuen Göttern zu. Was die anderen Leute unsere Vergangenheit nennen, bekümmert offenbar diese anderen sehr viel, uns selbst sehr wenig. Wer immer ins Vergangene zurückblickt, ist nicht wert, eine Zukunft vor sich zu haben, in die er zu blicken vermag. Hat man einmal für eine Stimmung den Ausdruck gefunden, dann ist man damit fertig geworden. Du lachst; glaube mir aber, es ist so. Gestern hat uns der Realismus entzückt. Man hat von ihm jenen »nouveau frisson« empfangen, den hervorzubringen sein Zweck gewesen ist. Man analysierte, erklärte ihn und wurde seiner überdrüssig. Mit der sinkenden Sonne kamen in der Malerei die »Luministen« und die »Symbolisten« in der Dichtkunst. Der Geist des Mittelalters, der nicht so sehr einer bestimmten Epoche wie einer besonderen Gefühlsweise angehört, brach in dem an Wunden blutenden Russland plötzlich hervor. Dieser Geist berührte uns einen Augenblick lang durch den furchtbaren Zauber des Leidens. Heutzutage ist der allgemeine Ruf: Romantik. Und schon zittern die Blätter im Tal, und auf purpurnen Hügeln wandelt die Schönheit zarten, goldenen Fußes hin. Die alten Schaffensformen währen natürlich fort, die Künstler reproduzieren sich selbst, oder einer reproduziert den anderen in ermüdender Wiederholung. Die kritische Kunst aber schreitet stets weiter, der Kritiker entwickelt sich immer.

Auch ist der Kritiker keineswegs an die subjektive Form des Ausdrucks gebunden. Er kann sich der dramatischen sowohl wie der epischen Methode bedienen. Er mag die Dialogform anwenden wie der, der Milton ein Zwiegespräch mit Marvel über das Wesen der Komödie und Tragödie führen und Sidney und Lord Brooke sich im Schatten der Eichen

Penshursts über literarische Gegenstände unterhalten ließ. Er kann auch die erzählende Form wählen, wie Mr. Pater das mit Vorliebe tut. Jedes seiner »Imaginary Portraits« – das ist doch der Titel seines Buches? – bietet uns in dichterisch-fantastischem Gewände ein feines und erlesenes Stück Kritik. Da ist eine Abhandlung über den Maler Watteau, eine andere über die Philosophie Spinozas; eine handelt von den heidnischen Elementen der Frührenaissance, die letzte und eindringlichste von der Quelle der sogenannten »Aufklärung«, deren Licht im letzten Jahrhundert über Deutschland aufging und der unsre eigne Kultur so viel verdankt. Die Dialogform, jene wundervolle literarische Form, die die schöpferischen Kritiker von Plato bis zu Lucian und von Lucian bis Giordano Bruno und von Bruno bis zu dem großen alten Heiden, an dem Carlyle solches Entzücken fand, immer gebrauchten, wird als Ausdrucksweise ihre anziehende Kraft für den Denker niemals verlieren. Er findet so die Möglichkeit, sich zu verhüllen und zu enthüllen; er kann jedem Traum Gestalt, jeder Stimmung Wirklichkeitsfülle gewähren. Er kann das Objekt von jedem Gesichtspunkt aus darlegen. Er kann uns das Werk wie ein Bildhauer rings in der Runde zeigen und so zu der reichen, lebendigen Wirkung jener Seitenaussichten gelangen, die sich mit einemmal im Verfolgen der Hauptidee vor uns auftun und sie völlig erhellen. Er kann auch immer noch jene nachträglichen glücklichen Einfälle nutzen, die um den Kern des Gedankenplans erst die geschlossene Fülle breiten und dennoch etwas von dem zarten Reiz des Zufälligen hineinbringen.

Ernst: Er gewinnt auch dadurch die Möglichkeit, einen Gegner zu fingieren, und ihn, wenn es ihm gefällt, durch irgendein absurd sophistisches Argument zu bekehren.

Gilbert: Ah! es ist so leicht, andere, es fällt so schwer, sich selbst zu bekehren. Und zu seinem eigenen Glauben zu gelangen, muss man mit fremden Lippen reden. Um die Wahrheit zu erfahren, muss man eine Unzahl von Lügen ersinnen. Denn was ist die Wahrheit? In Fragen der Religion die Anschauung, die den Sieg gewann; in der Wissenschaft die jüngste Aufsehen erregende Erkenntnis; in der Kunst unsere letzte Stimmung. Du siehst jetzt wohl ein, mein lieber Ernst: dem Kritiker stehen so viele objektive Formen des Ausdrucks wie dem Künstler zu Gebote. Ruskin hat seine kritische Lehre ins Gewand dichterischer Prosa gehüllt und wirkt geistig durch seine Umkehrungen und Widersprüche. Browning hat seine kritischen Anschauungen in Blankverse gegossen, er ließ Dichter und Maler uns ihre Geheimnisse offenbaren. Renan wendet die Dialogform, Mr. Pater die Romanform an, und Rossetti hat in der Musik seiner Sonette die Farben Giorgiones und die Linien Ingres und seine eigenen Linien und Farben widerklingen lassen. Er empfand mit dem Instinkt des Künstlers, der sich auf vielerlei Art zu äußern vermag, dass die höchste Kunst das Schrifttum ist, das feinste und vollkommenste Mittel das Wort.

Ernst: Gut, du hast jetzt nachgewiesen, dass dem Kritiker alle objektiven Formen zu Gebote stehen. Nun möchte ich von dir erfahren, welche Eigenschaften den wahren Kritiker charakterisieren.

Gilbert: Welche sind es nach deiner Meinung?

Ernst: Nun, ich möchte meinen, ein Kritiker sollte vor allem gerecht sein.

Gilbert: Ah, nur nicht gerecht! Ein Kritiker kann unmöglich gerecht sein, in der gewöhnlichen Bedeutung des Wortes. Man kann nur über Dinge, die einen nicht interessieren, eine vorurteilsfreie Meinung abgeben. Darum ist auch eine derartige Meinung stets völlig wertlos. Wer die beiden Seiten einer Frage sieht, sieht überhaupt nichts. Die Kunst ist eine Leidenschaft; in Kunstdingen wird das Denken notwendigerweise durch die Empfindung gefärbt und ist darum eher fließend als fest bestimmt. Da es von zarten Stimmungen und erlesenen Augenblicken bedingt ist, kann man es nicht in die Starrheit einer wissenschaftlichen Formel oder eines theologischen Dogmas zwängen. Die Kunst spricht zur Seele, und diese kann ebenso sehr eine Gefangene des Geistes wie des Leibes sein. Man sollte sich natürlich von Vorurteilen frei halten. Doch ist es, wie ein großer Franzose schon vor hundert Jahren bemerkt, unser Beruf, in diesen Dingen manche Vorliebe zu besitzen, und in dem Augenblick, wo man Vorliebe hegt, hört man bereits auf, gerecht zu sein. Nur ein Auktionar kann in gleich unbefangener Weise alle Kunstschulen bewundern. Nein, Gerechtigkeit ist nicht eine der Eigenschaften des wahren Kritikers. Sie bildet nicht einmal eine Voraussetzung der Kritik. Jede Kunstform, mit der wir in Berührung kommen, beherrscht uns für den Augenblick so sehr, dass sie jede andere ausschließt. Wir müssen uns dem in Rede stehenden Werk, wie es auch sei, vollständig ausliefern, wenn wir sein Geheimnis ergründen wollen. Solange wir damit beschäftigt sind, dürfen und können wir nichts anderes denken.

Ernst: Der wahre Kritiker wird doch zum Mindesten vernünftig sein, nicht wahr?

Gilbert: Vernünftig? Man kann auf doppeltem Wege dazu gelangen, die Kunst zu hassen, mein lieber Ernst. Entweder man hasst sie wirklich oder man liebt sie in den Grenzen der Vernunft. Denn die Kunst ruft – wie Plato, nicht ohne Bedauern, erkannte – im Zuhörer und Zuschauer eine Art göttlichen Wahnsinns hervor. Sie entspringt nicht der Eingebung, aber sie wirkt wie eine Eingebung auf andere. Die Vernunft ist keineswegs die Fähigkeit, an die sie sich wendet. Liebt man die Kunst überhaupt, dann muss man sie mehr als alles auf der Welt lieben. Wider eine solche Liebe würde sich aber die Vernunft empören, wenn man ihrer Stimme Gehör schenkte. Die Verehrung der Schönheit ist nichts Gesundes. Sie ist zu herrlich, als dass es gesund wäre. Die, in deren Dasein diese Note vorherrscht, werden stets der Welt nur als Schwärmer erscheinen.

Ernst: Der Kritiker wird aber zumindest aufrichtig sein.

Gilbert: Ein wenig Aufrichtigkeit ist ein gefährlich Ding, viel davon ist geradezu verderblich. Der wahre Kritiker wird allerdings dem Grundsatz der Schönheit immer aufrichtig ergeben sein. Er wird aber die Schönheit in jedem Jahrhundert, in jeder Schule suchen. Er wird sich nie durch eine bestimmte Gewohnheit des Denkens oder eine feststehende Art der Weltbetrachtung Grenzen ziehen lassen. Er wird sich selbst in vielen Formen und auf tausend verschiedenen Wegen verwirklichen, er wird immer nach neuen Erregungen und neuen Gesichtspunkten spähen. Durch beständigen Wechsel und durch beständigen Wechsel allein wird er zu seiner Einheit gelangen. Er wird sich nie dazu herbeilassen, der Sklave seiner eigenen Meinung zu werden. Denn was ist Geist anders als Bewegung im Reich des Intellekts? Im Wachstum liegt des Denkens und Lebens Kern. Lass dich, mein lieber Ernst, nicht durch Worte schrecken. Was man Unaufrichtigkeit nennt, ist nichts als ein Mittel, unsere Persönlichkeit vielfältig zu gestalten.

Ernst: Ich fürchte, ich habe mit meinen Anregungen wenig Glück gehabt.

Gilbert: Von den drei Eigenschaften, die du erwähntest, greifen zwei, Aufrichtigkeit und Gerechtigkeit, ins moralische Gebiet hinüber, oder berühren wenigstens seine Grenzen. Das Erste aber, was man von einem Kritiker verlangen darf, ist die Erkenntnis, dass Kunst und Ethik zwei ganz bestimmte, voneinander völlig gesonderte Gebiete sind. Verwirren sich die Grenzen, dann kehrt das Chaos wieder. Im England unserer Tage werden diese Grenzen allzuhäufig verwischt. Unsere modernen Puritaner können freilich das Schöne nicht ganz zerstören, aber sie können durch ihren außerordentlich ausgebildeten Sinn für moralische Verlockungen die Schönheit doch wenigstens für einen Augenblick beflecken. Die Meinung dieser Leute findet – ich muss es zu meinem Bedauern bemerken – hauptsächlich durch den Journalismus Ausdruck. Ich bedaure das deshalb, weil man sehr viel zugunsten des modernen Journalismus anführen könnte. Er vermittelt uns die Meinungen der Ungebildeten und hält uns dadurch mit der Unbildung des Gemeinwesens in stetem Zusammenhang. Der Journalismus verzeichnet sorgsam die laufenden Ereignisse unseres zeitgenössischen Lebens und zeigt uns auf diese Weise, von wie geringer Bedeutung dies alles in Wahrheit ist. Er bespricht unaufhörlich das Unnötige und lässt daher in uns die Erkenntnis reifen, welche Dinge für unsere Kultur wesentlich sind und welche nicht. Doch sollte der Journalismus dem armseligen Tartüffe nicht gestatten, Artikel über moderne Kunst zu verfassen. Er stellt sich damit nur selbst als Toren hin. Doch haben Tartüffes Artikel und Chadbands Notizen wenigstens eine gute Folge. Sie erbringen uns den Nachweis für die außerordentliche Begrenztheit des Feldes, das zu beherrschen Ethik und ethische Betrachtungen beanspruchen dürfen. Die Wissenschaft steht außerhalb des Bereichs der Moral, denn ihr Auge ist den ewigen Wahrheiten zugewandt. Die Kunst steht außerhalb des moralischen Bereichs, denn ihr Blick haftet an den herrlichen, unsterblichen, ewig wechselvollen Dingen. Bloß die niedrigeren, weniger geistigen Sphären fallen ins Gebiet der Moral. Doch mag man die Puritaner, diese Maulhelden, noch immer gelten lassen; sie haben ihre komische Seite. Wer kann sich aber bei dem ernsthaften Vorschlag eines Durchschnittsjournalisten, den Stoffkreis des Künstlers zu begrenzen, des Lachens erwehren? Grenzen werden wohl, und ich hoffe bald, gezogen werden – nämlich dem Wirken einiger unserer Zeitungen und Zeitungsschreiber. Denn sie bieten uns die nackten, gemeinen, widrigen Tatsachen des Lebens. Sie verzeichnen mit gemeiner Gier die Sünden der Unbedeutenden, sie geben uns mit der Gewissenhaftigkeit der Ungebildeten genaue und prosaische Details über das Gehaben von Leuten, die keinerlei Interesse beanspruchen dürften. Wer vermöchte aber dem Künstler Grenzen zu ziehen, ihm, der von dem Leben die Tatsachen empfängt und sie zu herrlichen Schönheitsgestalten modelt und daraus Träger des Mitleids oder der Ehrfurcht schafft? Ihm, der ihre Farbe, das Geheimnisvoll-Wunderbare, das in den Tatsachen liegt, nicht minder als ihre wirkliche ethische Bedeutung offenbart? Ihm, der aus alledem eine Welt baut, wirklicher als die Wirklichkeit selbst und von vornehm-erhabenerem Gepräge? Wer sollte diesem Grenzen ziehen? Keineswegs die Apostel dieses neuen Journalismus, der nichts ist als die alte Plattheit, dieses Wort »groß geschrieben«. Keineswegs die Apostel dieses neuen Puritanismus, der bloß das Gewimmer der Heuchler ist, und der ebenso schlecht schreibt, wie er redet. Schon der Gedanke daran erweckt Lachen. Lassen wir diese Schädlinge. Betrachten wir wiederum jene künstlerischen Eigenschaften, die für den Kritiker notwendig sind.

Ernst: Und was für Eigenschaften sind dies? Sag es mir selbst.

Gilbert: Temperament ist das erste Erfordernis für den Kritiker – ein Temperament von besonderer Empfänglichkeit für das Schöne und für die bunten Eindrücke, die die Schönheit in uns erweckt. Unter welchen Voraussetzungen, durch welche Mittel dieses Temperament in der Rasse oder im Einzelnen erzeugt wird – das wollen wir jetzt nicht erörtern. Genug, wir halten fest: Es gibt ein solches Temperament. In uns lebt ein Schönheitssinn, gesondert von den anderen Sinnen und darüber webend. Gesondert von der Vernunft und edler als sie, gesondert von der Seele und an Wert ihr gleich. Ein Sinn, der einige zum Schaffen treibt, andere – es sind wohl die feinern Geister – zur Betrachtung. Um aber zur Reinheit und zur Vollendung zu gelangen, bedarf dieser Sinn einer gewissen erlesenen Umgebung. Ohne diese Umgebung hungert er oder wird stumpf. Du erinnerst dich wohl an jene entzückende Stelle, wo uns Plato schildert, wie ein junger Grieche erzogen werden sollte. Mit welchem Nachdruck weist er auf die Wichtigkeit der Umgebung hin! Er führt aus, der junge Mensch müsse inmitten herrlicher Gebilde und Töne heranwachsen, dass die Schönheit der äußeren Dinge seine Seele zur Aufnahme geistiger Schönheit vorbereite. Unmerklich und unbewusst soll er jene wirkliche Liebe zur Schönheit entwickeln, die, wie Plato zu erinnern nicht müde wird, das wahre Ziel der Erziehung ist. In ihm soll allmählich jenes Temperament entfacht werden, das ihn ganz natürlicher- und einfacherweise dahin führen wird, das Gute dem Bösen vorzuziehen, Gemeines und Unsittliches von sich zu stoßen, mit zartem, instinktivem Geschmack allem Heiteren, Anmutigen und Lieblichen zu folgen. Dieser Geschmack wird endlich notwendigerweise zu einem kritisch-bewussten werden, zunächst aber muss er einfach als kultivierter Instinkt vorhanden sein. »Wer aber diese innerliche Bildung erfahren hat, wird klar und deutlich die Schwächen und Fehler in Kunst und

Natur herausfinden; er wird mit untrüglichem Geschmack das Gute lobpreisen und daran seine Freude finden. Er wird es in seine Seele pflanzen und auf solche Weise selbst gut und edel werden. Er wird das Böse schon in den Tagen der Jugend hassen, noch bevor er den Grund dieses Hasses zu erkennen vermag.« Ist der kritisch-bewusste Geist später in ihm zur Entwicklung gelangt, dann wird er ihn »als einen Freund, der ihm durch seine Erziehung schon lange vertraut war, wiedererkennen und begrüßen«. Ich brauche wohl kaum zu sagen, mein lieber Ernst, wie weit wir in England von diesem Ideal abgeirrt sind. Ich kann mir das Lächeln vorstellen, das auf den glatten Philistergesichtern strahlen würde, wenn einer den Mut fände zu sagen, das wahre Ziel der Erziehungsmittel sei die Entwicklung des Temperaments, die Pflege des Geschmacks und das Erwecken des kritischen Geistes.

Doch bleibt selbst uns noch ein wenig Lieblichkeit der Umgebung. Was liegt an der Langeweile der Erzieher und Professoren? Dürfen wir doch in den grauen Kreuzgängen des Magdalenen-College umherschlendern, dem flötengleichen Gesang in der Kapelle Waynfleetes lauschen oder auf grünen Matten liegen, mitten unter den seltsam schlangenartig gefleckten Blüten der Kaiserkrone, den Blick auf die vergoldete Wetterfahne der Türme gerichtet, die die sonnenverbrannte Mittagsstunde noch schöner vergoldet. Dürfen wir doch unter der fächerförmig gewölbten, schattigen Decke der Christchurch die Stufen emporwandeln und durch das geschnitzte Tor ins St. Johns College hineinschreiten. Der Schönheitssinn wird auch keineswegs bloß in Oxford oder Cambridge gebildet, entwickelt, zur Reife gebracht. Über ganz England hat sich die Renaissance der schmückenden Künste verbreitet. Die Tage der Hässlichkeit sind vorüber. Selbst in den Häusern der Reichen waltet Geschmack, und die Häuser der Nichtreichen sind anmutig und behaglich geworden; es ist eine Freude, darin zu leben. Caliban, der arme, lärmende Caliban meint, ein Ding sei überhaupt nicht mehr vorhanden, wenn er aufgehört hat, dazu Grimassen zu schneiden. Doch er hat nur deshalb das Grimassieren aufgegeben, weil man ihm schärferen, kühneren Hohn, als der seine war, entgegengestellt hat; so ist er für einen Augenblick zum Schweigen gezwungen, zu jenem Schweigen, das für immer seine roh verzerrten Lippen schließen sollte. Bisher hat man nur das eine geleistet: Man hat den Weg gesäubert. Es ist ja immer schwieriger, niederzureißen als schaffend aufzubauen. Hat man Plattheit und Dummheit umzustürzen, dann erfordert der Vernichtungsplan nicht nur Mut, sondern auch Verachtung. Trotzdem ist das Werk, mein ich, bis zu einem gewissen Grade getan. Wir haben uns des Schlechten entledigt. Nun ist es unseres Amtes, das Schöne hervorzubringen. Die Aufgabe der ästhetischen Bewegung ist es zwar, die Menschen zur Betrachtung, nicht zum Schaffen zu leiten; doch der schöpferische Instinkt ist im Kelten sehr lebendig, und der Kelte weist in der Kunst den Weg. So liegt kein Grund vor, warum in künftigen Jahren diese seltsame Renaissance nicht allmählich auf ihre Art ebenso mächtig erblühe, wie vor vielen Jahrhunderten jene Neugeburt der Kunst in den Städten Italiens erblüht ist. Gewiss, wir müssen uns zur Heranbildung unseres Temperaments an die schmückenden Künste halten: an die Künste, die uns berühren, nicht an jene, die uns belehren. Moderne Gemälde zu betrachten, gewährt ohne Zweifel großes Vergnügen. Wenigstens ist das zuweilen der Fall. Allein man kann in ihrer Umgebung nicht leben. Diese Bilder sind zu gescheit, zu bestimmt, zu bewusst. Ihre Absichten sind zu klar, ihre Technik ist allzu offenkundig. Was sie uns zu sagen haben, erschließt sich uns nur zu bald; dann langweilen sie uns wie Verwandte.

Ich liebe die Arbeiten mancher impressionistischen Pariser und Londoner Maler sehr. Zartheit und Noblesse sind dieser Schule noch immer eigen. Manche ihrer Gruppierungen und Farbenzusammenklänge erinnern uns fast an die Schönheit der unsterblichen »Symphonie en Blanc Majeur« Gautiers, dieses reine Meisterwerk der Farbe und Musik, das wohl vielen ihrer besten Gemälde Richtung und Titel gab. Einer Gesellschaft, die das Unzureichende mit sympathetischem Eifer begrüßt, die das Bizarre mit dem Schönen, das Platte mit dem Wahren verwechselt, erscheinen sie außerordentlich vollendet. Sie verfertigen Radierungen, die den geschliffenen Glanz von Epigrammen besitzen, und Pastelle, die wie Paradoxe blenden. Was ihre Porträts betrifft, so mag der gemeine Geschmack noch so viel an ihnen auszusetzen haben, niemand kann leugnen, dass sie den ganz besonderen wundersamen Reiz besitzen, der Werke reiner Erfindung auszeichnet. Doch werden uns selbst die Impressionisten, so ernst und emsig sie auch sein mögen, nicht helfen. Mir sind sie wert. Ihr weißer Ton mit seinen Variationen in Lila hat eine neue Ära der Farbe eingeleitet. Der Augenblick schafft zwar nicht den Menschen, aber er schafft ohne Zweifel den Impressionisten, und was spricht nicht alles für das Festhalten des Augenblicks durch die Kunst, für »das Denkmal des Augenblicks«, wie Rosetti es nannte? Auch die Kraft der Anregung ist ihnen eigen. Sie haben zwar nicht den Blinden die Augen geöffnet, doch haben sie die Kurzsichtigen lebhaft ermuntert. Ihre Führer besitzen zwar die ganze Unerfahrenheit des Alters, doch sind die Jungen unter ihnen viel zu klug, als dass sie stets Empfindsamkeit bekundeten. Sie fahren gleichwohl fort, die Malerei als eine Art Selbstbiografie, erfunden zum Gebrauch der Ungebildeten, zu behandeln. Sie schwätzen uns immer auf ihrer grauen, griesigen Leinwand über ihr höchst gleichgültiges Selbst und ihre höchst gleichgültigen Anschauungen allerlei vor; sie verwischen durch ihr vulgäres Übertreiben das Beste, das einzig Bescheidene, das sie an sich haben, jene feine Verachtung der Natur. Man wird endlich der Werke solcher Persönlichkeiten müde, deren Persönlichkeit stets geräuschvoll auftritt und in der Regel keinerlei Interesse erweckt. Weit mehr wäre zugunsten der jüngeren Pariser Schule der »Archaicistes«, wie sie sich nennen, zu sagen. Diese lassen den Künstler nicht ganz von der Gnade des Wetters abhängen, sie finden ihr Ideal nicht in bloßen Luftwirkungen. Ihr Streben ist vielmehr auf die fantasievolle Schönheit der Zeichnung, auf die Lieblichkeit erlesener Farben gerichtet. Sie lehnen den langweiligen Realismus jener Schule ab, die bloß malt, was sie erblickt. Sie versuchen Dinge, die des Sehens wert sind, zu sehen, und das nicht bloß mit wirklichen, leiblichen Augen, sondern mit dem edlern Gesicht der Seele, dessen Blick das Geistige weit sicherer, das Künstlerische weit herrlicher umfasst. Sie arbeiten jedenfalls, was das dekorative Element betrifft, unter jenen Voraussetzungen, deren jede Kunst zu ihrer Vollendung bedarf; sie haben genug Schönheitsinstinkte, um jenes gemeine und törichte Sichbeschränken auf völlige Modernität der Form, das so viele Impressionisten verdorben hat, zu verwerfen. Noch immer ist die Kunst, die sich freimütig als schmückende bezeichnet, die, mit der man zu leben vermag. Unter allen unseren Künsten ist sie die einzige, die in uns Gefühl und Stimmung weckt. Die Farbe allein, unbefleckt durch Bedeutung, mit Bestimmtheit der Form verbunden, findet tausend Zugänge zur Seele. Die Harmonie, die den zarten Verhältnissen von Linien und Massen innewohnt, spiegelt sich im Geiste wider. Das Wiederholen des nämlichen Musters erfüllt uns mit Ruhe. Die Wunder der Zeichnung erregen die Fantasie. Schon in der Anmut des angewandten Materials liegen Kulturelemente verborgen. Das ist aber noch nicht alles. Die schmückende Kunst erklärt offen, sie betrachte die Natur nicht als wahres Schönheitsideal, sie verwerfe die Nachahmungsmethode der landläufigen Malerei: dadurch macht sie die Seele nicht bloß für die Werke der echten Fantasie empfänglich, sie bringt in ihr jenes Formempfinden zur Entfaltung, worauf die schöpferische nicht minder als jede kritische Tat beruht. Denn der wirkliche Künstler ist der, der vorwärtsschreitet: nicht vom Gefühle zur Form, sondern von der Form zu Denken und Leidenschaft. Er fasst keineswegs zuerst eine Idee und sagt sich dann: »Ich will meine Gedanken in ein geschlossenes, metrisches Gebilde, das vierzehn Zeilen umfasst, gießen.« Ihm schwebt die Schönheit des Sonettengerüstes vor, er wird von gewissen musikalischen Klängen und Reimmöglichkeiten berührt. Die Form an sich regt ihn zu dem geistigen Gehalt an, womit er sie füllt und ihr die gedankliche und seelische Vollendung gewährt. Von Zeit zu Zeit entrüstet sich die Welt über irgendeinen entzückend artistischen Poeten, weil er, um ihre abgedroschenen einfältigen Phrasen zu wiederholen, »nichts zu sagen hat«. Hätte er etwas zu sagen, dann würde er es vermutlich aussprechen, und das Ergebnis wäre sehr langweilig. Eben weil er keine neue Botschaft zu künden hat, kann er Schönes schaffen. Er schöpft seine Eingebung aus der Form, aus der Form allein, wie es dem Künstler ziemt. Eine wirkliche Leidenschaft würde ihn vernichten. Was wirklich geschieht, ist für die Kunst verdorben. Schlechte Poesie entspringt immer echtem Gefühl. Natürlich sein, heißt ganz einleuchtend sein und das ganz Einleuchtende ist stets das Unkünstlerische.

Ernst: Ich möchte wissen, ob du wirklich alles glaubst, was du sagst.

Gilbert: Warum staunst du darüber? Nicht in der Kunst allein ist der Körper die Seele. In jeder Sphäre des Lebens nehmen alle Dinge von der Form ihren Ausgang. Die rhythmischen Bewegungen des Tanzes rufen, Plato sagt es uns, sowohl Rhythmus als Harmonie in unserem Geist hervor. Aus den Formen zieht der Glaube seine Nahrung, so verkündete Newman in einem seiner großen Augenblicke der Offenherzigkeit, in denen wir den Mann bewundern und erkennen. Er hatte recht, er wusste vielleicht gar nicht, wie furchtbar recht er hatte. Glaubensbekenntnisse haben Geltung, nicht weil sie vernünftig sind, sondern weil sie wiederholt werden. Ja, die Form ist alles. Die Form ist das Geheimnis des Lebens. Finde den Ausdruck für eine Sorge, und sie wird dir teuer werden. Finde den Ausdruck für eine Freude, und du fühlst ihre Entzückungen noch tiefer. Willst du Liebe empfinden? Sprich ihre Litanei herunter, die Worte werden das Gefühl gebären, aus dem – so meint die Welt – erst die Worte strömen. Zernagt Kummer dein Herz? Lerne vom Prinzen Hamlet und von der Königin Konstantia den Kummer ausdrücken, und du wirst finden: das bloße Aussprechen gewährt bereits eine Art Trost. Die Form, die Wiege der Leidenschaft, die zugleich der Tod des Leidens. Um zur Sphäre der Kunst zurückzukehren: Die Form erzeugt nicht bloß das kritische Temperament, sondern auch den ästhetischen Instinkt, diesen untrüglichen Instinkt, der uns alle Dinge unter den Bedingungen der Schönheit offenbart. Beginne die Form zu verehren und kein Geheimnis der Kunst wird dir verborgen bleiben. Sei dessen eingedenk, dass in der Kritik und im Schaffen das Temperament alles ist und dass man die Kunstschulen nicht nach der Zeit, wo sie wirkten, sondern nach den Temperamenten, an die sie sich wenden, historisch gruppieren sollte.

Ernst: Deine Erziehungstheorie ist entzückend. Doch welchen Einfluss wird ein Kritiker, der in dieser köstlichen Umgebung herangebildet ward, üben? Meinst du wirklich, ein Künstler sei je durch die Kritik beeinflusst worden?

Gilbert: Der Einfluss des Kritikers wird lediglich in der Tatsache bestehen, dass er existiert; er wird den ungetrübten Typus darstellen. In ihm wird sich die Kultur des Jahrhunderts zur Erfüllung gebracht sehen. Du darfst kein anderes Ziel von ihm verlangen, als dass er sich selbst vollende. Der Geist hat, wie man richtig bemerkt hat, nur den einen Wunsch, sich selbst in voller Kraft zu fühlen. Der Kritiker mag allerdings den Wunsch hegen, Einfluss zu üben; in diesem Fall wird er sich aber nicht mit dem einzelnen Individuum, sondern mit dem Zeitalter befassen. Er wird versuchen, es zur Bewusstheit zu erwecken, es heranzubilden, neue Wünsche und Bestrebungen in ihm zu entfachen, ihm den eigenen weiteren Blick, die eigenen edleren Stimmungen einzuprägen. Die Kunst von heute wird ihn weniger als die Kunst von morgen beschäftigen, weit weniger als die Kunst von gestern. Müht sich auch heutzutage der eine oder der andere ab, welche Bedeutung haben diese Emsigen? Sie leisten ohne Zweifel ihr Bestes. Darum geben sie uns natürlicherweise das Schlechteste. Immer sind die übelsten Werke mit den besten Absichten begonnen worden. Und überdies, mein lieber Ernst – wenn ein Mann das Alter von vierzig Jahren erreicht hat oder Akademieprofessor geworden ist oder zum Mitglied des »Athenaeum Clubs« gewählt wurde oder als populärer Romanschriftsteller gilt, dessen Bücher auf den Vorstadtbahnhöfen sehr begehrt werden, dann mag es einen amüsieren, ihn bloßzustellen, man wird aber nie das Vergnügen haben, ihn zu bekehren. Glücklicherweise für ihn! Denn bekehrt zu werden, ist zweifellos weit schmerzhafter als Bestrafung; es ist Strafe in ihrer schlimmsten und moralischsten Form. Diese Tatsache erklärt das vollständige Fehlschlagen aller Bestrebungen der Gesellschaft, das interessante Phänomen, den Gewohnheitsverbrecher zu bessern.

Ernst: Ist aber der Dichter nicht möglicherweise der beste Beurteiler der Dichtung, der Maler der beste Kritiker des Gemäldes? Jede Kunst muss sich zunächst an den Künstler wenden, der in ihr wirkt. Sein Urteil wird ohne Zweifel den meisten Wert besitzen?

Gilbert: Alle Künste wenden sich einfach an das künstlerische Temperament; niemals an die Spezialisten. Die Kunst erhebt den Anspruch, umfassend und in all ihren Offenbarungen gleichwohl einheitlich zu sein. In der Tat ist der Künstler sehr weit davon entfernt, der beste Kunstrichter zu sein – ein wirklich großer Künstler ist vielmehr überhaupt nicht imstande, zu urteilen, er hat kaum über die eigene Schöpfung eine Meinung. Eben jenes Versunkensein in die Fülle der Geschichte, das ihn zum Künstler macht, begrenzt durch die Tiefe der Stimmung seine Fähigkeit, scharfsinnig zu urteilen. Des Schaffens Gewalt treibt ihn blind dem eigenen Ziele zu. Die Räder seines Wagens wirbeln den Staub ringsum wie Wolken auf. Die Götter bleiben einander verborgen. Sie können ihre Anbeter erkennen, das ist alles.

Ernst: Du behauptest, ein großer Künstler vermöge nicht die Schönheit eines Werkes zu verstehen, das von seiner eigenen Art verschieden ist.

Gilbert: Er vermag es unmöglich. Wordsworth sah in »Endymion« nur ein nettes Stück Heidentum. Shelley mit seiner Abneigung gegen die Wirklichkeit war, abgestoßen durch Wordsworths Form, taub für dessen Botschaft. Byron, die große, leidenschaftliche, menschlich-unvollkommene Natur, wusste nicht den Dichter der Wolke, noch den Dichter des Sees zu würdigen; ihm entging das Wunderbare an der Erscheinung Keats. Des Euripides Realismus war Sophokles verhasst. Diese niedertropfenden warmen Tränen bargen für ihn keinen musikalischen Klang. Milton mit seiner Empfindung für großen Stil konnte Shakespeares Art so wenig verstehen wie Sir Joshua Gainsboroughs Weise. Schlechte Künstler bewundern immer gegenseitig ihre Werke. Das nennen sie die große, von Vorurteilen freie Gesinnung. Aber ein wirklich großer Künstler kann sich das Leben, die Schönheit nicht anders als auf seine Manier dargestellt denken. Das Schaffen nimmt all sein kritisches Vermögen für sich in Anspruch. Für die Welt der anderen bleibt nichts übrig. Gerade darum ist, wer ein Werk nicht zu tun vermag, dessen recht eigentlicher Beurteiler.

Ernst: Meinst du das im Ernst?

Gilbert: Jawohl, denn das Schaffen begrenzt, das Betrachten erweitert das Gesichtsfeld.

Ernst: Wie steht es aber mit den technischen Fragen? Jeder Kunst ist ohne Zweifel ihre besondere Technik eigen?

Gilbert: Ganz gewiss. Jede Kunst hat ihre Grammatik und ihr Handwerkszeug. Darin liegt nichts Geheimnisvolles; der Unzureichende kann immer fehlerfrei sein. Sind aber auch die Gesetze, worauf die Kunst beruht, genau bestimmt, so müssen sie, um zur rechten Verwirklichung zu gelangen, durch die Fantasie in solche Schönheit gewandelt werden, dass sie uns alle wie Ausnahmen anmuten. Technik ist wirklich Persönlichkeit. Das ist der Grund, warum der Künstler sie nicht lehren, der Schüler sie nicht lernen, aber der ästhetische Kritiker sie verstehen kann. Für den großen Dichter gibt es nur eine Musik – die eigene. Für den großen Maler besteht nur eine Art des Malens, jene, die er selbst übt. Der ästhetische Kritiker, und nur er allein, weiß alle Formen und Arten zu würdigen. An ihn geht die Sendung der Kunst.

Ernst: Nun, ich denke, ich bin mit meinen Fragen an dich zu Ende. Jetzt muss ich bekennen –

Gilbert: Ah! sag' nur nicht, dass du mit mir übereinstimmst. Wenn mir jemand erklärt, er sei meiner Ansicht, empfinde ich, dass ich gewiss im Unrecht bin.

Ernst: Dann will ich lieber verschweigen, ob ich dir recht gebe oder nicht. Doch möchte ich eine andere Frage an dich richten. Du hast mir deutlich gemacht, die Kritik sei eine schöpferische Kunst. Welches ist ihre Zukunft?

Gilbert: Der Kritik gehört die Zukunft. Das Stoffgebiet, das dem schöpferischen Künstler zu Gebote steht, wird jeden Tag begrenzter, sowohl der Ausdehnung wie der Mannigfaltigkeit nach. Die Vorsehung und Mr. Walter Besant haben, was klar auf der Oberfläche lag, ausgeschöpft. Soll das produktive Element überhaupt noch Bestand haben, dann kann das nur unter der Voraussetzung geschehen, dass es viel kritischer wird, als dies heutzutage der Fall ist. Die alten Pfade und staubigen Landstraßen sind allzu oft durchgewandert worden. Ihren Zauber haben plumpe Füße totgetreten; sie haben das Neue, Überraschende, das für die Dichtung so wichtig ist, verloren. Wer uns jetzt durch Poesie aufrütteln will, muss uns entweder völlig neue Hintergründe zeigen oder die Menschenseele in ihrem innersten Weben enthüllen. Jenes wird vorläufig von Mr. Rudyard Kipling geleistet. Blättert man in seinen »Plain Tales from the Hills«, dann gewinnt man das Gefühl, als säße man unter einem Palmenbaum und läse in dem durch Blitze der Gemeinheit erhellten Buch des Lebens. Der Farbenglanz der Basare blendet unsern Blick. Die müdegehetzten, armseligen Anglo-Inder stehen in reizvollem Gegensatz zu ihrer Umgebung. Eben weil dieser Erzähler des Stils ermangelt, hat seine Schilderung den eigentümlich journalistischen Realismus. Vom literarischen Standpunkt ist Mr. Kipling ein Genie, das mir und mich verwechselt. Vom Standpunkt des Lebens ist er ein Reporter, der die Gemeinheit besser kennt alsirgend jemand vor ihm. Dickens kannte ihre Kleidung und ihre Komödien. Mr. Kipling kennt ihr Wesen und ihren Ernst. Er ist unter den Künstlern zweiten Ranges der erste; er hat ganz wundervolle Dinge durch Schlüssellöcher erspäht, seine Hintergründe sind wirkliche Kunstwerke. Was die zweite Voraussetzung betrifft, so hatten wir ja Browning, wir haben Meredith noch immer. Auch wäre auf dem Gebiet psychologischer Durchforschung noch manche Aufgabe zu lösen. Manchmal wird die Meinung laut, unsere Dichtung werde zu krankhaft. Soweit das psychologische Element infrage kommt, muss man sagen, sie kann nie krankhaft genug werden. Wir haben nur die Oberfläche der Seele berührt, sonst nichts. In einer einzelnen schimmernden Zelle des Gehirns sind Dinge angehäuft, wundervoller und schreckensreicher als selbst jene träumten, die, gleich dem Verfasser von »Le Rouge et le Noir«, sich mühten, die Seele in ihre innersten Schlupfwinkel zu verfolgen, sie zum Geständnis ihrer liebsten Sünden zu zwingen. Doch ist selbst die Zahl der unverwerteten Hintergründe begrenzt. Auch ist es nicht möglich, dass die weitere Entwicklung der Gewohnheit der Selbstbetrachtung eben der schöpferischen Fähigkeit, der sie neues Material herbeischaffen will, verhängnisvoll wird. Ich selbst neige der Ansicht zu, dass dem Schaffen das Urteil gesprochen ist. Es entspringt aus einem allzu primitiven, allzu natürlichen Instinkt. Wie dem auch sei, das eine ist gewiss, dass der Stoffkreis, der den Schaffenden offensteht, stets begrenzter wird, während das Gebiet des Kritikers täglich an Umfang wächst. Der Geist kann immer neue Stellungen, neue Standpunkte einnehmen. Die Pflicht, dem Chaos Gestalt zu geben, wird durch den Fortschritt der Welt keineswegs geringer. Nie gab es eine Zeit, die der Kritik mehr als die unsere bedurft hätte. Nur durch sie wird sich die Menschheit bewusst, bis zu welchem Punkt sie vorgeschritten ist.

Vor einigen Stunden, mein lieber Ernst, hast du mich um meine Meinung über den Nutzen der Kritik gefragt. Du hättest mich ebensowohl nach dem Nutzen des Denkens fragen können. Die Kritik, so führt Arnold aus, schafft die geistige Atmosphäre des Zeitalters. Die Kritik ist es – ich hoffe, dies einmal breiter auszuführen –, die aus dem Geist ein feines Werkzeug bildet. Wir sind dazu erzogen worden, das Gedächtnis mit einer Fülle zusammenhangloser Tatsachen zu beschweren, wir haben uns viel Mühe gegeben, das emsig erworbene Wissen weiter zu leiten. Wir lehren die Menschen, sich zu erinnern, wir lehren sie nie zu wachsen. Wir ließen es uns niemals beifallen, den Versuch zu machen, eine feinere Art des Auffassens und Urteilens in unserem Geiste zu entwickeln. Die Griechen taten dies, und wenn wir mit dem kritischen Intellekt der Griechen in Berührung gelangen, können wir uns dem Bewusstsein nicht verschließen, dass, wenn auch unser Stoffgebiet in jeder Richtung weiter und bunter als das ihre geworden ist, sie allein den Weg kritischer Deutung erkannt haben. England hat das eine getan: Es hat die öffentliche Meinung erfunden und in die Herrschaft eingesetzt. Das ist ein Versuch, die Unwissenheit der Gemeinschaft zu organisieren und zur Würde physischer Macht zu erheben. Die Weisheit aber blieb dieser Gemeinschaft immer verborgen. Als Denkwerkzeug betrachtet, ist der englische Geist ungeschlacht und unentwickelt. Er kann nur auf eine Weise geläutert werden: durch das Wachsen des kritischen Instinkts.

Der kritische Geist ist es allein, dessen gesammelte Kraft die Kultur ermöglicht. Er greift nach der schwerfälligen Menge schöpferischer Werke und presst aus ihrem Niederschlag eine feinere Essenz. Wer könnte sich, ohne sein Formempfinden zu verlieren, durch den ungeheuerlichen Bücherwust durchringen, den die Welt hervorgebracht hat, Bücher, worin das Denken stammelt oder die Unwissenheit streitet? Der Faden, der uns durch dieses ermüdende Labyrinth führen soll, liegt in den Händen der Kritik. Ja – noch mehr. Dort, wo keine Überlieferung besteht und geschichtliche Aufzeichnungen verloren gegangen sind oder niemals niedergeschrieben wurden, vermag der kritische Geist aus dem geringsten Bruchstück der Sprache oder der Kunst die Vergangenheit mit der nämlichen Sicherheit wieder ins Leben zu rufen, mit der der Mann der Wissenschaft aus einem winzigen Knochen oder der bloßen Fußspur auf einem Felsen die beschwingten Drachen und Rieseneidechsen, unter deren Tritt einst die Erde bebte, für uns erstehen lässt und Behemoth aus seiner Höhle lockt und den Leviathan noch einmal über das sich bäumende Meer schwimmen heißt. Die prähistorische Geschichte ist Sache des philologischen und archäologischen Kritikers. Ihm enthüllt sich der Ursprung der Dinge. Die bewussten Überlieferungen eines Zeitalters führen fast immer irre. Durch die philologische Kritik erfahren wir über Jahrhunderte, die uns keine Aufzeichnungen bewahrten, weit mehr als über jene Zeiten, die uns ihre Schriftrollen hinterließen. Sie leistet uns, was weder Physik noch Metaphysik zu leisten vermögen. Sie kann uns die genaue Geschichte des Denkens in seinem Werdegang zeigen. Sie gibt uns, was die Geschichte nicht zu geben vermag. Sie offenbart uns die Gedanken des Menschen aus der Zeit, ehe er das Schreiben lernte. Du hast mich nach dem Einfluss des kritischen Geistes gefragt. Ich glaube, ich habe diese Frage bereits beantwortet. Doch wäre darüber noch das Folgende zu bemerken: Der kritische Geist macht aus uns Kosmopoliten. Die Manchesterschule versuchte den Traum der Menschheitsverbrüderung dadurch zu verwirklichen, dass sie die Vorteile des Friedens für den Handel auseinandersetzte. Sie wollte die wundervolle Welt zu einem allgemeinen Marktplatz für den Käufer und Verkäufer herabwürdigen. Sie wandte sich an die niedrigsten Instinkte und hatte keinen Erfolg.

Krieg folgte auf Krieg. Die Glaubenssätze des Kaufmanns hinderten Frankreich und Deutschland nicht, in blutigen Schlachten aneinander zu prallen. In unseren Tagen gibt es eine andere Gruppe von Leuten, die sich an die Empfindsamkeit oder an die seichten Dogmen eines unklaren Systems abstrakter Ethik wenden. Sie haben ihre Friedensgesellschaften, die den Sentimentalen so teuer sind, ihre Vorschläge, ein unbewaffnetes internationales Schiedsgericht einzurichten – ein sehr volkstümlicher Vorschlag bei denen, die nie in der Geschichte gelesen haben. Aber die bloße mitfühlende Empfindung wird uns nicht helfen. Sie ist zu veränderlich und allzu eng mit den Leidenschaften verknüpft. Und ein Schiedsgericht, das, zur allgemeinen Wohlfahrt der Nation, der Macht beraubt sein soll, seine Entscheidungen auch durchzusetzen, wird kaum großen Nutzen stiften. Nur eins ist noch schlimmer als die Ungerechtigkeit, und das ist Gerechtigkeit ohne das Schwert in der Hand. Recht ohne Macht ist ein Übel.

Nein, die Empfindungen werden uns nicht zu Kosmopoliten machen, so wenig dies der Gewinngier gelang. Nur durch stetes Kultivieren der Gewohnheit, geistige Kritik zu üben, werden wir imstande sein, uns über die Rassenvorurteile zu erheben. Goethe – du wirst wohl meine Bemerkung nicht missverstehen – war ein Deutscher unter Deutschen. Er liebte sein Vaterland – niemand liebte es mehr. Sein Volk war ihm wert; und er war sein geistiger Führer. Und doch, als der eherne Huf Napoleons über die Weingehänge und Kornfelder stampfte, blieben seine Lippen stumm. »Wie kann man Lieder des Hasses schreiben, ohne zu hassen«, sagte er zu Eckermann, »wie könnte ich, dem bloß Kultur und Barbarei von Bedeutung sind, eine Nation hassen, die zu den kultiviertesten der Erde gehört, der ich einen großen Teil meiner eigenen Kultur verdanke?« Dieser Ton, den Goethe in der modernen Welt als Erster anstimmte, wird, denk ich, der Ausgangspunkt für das Weltbürgertum der Zukunft sein. Der kritische Geist wird die Rassenvorurteile zerstören, indem er immer wieder die Einheit des menschlichen Denkens in der Mannigfaltigkeit der Formen betont. Werden wir zu einem Krieg wider ein anderes Volk gereizt, dann werden wir uns erinnern, dass wir einen Bestandteil, vielleicht den wichtigsten, unserer eigenen Kultur zu zerstören suchen. Solange man den Krieg als etwas Verruchtes betrachtet, wird er seinen Zauber behalten. Wird man ihn für etwas Gemeines ansehen, dann wird er seine Popularität verlieren. Der Wandel wird allerdings nur langsam vor sich gehen, man wird sich dessen gar nicht bewusst werden. Man wird nicht sagen »Wir wollen nicht wider Frankreich Krieg führen, weil seine Prosa vollendet ist«, sondern um der vollendeten französischen Prosa willen wird man dies Land nicht hassen. Die geistige Kritik wird Europa weit inniger verbinden, als der Kaufherr oder der Gefühlsschwärmer dies vermochten. Sie wird uns jenen Frieden bescheren, der dem Verstehen entspringt.

Das ist jedoch keineswegs alles. Die Kritik ist es, die keinen Standpunkt als den endgültigen anerkennt und die es ablehnt, sich durch sein seichtes Schibboleth einer Sekte oder Schule zu binden. Eben dadurch erweckt sie jenen heitern philosophischen Geist, der die Wahrheit um ihrer selbst willen liebt, und darum nicht weniger liebt, weil er ihre Unerreichbarkeit kennt. Wie sehr entbehren wir in England dieses Geistes, und wie sehr bedürfen wir seiner! Der englische Geist lebt in steter Raserei. Der Intellekt der Rasse wird in den gemeinen und stumpfsinnigen Kämpfen der Politiker zweiten oder der Theologen dritten Ranges vergeudet. Einem Mann der Wissenschaft war es vorbehalten, uns das erhabene Beispiel jener »süßen Vernünftigkeit« zu gewähren, worüber Arnold so klug und ach! mit so wenig Wirkung gesprochen hat. Der Verfasser des »Ursprunges der Arten« besaß ohne Zweifel diesen philosophischen Geist. Betrachtet man Englands Durchschnitts-Kathederhelden und Tribünenredner, dann wird man nur die Verachtung Julians oder Montaignes Gelassenheit empfinden können. Der Fanatiker beherrscht uns, und sein ärgstes Laster ist die Aufrichtigkeit. Was sich dem freien Spiel des Geistes auch nur nähert, ist bei uns tatsächlich ganz unbekannt. Die Leute erheben ihr Geschrei wider den Sünder, doch ist es nicht der Sünder, sondern der Dummkopf, der uns zur Schande gereicht. Es gibt keine Sünden außer der Dummheit.

Ernst: Ah! Was für ein Widerspruchsgeist du bist!

Gilbert: Der künstlerische Kritiker und der Mystiker befinden sich immer im Widerspruch zu dem herrschenden Geiste. Gut zu sein – nach den herkömmlichen Begriffen – ist offenbar ganz leicht. Dazu bedarf es nur einer gewissen Menge gemeiner Ängstlichkeit, eines gewissen Mangels an fantasievollem Denken und einer gewissen niedrigen Vorliebe für bürgerliche Anständigkeit. Die Ästhetik steht höher als die Ethik. Sie gehören einer geistigeren Sphäre an. Die Schönheit eines Dinges zu begreifen, das ist das Höchste, zu dem wir gelangen können. Selbst der Farbensinn ist für die Entwicklung des Individuums wichtiger als die Unterscheidung von Gut und Böse. Die Ästhetik steht tatsächlich in der Sphäre bewusster Kultur zur Ethik im nämlichen Verhältnis, in dem die künstlerische Zuchtwahl in der Sphäre der äußeren Welt zur natürlichen Auslese steht. Die Ethik macht wie die natürliche Zuchtwahl unser Dasein unmöglich. Die Ästhetik macht wie die künstliche Zuchtwahl das Dasein lieblich und wundervoll, füllt es mit neuen Formen, verleiht ihm Fortschritt, Buntheit, Wechsel. Und wenn wir die wahre Kultur, die wir anstreben, erreichen, dann gelangen wir zu jener Vollkommenheit, von der die Heiligen träumten, zur Vollkommenheit der Erlesenen, denen das Sündigen unmöglich ist; nicht weil sie etwa die Entsagung des Asketen üben, sondern weil sie alles, was sie wünschen, tun können, ohne der Seele zu schaden, weil sie überhaupt nichts wünschen können, was der Seele schadet. Die Seele ist ja ein Wesen von solcher Göttlichkeit, dass es in Elemente einer reicheren Erfahrung, einer vornehmeren Empfänglichkeit, einer neuen Art des Denkens solche Handlungen und Leidenschaften umzuformen vermag, die alle bei der gemeinen Seele gemein, bei der unerzogenen unedel oder bei der schmachbedeckten schimpflich wären. Ist dies gefährlich? Jawohl; es ist gefährlich – alle Ideen sind es, wie ich dir sagte. Allein, die Nacht ist müde geworden. Das Licht der Lampe flackert. Noch muss ich dir eins sagen: Du hast gegen den Kritizismus eingewendet, er sei unfruchtbar. Das neunzehnte Jahrhundert bildet in der Geschichte einen Wendepunkt, und dies ist einfach zwei Männern zu danken: Darwin und Renan. Jener ist der Kritiker des Buchs der Natur, dieser der Bücher Gottes gewesen. Das nicht einzusehen, heißt die Bedeutung einer der wichtigsten Epochen in der Geschichte des Fortschritts der Welt verkennen. Das Schaffen läuft immer hinter dem Zeitalter her. Die Kritik ist es, die uns führt. Der kritische Geist und der Weltgeist sind das Nämliche.

Ernst: Doch wer im Besitz dieses Geistes oder von diesem Geist besessen ist, dieser wird, nehme ich an, nichts tun?

Gilbert: Wie Persephone, von der uns Landor erzählt, die süße, sinnende Persephone, um deren weißen Fuß Asphodill und Amaranth blühen, wird er dasitzen, zufrieden, »in jener tiefen, regungslosen Ruhe, die die Sterblichen bemitleiden, aber an der die Götter sich erfreuen«. Er wird auf die Welt hinausschauen und ihr Geheimnis verstehen. Er wird durch die Berührung mit göttlichen Dingen göttlich werden. Sein Leben, und nur das seine, wird vollendet erscheinen.

Ernst: Du hast mir in dieser Nacht manches Seltsame gesagt, Gilbert! Du hast mir gesagt, es sei schwerer, über etwas zu reden, als es zu tun, und es sei das Allerschwierigste auf der Welt, überhaupt nichts zu tun. Du hast mir gesagt, alle Kunst sei unmoralisch und alles Denken gefährlich; die Kritik sei schöpferischer als das Schaffen, und die höchste Kritik sei die, die im Kunstwerk Dinge entdeckt, die der Künstler selbst nicht hineingelegt hat. Du hast mir gesagt, eben, weil jemand ein Werk nicht zu vollführen vermöge, sei er sein geeigneter Richter, der wahre Kritiker sei unaufrichtig, unehrlich und nicht vernünftig. Mein Freund, du bist ein Träumer!

Gilbert: Jawohl, ich bin ein Träumer. Denn ein Träumer ist der, der seinen Weg nur im Mondschein findet. Und seine Strafe ist, dass er vor der übrigen Welt die Dämmerung sieht.

Ernst: Seine Strafe?

Gilbert: Und seine Belohnung. Doch sieh, es dämmert bereits. Schlag die Vorhänge zurück, öffne die Fenster weit. Wie kühl die Morgenluft weht! Piccadilly liegt uns zu Füßen wie ein weißes, silbernes Band. Herrlicher Purpurduft hängt über dem Park, die Schatten der weißen Häuser sind in Purpur gehüllt. Es ist zu spät zu schlafen. Komm, gehen wir nach Covent Garden hinab und betrachten die Rosen. Komm! Ich bin des Denkens müde.

Der Verfall der Lüge

Eine Betrachtung

Ein Dialog

Personen: Cyrill und Vivian.

Schauplatz: Die Bibliothek eines Landhauses in Nottinghamshire.

Cyrill *(kommt von der Terrasse durch die offene Glastüre):* Mein lieber Vivian, sperr dich doch nicht den ganzen Tag in die Bibliothek! Es ist ein wundervoll schöner Nachmittag. Die Luft ist köstlich. Auf den Wäldern liegt ein Duft wie der purpurne Hauch auf einer Pflaume. Komm, wir wollen uns ins Gras legen, Zigaretten rauchen und die Natur genießen.

Vivian: Die Natur genießen! Die Fähigkeit hab' ich zum Glück völlig verloren. Es heißt zwar allgemein, die Kunst lehre uns die Natur inniger lieben; sie enthülle uns ihre Geheimnisse und setze uns in den Stand, wenn wir Corot und Constable sorgsam studiert haben, in der Natur Dinge zu sehen, die früher unserer Beobachtung entgangen waren. Meine eigene Erfahrung ist aber: Je mehr wir die Kunst studieren, desto weniger haben wir für die Natur übrig. In Wirklichkeit offenbart uns die Kunst nur die Planlosigkeit der Natur, ihre merkwürdige Plumpheit, ihre ungewöhnliche Eintönigkeit, ihre gänzliche Unfertigkeit. Die Natur hat freilich gute Vorsätze, aber sie vermag sie, wie Aristoteles einmal sagt, nicht auszuführen. Wenn ich eine Landschaft betrachte, werde ich wider meinen Willen all ihrer Mängel gewahr. Diese Unvollkommenheit der Natur ist gleichwohl für uns ein Glück, da wir sonst überhaupt keine Kunst hätten. Die Kunst ist ein lebhafter Protest, ein tapferer Versuch von unsrer Seite, der Natur die ihr gebührende Stelle anzuweisen. Man redet oft von der unbegrenzten Mannigfaltigkeit in der Natur: das ist aber bloß ein Märchen. In der Natur trifft man diese Mannigfaltigkeit nicht. Sie findet sich nur in der Einbildung, in der Fantasie oder in der herangebildeten Blindheit des Betrachters.

Cyrill: Schön – du brauchst ja nicht die Landschaft zu betrachten. Du kannst im Grase liegen und rauchen und plaudern.

Vivian: Die Natur ist aber so unbequem. Das Gras ist rau und klumpig und feucht und voll schrecklicher schwarzer Insekten. Der schlechteste Arbeiter bei Morris schafft dir noch eine bequemere Sitzgelegenheit, als es die gesamte Natur vermag. Die Natur muss sich verkriechen vor den Möbeleinrichtungen »der Straße, die von Oxford ihren Namen trägt«, wie sie der Dichter, den du so liebst, einmal trivial genannt hat. Ich beklage dies keineswegs. Wäre die Natur bequem, dann hätten die Menschen nie die Architektur erfunden, und ich ziehe Häuser der freien Luft vor. In einem Hause fühlen wir uns alle im richtigen Verhältnis. Alles ist uns unterwürfig, für uns und zu unserm Behagen eingerichtet. Selbst der Egoismus, der zu einer richtigen Auffassung der menschlichen Würde unentbehrlich ist, entspringt durchaus dem Leben innerhalb der vier Pfähle. Außerhalb des Hauses wird man allgemein und unpersönlich. Man verliert seine Individualität. Die Natur ist auch so gleichgültig, so schnippisch. Wenn ich hier im Park spazieren gehe, hab' ich immer das Gefühl: ich bin der Natur nicht mehr als das Vieh, das am Abhang weidet oder die Kletten, die im Graben blühn. Es ist doch klipp und klar: Die Natur hasst die Vernunft. Nachdenken ist die ungesundeste Beschäftigung auf der Welt, und die Menschen sterben daran wie an irgendeiner anderen Krankheit. Zum Glück ist das Denken, in England wenigstens, nicht ansteckend. Unsere strotzende Volkskraft verdanken wir ganz und gar unserer nationalen Beschränktheit. Ich hoffe nur, wir werden dies mächtige historische Bollwerk unseres Glücks noch viele Jahre behaupten; doch fürchte ich, wir beginnen überbildet zu werden; wenigstens macht sich jeder, der nicht die Fähigkeit, etwas zu lernen, besitzt, sogleich ans Lehren – daher stammt wohl unser Enthusiasmus für Erziehung. Inzwischen wäre es besser, du kehrtest zu deiner langweiligen, unwöhnlichen Natur zurück und ließest mich meine Korrekturbogen durchsehen.

Cyrill: Einen Artikel schreiben! Das klingt nicht sehr konsequent nach allem, was du eben sagtest.

Vivian: Wer bemüht sich um Konsequenz? Der Dummkopf und der Doktrinär, diese langweiligen Leute, die ihre Prinzipien so lang in bittre Handlungen umsetzen, bis sie durch die Wirklichkeit ad absurdum geführt werden. Ich wahrhaftig nicht. Wie Emerson schreib' ich über die Pforte meiner Bibliothek das Wort »Laune«. Übrigens enthält mein Artikel eine sehr heilsame und wertvolle Warnung. Befolgt man sie, dann könnte eine neue Renaissance der Kunst entstehen.

Cyrill: Welches ist das Thema?

Vivian: Ich will meinen Artikel »Der Verfall der Lüge: Ein Protest« betiteln.

Cyrill: Der Lüge! Ich sollte meinen, unsere Politiker hätten diese Gewohnheit beibehalten.

Vivian: Ich versichere dir, dies ist keineswegs der Fall. Die Politiker gelangen nie über das Niveau der Verdrehung, sie lassen sich überdies noch dazu herab, zu beweisen, zu diskutieren, zu disputieren. Wie sehr unterscheidet sich von ihnen das Temperament des echten Lügners mit seinen freimütigen, furchtlosen Erzählungen, seiner herrlichen Verantwortungslosigkeit, seinem gesunden, natürlichen Geringschätzen der Beweise irgendwelcher Art! Was ist übrigens eine erlesene Lüge? Einfach jede Behauptung, die in sich selbst den Beweis trägt. Wer so wenig Einbildungskraft besitzt, dass er eine Lüge erst besonders beweisen muss, könnte lieber sogleich die Wahrheit sagen. Nein, die Politiker helfen uns nicht. Einiges mag vielleicht zugunsten des Advokatenstandes angeführt werden. Auf seine Mitglieder fiel der Mantel der Sophisten. Ihre erkünstelte Leidenschaft, ihre unechte Rhetorik sind entzückend. Sie bringen es zuwege, die schlechtere Sache als die bessere erscheinen zu lassen, als kämen sie eben aus der Schule des Leontiners; sie sollen sogar von widerstrebenden Geschworenenbänken Freisprüche für ihre Klienten selbst dann erwirkt haben, wenn ihre Unschuld, wie dies manchmal der Fall ist, klar und zweifellos zutage lag. Aber die Advokaten werden durch das Prosaische in Schranken gehalten, sie schämen sich sogar nicht, an Präzedenzfälle zu erinnern. Trotz ihrer Bemühungen gelangt die Wahrheit ans Licht. Selbst die Zeitungen sind entartet. Man kann ihnen jetzt völlig vertrauen. Man fühlt es, wenn man sich durch ihre Spalten durch windet. Nur das Unlesenswerte ereignet sich. Ich fürchte, zugunsten des Advokaten oder des Journalisten wird sich nicht viel anführen lassen. Das, wofür ich eintrete, ist übrigens die Lüge in der Kunst. Soll ich dir vorlesen, was ich geschrieben habe? Es könnte dir sehr nützlich sein.

Cyrill: Sehr gern, doch gib mir eine Zigarette. Ich danke. Nebenbei, welcher Zeitschrift hast du diesen Artikel zugedacht?

Vivian: Der »Retrospective Review«. Ich glaube, ich habe dir gesagt, die Erlesenen haben sie wieder ins Leben gerufen.

Cyrill: Was verstehst du unter den »Erlesenen«?

Vivian: Selbstverständlich die »Tired Hedonists«. Das ist der Name eines Klubs, dem ich angehöre. Wir pflegen bei unseren Zusammenkünften welke Rosen im Knopfloch zu tragen, wir haben eine Art Kultus für Domitian eingerichtet. Ich fürchte, du bist für diesen Klub nicht wählbar. Du liebst zu sehr die einfachen Vergnügungen.

Cyrill: Ich würde vermutlich wegen meiner Lebensfreude abgewiesen werden?

Vivian: Vermutlich. Außerdem bist du ein bisschen zu alt. Wir nehmen niemand auf, der das herkömmliche Alter besitzt.

Cyrill: Ich glaube, dass ihr einander ziemlich anödet.

Vivian: Ziemlich. Das ist eins der Ziele des Klubs. Jetzt werde ich dir aber, wenn du mir versprichst, mich nicht zu oft zu unterbrechen, meinen Artikel vorlesen.

Cyrill: Ich werde genau aufmerken.

Vivian *(liest mit sehr klarer, wohllautender Stimme):* »Der Verfall der Lüge: Ein Protest. – Eine der Hauptursachen, die man für die erstaunliche Trivialität eines großen Teiles der Literatur unserer Tage anführen kann, ist zweifellos der Verfall des Lügens als einer Kunst, einer Wissenschaft und eines geselligen Vergnügens. Die antiken Geschichtschreiber boten uns wundervolle Dichtungen als Tatsachen dar; die modernen Erzähler langweilen uns mit Tatsachen, die sie als Dichtungen ausgeben. Das Blaubuch wird immer mehr zum Vorbild für die Art und Weise des modernen Erzählers. Dieser hat sein langweiliges ‚document humain', seinen elenden kleinen ‚coin de la création', in den er mit seinem Mikroskop späht. Man trifft ihn in der Libraire Nationale oder im Britischen Museum, dort liest er schamlos sein Material zusammen. Er hat nicht einmal den Mut, die Gedanken der anderen zu denken, er wendet sich mit allem direkt ans Leben; endlich kommt er zwischen Enzyklopädien und persönlicher Erfahrung nieder; er hat seine Figuren dem Kreis der Familie oder der Waschfrauen entlehnt; er hat eine Menge nützlichen Wissens aufgespeichert, von dem er sich niemals, selbst in seinen gedankenvollsten Augenblicken nicht, völlig zu befreien vermag.

Der Verlust, den unsere gesamte Literatur durch dieses falsche Ideal unserer Zeit erlitten hat, kann gar nicht hoch genug eingeschätzt werden. Die Leute sprechen ganz leichthin von dem ‚geborenen Lügner', wie man von dem ‚geborenen Dichter' spricht. Aber man irrt in beiden Fällen. Das Lügen und das Dichten sind Künste – Künste, wie Plato sagte, die miteinander in einem gewissen Zusammenhange stehen –, die das sorgsamste Studium, die uninteressierteste Hingabe erfordern. Beide haben in der Tat ihre ganz besondere Technik, wie die materielleren Künste, die Malerei und die Bildhauerkunst ihre subtilen Geheimnisse der Form und Farbe, ihre geheimen Kunstgriffe, ihre wohlüberlegten, wohldurchdachten künstlerischen Methoden. Wie man den Dichter an der ihm eigenen zarten Musik erkennt, so kann man den Lügner an seiner Rhythmenfülle erkennen; bei keinem von beiden entscheidet allein die zufällige Eingebung des Augenblicks. Hier wie überall muss der Reife die Übung vorhergehen. Allein, während heutzutage die Kunst, Verse zu schreiben, eine viel zu alltägliche geworden ist, zu der, wenn irgend möglich, die Lust benommen werden sollte, ist die Kunst des Lügens allmählich von ihrer Höhe herab in Verruf geraten. Mancher junge Mann tritt ins Leben mit einer natürlichen Gabe der Übertreibung. Würde diese Gabe in entsprechender und erfreulicher Umgebung gepflegt oder durch Nachahmung der besten Muster gefördert, dann könnte etwas wirklich Großes und Wundervolles daraus entstehen. In der Regel aber erreicht ein solcher nichts. Er verfällt entweder dem leichtfertigen Hang zur Genauigkeit –«

Cyrill: Aber lieber Freund!

Vivian: Bitte, unterbrich mich nicht inmitten des Satzes. »Er verfällt entweder dem leichtfertigen Hang zur Genauigkeit, oder er beginnt, die Gesellschaft der zu Jahren Gekommenen und Wohlinformierten aufzusuchen. Beides wird für seine Einbildungskraft verhängnisvoll, wie es für jeden verhängnisvoll wäre; so entwickelt er in kurzer Zeit eine krankhafte Neigung, die Wahrheit zu sagen, er untersucht alles, was in seiner Gegenwart gesagt wird, auf die Wahrheit, er trägt kein Bedenken, denen zu widersprechen, die um vieles jünger sind als er selbst, und er schreibt schließlich Romane, die so lebenswahr sind, dass niemand an ihre Wahrscheinlichkeit zu glauben vermag. Dies ist kein vereinzelt herausgegriffener Fall. Es ist einfach ein Beispiel aus vielen; und wenn nichts unternommen wird, die heutige ungeheuerliche Anbetung der Tatsachen auszurotten oder wenigstens einzuschränken, so wird die Kunst unfruchtbar werden, die Schönheit wird aus unserem Lande schwinden.

Selbst Mr. Robert Louis Stevenson, dieser entzückende Meister zarter und schwärmerischer Prosa, ist durch dieses moderne Laster – ich finde keinen anderen Ausdruck dafür – befleckt. Man kann wirklich eine Geschichte dadurch um ihre Wahrscheinlichkeit bringen, dass man versucht, sie allzu lebenswahr erscheinen zu lassen; ‚The Black Arrow' ist unkünstlerisch genug, sich nicht eines einzigen Anachronismus rühmen zu können, während die ‚Verwandlung des Dr. Jekyll' sich fast wie ein Experiment aus der medizinischen Wochenschrift liest. Was Mr. Rider Haggard betrifft, der das Zeug zu einem ganz prachtvollen Lügner besitzt oder wenigstens einmal besaß, so fürchtet er jetzt so sehr, der Genialität bezichtet zu werden, dass er es für notwendig hält, eine persönliche Erinnerung zu erfinden, wenn er uns irgendetwas Wunderbares berichtet, und in einer Fußnote auf diese Erinnerung, als auf eine Art feiger Bestätigung, zu verweisen. Auch unsere anderen Erzähler sind nicht viel besser. Mr. Henry James dichtet wie unter dem Zwang peinvoller Pflicht und vergeudet für geringe Motive und fast unmerkbare ‚Gesichtspunkte' seinen feineren literarischen Stil, seine glücklichen Redewendungen, seine flinke und beißende Satire. Mr. Hall Caine hat, das ist wahr, einen Zug ins Grandiose, doch überschreit er sich. Er ist so laut, dass man nicht hören kann, was er spricht. Mr. James Payn versteht sich auf die Kunst, Dinge zu verhüllen, die des Enthüllens nicht wert sind. Er jagt mit der Begeisterung eines kurzsichtigen Detektivs hinter dem weithin Sichtbaren einher. Je weiter man in die Lektüre seiner Bücher dringt, desto unerträglicher wird allmählich die ängstliche Haltung des Verfassers. Die ‚Rosse des Phaetons' des Mr. William Black fliegen nicht der Sonne zu. Sie erschrecken nur den Abendhimmel so sehr, dass er die grelle Tönung eines Farbendrucks annimmt. Wenn sie nahn, flüchten die Bauern sogleich und nehmen ihre Zuflucht zu Dialektwendungen. Mr. Oliphant schwätzt angenehm über Pfarrer, Tennispartien, Häuslichkeit und ähnlich langweilige Dinge. Mr. Marion Crawford hat sich am

Altare der Heimatkunst geopfert. Er gleicht jener Dame in der französischen Komödie, die unausgesetzt vom ‚beau ciel d'Italie' faselt. Überdies ist er jetzt der übeln Gewohnheit verfallen, Platitüden über Moral von sich zu geben. Er erzählt uns immer, gut sein bedeute gut sein, böse sein bedeute böse sein. Manchmal wirkt er fast erbaulich. ‚Robert Elsmere' ist selbstverständlich ein Meisterwerk, aber des ‚genre ennuyeux', der einzigen literarischen Gattung, an der die Engländer wirklichen Gefallen zu finden scheinen. Ein junger nachdenklicher Freund aus unserem Kreis sagte uns, dieser Roman erinnere ihn an die Art von Gesprächen, die man im Hause einer ernsthaften Nonkonformistenfamilie beim Nachmittagstee führt, und wir halten dies für sehr wohl möglich. In der Tat, ein solches Buch konnte nur in England hervorgebracht werden. In England finden abgestorbene Gedanken eine Heimstätte. Was die breite, täglich anwachsende Schule jener Romanschriftsteller betrifft, denen die Sonne stets im East-End aufgeht, so kann über sie nur das eine gesagt werden: Sie sehen das Leben ungeschliffen vor und setzen es uns roh vor.

In Frankreich, das freilich ein so langweiliges Produkt wie ‚Robert Elsmere' nicht hervorgebracht hat, stehen die Dinge nicht viel besser. Guy de Maupassant mit seiner scharfen, ätzenden Ironie und seinem herben, lebhaften Stil entkleidet das Leben seiner letzten armseligen Lumpen, mit denen es noch bedeckt war; er zeigt es uns voll von Geschwüren und eiternden Wunden. Er schreibt düstere kleine Tragödien, in denen jede Gestalt lächerlich erscheint; er bietet uns bittere Komödien dar, bei denen man vor Tränen nicht zu lachen vermag. E. Zola hat, getreu dem von ihm in einer seiner programmatischen Schriften niedergelegten stolzen Grundsatz, ‚L'homme de génie n'a jamais d'esprit', sich bemüht zu beweisen, dass er zwar kein Genie, dafür aber die Fähigkeit, Langweile zu verbreiten, besitzt – und wie sehr gelingt ihm dieser Beweis! Er ist nicht ohne Kraft. In der Tat, manchmal enthalten seine Schriften, z. B. ‚Germinal', beinahe etwas Episches. Aber sein Werk ist verfehlt vom Beginn bis zum Schluss, nicht vom moralischen, sondern vom künstlerischen Gesichtspunkte. Vom moralischen Standpunkt ist es ganz gewiss untadelhaft. Der Verfasser ist völlig lebenswahr, er beschreibt die Dinge genau, wie sie vor sich gegangen sind. Kann ein Moralist mehr verlangen? Wir teilen keineswegs die moralische Entrüstung unserer Zeit gegen Zola. Diese Entrüstung ist nichts anderes als die Erbitterung des entlarvten Tartüffe. Aber was kann man vom Standpunkt der Kunst zugunsten des Verfassers von ‚L'Assommoir', ‚Nana' und ‚Pot-Bouille' sagen? Nichts. Ruskin hat einmal von den Charakteren in den Romanen Georg Eliots behauptet, sie glichen den Passagieren eines Pentonviller Omnibus, aber die Charaktere bei Zola sind noch weit unerfreulicher. Ihre Laster und ihre Tugenden langweilen uns gleicherweise. Die Aufzeichnung ihrer Lebensschicksale ist ganz ohne Interesse. Wer empfindet Teilnahme für ihr Schicksal? Von der Literatur verlangen wir Vornehmheit, Zauber, Schönheit und Kraft der Fantasie. Wir wollen uns nicht durch die Schilderung des Treibens in den unteren Volksschichten anöden und anekeln lassen. A. Daudet steht auf höherer Stufe. Er hat Witz, einen hellen Ton, einen kurzweiligen Stil. Doch hat er jüngst literarischen Selbstmord verübt. Niemand kann sich mehr für Delobelle mit seinem ‚Il faut lutter pour l'art', oder für Valmajour mit seinem ewigen Wiederholen des Nachtigallenrefrains oder für den Poeten in ‚Jack' mit seinen ‚mots cruels' interessieren, seit wir aus den ‚Vingt Ans de ma Vie littéraire' erfahren haben, dass diese Gestalten direkt aus dem Leben geschöpft sind. Für uns haben sie dadurch ihre ganze Lebenskraft, die wenigen anziehenden Eigenschaften verloren, die sie besaßen. Nur solche Gestalten sind wirklich, die niemals gelebt haben; besitzt ein Romanschriftsteller so wenig Geschmack, dass er seine Figuren dem Leben entnimmt, dann sollte er sich wenigstens den Schein geben, als wären sie erfunden, er sollte sie nicht rühmen, sie seien dem Leben nachgebildet. Ein Charakter in einem Roman wird nicht durch die Existenz gleichgearteter Personen im Leben gerechtfertigt, sondern durch die Persönlichkeit des Dichters. Sonst ist der Roman kein Kunstwerk. Was Paul Bourget belangt, den Meister des ‚roman psychologique', so nimmt er irrtümlicherweise an, die Männer und Frauen unserer modernen Gesellschaft könnten bis ins Endlose, eine unendliche Anzahl von Kapiteln hindurch, analysiert werden.

An den Menschen der guten Gesellschaft – und M. Bourget verlässt das Faubourg St. Germain selten, es sei denn, dass er nach London kommt – interessiert in der Tat nur die Maske, die jeder trägt, nicht die Wirklichkeit, die hinter der Maske verborgen liegt. Das Bekenntnis ist demütigend, doch wir sind alle aus demselben Stoff. Falstaff hat manches von Hamlet, und Hamlet hat nicht wenig von Falstaff. Der fette Ritter hat seine melancholischen Stimmungen, der junge Prinz wird manchmal von derb-humoristischer Laune angewandelt. Wir unterscheiden uns voneinander nur durch Unwesentliches: durch die Tracht, Manieren, durch den Tonfall der Stimme, durch religiöse Anschauungen, persönliches Auftreten, Gewohnheiten und dergleichen. Je mehr man die Menschen analysiert, desto mehr sieht man jede Veranlassung, sie zu analysieren, verschwinden. Früher oder später trifft man auf das schreckliche, weltumfassende Ungetüm, das wir die menschliche Natur nennen. In der Tat, wer unter armen Leuten tätig gewesen ist, weiß nur zu gut, dass das Wort von der Brüderschaft der Menschen nicht einem Dichterhirn entsprungen ist, es ist eine demütigende, erniedrigende Wahrheit; ein Schriftsteller, der sich um die Analyse der obern Klassen bemüht, könnte ebensogut über Zündhölzchenverkäuferinnen und Obstfrauen schreiben.« Ich will dich aber, mein lieber Cyrill, gerade mit diesen Dingen nicht länger aufhalten. Ich gebe ganz gern zu, dass moderne Romane manche Vorzüge besitzen. Ich behaupte nur, dass sie, als Ganzes betrachtet, ganz ungenießbar sind.

Cyrill: Das ist freilich eine sehr starke Einschränkung, doch muss ich sagen, dass ich manches in deiner Kritik etwas ungerecht finde. Ich liebe »The Deemster«, »The Daughter of Heth«, »Le Disciple« und »Mr. Isaacs« sehr, und »Robert Elsmere« verehre ich geradezu. Allerdings betrachte ich diesen Roman keineswegs als ernsthaftes Werk. Es scheint mir als Darstellung der Probleme, die dem ernsten Christen entgegentreten, ebenso lächerlich wie veraltet. Es ist einfach Arnolds »Literature and Dogma« ohne die Literatur. Es steht so weit hinter dem Zeitalter zurück wie Paleys »Evidences« oder Colensos Methode der biblischen Exegese. Der unglückliche Held, der eine Morgendämmerung, die längst aufging, feierlich ankündigt und ihre wahre Bedeutung so sehr verkennt, dass er vorschlägt, das alte Geschäft gewissermaßen unter einer neuen Firma fortzuführen: dieser Held spielt eine keineswegs ergreifende Rolle. Doch enthält das Buch einige kluge Karikaturen und eine Menge entzückender Zitate, und Greens Philosophie versüßt die manchmal recht bittere Pille der Dichtung dieses Autors auf höchst erfreuliche Weise. Ich kann auch mein Erstaunen darüber nicht unterdrücken, dass du über zwei Erzähler, die du immer liest, über Balzac und George Meredith, kein Wort gesprochen hast. Diese beiden sind doch wohl Realisten, nicht wahr?

Vivian: Ah! Meredith! Wer kann sein Wesen beschreiben? Sein Stil ist Chaos, durch blitzartige Lichter erhellt. Als Schriftsteller meistert er alles, außer der Sprache; als Romanschriftsteller kann er alles, nur nicht erzählen; als Künstler ist er alles, nur nicht deutlich. Bei Shakespeare spricht jemand – ich glaube Probstein – über einen merkwürdigen Menschen, der immer seine Schienbeine über den eigenen Witz zerbricht – ich meine, man könnte diesen Ausspruch zur Grundlage einer Kritik der Methode Merediths nehmen. Allein, was er auch ist, einen Realisten darf man ihn gewiss nicht nennen. Ich möchte lieber sagen, er ist ein Sohn des Realismus, der sich mit seinem Vater entzweit hat. Aus freier Wahl ist er zum Romantiker geworden. Er hat sich geweigert, das Knie vor Baal zu beugen. Übrigens würde, selbst wenn sich dieses Mannes Feinsinn nicht gegen die geräuschvolle Diktatur des Realismus empört hätte, sein Stil an sich ausgereicht haben, das Leben in respektvoller Entfernung zu halten. Durch diesen Stil hat er um seinen Garten eine Hecke voll von Dornen, rot von wundervollen Rosen, gezogen. Was Balzac betrifft, so war er eine sehr merkwürdige Verbindung künstlerischen Temperamentes mit wissenschaftlichem Geist. Diesen hat er seinen Schülern hinterlassen, das künstlerische Temperament ist ihm allein geblieben. Der Abstand zwischen einem Buch wie Zolas »L'Assommoir« und Balzacs »Illusions Perdues« ist nicht geringer als der Abstand zwischen unerfinderischem Realismus und erfinderischer Wirklichkeit. »Alle Charaktere Balzacs«, bemerkte Baudelaire,

»sind mit derselben Lebensglut begabt, die ihn selbst beseelte. Alle seine Dichtungen leuchten in tiefen Farben wie Träume. Jede seiner Figuren ist ein Kämpfer, von straffer Willenskraft strotzend. Selbst seine Küchenjungen haben Genie.« Stete Beschäftigung mit Balzac lässt unsre lebenden Freunde zu Schatten, unsere Bekannten zu Schatten von Schatten verblassen. Seine Gestalten leben in einer Art glühend feuerfarbener Atmosphäre. Sie beherrschen uns und bieten dem Zweifel Trotz. Der Tod des Lucien de Kubembré ist für mich eine der herbsten Tragödien, die mir in meinem Leben begegnet sind. Von diesem Kummer habe ich mich nie völlig zu befreien vermocht. Er sucht mich in den freudigsten Augenblicken heim. Ich muss, wenn ich lache, plötzlich daran denken. Aber Balzac ist nicht mehr Realist als etwa Holbein. Er schuf Leben, doch ahmt er es keineswegs nach. Doch gebe ich zu, dass er der Modernität der Form viel zu viel Bedeutung beimaß, darum wird keins seiner Bücher als Meisterwerk der Kunst neben »Salammbô« oder »Esmond« oder »The Cloister and the Hearth« oder dem »Vicomte de Bragelonne« bestehen können.

Cyrill: Du bist also ein Feind der Modernität der Form!

Vivian: Allerdings. Wir müssen da einen ungebührlich hohen Preis für ein sehr geringes Ergebnis bezahlen. Absolute Modernität der Form bringt immer etwas Gewöhnliches mit sich, und zwar notwendigerweise. Das Publikum glaubt immer, die Kunst müsse sich für unser alltägliches Leben interessieren und es zum Gegenstand der Darstellung machen, weil es sich selbst dafür interessiert.

Aber schon die Tatsache, dass sich das Publikum für diese Dinge interessiert, lässt sie zur Kunstbehandlung völlig untauglich erscheinen. Jemand hat einmal gesagt: schön ist nur, was uns nichts angeht. Solang uns ein Ding Nutzen gewährt oder zu den Lebensnotwendigkeiten zählt oder uns irgendwie bewegt, Leid oder Freude erregt, unser Mitgefühl in lebhafter Weise wachruft oder einen lebendigen Teil der Umgebung bildet, in der wir leben, solange liegt es außerhalb der eigentlichen

Sphäre der Kunst. Der Stoff an und für sich sollte uns mehr oder weniger gleichgültig sein. Wir sollten hier keine Vorliebe, keine Vorurteile, keinerlei parteiisches Fühlen besitzen. Eben weil Hekuba uns nichts bedeutet, sind ihre Kümmernisse ein so wundervolles Tragödienmotiv. Ich kenne in der ganzen Literaturgeschichte nichts Traurigeres als die künstlerische Laufbahn Charles Reades. Er verfasste ein wundervolles Buch, »The Cloister and the Hearth«, ein Buch, das so hoch über »Romola« steht, wie »Romola« über »Daniel Deronda«; und vergeudete dann den Rest seines Lebens mit dem törichten Versuche, modern zu sein; er lenkte die öffentliche Aufmerksamkeit auf die Zustände unserer Gefängnisse und die Leitung unserer Privatirrenhäuser. Schon Charles Dickens wirkte reichlich niederdrückend, als er unsere Teilnahme für die Opfer der Anwendung des Armengesetzes zu erwecken suchte. Aber ein Mann wie Charles Reades, ein Künstler, ein Gelehrter, einer, der mit wahrhafter Empfindung für Schönheit begabt war – dass ein Mann wie Charles Reades gegen die Missstände von heute wütet und tobt wie ein gemeiner Pamphletist, ein sensationslüsterner Zeitungsschreiber, das ist ein Anblick, über den die Engel weinen könnten. Glaube mir, mein lieber Cyrill, Modernität der Form und Modernität des Gegenstandes sind ganz und gar vom Übel. Wir haben die Alltagslivree unseres Zeitalters mit dem Gewande der Musen verwechselt. Wir verbringen unsere Tage in schmutzigen Straßen, in hässlichen Vororten unserer grässlichen Großstädte, während wir auf den Hügeln mit Apollo wandeln sollten. Wir sind sicherlich ein verkommenes Geschlecht; wir haben unsere Erstgeburt für ein Gericht von Tatsachen verkauft.

Cyrill: In dem, was du sagst, liegt gewiss etwas Wahres. Mag die Lektüre eines ganz modernen Romans uns noch so viel Unterhaltung bieten – lesen wir ihn ein zweites Mal, so empfinden wir nur selten künstlerische Befriedigung. Das aber ist vielleicht der beste Prüfstein, ob ein Buch zur Literatur gehört oder nicht. Kann man ein Buch nicht wieder zu seiner Freude lesen, dann hat es keinen Sinn, es überhaupt zu lesen. Wie stellst du dich aber zu der Frage der Rückkehr zum Leben und zur Natur? Dies ist ja das Wunderheilmittel, das man uns immer empfiehlt.

Vivian: Ich werde dir vorlesen, was ich zu dieser Frage bemerke. Die betreffende Stelle folgt zwar in meinem Artikel später, aber ich kann sie dir ebenso gut gleich zitieren:

»Der allgemeine Ruf unserer Zeit lautet: ‚Kehren wir zur Natur und zum Leben zurück, diese Mächte werden unsere Kunst zur Wiedergeburt führen, sie werden rotes Blut durch ihre Adern leiten; sie werden ihren Schritt beflügeln, ihrer Hand Kraft verleihen!' Aber fürwahr! Unsere angenehmen und wohlgemeinten Bestrebungen gehen freilich irre. Die Natur bleibt immer hinter dem Zeitalter zurück. Und was das Leben betrifft, so ist es eine die Kunst zersetzende Säure, es ist der Feind, dessen Geschoss den Tempel der Kunst zerstört.«

Cyrill: Was meinst du mit der Bemerkung, die Natur bleibe immer hinter dem Zeitalter zurück?

Vivian: Ich habe mich vielleicht nicht ganz deutlich ausgedrückt. Ich meine: Sehn wir in der Natur nur den natürlichen, einfachen, der Kultur, die ihrer selbst bewusst ist, entgegengesetzten Instinkt, dann ist alles, was unter diesem Einfluss hervorgebracht wird, stets altmodisch, veraltet und unzeitgemäß. Es mag sein, dass ein wenig Natur die ganze Welt als verwandt zeigt, wie es heißt, aber etwas zu viel Natur zerstört jedes Kunstwerk. Betrachten wir dagegen die Natur als Zusammenfassung aller äußeren Erscheinungen, dann entdeckt man in ihr nichts anderes, als was man selbst in sie hineinträgt. Sie hat keine ihr eigentümliche suggestive Wirkung. Wordsworth suchte die Seen auf, aber er ist nie ein Seedichter gewesen. Er fand in den Felsen nur die Predigten, die er selbst dort bereits verborgen hatte. Moralpredigend reiste er durchs Land. Doch seine wertvollen Werke schuf Wordsworth, nachdem er wieder heimgelangt war – nicht zur Natur, sondern zur Poesie. Der Poesie verdankt er »Laodamia« und die köstlichen Sonette und die »Great Ode«, wie sie nun dasteht. Die Natur hat ihm »Martha Ray« und »Peter Bell« und die Anrede an den Spaten des Mr. Wilkinson gegeben.

Cyrill: Ich glaube, über diese Anschauung ließe sich streiten. Ich bin geneigt, an die Anregung des Frühlingswaldes zu glauben. Freilich, der künstlerische Wert einer solchen Anregung ist ganz von der Beschaffenheit des empfangenden Temperaments bedingt: Die Rückkehr zur Natur würde also einfach die Entwicklung zur großen Persönlichkeit bedeuten. Ich glaube, damit stimmst du überein. Doch fahre in deinem Artikel fort.

Vivian *(lesend):* »In ihren Anfängen hat die Kunst nur ein Ziel: Sie will bloß in ganz abstrakter Weise schmücken, sie will uns nichts geben als ergötzende Spiele der Fantasie, nur das Wesenlose, Unwirkliche lockt sie. Dies ist das erste Stadium. Dann wird das Leben durch dieses neue Wunder bezaubert; es fleht um Aufnahme in den Zauberkreis. Die Kunst betrachtet das Leben bloß als ein Stück ihres Rohmaterials, sie gestaltet es um, gießt es in neue Formen. Die Kunst ist für alles Tatsächliche ganz unempfindlich. Sie empfindet, fabuliert, träumt und stellt zwischen sich und die Wirklichkeit die undurchdringliche Schranke wundervoller Stilisierung, dekorativer oder idealer Behandlung. Das dritte Stadium ist, wenn das Leben die Oberhand gewinnt und die Kunst in die Wildnis hinausjagt. Das ist der wahre Verfall, und darunter leiden wir zu dieser Stunde.

Nimm zum Beispiel das englische Drama. Zuerst befand sich die dramatische Kunst in den Händen der Mönche und war abstrakt, ausschmückend, mythologisch. Dann zog sie das Leben in ihren Dienst und benutzte einige äußerliche Lebensformen; so brachte sie ein völlig neues Geschlecht von Wesen hervor, deren Qualen schrecklicher waren als alle Qualen, die der Mensch bisher gefühlt hatte, deren Inhalt mächtiger klang als der Jubel der Liebenden, ein Geschlecht, dem das leidenschaftliche Feuer der Titanen und die Ruhe der Götter zu eigen war, ein Geschlecht, begabt mit übermenschlicher Größe, seltsamen Lastern, seltsamen Tugenden. Und ihm verlieh die Kunst eine Sprache, verschieden von der des Alltags, voll herrlich widerhallender Musik und süßer Rhythmen, prächtig in feierlichen Kadenzen einherschreitend, anmutig durch den fantastischen Reim, von wundervollen Worten, wie von Edelsteinen glitzernd, reich prangend in der Erhabenheit des Ausdrucks. Die Kunst gab ihren Kindern ein wunderliches Gewand; sie gab ihnen Masken, auf ihr Geheiß stieg die Antike aus ihrer marmornen Gruft. Ein neuer Cäsar wandelte stolzen Schrittes durch die Straßen des wiedererstandenen Rom, mit purpurnem Segel, mit von Flöten geleitetem Ruder fuhr eine neue Kleopatra über den Fluss dem Antiochus entgegen. Alte Mythen und Legenden und Träume nahmen Gestalt und Wesen an. Die Geschichte wurde völlig wiedergeschrieben, und es gab nicht einen Dramatiker jener Zeit, der nicht erkannt hätte, dass das Ziel der Kunst nicht einfache Wahrheit, sondern reich gegliederte Schönheit ist. Darin hatte man vollständig recht. Die Kunst selbst ist nichts als eine Art Übertreibung; und das Auslesen, recht eigentlich die Seele der Kunst, ist nichts als eine Art gesteigerter Emphase.

Aber das Leben zertrümmerte bald diese Vollkommenheit der Form. Selbst bei Shakespeare finden wir schon den Anfang vom Ende. Es zeigt sich im allmählichen Verfall des Blankverses in seinen späteren Stücken, im Vorwalten der Prosa, in der übertriebenen Betonung des Charakterisierens sichtbar. Die Stellen bei Shakespeare – und es gibt deren viele –, die im Ausdruck roh, gemein, übertrieben, fantastisch, sogar obszön erscheinen, haben alle ihren Ursprung im Leben, das nach einem Echo der eigenen Stimme rief und die Veredelung durch die Herrlichkeit jenes Stils verschmähte, durch den allein das Leben zum Ausdrucke gelangen sollte. Shakespeare ist keineswegs ein vollkommener Künstler. Er ist zu sehr ins wirkliche Leben verliebt und entlehnt ihm dessen natürlichen Ausdruck. Er vergisst, dass die Kunst sich völlig preisgibt, wenn sie sich der Fantasie als ihres Hilfsmittels entäußert. Goethe sagt einmal: ‚In der Beschränkung zeigt sich erst der Meister', – die Selbstbeschränkung aber, die wesentliche Voraussetzung jeder Kunst, liegt im Stil. Doch brauchen wir uns nicht länger mit dem Realismus Shakespeares zu beschäftigen. Der ‚Sturm' ist die vollendetste Palinodie. Wir wollten nur eins ausführen, dass das herrliche Werk der Künstler aus der Zeit Elisabeths und Jakobs schon in sich den Keim des Verfalls trug. Wenn dieses Werk einen Teil seiner Kraft aus dem Verwenden des Lebens als Rohmaterials zog, so rührt seine ganze Schwäche nur davon her, dass er das Leben als künstlerische Form verwendet hat. Als unvermeidliches Ergebnis dieses Ersatzes des schöpferischen Prinzips durch das nachahmende, dieses Aufgeben des Fantasieelements haben wir das moderne englische Melodrama. Die Gestalten dieser Stücke sprechen auch auf der Bühne die Sprache des Alltags; sie haben weder hohes Streben noch eine gebildete Sprachweise; sie sind unmittelbar aus dem Leben geschöpft und geben seine Plattheit bis ins kleinste Detail wieder; sie stellen den Gang, die Manier, die Tracht, den Tonfall der Sprache des Volkes wirklich dar; diese Gestalten können, ohne Aufmerksamkeit zu erregen, in der dritten Klasse einer Eisenbahn fahren. Und wie langweilig sind diese Komödien bei alledem! Sie üben nicht einmal die Wirkung, dass sie in uns das Gefühl der Lebenswirklichkeit wecken, das sie anstreben und das allein ihre Richtung begründet. Als Methode ist der Realismus ganz und gar ein Fehlgriff.

Was vom Drama und Roman gilt, gilt nicht minder von den sogenannten dekorativen Künsten. Die ganze Geschichte dieser Künste in Europa ist nichts anderes als der Bericht von dem Kampfe zwischen dem Orientalismus mit seinem freimütigen Verwerfen jeglicher Nachahmung, seiner Vorliebe für künstlerische Konvention, seiner Abneigung gegen die Nachbildung der Gegenstände in der Natur und unserer eigenen Nachahmungssucht. Wo immer der Orientalismus gesiegt hat, zum Beispiel in Byzanz, Sizilien und Spanien durch unmittelbare Berührung, oder im übrigen Europa durch den Einfluss der Kreuzzüge, dort sind überall herrliche Werke der Fantasie entstanden, die sichtbare Welt ist in Kunst umgewandelt, man hat Dinge erfunden, die dem Leben fehlten, woran das Leben sich ergötzte. Wo immer man zum Leben und zur Natur zurückgekehrt ist, wurde die Kunst vulgär, gemein, uninteressant. Die moderne Art des Tapezierens mit ihren atmosphärischen Effekten, ihren sorgsam ausgeklügelten Perspektiven, ihrer breiten Behandlung eines überflüssigen Himmelsgewölbes, ihrem sorgsamen, fleißigen Realismus lässt jede Schönheit vermissen. Die Glasmalerei Deutschlands ist ganz abscheulich. Jetzt beginnt man in England erträgliche Teppiche zu weben. Diese Wandlung erklärt sich nur daraus, dass wir zur Art und zum Geiste des Orients den Weg zurückgefunden haben. Unsere Decken und Teppiche, die vor zwanzig Jahren in Mode standen, erscheinen heute mit ihren feierlichen, verstimmenden Wahrheitsaussprüchen, ihrer schrankenlosen Anbetung der Natur, ihrer stumpfsinnigen Nachahmung des Sichtbaren selbst dem Philister lächerlich. Ein kultivierter Mohammedaner bemerkte einmal mir gegenüber: ‚Ihr Christen seid so sehr damit beschäftigt, das vierte Gebot misszuverstehen, dass ihr nie daran gedacht habt, vom zweiten künstlerischen Gebrauch zu machen!' Er hatte vollständig recht. Es ergibt sich aus alledem die Wahrheit: Um die Kunst zu lernen, gehe man nicht in die Schule des Lebens, sondern der Kunst.«

Und jetzt erlaube, dass ich dir eine Stelle vorlese, die den ganzen Gegenstand völlig erschöpfend abschließt: »Es war nicht immer so. Wir brauchen nicht von den Dichtern zu sprechen; denn sie sind stets, mit der einen unglücklichen Ausnahme Wordsworths, ihrer hohen Sendung treu geblieben; man hat immer erkannt, dass sie durchaus unzuverlässig sind. Aber in den Werken Herodots, den man trotz der seichten und unrühmlichen Versuche moderner Halbwisser, seine Geschichtswerke als tatsächlich wahr hinzustellen, den ‚Vater der Lüge' nennen darf; in den veröffentlichten Reden Ciceros und den Biografien des Sueton; bei Tacitus, wo er am vollendetsten ist, in der ‚Naturgeschichte' des Plinius; in dem ‚Periplus' Hannos; in allen frühen Chroniken; in den Lebensbeschreibungen der Heiligen; bei Froissart und Sir Thomas Mallory; in den Reiseschilderungen des Marco Polo; bei Klaus Magnus und Aldrovandus und in Konrad Lycosthenes herrlichem ‚Prodigiorum et Ostentorum Chronicon'; in der Selbstbiografie Benvenuto Cellinis, in den Memoiren des Casanuova; in Defoes ‚History of the Plague', in Boswells ‚Life of Johnson'; in Napoleons Depeschen; in den Werken unseres Carlyle, dessen ‚Französische Revolution' einer der bezauberndsten historischen Romane ist, die je geschrieben worden sind: in all diesen Werken nehmen die Tatsachen die ihnen geziemende untergeordnete Stellung ein oder sie sind völlig ausgeschlossen, weil sie ja nur langweilen würden.

Jetzt ist das alles anders. Tatsachen haben nicht nur in der Geschichte Fuß gefasst, sie haben auch das Reich der Fantasie erobert, sie sind ins Königtum der Dichtung eingebrochen. Überall spürt man ihren eisigen Hauch. Sie verpöbeln die Menschheit. Amerikas roher Geschäftsgeist, sein materieller Sinn, seine Gleichgültigkeit gegenüber der poetischen Seite der Dinge, sein Mangel an Fantasie und hohen, unsterblichen Idealen rührt lediglich davon, dass dieses Land zu seinem Nationalheros einen Mann erhoben hat, der selbst bekannte, nicht lügen zu können. Man geht nicht zu weit, wenn man behauptet, dass die Anekdote von Georg Washington und dem Kirschbaum in kurzer Frist mehr Schaden gestiftet hat als irgendeine moralische Geschichte in der gesamten Literatur.«

Cyrill: Aber lieber Junge!

Vivian: Ich versichere dir, es ist so. Und das Amüsanteste daran bleibt die Tatsache: Die Geschichte vom Kirschbaum ist vom Anfang bis zum Ende Fabel. Du darfst jedoch nicht glauben, dass ich an der künstlerischen Zukunft Amerikas oder unseres eigenen Landes ganz verzweifle. Höre nur das Folgende: –

»Es unterliegt keinem Zweifel, dass in diesen Dingen noch vor dem Ende des Jahrhunderts eine Umwandlung eintreten wird. Ermüdet durch die langweilige und lehrhafte Unterhaltung derer, die weder den zum Übertreiben erforderlichen Witz, noch das zum Erfinden nötige Genie besitzen, jener intelligenten Leute überdrüssig, deren Erinnerungen stets aus ihrem Gedächtnis fließen, deren Mitteilungen immer im Voraus durch das Streben nach Wahrscheinlichkeit eingeengt erscheinen, deren Erzählungen in jedem Augenblick von jedem beliebigen Philister, der eben dabei war, bekräftigt werden können, muss die Gesellschaft früher oder später zu ihrem verlorenen Führer, dem gebildeten und fesselnden Lügner zurückkehren. Wir wissen nicht, wer der Erste gewesen, der, ohne auf die wilde Jagd jemals wirklich gezogen zu sein, den verwundert zuhörenden Höhlenbewohnern beim Sonnenuntergang erzählte, wie er das Megatherium aus der purpurnen Finsternis seiner Jaspishöhle gehetzt oder das Mammut im Einzelkampf gefällt und dessen vergoldete Hauer heimgebracht habe, und auch keiner unserer modernen Anthropologen kann bei all ihrer gerühmten Wissenschaft uns das sagen. Welchem Geschlecht er auch entspross, wie immer sein Name gewesen – er ist sicherlich der wahre Begründer des gesellschaftlichen Verkehrs gewesen. Denn das Ziel des Lügners ist einfach, zu entzücken, zu unterhalten, Freude zu bereiten. Auf ihm ruht recht eigentlich die zivilisierte Gesellschaft; ohne den Lügner bleibt eine Tafelrunde, selbst in den Palästen der Großen, so langweilig wie eine Vorlesung in der ‚Royal Society' oder eine Debatte bei den ‚Incorporated Authors' oder eine Posse von Mr. Burnand.

Der Lügner wird nicht nur von der Gesellschaft willkommen geheißen werden. Die Kunst wird aus dem Gefängnis des Realismus brechen und ihn begrüßen und auf seine falschen, wundervollen Lippen Küsse pressen; die Kunst weiß ja, dass er allein das große Geheimnis ihrer Sendung kennt, das Geheimnis nämlich, dass Wahrheit nur eine Frage des Stils ist. Das Leben aber – das arme, beweisbare, uninteressante menschliche Leben – wird müde werden, sich zum Nutzen von Herbert Spencer und der wissenschaftlichen Historiker und der Statistiker immer von Neuem zu wiederholen; es wird sanft dem Lügner folgen und auf seine einfach ungelehrte Weise manche der Wunderdinge hervorzubringen suchen, von denen der Lügner erzählt.

Ohne Zweifel wird es immer Kritiker geben, die nach dem Beispiele eines gewissen Mitarbeiters der ‚Saturday Review' den Märchenerzähler ob seiner mangelhaften Kenntnisse der Naturgeschichte streng tadeln werden. Selbst jeglicher Erfindungsgabe bar, werden sie ein Werk der Fantasie nach ihrem eigenen Unvermögen messen und ihre tintenbeschmutzten Hände erschreckt zur Abwehr erheben, wenn ein ehrlicher Gentleman wie Sir John Mandeville, der nie über die Eibenbäume seines Gartens hinausgekommen ist, ein entzückendes Buch Reiseabenteuer zu Papier bringt, oder wie der große Raleigh eine ganze Weltgeschichte schreibt, ohne das Mindeste von der Vergangenheit zu wissen. Zu ihrer eigenen Entschuldigung werden diese Entrüsteten unter dem Schilde des Mannes Schutz suchen, der Prospero, den Magier, schuf und ihm Caliban und Ariel als Diener zugesellte, der erlauschte, wie die Tritonen an den Korallenriffen der Zauberinseln in ihre Hörner blasen, der den Gesang der Elfen in dem Wald bei Athen vernahm, der in düsterm Zuge die Geisterkönige über die dunkle schottische Heide schreiten ließ, der Hekate mit den Schicksalsschwestern in einer Höhle verbarg. Sie werden sich auf Shakespeare berufen – das ist so ihre Gewohnheit, sie werden den abgedroschenen Satz von der Kunst, die dem Leben den Spiegel vorhält, zitieren, ohne zu bedenken, dass dieser unglückliche Ausspruch von Hamlet in der Absicht geäußert wird, den Umstehenden sein völliges Unverständnis in Dingen der Kunst zu beweisen.«

Cyrill: Hm! Bitte, reich' mir noch eine Zigarette.

Vivian: Mein lieber Freund, sag', was du willst, diese Bemerkung bei Shakespeare hat nur die Bedeutung einer dramatischen Redewendung; sie hat mit Shakespeares wirklicher Ansicht über Kunst so wenig gemein, wie etwa Jagos Reden die wirkliche Anschauung Shakespeares über Moral bekunden. Aber lass mich mit dieser Stelle zu Ende kommen:

»Die Kunst gelangt in sich, nicht außerhalb ihrer selbst zur Vollendung. Man darf sie nicht nach irgendeinem äußerlichen Standpunkt der Ähnlichkeit beurteilen. Die Kunst ist eher ein Schleier als ein Spiegel. Blumen nennt sie ihr eigen, von denen die Wälder nichts wissen, Vögel, die kein Waldland je geschaut. Sie lässt Welten entstehen und vergehen, sie vermag den Mond an einem scharlachroten Faden herabzuziehen. Ihr sind jene Formen zu Eigen, die wirklicher sind als der lebendige Mensch, jene großen Urbilder, von denen alle bestehenden Dinge nur sehr unvollkommene Abbilder sind. Die Natur hat in ihren Augen weder Gesetze noch Stil. Die Kunst vermag, sobald es ihr beliebt, Wunder zu wirken. Sie ruft – und allerlei Fabelwesen tauchen aus der Tiefe. Sie kann dem Mandelbaum gebieten, dass er im Winter blühe, und über das reife Kornfeld Schnee breiten. Ein Wort von ihr – und der Frost legt seinen silbernen Finger auf den glühenden Mund des Juni, und es brechen die beflügelten Löwen aus den Höhlen der lydischen Hügel hervor. Die Dryaden spähn ihr aus dem Dickicht nach, wenn sie vorübergeht, die braunen Faune lächeln sie seltsam an, wenn sie sich ihnen nähert, Götter mit Habichtköpfen neigen sich vor ihr in Ehrfurcht, und die Zentauren traben ihr zur Seite.«

Cyrill: Mit alldem bin ich einverstanden. Ich seh es ein. Ist das der Schluss?

Vivian: Nein. Die Abhandlung enthält noch eine Stelle. Doch gibt diese lediglich praktische Folgerungen, sie schlägt einige Methoden zur Wiederbelebung der verloren gegangenen Kunst des Lügens vor.

Cyrill: Schön: Doch bevor du mir diese vorliest, möchte ich dir noch eine Frage stellen. Was meinst du mit deiner Bemerkung, »das Leben, das arme, beweisbare, uninteressante, menschliche Leben, wird den Versuch machen, die Wunder der Kunst wieder hervorzubringen«? – Ich begreife sehr wohl, dass du die Kunst nicht als Spiegel betrachtet wissen willst. Du meinst, das Genie würde dadurch zu einer fotografischen Platte herabgewürdigt werden. Du meinst aber wohl nicht im Ernst, das Leben ahme die Kunst nach, das Leben sei der Spiegel und die Kunst die Wirklichkeit?

Vivian: Ich bin in der Tat dieser Meinung. So paradox es klingen mag – und paradoxe Dinge sind immer gefährlich –, es ist darum doch nicht minder wahr, dass das Leben die Kunst weit mehr nachahmt als die Kunst das Leben. Wir alle haben es in England miterlebt, wie ein gewisser, seltsamer, bezaubernder Typus der Schönheit, der von zwei schöpferischen Malern erfunden und ausgebildet ist, das Leben beeinflusst hat. Begibt man sich jetzt in irgendeinen privaten Zirkel oder in einen Kunstsalon, überall begegnet man hier den rätselhaften Augen, von denen Rossetti träumte, dem schlanken Elfenbeinhals, dem seltsamen, gerade geschnittenen Kinn, dem losen, schattigen Haar, das er so glühend liebte, dort der süßen Jungfräulichkeit der »Golden Stair«, dem blütenzarten Mund, der müden Lieblichkeit der »Laus Amoris«, dem leidenschaftsblassen Antlitz der »Andromeda«, den zarten Händen, der geschmeidigen Anmut des Vivien in »Merlins Dream«. Und so ist es immer gewesen. Ein großer Künstler erfindet einen Typus. Das Leben versucht, ihn nachzuahmen, ihn wiederzugeben – in populärer Form, wie ein unternehmender Verleger. Weder Holbein noch van Dyck haben in England ihre Modelle gefunden. Sie trugen ihre Typen in sich, und das Leben mit seiner Bereitwilligkeit, nachzuahmen, kam den Meistern mit Modellen zu Hilfe. Die Griechen mit ihrem schnell auffassenden künstlerischen Instinkt haben das sehr wohl erkannt, darum stellen sie ins Brautgemach die Bildsäule des Hermes oder des Apoll, auf dass die junge Frau Kinder gebäre von solchem Liebreiz wie die Werke der Kunst, auf die ihr Blick in ihrer Lust gefallen ist und ihren Qualen. Die Griechen wussten, dass das Leben aus der Kunst nicht bloß besondere Geistigkeit, Tiefe des Denkens oder der Empfindung, seelische Erregung oder Beruhigung schöpft, sondern dass es sich auch nach den Formen und Farben der Kunst umgestalten, die Feierlichkeit des Phidias nicht minder als die Grazie des Praxiteles neu hervorbringen kann. Eben darum, bloß aus sozialen Gründen, hassten sie den Realismus. Sie fühlten, dass die Menschen dadurch hässlich werden, und sie hatten völlig recht. Wir versuchen die Lebensumstände der Rasse dadurch zu verbessern, dass wir für gute Luft, freies Licht, gesundes Wasser sorgen und abscheuliche, kahle Bauten errichten, die den niedern Ständen als brauchbare Wohnungen dienen sollen. Diese Einrichtungen bringen vielleicht Gesundheit, aber gewiss keine Schönheit hervor. Dazu bedarf es der Kunst, und die wahren Schüler des großen Künstlers sind nicht die Nachahmer seiner Manier, sondern die, die seinen Werken selbst ähnlich werden, einerlei ob diese plastisch sind, wie in den Tagen der Griechen, oder Gemälde wie in unserer Zeit – mit einem Wort, das Leben ist der beste, der einzige Schüler der Kunst.

Wie mit den sinnfälligen Künsten ist es auch mit der Literatur bestellt. Das zeigt sich am schlagendsten und populärsten im Falle jener dummen Jungen, die nach der Lektüre der Abenteuer des »Jack Sheppard« oder »Dick Turpin« die Standplätze unglücklicher Obstfrauen plündern, zur Nacht in Konditoreien einbrechen und alte Herren, die nach Hause gehen, in den Straßen der Vororte mit schwarzen Masken und ungeladenen Revolvern bedrängen. Dieses interessante Phänomen, das immer nach dem Erscheinen einer neuen Auflage eines dieser erwähnten Bücher zu bemerken ist, schreibt man zumeist dem Einfluss der Literatur auf die Einbildungskraft zu. Das ist ein Irrtum. Die Einbildungskraft ist ihrem Wesen nach schöpferisch und sucht immer nach neuer Ausdrucksform. Die Diebesstreiche des kleinen Jungen sind die notwendige Folge des Nachahmungsinstinkts des Lebens. Das Leben versucht hier, wie das seine Gewohnheit ist, die Dichtung nachzubilden, und wir bemerken, wie diese Nachbildung in fortschreitender Skala das ganze Leben umfasst. Schopenhauer hat den Pessimismus, der unser modernes Denken charakterisiert, zergliedert, aber Hamlet hat ihn erfunden. Die Menschen sind schwermütig geworden, weil eine Theaterfigur einmal an Melancholie krankte. Der Nihilist, dieser seltsame Märtyrer ohne Glauben, der sich ohne Enthusiasmus pfählen lässt, der für etwas stirbt, woran er nicht glaubt – er ist lediglich ein Produkt der Literatur. Er ist von Turgenjew erfunden, von Dostojewski weiter ausgeführt. Robespierre ist aus den Werken Rousseaus hervorgewachsen, genau wie unser »Volkspalast« aus den »débris« eines Romans entstand. Das Schrifttum greift immer dem Leben vor. Es ahmt das Leben nicht nach, sondern formt es nach Belieben. Das neunzehnte Jahrhundert, wie wir es kennen, ist fast nur die Erfindung Balzacs. Unsere Lucien de Rubemprés, unsere Rastignacs und De Marsays debütierten zuerst auf der Bühne der »Comédie Humaine«. Wir sind nichts als die mit Fußnoten und überflüssigen Ergänzungen versehene Ausgestaltung der witzigen oder fantastischen oder schöpferisch-visionären Gesichte eines großen Novellisten. Ich fragte einmal eine Dame, die mit Thackeray intim bekannt war, ob er für Becky Sharp ein Modell benützt habe. Sie erzählte mir, Becky sei eine völlig erfundene Figur, aber der Einfall dazu sei ihm durch eine in der Nachbarschaft von Kensington Square wohnende Gouvernante gekommen. Diese Gouvernante war die Gesellschafterin einer sehr selbstsüchtigen und sehr reichen alten Frau. Ich erkundigte mich, was aus der Gouvernante geworden sei. Die Dame antwortete: Merkwürdigerweise ist die Gouvernante einige Jahre nach dem Erscheinen von »Vanity-Fair« mit dem Neffen jener Frau, in deren Haus sie lebte, davongelaufen und hat dadurch eine Zeit lang die Gesellschaft sehr in Atem gehalten, ganz im Stil und in der Art und Weise der Mrs. Rawdon Crawley. Schließlich wurde sie vom Unglück heimgesucht; sie verschwand irgendwo auf dem Kontinent und ward noch hier und da in Monte Carlo oder in andern Spielorten gesehen. Jener vornehme Mann, nach dessen Vorbild der nämliche große, empfindsame Dichter den Colonel Newcome zeichnete, starb wenige Monate, nachdem die »Newcomes« es zur vierten Auflage gebracht hatten, mit dem Wort »Adsum« auf den Lippen. Mr. Stevenson hatte eben seine seltsame psychologische Erzählung von der Verwandlung veröffentlicht. Einer meiner Freunde, Mr. Hyde, hielt sich um diese Zeit im Norden Londons auf und schlug, da er rasch zu einer Haltestelle der Eisenbahn gelangen wollte, den, wie er meinte, nächsten Weg dahin ein. Er verlor die Richtung und fand sich plötzlich in einem Netzwerk kleiner, finsterer Gäßchen. Ein bisschen aufgeregt, nahm er ein sehr energisches Tempo; da lief ihm plötzlich aus einem Bogengang ein Kind entgegen, direkt zwischen die Beine. Es fiel aufs Pflaster; er strauchelte darüber und trat es nieder. Das Kind, sehr erschreckt und ein wenig verletzt, begann zu schreien, und in wenigen Augenblicken wimmelte die Straße von allerlei derbem Volk, das aus den Häusern wie Enten hervortrottete. Man umringte ihn und fragte nach seinem Namen. Er war bereits im Begriff, ihn zu nennen, als er sich plötzlich des Unfalls auf dem Markt erinnerte, von dem in der Geschichte des Mr. Stevenson erzählt wird; da wurde er von solchem Schrecken gepackt, als erlebe er jetzt in eigener Person diese furchtbare, glänzend geschriebene Szene, als sei ihm zufälligerweise das Nämliche begegnet, was Mr. Hyde in der Dichtung mit Überlegung begeht, – und er lief, so rasch er konnte, auf und davon. Er wurde jedoch sehr energisch verfolgt und fand endlich in einem chirurgischen Ambulatorium Zuflucht, dessen Tor eben offen stand. Dort erzählte er einem jungen Assistenten, der glücklicherweise zugegen war, sein Erlebnis ganz genau. Der Menschenknäuel fand sich bewogen, abzuziehen, sobald man ihm eine kleine Summe Geldes gegeben hatte. Kaum war die Luft wieder rein, so eilte Mr. Hyde fort. Im Weggehen stach ihm ein Name auf einer Messingplatte an der Tür des Sprechzimmers des Chirurgen in die Augen. Der Name lautete »Jekyll«, oder er hätte wenigstens so lauten sollen.

Hier stellt sich die Nachahmung natürlich als Werk des Zufalls dar. In jenem Falle, den ich nun erzählen werde, tritt sie bewusst hervor. Im Jahre 1879 – ich hatte eben Oxford verlassen – begegnete ich an einem Empfangsabend im Haus eines fremden Ministers einer Dame von sehr seltsamer, exotischer Schönheit. Wir befreundeten uns bald und steckten den ganzen Tag zusammen. Was mich an ihr am meisten anzog, war nicht ihre Schönheit, sondern ihr Charakter, vielmehr das völlig Ungreifbare ihres Charakters. Sie schien keinerlei bestimmte Persönlichkeit zu besitzen, doch war ihr die Gabe eigen, viele Charaktertypen vorstellen zu können. Zuweilen gab sie sich ganz der Kunst hin, wandelte ihr Wohngemach in ein Atelier um und brachte zwei oder drei Tage der Woche in einer Bildergalerie oder in Museen zu. Dann war sie plötzlich auf Rennplätzen zu sehen, trug sich ganz sportmäßig und sprach nur über Wetten. Sie gab die Religion für den Mesmerismus, den Mesmerismus für die Politik und die Politik für die melodramatischen Erregungen der Philanthropie auf. Sie war wirklich eine Art Proteus, und in ihren Wandlungen zeigten sich so viele Fehler wie bei jenem Seegott, da ihn Odysseus endlich festhielt. Eines Tages begann in einer der französischen Revuen eine Erzählung in Fortsetzungen. Zu jener Zeit pflegte ich noch ernsthafte Erzählungen zu lesen, und ich erinnere mich noch genau des Schreckens und des Staunens, die mich erfassten, als ich zu der Beschreibung der Heldin gelangte. Sie glich so völlig meiner Freundin, dass ich ihr die Zeitschrift brachte. Sie erkannte sich sogleich darin und schien durch die Ähnlichkeit betroffen. Ich muss nebenbei bemerken, dass die Geschichte aus den Schriften eines verstorbenen russischen Autors übersetzt war, sodass der Verfasser seine Gestalt unmöglich meiner Freundin nachgebildet haben konnte. Um mich kurz zu fassen: Ich hielt mich einige Monate später in Venedig auf und fand zufällig die Revue, von der ich sprach, im Lesezimmer des Hotels; ich nahm das Heft zur Hand, um zu sehen, welches Schicksal die Heldin dieser Geschichte erfahren habe. Es war eine höchst traurige Geschichte: Das Mädchen ging mit einem Manne durch, der tief unter ihr stand, nicht nur, was soziale Stellung, sondern auch, was Charakter und Intellekt betrifft. Ich schrieb noch an diesem Abend meiner Freundin einen Brief, in dem ich ihr meine Ansichten über Giovanni Bellini mitteilte und ihr vom wundervollen Eis im Café Florio und von dem künstlerischen Werte der Gondeln erzählte; ich fügte in einem Postskriptum bei, ihr Ebenbild in der Erzählung habe recht töricht gehandelt. Ich weiß nicht, warum ich diesen Zusatz machte, doch erinnere ich mich wohl, dass ich die schreckliche Empfindung nicht loswerden konnte, meine Freundin werde genau ebenso handeln.

Noch ehe mein Brief sie erreicht hatte, war sie wirklich mit einem Manne durchgegangen, der sie nach sechs Monaten verließ. Ich begegnete ihr im Jahre 1884 in Paris; sie lebte dort mit ihrer Mutter. Ich forschte, ob die Erzählung irgendwie ihre Handlungsweise beeinflusst habe. Sie erzählte mir, eine seltsame Macht habe sie gezwungen, der Heldin der Geschichte Schritt um Schritt auf ihrem seltsamen und verhängnisvollen Weg zu folgen, sie habe mit einem Gefühl wirklicher Angst die letzten Kapitel der Erzählung erwartet. Als sie erschienen waren, fühlte sie, dass sie die Erzählung ins Leben umsetzen müsse – sie hat es auch getan. Das ist ein klares und äußerst tragisches Beispiel jenes Instinkts, von dem ich sprach.

Ich will aber nicht länger bei einzelnen Fällen verweilen. Persönliche Erfahrungen bilden einen sehr trügerischen und sehr begrenzten Kreis. Was ich ausführen möchte, ist nur – und dies kann als allgemeines Gesetz gelten –, dass das Leben die Kunst weit mehr nachahmt als die Kunst das Leben. Ich bin überzeugt, du wirst mir recht geben, wenn du darüber nachdenkst. Das Leben hält der Kunst den Spiegel entgegen und bringt den nämlichen seltsamen Typus, den der Maler oder der Bildhauer ersonnen hat, wieder hervor, oder es lässt den Traum des

Dichters zur Tat werden. Wissenschaftlich gesprochen ist die Grundlage des Lebens – die Energie des Lebens, würde Aristoteles sagen – einfach das Verlangen, sich auszudrücken; die Kunst bietet stets eine Reihe von Formen dar, durch die man jenen Ausdruck finden kann. Das Leben bemächtigt sich ihrer und benutzt sie, sei es auch zu eigenem Verderben. Mancher junge Mann hat nach dem Beispiel Rollas Selbstmord begangen, mancher starb von eigener Hand, weil Werther von eigener Hand starb. Bedenke, wie viel wir der Nachahmung Christi schulden, wie viel der Nachahmung Cäsars!

Cyrill: Diese Theorie ist wirklich sehr merkwürdig, aber du musst, um sie zu vervollständigen, beweisen, dass die Natur, nicht weniger als das Leben, nur eine Nachahmung der Kunst ist. Wärst du imstande, das zu beweisen?

Vivian: Mein lieber Freund! Ich bin bereit, alles zu beweisen.

Cyrill: Die Natur folgt also dem Landschaftsmaler und gewinnt von ihm ihre Wirkungen?

Vivian: Gewiss. Woher, wenn nicht von den Impressionisten, kommen jene wundervollen braunen Nebel, die durch unsere Straßen kriechen, die Gaslampen verschleiern und die Häuser in ungeheuerliche Schatten verwandeln? Wem sonst als ihnen und ihrem Meister verdanken wir den anmutig-silbernen Duft, der über unseren Flüssen lagert, der die geschwungene Brücke, die schwankende Barke zu lieblich graziösen Linien verschwimmen lässt? Die seltsame Wandlung des Klimas, die in London während der letzten zehn Jahre Platz griff, ist einfach ein Ergebnis dieser besonderen Kunstrichtung. Du lächelst. Betrachte den Gegenstand von einem wissenschaftlichen oder metaphysischen Standpunkt, und du wirst finden, dass ich recht habe. Denn was ist die Natur? Die Natur ist keineswegs die große Mutter, die uns gebar. Sie ist unsere Schöpfung. In unserem Geist allein wird sie beseelt, lebendig. Die Dinge sind, weil wir sie sehn; was und wie wir sehn, hängt von den Künstlern ab, die uns beeinflusst haben. Ein Ding betrachten heißt noch keineswegs, es wirklich sehen. Man sieht es so lange nicht, als man nicht seine Schönheit erschaut, dann erst gewinnt es Wirklichkeit. Jetzt sehen die Leute die Nebel, aber nicht, weil wirklich Nebel sind, sondern weil wir erst durch die Dichter und Maler für die geheimnisvolle Anmut dieser Eindrücke den Blick gewonnen haben. Es hat vielleicht schon seit Jahrhunderten in London Nebel gegeben. Ich bin sogar überzeugt, dass das der Fall ist. Aber niemand hat den Blick dafür gehabt, und so haben wir nichts darüber erfahren. Es hat keine Nebel gegeben, bis die Kunst sie erfand. Jetzt allerdings, man muss es zugeben, sind sie uns schon zur Last geworden. Sie sind zur Manieriertheit einer Schule geworden, und ihr übertriebener Realismus hat bei stumpfsinnigen Leuten die Bronchitis zur Folge. Wo die Gebildeten Eindrücke erhaschen, ziehen sich die Ungebildeten einen Katarrh zu. Seien wir also menschenfreundlich, fordern wir die Kunst auf, ihre wundervollen Augen anderswohin zu lenken. Das ist auch in der Tat bereits geschehen. Das weiße, zitternde Sonnenlicht, das man jetzt in Frankeich gewahr wird, das weiße Licht mit seinen seltsamen malvenfarbenen Flecken und seinen ruhelosen violetten Schatten ist die letzte Schöpfung der Kunst; und im Ganzen betrachtet bringt es die Natur ausgezeichnet hervor. Früher präsentierte sie uns Corots und Daubignys, jetzt bietet sie uns erlesene Monets und entzückende Pisaros dar. Es gibt in der Tat Augenblicke, wenige allerdings, aber immerhin – es gibt Augenblicke, wo die Natur völlig modern wird. Allerdings darf man ihr nicht immer vertrauen. Sie befindet sich wirklich in ziemlich peinlicher Lage. Die Kunst bringt irgendeine unvergleichliche, ganz einzige Wirkung hervor und wendet sich dann anderen Schöpfungen zu. Die Natur dagegen vergisst, dass ewiges Wiederholen die feinste Form der Beleidigung werden kann; sie wiederholt eine Wirkung so lange, bis sie uns ganz langweilig geworden ist. Heute spricht zum Exempel kein wirklich gebildeter Mensch mehr von der Schönheit des Sonnenuntergangs. Sonnenuntergänge sind ganz aus der Mode. Sie gehören der Zeit an, wo Turner das Feinste und Höchste in der Kunst bedeutete. Heutzutage bekundet man durch die Bewunderung eines Sonnenunterganges Provinzgeschmack, trotzdem gibt es noch immer Sonnenuntergänge.

Gestern abend quälte mich Mrs. Arundel, ich möchte ans Fenster treten und den »grandiosen Himmel«, wie sie sich ausdrückte, betrachten. Selbstverständlich fügte ich mich ihrem Wunsch. Sie gehört zu jenen allerliebsten kleinen Philisterfrauen, denen man keinen Wunsch versagen kann. Was erblickte ich nun? Einen Turner zweiter Güte, einen Turner aus seiner schlechten Zeit. Dabei schienen alle Mängel des Malers noch grell auf die Spitze getrieben. Ich gebe natürlich sehr gern zu, dass das Leben sehr oft denselben Fehler begeht. Es bringt unechte Renes und falsche Vautrins hervor, ebenso wie die Natur uns einen Tag einen zweifelhaften Cuyp, einen anderen Tag einen mehr als zweifelhaften Rousseau vorsetzt. Doch irritiert uns die Natur durch solche Fälschungen noch weit mehr. Sie scheint so dumm, so flach, so unnütz. Ein unechter Vautrin kann noch immer entzückend sein. Ein zweifelhafter Cuyp ist aber ganz abscheulich. Aber ich will mit der Natur nicht so streng ins Gericht gehen. Ich wünschte allerdings, dass der Kanal, besonders bei Hastings, nicht ganz so häufig einem Henry Moore gliche: graue Perlen mit gelben Lichtern; doch wird die Natur ohne Zweifel bunter in ihren Formen werden, wenn einmal die Kunst buntere Formen zeigt. Dass die Natur die Kunst nachahmt, wird heute wohl auch ihr ärgster Feind nicht mehr leugnen. Dadurch allein hat die Natur noch mit der zivilisierten Menschheit irgendeinen Zusammenhang. Nun, habe ich meine Theorie zu deiner Zufriedenheit erwiesen?

Cyrill: Du hast sie zu meiner Unzufriedenheit erwiesen, und das ist noch besser. Aber selbst wenn wir den seltsamen Nachahmungstrieb des Lebens und der Natur zugeben, wirst du doch einräumen müssen, dass die Kunst die Stimmung, den Geist ihres Zeitalters ausdrückt, die sittliche und soziale Atmosphäre, von der sie umgeben, unter deren Einwirkung sie entstanden ist?

Vivian: Keineswegs! Die Kunst drückt nie etwas anderes aus als sich selbst. Das ist der Fundamentalsatz meiner neuen ästhetischen Lehre; eben aus diesem Grunde, nicht wegen des lebendigen Zusammenhangs zwischen Form und Stoff, den Mr. Pater betont, ist die Musik der Typus aller Künste. Allerdings sind die Nationen und die Einzelnen mit ihrer natürlichen, gesunden Eitelkeit, diesem Geheimnis unseres Lebens, immer von der Vorstellung besessen, sie seien es selbst, von denen die Musen reden. Die sanfte Würde, mit der die nachahmende Kunst auftritt, bedeutet für sie den Spiegel ihrer eigenen trüben Begierden. Sie vergessen stets, dass der Besinger des Lebens nicht Apollo, sondern Marsyas ist. Der Wirklichkeit entrückt, den Blick den Schatten der Höhle abgewandt, enthüllt uns die Kunst ihre eigene Vollendung; die verblüffte Menge betrachtet verwundert, wie sich die herrliche, vielblättrige Rose entfaltet, und meint, sie sehe der Entfaltung ihrer eigenen Seele zu, ihr eigener Geist finde in einer neuen Form den Ausdruck. Dies ist aber keineswegs der Fall. Eben die höchste Form der Kunst schüttelt die Schwere menschlichen Geistes von sich, sie gewinnt durch ein neues Mittel oder einen neuen Stoff mehr als durch irgendeine Begeisterung für Kunst oder eine erhabene Leidenschaft oder durch ein großes Erwachen des menschlichen. Bewusstseins. Die Kunst entwickelt sich nur in der ihr eigenen Linie. Sie ist keineswegs das Symbol irgendeiner Zeit. Die Zeiten sind vielmehr ihre Symbole. Selbst die, die meinen, Zeit und Heimat und Volk finde sich in der Kunst widergespiegelt, müssen zugeben, dass, je mehr sich die Kunst der Nachahmung zuneigt, sie desto weniger den Geist der Zeit ausdrückt. Die verruchten Gesichter der römischen Kaiser blicken uns aus rissig dunkelm Porphyr und fleckigem Jaspis, dem Material, dessen sich die realistischen Künstler jener Tage am liebsten bedienten, entgegen. Wir meinen, in diesen grausamen Lippen, diesen schweren, sinnlichen Kinnladen liege das Geheimnis des Untergangs des Kaisertums. Doch ist dies gewiss nicht richtig. Die Laster des Tiberius konnten diese erlauchteste Kultur ebenso wenig vernichten, wie die Tugenden der Antonine sie zu erhalten vermochten. Sie kam aus anderen, weit weniger anziehenden Gründen zu Fall. Die Sybillen und Propheten der Sixtina mögen in der Tat zur Erklärung der Wiedergeburt jenes befreiten Geistes, den wir die Renaissance nennen, beitragen; doch was verkünden uns die trunkenen Lümmel und schwankenden holländischen Bauern von der großen Seele Hollands? Je abstrakter, je ideeller eine Kunst ist, desto mehr enthüllt sie uns die Seele ihrer Zeit. Wollen wir eine Nation durch ihre Kunst verstehen, dann müssen wir die Architektur oder die Musik betrachten.

Cyrill: Da stimm ich dir völlig bei. Der Geist eines Zeitalters drückt sich am besten in den abstrakten und ideellen Künsten aus, denn der Geist selbst ist abstrakt und ideell. Doch müssen wir uns andererseits, um den sichtbaren Ausdruck eines Zeitalters, seine Physiognomien, wie man sich ausdrückt, zu gewahren, an die nachahmenden Künste halten.

Vivian: Ich bin nicht dieser Ansicht. Die nachahmenden Künste zeigen uns ja doch nur die Verschiedenartigkeit des Stils der einzelnen Künstler oder bestimmter Schulen. Du glaubst doch sicher nicht, dass die Menschen des Mittelalters irgendwelche Ähnlichkeit mit seinen farbigen Glasfiguren hatten, oder mit seinen Skulpturen und Holzschnitzereien oder seinen Metallarbeiten, Teppichen, illuminierten Handschriften. Die Menschen waren vermutlich ganz gewöhnlicher Art, sie hatten in ihrem Äußeren weder einen grotesk hervorstechenden noch fantastischen Zug. Das Mittelalter, wie wir es aus der Kunst kennen, ist nichts als eine bestimmte Stilform, und es ist durchaus nicht einzusehen, warum nicht auch ein Künstler des neunzehnten Jahrhunderts in diesem Stile schaffen könnte. Kein großer Künstler sieht die Dinge, wie sie wirklich sind, sonst wäre er kein großer Künstler. Nimm ein Beispiel aus unseren Tagen. Ich weiß, du bist ein Freund des Japanertums. Meinst du nun wirklich, dass die Japaner in der Tat so sind, wie sie uns in der Kunst dargestellt werden? Wenn du das glaubst, dann hast du die japanische Kunst nie verstanden. Das japanische Volk ist die völlig bewusste, überlegte Schöpfung einzelner individueller Künstler. Stell irgendein Gemälde Hokusais oder Hokkeis oder eines anderen großen Malers dieses Landes neben einen wirklichen japanischen Herrn oder eine japanische Dame, und du wirst merken, dass zwischen ihnen nicht die mindeste Ähnlichkeit besteht. Der durchschnittliche Menschenschlag Japans gleicht durchaus dem englischen Typus; die Leute sind ebenso alltäglich und haben nichts Außergewöhnliches, Merkwürdiges an sich. In der Tat ist das ganze Japan bloß eine Erfindung. Es gibt kein derartiges Land, kein derartiges Volk. Einer unserer liebenswürdigsten Maler begab sich jüngst ins Land der Chrysanthemen, er hoffte närrischerweise, die Japaner kennenzulernen. Doch entdeckte er sie nicht, er fand keine Gelegenheit, etwas anderes zu malen als einige Laternen und Fächer. Die Einwohner zu finden, gelang ihm durchaus nicht, wie seine entzückende Ausstellung in der Galerie der Herren Dowdeswell nur allzu deutlich bekundet. Er wusste nicht, dass die Japaner, wie ich bemerkte, nur eine Stilform sind, ein erlesener Kunsteinfall. Willst du also japanische Stimmungen genießen, dann hast du es nicht nötig, dich in ein Touristengewand zu stecken und nach Tokio zu reisen. Im Gegenteil, du wirst daheim bleiben und dich in das Werk gewisser japanischer Künstler versenken. Hast du das Wesen ihres Geistes erfasst, hast du dir die besondere Art ihrer schöpferischen Wahrnehmung ganz zu eigen gemacht, dann magst du dich eines Nachmittags in den Park begeben oder nach Piccadilly hinabschlendern; gewahrst du nicht dort irgendein ganz japanisches Motiv, dann wirst du es nirgendwo erblicken. Oder, um wieder zur Vergangenheit zurückzukehren, betrachten wir ein anderes Beispiel, die alten Griechen. Meinst du, die griechische Kunst offenbare uns das Wesen des griechischen Volkes? Meinst du, die athenischen Frauen glichen den erhabenen, würdevollen Figuren des Parthenonfrieses oder den wundervollen Göttinnen in seinen Giebelfeldern? Urteilst du nach der Darstellung der Kunst, dann musst du dies wirklich glauben. Aber lies einen Schriftsteller, der Autorität genießt, Aristophanes zum Beispiel; da wirst du die Entdeckung machen, dass die athenischen Damen geschnürt einhergingen, dass sie hochgestöckelte Schuhe trugen, dass sie ihr Haar gelb färbten, ihr Gesicht schminkten und völlig das Gehaben der albernen Mode- oder Halbwelt-Geschöpfe unserer Tage zur Schau trugen. Tatsache ist, dass wir durch das Medium der Kunst in die Zeiten zurückblicken, die Kunst aber hat uns glücklicherweise niemals die Wahrheit entschleiert.

Cyrill: Was sagst du aber zu den modernen Porträten der englischen Maler? Sie ähneln doch gewiss den Menschen, die sie vorstellen wollen?

Vivian: Ganz gewiss. Sie ähneln ihnen so sehr, dass in hundert Jahren niemand an diese Ähnlichkeit glauben wird. Die einzigen Porträte, deren Echtheit uns überzeugt, sind die, die uns sehr wenig von der dargestellten Persönlichkeit, jedoch sehr viel vom Künstler berichten. Holbeins Zeichnungen der Männer und Frauen seiner Zeit erwecken in uns den Eindruck völliger Lebenswahrheit. Doch ist dies nur deshalb der Fall, weil Holbein das Leben zwang, sich den Bedingungen, die er setzte, zu fügen, sich in den Grenzen, die er zog, zu halten, den Typus, den er erdachte, wieder hervorzubringen, die Gestalt anzunehmen, die er gebot. Der Stil allein macht uns die Dinge glaubhaft – bloß der Stil. Die meisten unserer modernen Porträtmaler sind dazu verdammt, völlig vergessen zu werden. Sie malen nie, was sie selbst sehen. Sie malen, was das Publikum sieht, und das Publikum sieht überhaupt nichts.

Cyrill: Gut, aber nach alledem möchte ich den Schluss deines Artikels hören.

Vivian: Mit Vergnügen. Ob dieser Artikel freilich Gutes stiften wird, weiß ich nicht. Unser Zeitalter ist ohne Zweifel das langweiligste und prosaischste. Deshalb treibt selbst der Schlaf mit uns ein falsches Spiel; er hat die Tore aus Elfenbein geschlossen und die Tore aus Horn geöffnet. Ich habe nie etwas Niederdrückenderes gelesen als die Aufzeichnungen der Träume der breiten mittleren Volksschichten unseres Landes, wie sie etwa Mr. Myers in zwei umfänglichen Bänden gesammelt hat oder wie man sie in den Sitzungsberichten der »Physical Society« niedergelegt findet. Nicht einmal ein künstlerischer Alpdruck ist ihrem Schlaf gewährt. Ihre Träume sind alltäglich, langweilig und gemein. Was die Kirche betrifft, so kann ich mir wirklich für die Kultur eines Landes nichts Besseres wünschen als die Existenz einer Körperschaft, deren Pflicht es ist, an das Übernatürliche zu glauben, täglich Wunder zu wirken, die Kraft, Mythen zu bilden, eine für die Fantasie so wesentliche Kraft, uns zu erhalten. Doch bringt in der englischen Kirche nicht die Fähigkeit zu glauben, sondern die Fähigkeit zu zweifeln, den Erfolg. Unsere Kirche ist die einzige, in der am Altar der Zweifler steht, die einzige, die den heiligen Thomas als den wahren Apostel betrachtet. Mancher würdige Geistliche, der sein Leben bloß mit bewunderungswürdigen Werken der Barmherzigkeit verbringt, führt ein unbekanntes, unbeachtetes Dasein; doch braucht nur irgendein platter, ungebildeter Kandidat, der eben von irgendeiner Universität kommt, das Katheder zu betreten und seine Zweifel über die Arche Noahs oder Bileams Esel oder Jonas und den Walfisch zu äußern, und ganz London strömt, ihn zu hören, herbei, sitzt da und starrt offenen Mundes in Bewunderung den herrlichen Denker an. Die Ausbreitung des gesunden Menschenverstandes in der englischen Kirche ist durchaus zu bedauern. Man hat da wirklich einer niedrigen Form des Realismus herabwürdigendes Entgegenkommen erwiesen, überdies ist dies eine Dummheit und entspringt völliger psychologischer Unkenntnis. Die Menschen glauben zuweilen das Unmögliche, niemals aber das Unwahrscheinliche. Doch muss ich dir jetzt den Schluss meines Artikels vorlesen: –

»Was uns zu tun obliegt, was wir auf alle Fälle tun sollen, ist, die alte Kunst des Lügens wieder zum Leben zu erwecken. Durch Volkserziehung könnte freilich manches gebessert werden, durch Amateure, die im häuslichen Kreis bei literarischen Zusammenkünften, bei Teegesellschaften, in diesem Sinne wirken. Doch ist dies nur die freundliche, anmutige Seite der Lügenhaftigkeit, wie sie vermutlich bei den kretischen Gelagen geübt wurde. Es gibt noch viele andre Arten. Das Lügen zum Exempel um irgendeines persönlichen Vorteils willen, das Lügen aus moralischer Absicht, wie man es gewöhnlich bezeichnet, – diese Art des Lügens, auf die man jetzt ein wenig geringschätzig herabblickt, war in der Antike sehr verbreitet und beliebt. Athene lacht, als Odysseus seine ‚fein ausgedachten Worte' vorbringt, wie Mr. William Morris sich ausdrückt; der Ruhm der Lüge leuchtet auf der bleichen Stirn des schuldlosen Helden in der Tragödie des Euripides; das Lügen stellt die junge Braut in einer der feinsten Oden Horazens auf eine Stufe mit den edelsten Frauen der Vergangenheit. Später wurde, was zunächst nur ein natürlicher Instinkt gewesen, zum Rang einer selbstbewussten Wissenschaft erhoben. Sorgsam erwogene Regeln wurden für die Leitung der Menschheit in diesem Sinn ausgestellt, eine bedeutsame literarische Schule erwuchs um sie herum. In der Tat, erinnert man sich der glänzenden philosophischen Behandlung dieser ganzen Frage durch Sanchez, dann muss man bedauern, dass noch niemand daran dachte, eine wohlfeile, gekürzte Ausgabe der Werke dieses Kasuisten zu veranstalten. Eine kurze Einführung in die Kunst, ‚Wann und wie man lügen sollte', ein anziehend geschriebenes und nicht zu weitläufiges Handbuch, würde ohne Zweifel starken Absatz finden, es würde vielen ernsthaften, tiefsinnigen Menschen einen wirklichen Dienst erweisen. Das Lügen in der Absicht, die Jugend zu vervollkommnen, dieses Lügen, das die Grundlage häuslicher Erziehung bildet, wird noch unter uns geübt, und seine Vorzüge sind in den ersten Büchern der ‚Republik' Platos so wundervoll auseinandergesetzt, dass ich mich über diesen Gegenstand nicht weiter zu verbreiten brauche. Für eine solche Art des Lügens haben alle guten Mütter besonderes Talent, allein auch dieses bedarf noch der Entwicklung und ist leider von der Schulbehörde übersehen worden. Das Lügen um eines monatlichen Gehalts willen kennt man allerdings in den Zeitungsredaktionen sehr genau, und der Beruf eines Leitartikelschreibers hat seine Vorteile. Doch soll dies eine ziemlich langweilige Beschäftigung sein, und das Lügen liegt hier wohl nur darin, dass man die Dinge mit einer gewissen Prahlerei verschleiert. Es gibt nur eine einzige, über jeden Vorwurf erhabene Art des Lügens, das Lügen um des Lügens selbst willen, und die höchste Entwicklungsstufe dieser Art des Lügens bildet, wie wir ausgeführt haben, das Lügen in der Kunst. Wie die Schwelle der Akademie nur überschreiten darf, wer Plato mehr liebt als die Wahrheit, so bleibt denen, die nicht die Schönheit mehr als die Wahrheit lieben, das Allerheiligste der Kunst verborgen. Der solide dumme britische Intellekt brütet in der Einsamkeit der Wüste wie die Sphinx in der herrlichen Erzählung Flauberts, und die Fantasie, La Chimère, tanzt um ihn herum und lockt ihn mit ihrer falschen Flötenstimme. Jetzt erhört er sie vielleicht noch nicht, aber eines Tages, wenn wir alle durch die Plattheit der modernen Dichtung zu Tode gelangweilt sind, wird man ihre Stimme vernehmen und sich ihrer Schwingen bedienen.

Und wenn dieser Tag aufdämmert oder die Sonne sich zum Untergang rötet, wie freudevoll werden wir da alle sein! Tatsachen werden für schimpflich gelten, die Wahrheit wird man über ihre Fesseln trauern sehen und die Dichtung mit ihren Wundern zieht wieder ins Land. Die Welt wird unseren betroffenen Augen ganz verwandelt erscheinen. Aus dem Meer werden sich Behemoth und Leviathan erheben und um die hohen Galeeren segeln, wie man es auf den entzückenden Landkarten jener Tage, da geografsche Bücher noch wirklich lesbar waren, dargestellt findet. Drachen werden um die verödeten Gefilde schweifen, der Phönix wird sich aus seinem Feuernest in die Weiten schwingen. Wir werden unsere Hand auf den Basilisken legen und die Juwelen im Kopfe der Kröte erblicken. Den vergoldeten Hafer fressend, wird der Hippogryph in unserem Stalle stehen, über unsere Häupter hin wird das Blaukehlchen schweben und von dem Wundervollen und dem Unmöglichen singen, von dem Lieblichen, das nie geschah, von dem, was nicht ist, doch sein sollte. Doch bevor dies alles Wirklichkeit wird, müssen wir die verloren gegangene Kunst des Lügens pflegen.«

Cyrill: Pflegen wir sie also sogleich. Doch um jeden Irrtum zu vermeiden, bitte ich dich, mir ganz kurz die Grundsätze der neuen ästhetischen Lehre zu eröffnen.

Vivian: Ganz kurz gefasst sind es die folgenden:

Die Kunst drückt nie etwas anderes aus als sich selbst. Sie führt ein völlig unabhängiges Dasein wie das Denken und entwickelt sich nur nach ihrem eigenen Gesetz. Sie ist in einem realistischen Zeitalter nicht notwendigerweise realistisch, noch geistig in einem Zeitalter des Glaubens. So weit ist die Kunst davon entfernt, das Geschöpf ihrer Zeit zu sein, dass sie sich gewöhnlich im direkten Gegensatze zu ihr befindet; die einzige Geschichte, die sie uns überliefert, ist die Geschichte ihres eigenen Werdens. Manchmal tritt sie in ihre früheren Fußstapfen und belebt eine alte Form wieder, wie in der artistischen Bewegung der späten griechischen Architektur oder in der präraffaelitischen Bewegung unserer Tage. Manchmal greift die Kunst ihrer Zeit vor und fördert in einem Jahrhundert Werke zutage, die zu verstehen, zu schätzen, zu genießen ein weiteres Jahrhundert erfordert. In keinem Falle stellt sie ihre eigene Zeit dar. Aus der Kunst einer Zeit auf die Zeit selbst zu schließen, das ist der große Irrtum, den alle Historiker begehen.

Der zweite Grundsatz ist: Alle schlechte Kunst hat ihren Ursprung in der Rückkehr zum Leben und zur Natur und darin, dass man diese beiden zum Ideal erhebt. Das Leben und die Natur mögen als ein Stück künstlerischen Rohmaterials zur Verwendung gelangen, doch eh sie der Kunst wirklich von Nutzen sein können, müssen sie in künstlerische Formen gebracht werden. In dem Augenblick, wo die Kunst sich der Fantasie entäußert, gibt sie sich selbst völlig auf. Als Methode betrachtet, ist der Realismus ein völliger Irrtum; zwei Dinge sollte jeder Künstler vermeiden, Modernität der Form und Modernität des Themas. Für uns, die wir im neunzehnten Jahrhundert leben, mag jedes Jahrhundert, außer unserem eigenen, zur Darstellung taugen. Wundervoll sind nur Dinge, die mit uns in keinem Zusammenhang stehen. Eben weil uns Hekuba nichts bedeutet – ich zitiere mich selbst –, ist ihr Leid ein so außerordentlich wertvolles tragisches Motiv. Auch kann nur das Moderne aus der Mode kommen. Zola hat sich hingesetzt, uns ein Bild des zweiten Kaiserreichs zu entwerfen. Wer interessiert sich heute noch für das zweite Kaiserreich? Es ist aus der Mode. Das Leben überholt den Realismus, aber die Poesie schreitet immer dem Leben voraus.

Die dritte Lehre ist, dass das Leben die Kunst weit mehr nachahmt als die Kunst das Leben. Dies erklärt sich nicht nur aus dem Nachahmungstrieb des Lebens, sondern aus der Tatsache, dass dem Leben der Wunsch innewohnt, sich auszudrücken, und dass die Kunst dem Leben wundervolle Möglichkeiten zur Erfüllung dieses Wunsches bietet. Diese Lehre ist noch nirgends verkündet worden, doch erweist sie sich als sehr fruchtbar und wirft auf die Geschichte der Kunst ein völlig neues Licht.

Zieht man aus alledem die Schlussfolgerungen, so ergibt sich, dass auch die äußere Natur die Kunst nachahmt. Die einzigen Effekte, die sie uns zu zeigen vermag, sind solche, die wir bereits durch die Dichtkunst oder die Malerei erblickten. Dies ist das Geheimnis des Reizes der Natur und zugleich die Erklärung ihrer Schwäche.

Die letzte Offenbarung ist, dass das Lügen, das Erfinden schöner Unwahrheiten das eigentliche Ziel der Kunst ist.

Aber darüber habe ich wohl ausführlich genug gesprochen. Und nun komm auf die Terrasse hinaus, »da wandelt der milchweiße Pfau wie ein Gespenst« und der Abendstern »tönt die Dämmerung silbern«. Um die Zwielichtstunde ist die Natur von wundervoll berückendem Zauber, da ist sie nicht ohne Lieblichkeit, doch ist vielleicht ihre Bestimmung nur, uns die Aussprüche der Dichter zu erläutern. Komm! Wir haben lange genug geplaudert.

Feder, Pinsel und Gift

Eine Studie in Grün

Man hat gegen Künstler und Schriftsteller immer den Vorwurf erhoben, dass sie der Ganzheit, der Rundung des Wesens ermangeln. Dies muss auch notwendigerweise als Regel gelten. Eben die Konzentration des visionären Blicks, die Energie des Strebens, die das künstlerische Temperament kennzeichnet, schließt eine gewisse Begrenztheit in sich. Wer in die Schönheit der Form versunken ist, dem scheint nichts anderes von Belang. Doch gibt es viele Ausnahmen von dieser Regel. Rubens hat als Gesandter gewirkt, Goethe als Staatsminister, Milton als Cromwells lateinischer Sekretär. Sophokles hatte in seiner Vaterstadt ein bürgerliches Amt inne. Die Humoristen, Essayisten und Erzähler des modernen Amerika haben, so scheint es, vor allem den einen Lieblingswunsch, diplomatische Vertreter ihres Landes zu werden; und Charles Lambs Freund, Thomas Griffiths Wainewright, von dem diese kurzen Memoiren handeln, besaß ein außerordentlich künstlerisches Temperament und hat gleichwohl noch andern Mächten als der Kunst gedient: er war nicht bloß ein Poet und Maler, ein Kunstkritiker und Antiquar, ein Prosaschriftsteller, ein Liebhaber schöner Dinge und ein Dilettant in allen anmutigen Künsten, sondern auch ein Fälscher von mehr als alltäglichen Gaben; überdies hat er als geschickter, verschwiegener Giftmischer weder in unsrer, noch in früherer Zeit einen Rivalen gefunden.

Dieser merkwürdige Mann, der mit »Feder, Pinsel und Gift«, wie ein großer Dichter unserer Tage sehr hübsch von ihm sagte, so wundervoll umzugehen wusste, wurde in Chiswick im Jahre 1794 geboren. Sein Vater war der Sohn eines ausgezeichneten Rechtsanwalts an Grays Inn und Hattos Garden. Seine Mutter war die Tochter des berühmten Dr. Griffiths, des Herausgebers und Begründers der »Monthly Review«. Dieser hatte sich auch mit Thomas Davies, dem berühmten Buchhändler, – von dem Johnson sagte, er sei kein Buchhändler, sondern ein Gentleman, der sich mit dem Verkaufe von Büchern abgebe, – dem Freunde Goldsmiths und Wedgwoods, einer der namhaftesten Persönlichkeiten seiner Lage, zu einem andern literarischen Unternehmen vereinigt. Mrs. Wainewright starb bei seiner Geburt, kaum einundzwanzig Jahre alt. In einem Nachruf, der nach ihrem Tode im »Gentlemans Magazine« erschien, wird von ihrem »liebenswürdigen Charakter und ihren zahlreichen Fähigkeiten« gesprochen; der Verfasser fügt artig bei: »Man sagt, sie habe die Schriften Lockes besser als irgendeiner unsrer Zeitgenossen verstanden.« Wainewrights Vater überlebte seine junge Frau nicht lange; das Kind ward aller Wahrscheinlichkeit nach beim Großvater erzogen. Später, nach der Eltern Tod, im Jahre 1803, übernahm sein Oheim, den er später vergiftete, die Erziehung. Seine Knabenjahre verbrachte er in Linden House zu Turnham Green, einem jener schönen Wohnhäuser aus der Zeit König Georgs, die leider durch das Eindringen der vorstädtischen Bauunternehmer verdrängt worden sind. Seinen lieblichen Gärten und wohlbestandenem Park verdankt er die einfache und leidenschaftliche Liebe für die Natur, die ihn sein ganzes Leben hindurch begleitet und die ihn für die intime Wirkung der Dichtungen Wordsworths so besonders empfänglich gemacht hat. Zur Schule ging er in der Anstalt Charles Burneys in Hammersmith. Burney war der Sohn des Musikhistorikers und ein naher Verwandter des künstlerisch begabten Jungen, der bestimmt war, sein berühmtester Schüler zu werden. Er scheint ein recht gebildeter Mann gewesen zu sein; in späteren Jahren hat Mr. Wainewright oft von ihm als einem Philosophen, Archäologen und ausgezeichneten Lehrer mit Liebe gesprochen. Er war ein Lehrer, der auf die intellektuelle Ausbildung besondern Wert legte, aber dabei doch nicht die Wichtigkeit früher moralischer Schulung übersah. Unter der Leitung Burneys hat er zuerst sein künstlerisches Talent entwickelt, und Mr. Hazlitt erzählt uns, ein Skizzenbuch, dessen er sich in der Schule bediente, sei noch vorhanden und bekunde bedeutendes Talent und natürliches Empfinden. Die Malerei war in der Tat die erste Kunst, die ihn bezaubert hat. Erst viel später kam er auf den Gedanken, durch die Feder oder das Gift den Ausdruck seines Wesens zu finden.

Vorher jedoch scheint er durch knabenhafte Träume von der Romantik und Ritterlichkeit des Soldatenlebens angelockt und Gardist geworden zu sein. Aber das sorglose und ausschweifende Leben seiner Gefährten vermochte das verfeinerte künstlerische Temperament des Mannes, der zu anderen Dingen bestimmt war, nicht zu befriedigen. Er wurde bald des Dienstes überdrüssig. »Die Kunst«, erzählt er in Worten, die uns durch ihre leidenschaftliche Aufrichtigkeit und ihre eigentümliche Glut noch immer bewegen, »die Kunst berührte den Abtrünnigen; durch ihre reine und hohe Macht klärten sich die schädlichen Nebel; mein Gefühl, welk, überhitzt und trüb geworden, erhob sich zu kühler, neuer Blüte, einfach und herrlich für den, der einfältigen Herzens war.« Doch es war nicht die Kunst allein, die solche Veränderungen bewirkte. »Die Schriften Wordsworths«, fährt er in seiner Erzählung fort, »haben viel zur Klärung jenes trüben Wirbels beigetragen, der bei solchen Wandlungen notwendigerweise zu entstehen pflegt. Ich habe über diesen Schriften Tränen des Glücks und der Dankbarkeit vergossen.« Er schied also aus dem Heer mit seinem rauen Lagerleben und den derben Gesprächen der Offiziersmessen. Er kehrte nach Linden House zurück, ganz erfüllt von dem neu gewonnenen Enthusiasmus für höhere Bildung. Eine schwere Krankheit, die ihn, um seinen Ausdruck zu gebrauchen, »wie ein Tongefäß zerbrach«, streckte ihn eine Zeit lang nieder. So wenig Bedenken er trug, andern Schmerz zuzufügen, sein eigener überzarter Organismus war für Schmerzen sehr empfindlich. Er bebte vor dem Schmerz als vor einer Gewalt, die unser menschliches Leben stört und lähmt; er ist allem Anschein nach durch das schreckliche Tal der Melancholie gewandert, aus dem so viele große, vielleicht größere Geister nicht mehr den Ausweg gefunden haben. Doch er war jung – er zählte nicht mehr als fünfundzwanzig Jahre –, er tauchte bald aus den »toten schwarzen Wassern«, wie er diesen Zustand nannte, empor, empor in die freiere Luft humanistischer Bildung. Von seiner Krankheit, die ihn an das Tor des Todes geführt hatte, genesen, fasste er den Plan, der Literatur als Kunst zu leben. »Mit John Woodvill rufe ich aus«, schreibt er, »in einem solchen Element sich zu bewegen, Treffliches zu schaun, zu hören, niederzuschreiben, das wäre ein göttliches Leben!«

»Wer so des Lebens tiefste Fülle schlürft,
Wird von des Todes Schatten kaum gestreift.«

Man vermag sich dem Eindruck nicht zu entziehn: So äußert sich wirkliche Leidenschaft für die Literatur. »Treffliches zu schaun, zu hören, niederzuschreiben«, das war sein Bestreben.

Scott, der Herausgeber des »London Magazine«, gewonnen durch das Genie des jungen Mannes, oder unter dem Einfluß des seltsamen Zaubers, den er auf jeden, der ihn kennenlernte, ausübte, forderte Wainewright auf, eine Reihe von Artikeln über künstlerische Fragen zu verfassen. Unter einigen fantastischen Pseudonymen begann er daraufhin an der Literatur der damaligen Zeit mitzuwirken. Janus Wetterhahn, Egomet Bonmot und Van Vinkvooms, so hießen manche der grotesken Masken, unter denen er seinen Ernst verbarg oder seinen leichten Sinn verhüllte. Eine Maske sagt uns mehr als ein Gesicht. Diese Vermummungen haben seine Persönlichkeit vertieft. In unglaublich kurzer Zeit scheint er sich durchgesetzt zu haben. Charles Lamb spricht von dem »lieben fröhlichen Wainewright, dessen Prosa ersten Ranges sei«, wir hören, dass er Macready, John Forster, Maginn, Talfourd, Sir Wentworth Dilke, den Dichter John Clare und andere zu einem petit-dîner einlud. Wie Disraeli fasste er den Vorsatz, die Stadt durch sein Dandytum in Aufregung zu bringen, und seine wundervollen Ringe, seine antiken Gemmen, die ihm als Busennadeln dienten, seine mattzitronenfarbenen Glacéhandschuhe waren sehr wohl bekannt; Hazlitt betrachtete sie sogar als Zeichen des Beginns eines neuen literarischen Stils. Seine vollgelockten Haare, die schönen Augen, seine vornehmen weißen Hände ließen ihn sogleich als einen Mann erscheinen, der sich auf gefährliche und entzückende Weise von den anderen unterschied. Er hatte manches von dem Wesen Lucien de Rubemprés in der Erzählung Balzacs. Zuweilen erinnert er uns an Julien Corel. De Quincey lernte ihn einmal kennen. Es war bei einem Diner bei Charles Lamb. »In der Gesellschaft – es waren lauter Schriftsteller – saß ein Mörder«, so erzählt er uns, und er schildert, wie er an diesem Tage sich unpass fühlte, so sehr, dass ihm die Gesichter von Männern und Frauen Widerwillen erregten, und wie er doch nicht umhin konnte, mit lebhaftem Interesse über den Tisch auf den jungen Schriftsteller zu blicken, dessen affektiertes Gehaben so viel unaffektiertes Gefühl zu verhüllen schien. Er grübelt dann weiter, »wie sehr sein Interesse gewachsen« und dadurch seine Stimmung umgewandelt worden wäre, wenn er gewusst hätte, welches furchtbaren Verbrechens jener Gast, dem Lamb so viel Aufmerksamkeit schenkte, sich schon damals schuldig gemacht hatte.

Sein Lebenswerk ordnet sich in natürlicher Weise in drei Abschnitte, die Swinbume aufgestellt hat, und man kann zum Teil zugeben, dass er, wenn wir das, was er in der Kunst des Vergiftens geleistet hat, beiseite setzen, uns kaum etwas hinterlassen hat, was seinen Ruhm rechtfertigt.

Doch ist es nur Art des Philisters, eine Persönlichkeit mit dem gemeinen Maßstabe der Leistung zu messen. Dieser junge Dandy wollte lieber jemand sein, als etwas vollbringen. Er erkannte, dass das Leben selbst eine Kunst ist und seine Stilformen hat, genau wie die Künste, die das Leben auszudrücken versuchen. Doch ist auch sein Lebenswerk nicht ohne Interesse. William Blake erzählt uns, er habe vor einem seiner Bilder verweilt und habe es »sehr schön« gefunden. Seine Essays haben viel von dem, was später verwirklicht worden ist, gewissermaßen vorweggenommen. Er hat manches, das mit der modernen Kultur nur beiläufig zusammenhängt, von vielen aber als das Wesentliche betrachtet wird, voraus empfunden. Er schreibt über die Gioconda und über Dichter der französischen Frühzeit und über die italienische Renaissance. Er liebt griechische Gemmen und persische Teppiche, Elisabethanische Übersetzungen von Amor und Psyche und der Hypnerotomachia, Bucheinbände und erste Ausgaben und weitgerandete Abzüge. Er hat einen sehr feinen

Sinn für den Wert einer schönen Umgebung und wird nicht müde, die Räume zu beschreiben, worin er wohnte oder gern gewohnt hätte. Er besaß jene seltsame Vorliebe für das Grün, die stets, wenn sie bei Einzelnen auftritt, ein feines künstlerisches Temperament bekundet, bei Völkern jedoch eine gewisse Schlaffheit oder vielleicht gar den Niedergang der Moral ankündigen soll. Wie Baudelaire liebte er die Katzen sehr; er war, wie Gautier, von dem »süßen Marmorungeheuer«, dem zweigeschlechtigen, das wir noch jetzt in Florenz und im Louvre sehn, entzückt.

In seinen Schilderungen und seinen Winken für die dekorative Kunst findet sich allerdings manche Bemerkung, die bezeugt, dass auch er sich nicht völlig vom falschen Geschmack seiner Zeit frei zu machen wusste. Doch es ist klar, dass er einer der Ersten war, die erkannten, worauf es beim ästhetischen Eklektizismus hauptsächlich ankommt, nämlich auf das Zusammenklingen alles wirklich Schönen, völlig unabhängig von Zeit, Ort, Schule oder Manier. Er erkannte, dass wir beim Ausschmücken eines Zimmers, das ein Raum zum Bewohnen, nicht zur Parade sein soll, keineswegs die Vergangenheit mit archäologischer Genauigkeit wiederherstellen müssen. Wir sollen uns auch nicht mit dem Gefühl, zu peinlicher historischer Genauigkeit verpflichtet zu sein, beschweren. Seine künstlerische Empfindung hatte da völlig recht. Alles Schöne gehört der nämlichen Zeit an.

Und so finden wir in seiner eigenen Bücherei, wie er sie schildert, die zarte tönerne griechische Vase mit ihren minutiös gemalten Figuren und dem matten ΚΑΛΟΣ in feinen Linien darauf gezeichnet; dahinter hängt ein Stich nach der »Delphischen Sibylle« Michel Angelos oder der »Pastorale« Giorgiones. Hier ein Stück einer florentinischen Majolika, dort eine rote Lampe aus einem römischen Grab. Auf dem Tisch liegt ein Stundenbuch »in einer Hülle aus gediegenem, vergoldetem Silber, geschmückt mit anmutigen Sinnbildern und mit kleinen Brillanten und Rubinen besetzt«; dicht daneben hockt ein kleines hässliches Ungeheuer, etwa ein Lar, ausgegraben auf den sonnigen Gefilden des korngesegneten Sizilien. Einige dunkle antike Bronzen kontrastieren

»mit dem blassen Schimmer zweier edler Christi-Kruzifixi, deren einer in Elfenbein geschnitten, der andere in Wachs modelliert ist«. Er besitzt seine mit Edelsteinen gezierten Präsentierteller, seine zarte Louis-Quatorze-Bonbonniere mit einem Miniaturbilde Petitots, seine hoch gepriesenen »Filigran-Teekannen aus braunem Biskuit«, seine zitronenfarbene Saffian-Briefschatulle, seinen »pomonagrünen« Stuhl.

Man kann sich ihn vorstellen, wie er inmitten seiner Bücher, Abgüsse und Stiche daliegt, ein wahrer Kunstliebhaber und feiner Kenner, wie er seine erlesene Sammlung von Marc Antonios und sein »Liber Studiorum« Turners, das er sehr warm bewunderte, durchblättert, oder mit einem Vergrößerungsglas einige seiner antiken Gemmen und Kameen prüft, »den Kopf Alexanders auf einem doppelschichtigen Onyx«, oder »jenes herrliche altissimo relievo auf Karneol, den Jupiter Ägiochus«. Er war stets ein besonderer Liebhaber von Stichen und gibt einige sehr nützliche Winke über die besten Methoden zum Anlegen einer Sammlung. Doch verlor er niemals, wie sehr er auch die moderne Kunst zu schätzen wusste, den Blick für die Bedeutung der Reproduktionen der großen Meisterwerke der Vergangenheit. Seine Bemerkungen über den Wert der Gipsabgüsse sind ganz bewundernswert.

Als Kunstkritiker beschäftigte er sich vor allem mit den Gesamteindrücken, die durch ein Kunstwerk hervorgerufen werden, und sicherlich liegt der Anfang aller ästhetischen Kritik darin, dass man seine persönlichen Impressionen ausdrückt. Abstrakte Erörterungen über das Wesen der Schönheit waren nicht seine Sache. Die historische Methode, die seitdem so reiche Frucht zutage gefördert hat, war seiner Zeit noch fremd, doch ließ er nie die große Wahrheit aus den Augen, dass sich die Kunst zunächst weder an den Intellekt noch an die Gefühle, sondern nur an das künstlerische Temperament wendet. Er führt mehr als einmal aus, dass dieses Temperament, dieser »Geschmack«, wie er es nennt, unbewusst durch den innigen Kontakt mit Meisterwerken gebildet und gereift wird und sich endlich zu einer Art treffenden Urteils entwickelt. Allerdings gibt es in der Kunst, ebenso wie in der Kleidung Moden, und vielleicht vermag niemand, sich vom Einfluss der Gewohnheit und der Neuheit ganz zu befreien. Er wenigstens vermochte dies nicht; er bekennt freimütig, wie schwer es halte, die richtige Meinung über das Werk eines Zeitgenossen zu gewinnen. Aber im Ganzen, muss man sagen, war sein Geschmack trefflich und gesund. Er bewunderte Turner und Constable zu einer Zeit, wo diese Künstler noch nicht so sehr wie heutzutage im Mund der Leute waren. Er erkannte, dass die höchst entwickelte Landschaftskunst mehr als »bloßen Fleiß und genaues Kopieren« voraussetze. Über Cromes »Heideszene bei Norwich« bemerkt er: Diese Darstellung bekundet, »wie sehr die genaue Beobachtung der Elemente in ihren wilden Stimmungen einem höchst uninteressanten Fleck Landes zugute kommt«. Über die typische Landschaftsmalerei seiner Tage sagt er, sie sei einfach eine Aufzählung von Tal und Hügel, Baumstümpfen, Buschwerk, Wasser, Matten, Villen und Häusern; kaum mehr als Topografie, etwa ein gemaltes Landkartenwerk, in dem Regenbogen, Schauer, Nebel, Lichtkreise, die Strahlenfülle, die durch zerrissene Wolken bricht, Stürme, das Licht der Sterne, die wertvollsten Hilfsmittel für den wirklichen Maler, fehlen. Er hatte einen tiefen Hass gegen alles Allzudeutliche, Gemeinplätzige in der Kunst; er war entzückt, Wilkie bei Tisch zu unterhalten, um die Gemälde Sir Davids aber kümmerte er sich so wenig wie um die Gedichte Crabbes. Der nachahmenden, realistischen Richtung seiner Tage brachte er keine Sympathien entgegen. Er gesteht auch offen, seine große Bewunderung Fuselis wurzle darin, dass dieser kleine Schweizer es nicht für notwendig halte, dass ein Künstler nur das male, was er erblickt. Eigenschaften, die er von einem Gemälde verlangte, waren Komposition, Schönheit und Adel der Linie, Reichtum der Farbengebung, Macht der Fantasie. Doch war er andererseits kein Doktrinär. »Ich bin der Ansicht, kein Kunstwerk kann nach anderen Gesetzen, als nach jenen, die aus ihm selbst fließen, beurteilt werden; ob es mit sich im Einklange steht oder nicht, das ist die Frage.« Dies ist einer seiner glänzenden Aphorismen. Und seine kritische Beurteilung so verschiedener Künstler wie Landseer und Mattin, Stothard und Etty bekundet, dass er es versucht – um eine jetzt klassisch gewordene Redewendung zu gebrauchen –, »die Dinge so zu sehen, wie sie wirklich an sich sind«.

Gleichwohl fühlt er sich, wie ich früher ausführte, beim Kritisieren der Werke seiner Zeitgenossen nicht ganz in seinem Element. »Das Gegenwärtige«, bemerkt er, »bringt mich in eine ähnlich angenehme Verwirrung wie Ariosi, wenn man ihn zum erstenmal liest ... Das Moderne blendet mich. Ich muss es durch das Fernrohr der Zeit betrachten. Elia klagt, der Wert einer Dichtung im Manuskript sei ihm nicht ganz klar; der Druck«, sagt er treffend, »entscheidet alles.« Fünfzig Jahre Abtönung bringen bei einem Gemälde die nämliche Wirkung hervor. Ihm ist es lieber, über Watteau und Lancret, über Rubens und Giorgione, über Rembrandt, Correggio und Michel Angelo zu schreiben; am meisten äußert er sich über griechische Kunst. Die Gotik berührte ihn kaum, aber die klassische und die Renaissancekunst standen ihm stets sehr nahe. Er erkannte sehr wohl, wie viel unsere englische Schule durch das Studium griechischer Vorbilder gewinnen könne; er versäumt es nie, die jungen Studenten auf die im hellenischen Marmor, in der hellenischen Technik schlummernden künstlerischen Möglichkeiten hinzulenken. In seinen Urteilen über die großen italienischen Meister, bemerkte de Quincey, »schien ein Ton von Aufrichtigkeit und ursprünglicher Empfindungswärme durchzubrechen, wie er nur bei denen sich zeigt, die aus sich selbst, nicht bloß aus Büchern schöpfen«. Das höchste Lob, das wir ihm erteilen können, ist, dass er den Versuch wagte, den großen Stil als bewusste Überlieferung wieder neu zu erwecken. Doch er sah wohl ein, dass weder Vorlesungen über Kunst noch Kunstkongresse noch »Projekte zur Förderung der schönen Künste« dieses bewirken können. »Das Publikum«, führt er sehr klug und im wahren Geist von Toynbee Hall aus, »muss stets die besten Modelle vor Augen haben.«

Wie man von ihm, dem Maler, erwarten durfte, geht er in seiner Kritik sehr oft auf technische Details über. Über Tintorettos Gemälde »St. Georg, die ägyptische Prinzessin vom Drachen befreiend«, bemerkt er:

»Das Kleid der Sabra, warm lasiert mit preußischem Blau, hebt sich vom blassgrünen Hintergrund durch einen roten Schleier ab; die vollen Farbentöne finden gewissermaßen ihren wundervollen Widerhall in den gedämpft-purpurfarbenen Stoffen und dem bläulichen Eisenpanzer des Heiligen; überdies halten der lebhaften Azurdraperie des Vordergrundes die Indigoschatten des wilden Waldes, der das Schloß umhegt, die Waage.«

Anderswo spricht er gelehrt über »einen zarten Schiavone mit seinen vielfach durchbrochenen Schattierungen, bunt wie ein Tulpenbeet«, über ein »glühendes, durch Morbidezza ausgezeichnetes Porträt des seltenen Maroni«. Von einem anderen Bild sagt er, dass es »in seinem Inkarnat weich sei«.

In der Regel aber beschäftigt er sich nur mit dem Gesamteindruck eines Werkes. Er versucht, seine Impression in Worte zu übersetzen, gewissermaßen jene Eindrücke literarisch auszuprägen, die Fantasie und Geist empfingen. Er hat als einer der ersten die sogenannte Kunstschriftstellerei des neunzehnten Jahrhunderts zur Entwicklung gebracht, jene literarische Form, die in Mr. Ruskin und Mr. Browning ihre vollendetsten Vertreter gefunden hat. Seine Schilderung des »Repas Italien« des Lancret, eines Gemäldes, in dem »ein dunkelgelocktes Mädchen, verliebt in allerlei Schabernack, auf der mit Maßliebchen übersäten Wiese liegt«, ist in mancher Hinsicht äußerst reizvoll. Wir geben hier die Beschreibung der »Kreuzigung« Rembrandts wieder. Sie ist für seinen Stil äußerst charakteristisch:

»Finsternis – rußige, furchtbare Finsternis – bedeckt die ganze Szene: nur über dem verwunschenen Wald strömt wie durch einen schrecklichen Spalt in der düstern Himmelsdecke eine Regenflut herab, hagelartiges, schmutzgefärbtes Wasser –, grauliches Gespensterlicht verbreitend, ein Licht, noch schauerlicher als die greifbare Nacht. Schon keucht die Erde heftig, schwer! Das dunkle Kreuz erbebt! Die Winde halten an, die Luft steht still – Murmeln, Dröhnen grollt unter ihren Füßen. Aus der ärmlichen Menge fliehn manche bereits den Hügel herab. Die Rosse wittern das nahende Graun, sie werden vor Angst unlenksam. Jäh naht der Augenblick, da, fast zerrissen durch die eigne Schwere, ohnmächtig durch den Verlust des Bluts, das jetzt in Bächen aus seinen geöffneten Adern rieselt, Schläfen und Brust beinahe vom Schweiß ertränkt, die schwarze Zunge ausgedörrt von glühendem Todesfieber, Jesus aufschreit: ‚Ich verdurste!' Man hebt den todbringenden Essig zu seinen Lippen empor.

Sein Haupt sinkt, der heilige Leichnam schwankt und fühlt das Kreuz nicht länger. Eine schmale rote Flamme schießt hell durch die Luft und verblasst. Karmel und Libanon bersten. Das Meer wälzt von den Sandbänken herab schwarz rollende Fluten. Die Erde klafft, Grüfte speien die Leichen aus. Tote und Lebende werden in unnatürlicher Verbindung durcheinander geschüttelt und rasen durch die heilige Stadt. Neue Schrecken erwarten sie hier. Der Vorhang des Tempels – der undurchdringliche Vorhang – ist vom Scheitel bis zum Fuß geborsten. Jenes furchtbare Heiligtum, das die Mysterien der Hebräer bewahrt – die schicksalsschwere Bundeslade mit ihren Tafeln und dem siebenarmigen Leuchter – wird durch überirdische Flammen der gottverlassenen Menge erschlossen.«

»Rembrandt hat diese Skizze niemals gemalt, und das mit vollem Recht. Sie hätte ohne den verwirrenden Schleier der Unbestimmtheit, der unserer Einbildungskraft ein so weites Gebiet eröffnet, beinahe den ganzen Reiz des Geheimnisvollen eingebüßt. Jetzt wirkt sie wie ein Ding aus einer andern Welt. Schwarz gähnt ein Abgrund zwischen uns. Mit den Sinnen ist sie nicht zu fassen. Nur die Seele vermag, ihr zu nahn.«

Diese Stelle, »niedergeschrieben in Grauen und Ehrfurcht« – so berichtet der Autor – enthält manches Furchtbare, manches ganz Entsetzliche, aber sie ist nicht ohne eine gewisse rohe Kraft, oder wenigstens nicht ohne eine gewisse rohe Gewalt des Worts. Eben unser Zeitalter, das solcher Kraft ermangelt, sollte sie höchlich zu schätzen wissen. Doch scheint es erfreulicher, zu seiner Beschreibung des Bildes Giulio Romanos »Cephalus und Procris« überzugehn:

»Man sollte die Klagen des Moschus um Bion, den süßen Hirten, lesen, bevor man dieses Gemälde betrachtet, oder man sollte das Gemälde als Vorbereitung für die Klagelieder studieren. Wir finden hier und dort beinah das nämliche dargestellt. Über beide Opfer murmeln die hohen Haine und Wälder der Niederung; die knospenden Blumen hauchen müden Duft; die Nachtigall trauert auf felsigem Gestein, die Schwalbe in lang gewundenen Tälern; die Satyrn und dunkel verschleierten Faune stöhnen; des Waldes Brunnennymphen zerfließen in Tränen. Schafe und Böcke verlassen ihre Weide; die Oreaden, die gern auf unwegsamen Spitzen senkrechter Felsen klimmen, eilen hernieder von ihren singenden, windumschmeichelten Pinien, Dryaden neigen sich aus den Zweigen der verschlungenen Bäume herab, die Flüsse weinen um die weiße Procris, mit vielen hervorstürzenden Tränen:

‚Den fernhinglänzenden Ozean füllend mit ihrem Laut.‘

Die goldenen Bienen auf dem thymianduftenden Hymettus werden still; das schallende Horn des Geliebten der Aurora wird niemals mehr das kalte Zwielicht auf den Höhen des Berges zerstreun. Der Vordergrund unseres Gemäldes ist ein grasreiches, durch die Sonne verbranntes Gelände, wie gewelltes Land hinansteigend und sich senkend, noch unebener durch die vielen Wurzeln, worin sich der Fuß verfängt, durch Strünke von Bäumen, die vor der Zeit gefällt wurden und die dennoch wieder leichte, grüne Sprößlinge hervortreiben.

Dieses Gelände steigt jäh zur Rechten zu einem dichten Hain empor, den kein Sternenschimmer zu durchdringen vermag; an seinem Eingang sitzt der kummerbetäubte thessalische König. Er hält auf seinen Knien den elfenbeinglänzenden Leib. Vor einem Augenblick hat dieser noch das rauhe Gezweige mit der sanften Stirn geteilt, den Boden mit seinen Dornen und Blumen eifersuchtbeschwingten Schrittes getreten – jetzt liegt dieser Körper da, hilflos schwer, entseelt, kaum dass die spielenden Lüfte das dichte Haar wie im Spotte heben.

Heimlich drängen sich aus dem benachbarten Gehölz erstaunte Nymphen heran, laut schreiend.

‚Und fell-umgürtete Satyrn, efeuumwunden stürzen herbei;
Und seltsames Mitleid klinget hervor aus sanfter Schalmei‘

Laelaps liegt unten in der Tiefe; sein Keuchen bekundet, wie furchtbar schnell der Tod ihn überfällt. Dieser Gruppe gegenüber hält der tugendreiche Eros mit niedergeschlagenen Flügeln den Köcher dem herannahenden Trupp des Waldvolks entgegen, Faunen, Böcken, Ziegen, Satyrn und Satyrweibchen, die ihre Kinder mit zitternden Fingern fester an sich pressen. Von links her traben sie alle heran auf versunkenem Weg zwischen dem Vordergrund und einem felsigen Gemäuer, an dessen niedrigster Erhebung eine Quellnymphe aus ihrer Urne Unglück murmelndes Wasser hervorströmt. Höher und weiter entfernt als die Ephidryas erscheint, die Locken raufend, ein anderes Weib zwischen den weinumhegten Baumpfeilern eines unberührten Hains. Die Mitte des Bildes umfassen schattige Matten, die sich zur Strommündung herabsenken, jenseits dehnt sich die unendliche Macht des strömenden Ozeans. Die rosige Aurora, die Auslöscherin der Sterne, taucht daraus empor und treibt ihre taubesprengten Rosse. Sie peitscht sie wütend zur Eile, die Todesangst ihres Nebenbuhlers zu erspähn.«

Würde diese Schilderung sorgsam neu geschrieben, dann wäre sie ganz wundervoll. Der Gedanke, aus einem Gemälde ein Prosagedicht zu formen, ist ausgezeichnet. Ein guter Teil der besten modernen Literatur hat in diesem nämlichen Wunsch seinen Ursprung. In einem sehr hässlichen und empfindlichen Zeitalter borgen die Künste nicht vom Leben, sondern von den Nachbarkünsten.

Auch seine Neigungen waren erstaunlich mannigfaltiger Art. Er interessierte sich zum Beispiel sehr lebhaft für alles, was mit dem Theater zusammenhing. Er betonte sehr oft, man müsse sich bei den Kostümen und den Dekorationen archäologischer Genauigkeit befleißigen. »In der Kunst«, bemerkt er in einem seiner Essays, »ist alles, was überhaupt wert ist, dass es getan werde, auch wert, auf richtige Art getan zu werden.« Er führt aus, dass wenn man einmal Anachronismen zulasse, man sehr schwer die Grenze des Erlaubten finde. In der Literatur kämpfte er wie Lord Beaconsfield bei einem bekannten Anlass, »auf der Seite der Engel«. Er war einer der ersten Bewunderer von Keats und Shelley – »des bebend sensitiven und dichterischen Shelley«, wie er ihn nennt. Seine Bewunderung für Wordsworth war aufrichtig und tief. Er wusste William Blake völlig zu schätzen. Eine der besten Abschriften der »Songs of Innocence und Experience«, die wir überhaupt besitzen, wurde eigens für ihn angefertigt. Er liebte Alain Chartier und Ronsard und die Dramatiker der Elisabethanischen Zeit und Chaucer und Chapman und Petrarka. Für ihn waren alle Künste eins. »Unsere Kritiker«, bemerkt er sehr verständig, »scheinen gar nicht zu erkennen, dass Dichtkunst und Malerei dem gleichen Ursprung entfließen, dass jeder wirkliche Fortschritt in der ernsthaften Erforschung der einen Kunst eine entsprechende Vervollkommnung in der anderen zur Folge hat.« Und er führt anderswo aus, dass jemand, der Michel Angelo nicht bewundere und dabei von seiner Liebe für Milton schwärme, entweder sich selbst oder seine Zuhörer betrüge. Seinen Mitarbeitern am »London Magazine« bewies er sehr viel Großmut. Er lobte Barry Cornwall, Allan Cunningham, Hazlitt, Elton und Leigh Hunt ganz ohne die spöttische Bosheit eines Freundes. Einige seiner Skizzen über Charles Lamb sind in ihrer Art bewundernswert. Sie entnehmen in echt schauspielerhafter Weise ihren Stil dem Gegenstand:

»Kann ich über dich das mindeste sagen, was nicht alle wissen? Dass du die Fröhlichkeit eines Knaben mit der reifen Kenntnis des Mannes vereintest; dass du ein Herz besaßest, voller Güte wie irgendeins, das uns Tränen ins Auge trieb!

Wieviel Witz bewies er, da er euch mißverstand. Wie geschickt ließ er in die passende Stunde den unpassenden Scherz fließen! Seine Rede war, wenn er sich von Geziertheit fernhielt, selbst bis zur Dunkelheit gedrängt, wie die Sprache jener geliebten Dichter der Elisabethanischen Zeit. Gleich Körnern feinen Goldes breiteten sich seine Aussprüche über weite Flächen. Er hatte wenig für unechten Ruhm übrig, und eine beißende Bemerkung über das ‚Gehaben der Männer von Genie' stand ihm stets zu Gebote. Sir Thomas Brown war einer seiner ‚Busenfreunde', desgleichen Burton und Füller. In seinen verliebten Launen spielte er mit jener unvergleichlichen Herzogin der vielfachen Parfüms; die tollen Komödien von Beaumont und Fletcher brachten ihm helle Träume. Er ließ, gleichsam aus plötzlicher Inspiration, kritische Lichter darauf fallen; doch ließ man ihn am besten seinen eigenen Weg gehen. Fing ein anderer an, sich über seine Lieblingsdichter zu äußern, dann war er imstande, ihm ins Wort zu fallen, er machte irgendeinen Zusatz, man wusste nicht, ob aus Mißverständnis oder Bosheit. Bei C... bildeten eines Abends jene dramatischen Dichter vor allem das Thema des Gesprächs. Ein Herr T. rühmte die leidenschaftliche Glut, den erlauchten Stil einer Tragödie – ich weiß nicht, welcher –, da unterbrach ihn Elia sogleich mit der Bemerkung: ‚Das war gar nichts, die lyrischen Partien sind das Erhabene gewesen – ja die lyrischen Partien!«

Eine Seite seiner literarischen Bestrebungen verdient besondere Erwähnung. Man darf sagen, der moderne Journalismus hat ihm so viel wie irgendeinem Mann aus dem Anfange des Jahrhunderts zu danken. Er war der Vorkämpfer des sog. »asiatischen« Stils, er fand sein Ergötzen an malenden Beiworten und pompösen Übertreibungen. Ein Stil, dessen üppiger Glanz den Gegenstand verhüllt – das ist die Haupterrungenschaft einer sehr wichtigen und viel bewunderten Schule der Artikelschreiber aus der Fleet Street. Janus Wetterhahn hat diese Schule, man darf es behaupten, begründet. Er erkannte auch, dass es nicht schwerfällt, das Publikum für die eigene Persönlichkeit zu interessieren, wenn man nur immer davon redet. So erzählt dieser außerordentliche junge Mann in seinen Zeitungsartikeln der Mitwelt, was er Mittag speist, wo er seine Kleider machen lässt, welcher Weinsorte er den Vorzug gibt, wie es mit seiner Gesundheit bestellt ist – genau, als ob er Wochenchroniken für irgendeine sehr verbreitete Zeitung unserer Tage verfasste. Besaß auch diese Seite seiner Tätigkeit am wenigsten Wert, so übte sie gleichwohl den sichtbarsten Einfluss. Heutzutage ist ein Publizist ein Mann, der die Öffentlichkeit mit den Details der Ungesetzlichkeiten langweilt, die er in seinem Privatleben verübt.

Wie die meisten künstlerischen Menschen bekundet er besondere Vorliebe für die Natur. »Drei Dinge«, sagt er irgendwo, »sind mir besonders wert: bequem auf einer Höhe zu sitzen, die eine reiche Aussicht beherrscht; im Sonnenglanze ringsum durch dichte Bäume beschattet zu werden; und die Einsamkeit so recht mit dem Bewusstsein zu genießen, dass Menschen in der Nähe sind. Dies alles beschert mir das Land.« Er schildert uns, wie er über süß duftenden Ginster wandert und Collins »Ode an den Abend« laut vor sich hin spricht, um den erlesenen Geist des Augenblicks zu erhaschen. Er schildert, wie er sein Antlitz »in ein vom Tau der Mainacht feuchtes Primelbeet drückt«; er erzählt, welche Freude er empfindet, wenn er die sanften Kühe »durch das Zwielicht heimwärts ziehen sieht« und das »entfernte Geläute der Lämmerherden« vernimmt. Eine seiner Redewendungen: »der Polyanthus glühte in seinem kalten Erdenbett wie ein einsames Bild des Giorgione auf einer dunkeln eichenen Wand«, ist für sein Empfinden seltsam bezeichnend. Auch die nachfolgende Bemerkung ist in ihrer Art sehr hübsch –

»Das kurzgeschnittene zarte Gras war bedeckt mit Maßliebblüten, sie standen dicht wie die Sterne einer Sommernacht. Das rauhe Gekrächze emsiger Krähen klang, sanfter tönend, ein wenig entfernt, aus einem hohen, düstern Ulmenhain hernieder. Zuweilen wurde die Stimme eines Knaben laut, der die Vögel von den neu besäten Feldern fortscheuchte. Die blauen Tiefen waren dunkel-ultramarin gefärbt. Über den sanften Himmel strich nicht eine Wolke. Nur um seinen Rand flutete ein Streifen des Lichts, ein Nebelhäutchen, dem gegenüber sich das nahegelegene Dorf mit der alten Steinkirche deutlich glänzendweiß abhob. Ich musste an Wordsworths ‚Verse im März geschrieben' denken.«

Wir dürfen jedoch nicht vergessen, dass eben der hochgebildete junge Mann, der diese Zeilen niederschrieb und sich für den Einfluss Wordsworths so empfänglich zeigte, zugleich, wie ich in der Einleitung dieser Denkschrift bemerkte, einer der heimlich-verschwiegensten Giftmischer seines Zeitalters gewesen ist. Er berichtet uns nicht, wodurch er zu diesem seltsamen Verbrechen zuerst angeregt wurde. Das Tagebuch, in dem er sorgfältig die Ergebnisse seiner schrecklichen Versuche und das Verfahren, das er anwandte, aufzeichnete, ist uns leider verloren. Selbst in seinen späteren Lebenstagen bewahrte er über dieses Thema völliges Stillschweigen; er zog es vor, über Wordsworths »Ausflug« und »Gedichte, die aus Leidenschaften entspringen«, zu plaudern. Es unterliegt aber keinem Zweifel, dass das Gift, dessen er sich bediente, Strychnin gewesen ist. Er verbarg in einem der herrlichsten Ringe, auf die er so stolz war, die er trug, um die feine Modellierung seiner vornehmen Elfenbeinhand hervorzuheben, Kristalle der indischen nux vomica, eines Giftes, das – so erzählt uns einer seiner Biografen – »beinahe geschmacklos, schwer zu entdecken und fast unendlicher Verdünnung fähig ist«. Seiner Mordtaten, berichtet de Quincey, sind mehr gewesen, als man je durch die Gerichtsverhandlungen erfuhr. Das ist gewiss, und einige dieser Morde sind der Aufzeichnung wert. Das erste Opfer war sein Onkel Thomas Griffiths. Er vergiftete ihn im Jahre 1829 in der Absicht, in den Besitz von Linden House, einer Stätte, die er seit jeher sehr liebte, zu gelangen. Im August des nächsten Jahres hat er Mrs. Abercrombie, die Mutter seiner Gattin, im folgenden Dezember die liebliche Helene Abercrombie, seine Schwägerin, vergiftet. Das Motiv des Mordes der Mrs. Abercrombie steht nicht ganz fest. Er hat die Tat vielleicht aus einer Laune begangen, oder um irgendein fürchterliches Machtgefühl, das in ihm lebte, zu befriedigen, oder weil sie Argwohn gegen ihn hatte oder vielleicht aus gar keinem bestimmten Grund. Was jedoch Helene Abercrombie betrifft, so haben er und seine Gattin diesen Mord verübt, um eine Summe von ungefähr 18.000 Pfund Sterling zu erlangen; sie hatte nämlich ihr Leben bei verschiedenen Gesellschaften um diese Summe versichert. Die näheren Umstände waren die folgenden. Am 12. Dezember reiste er in Gesellschaft seiner Frau und seines Kindes von Linden House nach London und bezog in der Conduit Street, Regent Street Nr. 12, eine Wohnung. In ihrer Begleitung befanden sich die beiden Schwestern Helene und Madeleine Abercrombie. Am Abend des 14. besuchten sie gemeinsam das Theater, beim Abendessen fühlte sich Helene unwohl. Den Tag darauf erkrankte sie ernstlich, und Dr. Locock aus Hanover Square wurde an ihr Lager berufen. Sie lebte noch bis Montag, den 20. An diesem Tage brachten ihr nach der Morgenvisite des Arztes Mr. und Mrs. Wainewright ein vergiftetes Gelee; dann machten sie einen Spaziergang. Nach ihrer Rückkehr war Helene Abercrombie bereits eine Leiche. Sie war ungefähr zwanzig Jahre alt, ein schlankes, anmutiges, hellblondes Mädchen. Eine sehr reizende rötliche Kreidezeichnung von der Hand ihres Schwagers ist noch vorhanden; sie bekundet, wie sehr sein künstlerischer Stil damals von Sir Thomas Lawrence beeinflusst ward, einem Maler, für dessen Art er stets große Bewunderung hegte. De Quincey meint, Mrs. Wainewright sei in Wahrheit nicht Mitwisserin des Mordes gewesen. Hoffen wir, dass sie es nicht war. Das Verbrechen sollte in der Einsamkeit und ohne Helfershelfer bleiben.

Die Versicherungsgesellschaften ahnten wohl den wahren Zusammenhang der Dinge und lehnten die Auszahlung der Police ab, wobei sie sich auf gewisse fachtechnische Mängel stützten: Die Deklaration sei falsch gewesen, auch seien die Prämien nicht eingezahlt worden. Mit erstaunlichem Mut brachte nunmehr der Giftmischer eine Klage beim Gerichtshofe von Chancery wider die »Imperial Company« ein; vereinbart wurde, dass ein Urteilsspruch alle Fälle erledigen solle. Das Gericht gelangte fünf Jahre lang zu keinem Ergebnis, endlich wurde nach einer entgegengesetzt lautenden Entscheidung das Urteil zugunsten der Gesellschaft gefällt. Der Richter in dieser Angelegenheit war Lord Abinger. Egomet Bonmot war durch Mr. Erle und Sir William Follet vertreten; für die Gegenseite erschienen der Kronanwalt und Sir Frederick Pollock. Der Kläger war unglücklicherweise außerstande, bei einem der Gerichtstage anwesend zu sein. Die Weigerung der Gesellschaft, ihm die 18.000 Pfund Sterling zu bezahlen, hatte ihn in höchst peinliche pekuniäre Schwierigkeiten gestürzt. In der Tat, wenige Monate nach der Ermordung der Helene Abercrombie war er schuldenhalber in den Straßen Londons in dem Augenblick verhaftet worden, wo er der hübschen Tochter eines seiner Freunde eine Serenade darbrachte. Über diese Schwierigkeiten kam er allmählich hinweg, doch hielt er es bald für geratener, bis zu dem Augenblick, wo mit seinen Gläubigern ein Übereinkommen getroffen wäre, zu verschwinden. Er begab sich also nach Boulogne, um dem Vater der erwähnten jungen Dame einen Besuch abzustatten; während seines Aufenthalts daselbst überredete er ihn, sein Leben bei der Pelican Company um den Betrag von 3.000 Pfund Sterling zu versichern. Kaum waren die notwendigen Förmlichkeiten erfüllt, kaum war die Police ausgestellt, so schüttete er ihm einige Strychninkristalle in den Kaffee, während sie eines Abends nach dem Speisen zusammensaßen. Durch diese Tat gewann er keinerlei materiellen Vorteil. Seine Absicht war nur, sich an der Gesellschaft, die es als erste abgelehnt hatte, ihm den Lohn seines Verbrechens auszubezahlen, zu rächen. Sein Freund starb am darauffolgenden Tag vor seinen Augen. Er reiste von Boulogne plötzlich ab, um Skizzen der malerischen Gegenden der Bretagne anzufertigen. Er war dann eine Zeit lang der Gast eines alten französischen Edelmannes, der ein wundervolles Landhaus bei St. Omer besaß. Von hier aus begab er sich nach Paris; dort hielt er sich einige Jahre auf und führte, wie die einen sagen, ein üppiges Leben, die anderen meinen, »er sei mit dem Gift in der Tasche umhergeschlichen und von allen, die ihn kannten, gefürchtet worden«. Im Jahre 1837 kehrte er heimlich nach England zurück. Ein seltsamer Zauber hatte seine Schritte in die Heimat gelenkt. Er folgte einer geliebten Frau.

Es war im Monat Juni, er hielt sich eben in einem der Hotels von Covent Garden auf. Sein Wohnzimmer war zu ebener Erde, er hatte vorsichtigerweise die Vorhänge herabgelassen, um nicht gesehen zu werden. Er hatte nämlich vor dreizehn Jahren, zu jener Zeit, wo er seine erlesene Sammlung von Majoliken und Marc Antonios anlegte, die Namen einiger seiner Kuratoren gefälscht, um solcherart in den Besitz einer Summe Geldes zu gelangen, die ihm seine Mutter hinterlassen hatte. Er wusste, dass dieser Betrug entdeckt worden war und dass er durch seine Rückkehr nach England sein Leben gefährde. Trotzdem kehrte er zurück. Soll man sich darüber wundern? Ich sagte, jene Frau war sehr schön, und überdies liebte sie ihn nicht.

Er wurde bloß durch Zufall entdeckt. Ein Lärm auf der Straße entfachte seine Aufmerksamkeit. Er zog in seinem künstlerischen Interesse am modernen Leben einen Augenblick den Vorhang auf. Da rief jemand: »Da ist Wainewright, der Fälscher!« Es war Forrester, der Geheimpolizist.

Am 5. Juli ward er nach Old Bailey geschafft. Der folgende Bericht über den Prozess erschien in der »Times«:

»Vor den Richtern Mr. Vaughan und Mr. Baron Alderson stand Thomas Griffiths Wainewright, ein Mann von zweiundvierzig Jahren – er trägt einen Schnurrbart und macht den Eindruck eines Gentlemans –, unter der Anklage der Fälschung einer Vollmacht über einen Betrag von 2259 Pfund Sterling. Seine Absicht war, den Generaldirektor und die Gesellschaft der Bank von England zu betrügen.

Die Anklage wider den Häftling umfaßte fünf Punkte. Der Angeklagte erklärte sich beim Verhör vor Mr. Sergeant Arbin im Laufe des Vormittags in sämtlichen Punkten für nichtschuldig. Dem Gerichtshof gegenüber bat er, seine früheren Angaben widerrufen zu dürfen; er bekannte sich in zwei Punkten nebensächlicher Natur für schuldig.

Der Anwalt der Bank führte aus, es seien noch drei Anklagepunkte vorhanden, die Bank beharre aber nicht darauf, dass Blut fließe. Daher wurde die Verurteilung nur in bezug auf die beiden weniger wichtigen Fakten ausgesprochen. Die Verhandlung schloß damit, dass der ‚Recorder‘ das Urteil verkündete, wonach über den Angeklagten die Strafe der Deportation auf Lebensdauer verhängt wurde.«

Man brachte ihn nach Newgate zurück, damit er sich hier für den Transport in die Kolonien vorbereite. In einem der Essays aus seiner ersten Zeit findet man eine seltsame Stelle, in der Wainewright sich vorstellt, er liege, ein zum Tode Verurteilter, im Kerker, weil er der Versuchung nicht habe widerstehen können, einige Marc Antonios aus dem Britischen Museum zur Vervollständigung seiner Sammlung zu stehlen. Das Urteil, das ihn jetzt traf, bedeutete für einen Menschen seiner Kultur gewissermaßen den Tod. Er beklagte sich darüber zu Freunden bitterlich und bemerkte, wie manche denken werden, nicht ohne Grund, das Geld sei tatsächlich sein eigen gewesen, da es ihm von seiner Mutter bestimmt gewesen sei. Ferner sei die Fälschung, wie sie nun einmal vorlag, vor dreizehn Jahren begangen worden. Dieser Umstand bilde zumindest, um seinen Ausdruck zu gebrauchen, eine »Circonstance attenuante«. Die Fortdauer der Persönlichkeit ist ein sehr subtiles Problem der Metaphysik, und unser englisches Gesetz löst dieses Problem ohne Frage auf sehr rohe und einfache Art. Es liegt aber ein dramatisches Moment in der Tatsache, dass diese schwere Strafe um einer Missetat willen über ihn verhängt wurde, die keineswegs sein ärgstes Verbrechen war, wenn man seinen verhängnisvollen Einfluss auf die moderne journalistische Prosa bedenkt.

Während seines Aufenthalts in diesem Gefängnis trafen ihn zufällig Dickens, Macready und Hablot Browne. Sie hatten eben einen Rundgang durch die Londoner Gefängnisse gemacht, um künstlerische Anregungen zu gewinnen, und in Newgate wurden sie plötzlich Wainewrights gewahr. Er blickte sie, wie uns Forster erzählt, trotzig an, doch war Macready »entsetzt, einen Mann, den er in früheren Jahren intim gekannt, bei dem er gespeist hatte, in ihm zu erkennen«.

Andere waren neugieriger; so kam es, dass seine Zelle kurze Zeit hindurch ein Treffpunkt der feinen Welt wurde. Viele Schriftsteller besuchten ihren alten Kameraden von der Feder. Er war aber keineswegs mehr der frohgemute Janus, den Charles Lamb bewundert hatte. Er scheint ganz und gar zum Zyniker geworden zu sein. Dem Agenten einer Versicherungsgesellschaft, der ihn eines Nachmittags besuchte und meinte, jetzt sei der gelegene Augenblick zu Bemerkungen von der Art wie »das Verbrechen sei doch eine verfehlte Spekulation«, antwortete er: »Sir! Ihr Geschäftsleute spekuliert und wartet das Ergebnis eurer Spekulationen ab. Einigen ist Erfolg beschieden, andere missglücken. Meine Spekulationen sind zufälligerweise fehlgeschlagen. Ihre haben Erfolg gehabt. Das ist, mein Herr, der einzige Unterschied zwischen Ihnen, der Sie mich besuchen, und mir. Doch möchte ich Ihnen sagen, dass eins mir bis zum Schluss gelungen ist. Ich bin mein ganzes Leben entschlossen gewesen, mich als Gentleman zu zeigen. Das habe ich stets getan. Und das tue ich noch. An diesem Ort ist es Brauch, dass der Reihe nach jeden Insassen die Verpflichtung trifft, am Morgen die Zelle rein zu fegen. Meine Zellenmitbewohner sind ein Maurer und ein Straßenfeger, aber sie reichen mir niemals den Besen!« Als ihm ein Freund den an Helene Abercrombie verübten Mord vorwarf, zuckte er mit den Achseln und sagte: »Jawohl, es war fürchterlich, eine solche Tat zu begehen, aber sie hatte sehr dicke Fußknöchel.«

Von Newgate wurde er auf das Schiffsgefängnis nach Portsmouth gebracht und von hier auf der »Susanna« mit dreihundert anderen Verbrechern nach Vandiemensland transportiert. Die Reise scheint ihm furchtbar gewesen zu sein. In einem Brief an einen Freund beklagt er sich bitter über den Schimpf, der ihm, einem Genossen von Dichtern und Künstlern, dadurch angetan werde, dass man ihn mit Bauernlümmeln zusammenpferche. Dass er seine Gefährten mit einem solchen Ausdruck bezeichnete, darf uns nicht wundernehmen. Das Verbrechen entsteht in England selten aus schlechter Veranlagung. Sein Motiv ist beinahe stets der Hunger. Vermutlich war an Bord nicht ein sympathischer Zuhörer, nicht einmal eine psychologisch interessante Natur.

Seine Kunstliebe jedoch verließ ihn trotz alledem keinen Augenblick. In Hobart Town richtete er sich ein Atelier ein und begann auch wieder mit dem Skizzieren und dem Porträtmalen. Sein Gespräch, seine Manieren scheinen an Reiz nichts verloren zu haben. Auch die Gewohnheit des Vergiftens gab er nicht auf. Man berichtet von zwei Fällen, wo er den Versuch unternahm, Leute, die ihn beleidigt hatten, aus dem Weg zu räumen. Doch scheint seine Hand ihre Geschicklichkeit eingebüßt zu haben. Beide Versuche sind ihm vollkommen misslungen. Im Jahre 1844 überreichte er, da ihm die gesellschaftlichen Zustände Tasmaniens durchaus nicht behagten, dem Gouverneur des Distrikts, Sir John Eardley Wilmot, eine Bittschrift um einen Entlassungsschein. Er bemerkt darin über sich selbst, er werde von Gedanken gequält, die nach Form und Gestaltung verlangten, es sei ihm hier ganz unmöglich, sein Wissen zu vermehren und sich in der Kunst der nutzbringenden oder auch nur gefälligen Rede zu üben. Sein Bittgesuch ward jedoch abgeschlagen, und der Genosse Coleridges fand darin seinen Trost, dass er jene wundervollen »Paradis Artificiels« niederschrieb, in deren Geheimnis nur die Opiumesser ganz eindringen. Im Jahre 1852 starb er an einem Schlaganfall; er hatte keinen anderen Gefährten um sich als eine Katze, für die er besondere Liebe hegte. Seine Verbrechen scheinen auf seine Kunst ganz außerordentlich eingewirkt zu haben. Sie gaben seinem Stil ein streng persönliches Gepräge; eine Eigentümlichkeit, deren seine Erstlingswerke ermangelten. In einer Anmerkung zu der Lebensbeschreibung von Dickens erwähnt Förster, dass Lady Blessington von ihrem Bruder, dem Major Power, der eine militärische Stellung in Hobart Town einnahm, ein Ölporträt einer jungen Dame von Wainewrights klugem Pinsel erhalten habe. Man sagt, »er habe den Versuch gemacht, dem Bildnis eines hübschen, kindlichen Mädchens Züge seiner eigenen Verruchtheit zu geben«. Zola berichtet uns in einer seiner Novellen von einem jungen Mann, der einen Mord begangen hat und sich dann der Kunst zuwendet; er malt impressionistische Porträte sehr ehrenhafter Leute in einem grünlichen Ton, und alle haben merkwürdige Ähnlichkeit mit seinem Opfer. Die Entwicklung von Wainewrights Stil scheint mir weit mehr und weit Subtileres zu besagen. Man kann sich sehr wohl eine starke Persönlichkeit vorstellen, die aus der Sünde emporgewachsen ist.

Diese seltsame, berückende Persönlichkeit, die vor einigen Jahren das literarische London geblendet und im Leben und in unserem Schrifttum so glänzend debütiert hat, ist ohne Zweifel ein sehr fesselndes Problem wert. W. Carew Hazlitt, sein jüngster Biograf, dem ich eine Reihe von Tatsachen dieser Denkschrift verdanke – sein kleines Buch ist wirklich in seiner Art ganz unschätzbar –, vertritt die Meinung, Wainewrights Leidenschaft für Kunst und Natur seien nur affektiert gewesen; andere haben ihm alles literarische Können abgesprochen. Diese Ansicht scheint mir durchaus falsch oder wenigstens irrig. Dass jemand ein Giftmischer ist, spricht noch nicht gegen seine Prosa. Bürgerliche Tugenden bilden nicht die wahre Grundlage der Kunst, sie können nur Künstlern zweiten Ranges zur Reklame dienen.

Mag sein, dass de Quincey Wainewrights kritisches Können zu hoch gewertet hat. Ich kann die Bemerkung abermals nicht unterdrücken, dass in den Werken, die er veröffentlichte, sich manche zu alltägliche, zu gemeinplätzige Wendung findet, die – im übeln Sinn des übeln Wortes – allzu journalistisch klingt. Hier und da drückt er sich außerordentlich vulgär aus, auch ermangelt er stets der Selbstzucht des echten Künstlers. Allein, wir müssen für einige seiner Fehler die Zeit, in der er lebte, zur Verantwortung ziehn; wie dem auch sei, eine Prosa, die Charles Lamb »prächtig« nannte, ist nicht ohne historisches Interesse. Für mich unterliegt es keinem Zweifel, dass er wirkliche Liebe für Kunst und Natur empfunden hat. Es gibt keinen wesentlichen Zwiespalt zwischen Kultur und Verbrechen. Wir können nicht die ganze Weltgeschichte zu dem Zweck umschreiben, um unserer moralisierenden Empfindung, wie die Welt sein sollte, Genüge zu tun.

Natürlich steht er unserer Zeit viel zu nahe, als dass man über ihn ein rein künstlerisches Urteil gewinnen könnte. Es ist unmöglich, ein heftiges Vorurteil gegen einen Mann zu unterdrücken, der Lord Tennyson oder Mr. Gladstone hätte vergiften können. Doch vermöchten wir sehr wohl zu einer vorurteilslosen Beurteilung seiner Stellung und seines Werts zu gelangen, hätte er nur ein anderes Kleid getragen und eine andere Sprache gesprochen als wir, hätte er im Rom der Kaiserzeit oder der italienischen Renaissance oder im Spanien des siebzehnten Jahrhunderts oder in irgendeinem anderen Land, in irgendeinem anderen Jahrhundert als hierzulande und in dieser Zeit gelebt. Ich weiß, es gibt sehr viele Geschichtsschreiber oder wenigstens Schriftsteller, die geschichtliche Gegenstände behandeln, die der Meinung sind, man müsse die Geschichte mit dem Maßstabe moralischer Wertung messen; es sind Leute, die Lob und Tadel mit der gravitätischen Würde eines erfolgreichen Schulmeisters verteilen. Dies ist aber eine lächerliche Gewohnheit und bezeugt nur, dass der moralische Instinkt zu solcher Ausbildung gelangen kann, dass er überall dort erscheint, wo man seiner nicht bedarf. Kein Mensch, der wirklich historischen Sinn besitzt, denkt daran, Nero zu tadeln, Tiberius auszuschelten oder Cäsar Borgia eine Zensur zu erteilen. Diese Persönlichkeiten sind für uns Theaterfiguren geworden. Sie erfüllen uns vielleicht mit Grauen, mit Schrecken oder Verwunderung, aber sie erbittern uns nicht. Sie stehn mit uns in keinem unmittelbaren Zusammenhang. Wir haben von ihnen nichts zu fürchten. Sie sind bereits in der Sphäre von Kunst und Wissenschaft hinübergegangen, und weder Kunst noch Wissenschaft kennt moralische Zustimmung oder Verwerfung. So wird es wohl auch eines Tages dem Freunde Charles Lambs ergehn. Gegenwärtig, empfinde ich, ist er uns noch zu nahe, als dass man ihn mit jener erlesenen feinsinnigen uninteressierten Neugierde betrachten könnte, der wir so manche entzückende Studie über die großen Verbrecher der italienischen Renaissance aus der Feder von John Addington Symonds, von Miß A. Mary F. Robinson, Miß Vernon Lee und anderen ausgezeichneten Autoren verdanken. Gleichwohl hat die Kunst ihn nicht vergessen. Er ist der Held von Dickens' »Hunted Down«, der Varney in Bulwers »Lucretia«. Wir stellen mit Genugtuung fest, dass die Dichtkunst dem Mann, der mit der Feder, dem Pinsel und dem Gift so gut umzugehen wusste, ihre Huldigung nicht versagt hat. Die Dichtung anzuregen bedeutet mehr als eine bloße Tatsache.

Die Wahrheit der Masken

Bemerkungen über die Illusion

In einigen der ziemlich heftigen Angriffe, die jüngst gegen den Glanz der Ausstattung, der jetzt in England unsere Wiedererweckung Shakespeares kennzeichnet, erhoben wurden, hat die Kritik, so scheint es, stillschweigend angenommen, Shakespeare selbst sei das Kostüm seiner Schauspieler mehr oder minder gleichgültig gewesen; könnte er Mrs. Langtrys Darstellung von »Antonius und Cleopatra« sehn, dann würde er vermutlich sagen, auf das Stück allein komme es an, alles andere sei Leder und Stoff. Und was die Frage der historischen Genauigkeit des Kostüms betrifft, hat Lord Lytton in einem Artikel im »Nineteenth Century« das Kunstdogma ausgesprochen: Archäologische Genauigkeit wäre bei der Darstellung der Shakespeareschen Stücke durchaus nicht am Platz, der Versuch, sie einzuführen, sei eine der albernsten Pedanterien eines Zeitalters, das vom Entlehnen lebe.

Lord Lyttons Standpunkt werde ich später prüfen. Was jedoch die Theorie betrifft, Shakespeare habe auf die Garderobe seines Theaters wenig geachtet, so wird jeder, der sich die Mühe nimmt, Shakespeares Methode zu studieren, erkennen, dass es keinen Dramatiker der französischen, englischen oder athenischen Bühne gibt, der um der Illusions-Wirkung willen auf das Kostüm seiner Schauspieler so viel Gewicht wie gerade Shakespeare gelegt hätte.

Ihm war wohl bekannt, wie sehr das künstlerische Temperament immer durch die Schönheit des Kostüms bezaubert wird. Eben darum flicht er stets in seine Stücke Maskenzüge und Tänze ein, bloß der Freude wegen, die sie dem Auge gewähren. Wir besitzen noch für die drei großen Prozessionen in »Heinrich dem Achten« seine szenischen Vorschriften, die durch minutiöse Genauigkeit im Detail, bis herab zu den Kragen Seiner Eminenz und den Perlen im Haar Anna Boleyns, ausgezeichnet sind. Wahrhaftig, es würde einem modernen Direktor nicht schwerfallen, die Festzüge genau nach Shakespeares Anweisungen auf die Szene zu stellen. Diese waren so peinlich genau, dass einer der Hofbeamten jener Zeit in einem Bericht über die letzte Aufführung dieses Stücks am »Globe-Theater« einem Freund gegenüber sich tatsächlich über ihren Realismus beklagt, besonders darüber, dass man die Ritter des Hosenbandordens in der Tracht und mit den Insignien des Ordens auf die Bühne bringe. Dies habe den Zweck, die wirklichen Zeremonien lächerlich zu machen. Genau im nämlichen Geist hat die französische Regierung vor einiger Zeit dem M. Christian, diesem entzückenden Schauspieler, verboten, in Uniform auf der Bühne zu erscheinen; dass ein Oberst karikiert werde, schädige den Ruhm der Armee. Und auch sonst wurde der Prunk, der die englische Bühne unter Shakespeares Einfluss auszeichnete, von den Kritikern seiner Zeit zum Gegenstand des Angriffs genommen, in der Regel allerdings nicht aus Gründen der demokratischen Tendenzen des Realismus, sondern zumeist aus jenen moralischen Motiven, die stets die letzte Zuflucht derer bilden, denen Schönheitssinn mangelt.

Was ich jedoch nachträglich betonen möchte, ist keineswegs, dass Shakespeare durch die Verbindung malerischen Beiwerks mit der Poesie seine Schätzung des reizvollen Kostüms zu erkennen gab, sondern dass er die Bedeutung des Kostüms als eines Mittels, gewisse dramatische Wirkungen hervorzubringen, erkannte. Die Illusion in manchen seiner Stücke, wie z. B. »Maß für Maß«, »Wie es euch gefällt«, »Die beiden Edelleute von Verona«, »Ende gut, alles gut«, »Cymbeline« u. a. hängt von der Verschiedenartigkeit der Kleidung ab, die der Held oder die Heldin trägt. Die entzückende Szene in »Heinrich dem Sechsten«, die von den modernen Wunderkuren handelt, die der Glaube verrichtet, diese Szene verliert ihre Wirkung gänzlich, wenn Gloster nicht in Schwarz und Scharlach gekleidet auftritt. Und bei der Lösung des Knotens in den »Lustigen Weibern von Windsor« ist die Farbe des Gewandes der Anna Page von wesentlicher Bedeutung. Für die Verwendung der Verkleidung bei Shakespeare gibt es zahllose Beispiele. Posthumus verbirgt seine Leidenschaft unter eines Bauern Kleid und Edgar seinen Stolz unter den Lumpen eines Wahnsinnigen. Porzia bedient sich der Tracht eines Anwalts, Rosalinde erscheint »durchaus wie ein Mann« gekleidet. Pisanios Mantelsack verwandelt Imogen in den Jüngling Fidele. Jessica entflieht, als Knabe verkleidet, aus dem Haus ihres Vaters, Julia knüpft ihr blondes Haar in fantastische Liebesknoten und legt Hose und Wams an. Heinrich der Achte wirbt um seine Dame als Schäfer, Romeo als Pilger; Prinz Heinz und Poins erscheinen zuerst als Wegelagerer in steifleinenem Anzug, dann mit weißen Schürzen und Lederjoppen als Kellner in einer Schenke. Und tritt uns Fallstaff nicht als Straßenräuber, als altes Weib, als »Herne, der Jäger«, als Wäsche, die ins Waschhaus gebracht wird, entgegen? Auch die Beispiele der Steigerung der dramatischen Situation durch die Anwendung des Kostüms sind nicht weniger zahlreich. Nach der Ermordung Duncans erscheint Macbeth in seinem Nachtgewand, als sei er eben vom Schlaf aufgestanden. Timon, der das Stück in Pracht eröffnete, endet in Lumpen. König Richard schmeichelt den Londoner Bürgern durch seine geringe und schäbige Rüstung, und, kaum dass er durch Blut zum Thron geschritten ist, zieht er durch die Straßen, angetan mit Krone und den Insignien des Hosenbandordens. Der Höhepunkt des »Sturms« ist in dem Augenblick erreicht, wo Prospero die Tracht eines Zauberers von sich wirft, Ariel nach seinem Hut und Degen entsendet und sich als der große italienische Herzog zu erkennen gibt. Selbst der Geist in »Hamlet« ändert seine geheimnisvolle Tracht je nach der Wirkung, die er zu üben gedenkt. Was Julia angeht, so würde ein moderner Stückeschreiber sie vermutlich in ihrem Sterbehemd zur Schau gestellt haben; er hätte damit nur eine Schauerszene gewonnen. Shakespeare aber gibt ihr reiche und prunkvolle Gewänder, deren Lieblichkeit die Gruft zu einer »Festhalle voller Licht«, das Grab zu einem Brautgemach wandelt und Romeos Reden über den Triumph der Schönheit über den Tod veranlasst und begründet.

Selbst geringfügige Details der Kleidung, wie die Farbe der Strümpfe eines Majordomus, das Muster im Taschentuch einer Frau, die Ärmel eines jungen Soldaten, die Hüte einer Dame von Welt werden in Shakespeares Händen Momente von wirklich dramatischer Bedeutung. Die Handlung eines Stückes hängt zuweilen völlig davon ab. Viele andere Dramatiker haben sich des Kostüms als eines Mittels, den Zuhörern den Charakter einer Person sogleich bei ihrem Auftreten klarzumachen, bedient, doch keiner so glänzend wie Shakespeare im Falle des Gecken Parolles, dessen Kleidung, beiläufig gesagt, nur ein Archäologe verstehen kann. Der Scherz, dass Herr und Diener vor dem Publikum die Kleider wechseln oder dass Schiffbrüchige über die Verteilung eines Haufens kostbarer Gewänder in Zank geraten, und dass etwa ein Kesselflicker in seinem Rausch wie ein Herzog aufgeputzt wird, kann als Teil der wichtigen Rolle betrachtet werden, die das Kostüm von der Zeit des Aristophanes bis zu Mr. Gilbert in der Komödie gespielt hat. Doch hat aus bloßen Einzelheiten des Anzugs und des Schmucks keiner solch ironische Gegensätze, solch unmittelbare tragische Wirkungen, so viel Mitleid und so viel Pathos zu gewinnen gewusst wie Shakespeare. Von Kopf zu Fuß bewaffnet, schreitet der tote König auf den Schlachtgefilden von Elsinore einher, weil etwas im Staate Dänemark faul ist. Shylocks Judenkaftan bildet mit einen Teil des Schimpfs, unter dem diese verletzte, verbitterte Seele sich krümmt. Arthur, um sein Leben flehend, findet keinen besseren Fürsprecher als das Tuch, das er Hubert gegeben hat.

»Habt ihr das Herz? Als euch der Kopf nur schmerzte,
So band ich euch mein Schnupftuch um die Stirn,
(Mein bestes, eine Fürstin stickt' es mir,)
Und niemals fordert ich's euch wieder ab.«

Und Orlandos blutbeflecktes Tuch wirft den ersten düsteren Schatten in jenes köstliche Waldidyll und zeigt uns die Tiefe des Gefühls, das unter dem fantastischen Witz, den eigenwilligen Scherzen der Rosalinde verborgen liegt.

»Es war an meinem Arm noch gestern abend;
Da küßt ich's: wenn's nur nicht zu meinem Herrn,
Zu sagen geht, ich küßte sonst noch was«,

sagt Imogen und scherzt über den Verlust des Armbands, das bereits auf dem Weg nach Rom war, ihr die Treue des Gatten zu rauben. Der kleine Prinz spielt, zum Tower schreitend, mit dem Dolch im Gürtel seines Oheims. Duncan schickt in der Nacht, wo er gemordet wird, der Lady Macbeth einen Ring, und der Ring der Porzia wandelt die Tragödie des Kaufmanns in die Komödie einer Frau. York, der große Rebell, stirbt, eine papierne Krone auf dem Haupt; Hamlets schwarzes Gewand bedeutet im Stück eine Art Farbenmotiv wie das Trauerkleid der Chimene im Cid, und der Höhepunkt der Rede des Antonius ist erklommen, da er Cäsars Gewand vorweist:

»Noch erinnere ich mich Des ersten Males, Dass es Cäsar trug,
In seinem Zelt, an einem Sommerabend,
Er überwand den Tag die Nervier. –
Hier, schauet! fuhr des Cassius Dolch herein;
Seht, welchen Riß der tück'sche Casca machte!
Hier stieß der vielgeliebte Brutus durch.
Wie? weint ihr, gute Herzen, seht ihr gleich
Nur unsers Cäsars Kleid verletzt?«

Die Blumen, mit denen sich Ophelia in ihrem Wahnsinn schmückt, sprechen eine so leidenschaftliche Sprache wie die Veilchen, die auf einem Grab blühen. Mehr als Worte vermögen, ergreift uns König Lears irrendes Wandern auf der Heide durch seinen fantastischen Putz. Und als Cloten, verletzt durch den Vergleich, den seine Schwester zwischen ihm und ihres Gatten Kleidung zieht, das Gewand dieses Gatten selbst anlegt, um an ihr die schmachvolle Untat zu begehn, da fühlen wir, dass im ganzen modernen französischen Realismus, selbst in der »Thérèse Raquin«, diesem Meisterstück des Schaurigen, es keine Stelle gibt, die sich an furchtbarer und tragischer Symbolik mit der seltsamen Szene in »Cymbeline« messen könnte.

Auch im Dialog werden einige der lebhaftesten Momente durch das Kostüm angeregt. Rosalindes:

»Denkst du, weil ich wie ein Mann ausstaffiert bin, dass auch meine Gemütsart in Wams und Hosen ist?«

Constantias:

> »Der Gram füllt aus die Stelle meines Kindes
> Und gibt den leeren Kleidern seine Form;«

und der rasche scharfe Schrei Elisabeths:

> »Ah! durchschneidet meine Schnüre!«

sind nur wenige der sehr zahlreichen Beispiele, die man anführen könnte. Eine der feinsten Wirkungen, die ich von der Bühne herab je empfing, danke ich Salvini, im letzten Akt des »Lear«. Er riss von der Mütze Kents die Feder herab – und legte sie auf Cordelias Lippen in dem Augenblick, wo er die Worte zu sprechen hat:

> »Die Feder regt sich! Ja. Sie lebt!«

Mr. Booth, dessen Lear viele herrliche Momente der Leidenschaft besaß, riss – ich erinnere mich noch daran – aus seinem archäologisch fehlerhaften Hermelinpelz zu diesem Zweck ein paar Haare. Die Wirkung aber, die Salvini erzielte, war schöner und zugleich lebensechter. Und alle, die im letzten Akt von »Richard dem Dritten« Mr. Irving sahn, haben ohne Zweifel nicht vergessen, wie sehr Pein und Schrecken seines

Traums durch den Gegensatz gesteigert wurde, der zwischen der vorausgegangenen Ruhe und Stille und dem Vortrag solcher Verse liegt, wie:

»Nun, ist mein Sturmhut leichter, als er war?
Und alle Rüstung mir ins Zelt gelegt? Sieh zu,
Dass meine Schäfte fest und nicht zu schwer sind –«

Zeilen, die für die Zuhörer doppelte Bedeutung hatten; denn sie erinnerten sich der letzten Worte, die Richards Mutter ihm nachrief, da er nach Bosworth zog:

»Drum nimm mit dir den allerschwersten Fluch,
Der mehr am Tag der Schlacht dich mög ermüden
Als all die volle Rüstung, die du trägst.«

Was die Hilfsmittel, die Shakespeare zu seiner Verfügung hatte, betrifft, muss bemerkt werden, dass er sich zwar mehr als einmal über die Kleinheit der Bühne beklagt, worauf er große historische Stücke darstellen sollte, über den Mangel an Dekorationen, der ihn zwinge, manche sehr wirksame Vorgänge, die vor aller Augen sich ereignen sollten, wegzulassen – trotz alldem schreibt er als Dramatiker, der eine sehr reiche Theatergarderobe zu seiner Verfügung hatte und sich darauf verlassen konnte, dass seine Schauspieler auf ihre Kostümierung Mühe verwenden würden. Selbst jetzt ist es schwer, ein Stück wie die »Komödie der Irrungen« aufzuführen. Wir danken dem pittoresken Zufall, dass Miss Ellen Terrys Bruder ihr ähnelt, eine recht gute Aufführung von »Was Ihr wollt«. In der Tat bedarf man zur Inszenierung irgendeines Shakespeareschen Stücks in dem Sinne, wie er es selbst gewünscht hätte, eines tüchtigen Requisitenarbeiters, eines geschickten Perückenmachers, eines Theaterschneiders, der Sinn für Farbe und Kenntnis der Gewebe besitzt, eines Kenners der Schminkmethoden, eines Fechtmeisters, eines Tanzmeisters und eines Künstlers, der persönlich die ganze Aufführung leitet. Denn Shakespeare verwendet auf die Schilderung der Kleidung und des Auftretens jeder Figur sehr viel Mühe. »Racine verabscheut die Wirklichkeit«, sagt Auguste Vacquerie irgendwo, »er hält es für unter seiner Würde, sich mit dem Kostüm abzugeben. Würde man sich an die Vorschriften des Dichters halten, dann müßte man Agamemnon mit einem Zepter und Achilles mit einem Degen ausstaffieren.« Bei Shakespeare jedoch ist das ganz anders. Er gibt uns Winke über das Kostüm der Perdita, des Florizel und Autolycus, der Hexe in »Macbeth« und des Apothekers in »Romeo und Julia«; er lässt es an sorgfältigen Beschreibungen seines feisten Ritters und an umständlichen Schilderungen des seltsamen Aufzugs, in dem Petruchio seine Hochzeit zu begehen hat, nicht fehlen. Rosalinde, erzählt er uns, soll schlank sein und einen Speer und einen kleinen Dolch tragen; Celia ist kleiner und soll ihr Gesicht braun schminken, damit sie sonnenverbrannt aussehe. Die Kinder, die die Feen im Windsorwalde mitspielen, sollen in Weiß und Grün gekleidet werden – ein Kompliment, nebenbei gesagt, für die Königin Elisabeth, deren Lieblingsfarben dies waren –, und mit weißen und grünen Girlanden und vergoldeten Masken sollen die Engel zu Katharina nach Kimbolton kommen. Bottom erscheint in grobem Wollstoff, Lysander unterscheidet sich von Oberon dadurch, dass er in athenischer Tracht auftritt, und Launce hat Löcher in seinen Stiefeln. Die Herzogin von Gloucester steht im Büßerhemd da, hinter ihr der Gatte in Trauerkleidung. Das buntscheckige Kleid des Narren, der Scharlach des Kardinals, die französischen Lilien, gestickt auf englische Röcke: dies alles wird im Dialog zu witzigen oder spöttischen Bemerkungen benutzt. Wir kennen die Zierate auf der Rüstung des Dauphins und dem Schwert der Pucelle, wir kennen den Helmbusch Marwicks und die Farbe der Nase Bardolphs. Porzia hat goldblondes, Phoebe schwarzes Haar, Orlando hat kastanienbraune Locken, und Sir Andrew Aguecheeks Haar hängt, gleich Flachs auf dem Rocken, herab und will sich nicht kräuseln. Manche seiner Figuren sind dick, manche mager, einige sind gerade gewachsen, andere bucklig, einige von lichter, andere von dunkler Haarfarbe und einige sollen ihr Gesicht schwarz färben. Lear hat einen weißen Bart, Hamlets Vater einen grauen, und Benedikt muss im Verlauf des Stücks rasiert werden. In der Tat, über die Bühnenbärte verbreitet sich Shakespeare sehr ausführlich; er erzählt uns von den vielen verschiedenen Farben, die zur Anwendung kommen. Er gibt den Schauspielern den Wink, stets darauf zu achten, dass ihre Bärte fest sitzen. Es kommt ein Tanz von Schnittern mit ihren Strohhüten und von Bauern vor, die in ihren haarigen Kleidern den Satyrn gleichen; eine Maskerade der Amazonen, eine Maskerade der Russen und eine Maskerade in klassischen Trachten; unsterbliche Szenen mit einem Weber, dem der Kopf eines Esels aufgesetzt ist; ein Raufhandel wegen der Farbe eines Rocks, den der Lordmayor von London schlichten muss; eine Szene zwischen einem erzürnten Gatten und der Putzmacherin seiner Frau wegen eines Ärmelschlitzes.

Was die Metaphern Shakespeares, die der Kleidung entnommen sind, was die aphoristischen Bemerkungen betrifft, die er darüber macht, seine Sticheleien auf die lächerlich großen Damenhüte und die vielen Beschreibungen des mundus muliebris vom Lied des Autolycus im »Wintermärchen« bis herab zu der Schilderung des Gewands der Herzogin von Mailand in »Viel Lärm um nichts« – dergleichen findet sich bei Shakespeare zu häufig, als dass man es zitieren könnte. Doch darf man vielleicht erinnern, dass in der Szene Lears mit Edgar die ganze Philosophie der Kleidung enthalten ist – eine Stelle, die vor der grotesken Weisheit und den manchmal bombastischen metaphysischen Ausführungen des »Sartor Resartus« den Vorzug der Kürze und des Stils besitzt. Ich denke jedoch, aus allem, was ich sagte, ergibt sich bereits klar, dass Shakespeare sich für das Kostüm sehr interessierte. Ich meine das nicht in jenem törichten Sinn, in dem man etwa aus seiner Kenntnis der Urkunden und Asphodills den Schluss gezogen hat, er sei der Blackstone und Paxton der Elisabethanischen Zeit gewesen. Aber er erkannte, dass das Kostüm dazu dienen kann, gewisse Eindrücke im Zuschauer wachzurufen und gewisse Charaktertypen auszudrücken und dass es eins der wichtigsten Hilfsmittel für den wahren Illusionisten ist. Ja, ihm war Richards Missgestalt so wert wie die Anmut der Julia; er stellt den groben Kittel des Volksmannes neben das seidene Gewand des Lords; er erkennt die Bühnenwirkung, die man aus beiden ziehen kann; er findet an Caliban so viel Gefallen wie an Ariel, an Lumpen so viel wie an goldenen Gewändern, er erfasst die künstlerische Schönheit des Hässlichen.

Die Schwierigkeit, die Ducis bei der Übersetzung Othellos darin fand, dass einem so gewöhnlichen Ding, wie es ein Taschentuch ist, solche Bedeutung beigemessen wird, und sein Versuch, die Derbheit des Ausdrucks dadurch abzuschwächen, dass er den Mohren den Ruf ausstoßen ließ: »Le bandeau! le bandeau!«, mag als Beispiel für den Unterschied zwischen der tragédie philosophique und dem Drama des wirklichen Lebens dienen. Der Augenblick, da das Wort mouchoir im Théâtre Français zum ersten Mal gebraucht wurde, leitete in der romantisch-realistischen Bewegung, deren Vater Hugo heißt und deren enfant terrible Zola ist, eine neue Ära ein, genau wie zu Beginn des Jahrhunderts der Klassizismus darin seinen stärksten Ausdruck gefunden hat, dass Talma sich weigerte, griechische Helden in gepuderter Perücke zu spielen. Dies bildet, beiläufig bemerkt, eins der vielen Beispiele für das Streben nach archäologischer Genauigkeit des Kostüms, das die großen Schauspieler unserer Zeit auszeichnete.

In einer Kritik über die Wichtigkeit, die dem Geld in der »Comédie Humaine« beigemessen wird, sagt Gautier, Balzac gebühre der Ruhm, einen neuen Helden »le héros métallique« für die Dichtung gefunden zu haben. Von Shakespeare kann man behaupten, dass er der Erste war, der den dramatischen Wert von Wämsern erkannte, und dass eine Peripetie von einer Krinoline abhängen kann.

Der Brand des Globe-Theaters – ein Ereignis, das, nebenbei bemerkt, durch die Leidenschaft, Illusion zu erwecken, welche die Shakespearesche Bühnenleitung auszeichnet, verursacht wurde – hat uns bedauerlicherweise vieler wichtiger Dokumente beraubt; doch findet man in dem noch erhaltenen Inventar der Garderobe eines Londoner Theaters zur Zeit Shakespeares eine Reihe besonderer Kostüme erwähnt: Kostüme für Kardinale, Hirten, Könige, Clowns, Mönche und Narren; grüne Röcke für das Gefolge Robin Hoods und ein grünes Kleid für Maid Marian, ein weißes und goldenes Wams für Heinrich den Fünften und ein Staatskleid für Longshanks; überdies Chorhemden, Chorröcke, Damastmäntel, Gold- und Silber-, Taffet-, Kalikogewänder, Samt-, Seiden- und Friesröcke, Jacken aus gelbem und schwarzem Leder, rote, graue Anzüge, französische Pierrotkostüme, ein Gewand, »um unsichtbar zu werden«, das für 70 Mark billig scheint, und vier unvergleichliche Reifröcke. All dies zeigt den Wunsch, jeder Figur das ihr entsprechende Kleid zu geben. Da sind auch spanische, maurische und dänische Kostüme verzeichnet, desgleichen Helme, Lanzen, gemalte Schilde, Kaiserkronen und päpstliche Tiaren, Kostüme für türkische Janitscharen, römische Senatoren und für all die Götter und Göttinnen des Olymps; sie erweisen zur Genüge die tüchtigen archäologischen Bemühungen des Theaterdirektors. Es ist richtig, dass auch eines Korsetts für Eva Erwähnung getan wird, doch haben die Ereignisse dieses Stücks vermutlich nach dem Sündenfall gespielt.

Wahrhaftig, jeder, der sich die Mühe nimmt, das Zeitalter Shakespeares zu studieren, wird finden, dass das Interesse für Archäologie eins seiner Merkmale ist. Nach jenem Wiederaufleben der klassischen Form der Architektur, das eins der Kennzeichen der Renaissance ist, und nachdem man in Venedig und an anderen Stätten die Meisterwerke der griechischen und römischen Literatur zu drucken angefangen hatte, erwachte ganz natürlich das Interesse für den Schmuck und die Trachten der antiken Welt. Diese Dinge studierten die Künstler nicht um der Kenntnisse willen, die sie daraus schöpfen konnten, sondern der Schönheit wegen, die sie hervorbringen wollten. Die seltsamen Werke, die durch Ausgrabungen unaufhörlich ans Licht gebracht wurden, ließ man nicht in Museen vermodern, damit ein stumpfsinniger Konservator sie betrachte, oder ein Polizist, der nichts zu tun hat, sich daher langweile. Man benützte sie als Motive zur Hervorbringung einer neuen Kunst, die nicht bloß schön, sondern auch ungewöhnlich sein sollte.

Infessura berichtet uns, dass im Jahre 1485 einige Arbeiter bei Ausgrabungen auf der appischen Straße einen alten römischen Sarkophag fanden mit der Inschrift: »Julia, Tochter des Claudius.« Als man das Behältnis öffnete, entdeckte man in seinem Marmorschoße die Leiche einer wundervollen Jungfrau, die etwa fünfzehn Jahre alt sein mochte und durch die Geschicklichkeit des Einbalsamierers vor dem Verderben und dem Verfall der Zeit bewahrt worden war. Ihre Augen waren halb offen, ihr Haar umkräuselte sie in goldenen Locken, und von ihren Lippen und Wangen war die Blüte des Mädchentums noch nicht geschwunden. Man brachte sie aufs Kapitol zurück, da bildete sich um sie plötzlich ein neuer Kult, von allen Seiten strömten Leute herbei, um vor dem seltsamen Grabmal ihre Andacht zu verrichten. Der Papst ließ endlich, aus Furcht, die, die das Geheimnis der Schönheit in einer heidnischen Gruft gefunden hätten, möchten vergessen, welche Geheimnisse Judäas raues Felsengrab berge, den Leichnam zur Nacht wegschaffen und insgeheim bestatten. Mag diese Erzählung eine Legende sein oder nicht, ihr Wert wird deshalb nicht geringer; sie zeigt uns die Stellung der Renaissance gegenüber der Antike. Die Archäologie galt dieser Zeit nicht bloß als Wissenschaft für den Antiquar; sie galt ihr als Mittel, den trockenen Staub der Vorzeit in den Atem und die Schönheit des Lebens selbst zu verwenden, mit neuem Wein der Romantik Formen zu füllen, die sonst alt und abgenützt gewesen wären. Von Niccola Pisanos Katheder bis zu Mantegnas »Triumph des Caesar« und dem Tafelgeschirr, das Cellini für König Franz entwarf, kann man den Einfluss dieses Geistes nachweisen. Dieser war jedoch nicht bloß auf die unbeweglichen Künste beschränkt – jene Künste, die nur einen Augenblick festhalten –, sein Einfluss trat auch bei den großen griechisch- römischen Maskenzügen zutage, die die stete Unterhaltung der heiteren Höfe jener Zeit bildeten. Auch in den öffentlichen Festzügen und Umzügen, mit denen die Bürger der großen Handelsstädte die Fürsten bei ihren gelegentlichen Besuchen zu begrüßen pflegten, merkt man diesen Geist. Diese Aufzüge galten, nebenbei erwähnt, für so wichtige Ereignisse, dass man sie in mächtigen Druckwerken, die veröffentlicht wurden, festhielt – eine Tatsache, die das allgemeine Interesse, das man damals an diesen Dingen nahm, bekundet.

Diese Verwertung archäologischer Kenntnisse auf der Schaubühne ist keineswegs eingebildete Pedanterie, vielmehr etwas durchaus Berechtigtes und Schönes. Denn auf der Bühne treffen nicht bloß alle Künste zusammen, hier findet auch die Kunst den Weg zum Leben zurück. In archäologischen Romanen scheint zuweilen durch die Anwendung fremder und veralteter Ausdrücke die Wirklichkeit unter allerlei gelehrten Dingen vermummt. Ich darf wohl sagen: Vielen Lesern von Notre Dame de Paris ist die Bedeutung solcher Bezeichnungen wie la casaque à mahoitres, Ies voulgiers, le gallimard taché d'encre, Ies craaquiniers und dergleichen wenig klar geworden. Wie anders auf dem Theater! Die alte Welt erwacht aus ihrem Schlummer, die Geschichte schreitet in festlichem Zuge an unserem Blick vorüber, ohne dass wir genötigt wären, unsere Zuflucht zu einem Wörterbuch oder einer Enzyklopädie zu nehmen. Es liegt wirklich nicht die geringste Notwendigkeit vor, dem Publikum die Gewährsmänner für die Inszenierung eines Stücks bekannt zu geben. Aus Materialien, die der Mehrzahl des Publikums vermutlich nicht sehr vertraut sind, hat Mr. E. W. Godwin, einer der künstlerisch feinsten Geister im England dieses Jahrhunderts, die wundersame Anmut des Bühnenbilds im ersten Akt des »Claudian« gewonnen. Er hat uns das Leben von Byzanz im vierten Jahrhundert deutlich gemacht – nicht durch trockene Vorlesungen und eine Reihe langweiliger Beispiele, nicht durch eine Erzählung, die eines Glossariums zu ihrer Erklärung bedarf, sondern durch die lebensvolle Darstellung der großen Stadt in ihrem ganzen ruhmvollen Glanz. Die Kostüme waren wahrheitsgetreu bis herab zu den geringsten Details von Farbe und Zeichnung; dennoch ist dies alles nicht so unnatürlich hervorgehoben wie naturgemäß in einer bruchstückweisen Vorlesung, sondern die Details sind der Größe des Kompositionsplans und der Einheit künstlerischer Wirkung untergeordnet. Mr. Symonds sagt von dem großen Gemälde des Mantegna, das sich jetzt in Hampton Court befindet, der Künstler habe ein antiquarisches Motiv zu Linienmelodien umgeformt. Das Gleiche hätte man mit Recht von Godwins Bühnenbilde sagen können. Nur die Narren nannten es pedantisch, nur die, die weder zu sehen noch zu hören vermögen, sagten, die Leidenschaft des Stücks werde durch seine szenische Ausschmückung zerstört. Dieses szenische Bild war nicht bloß in seiner malerischen, sondern auch in seiner dramatischen Wirkung vollendet, denn es ersetzte die langweiligen Schilderungen, es offenbarte uns durch die Farbe und Art des Gewandes des Claudian und seiner Begleiter das ganze Wesen, das ganze Leben des Mannes, all seine Neigungen vom philosophischen System, das er liebte, bis herab zu den Pferden, auf die er beim Rennen wettete.

In der Tat ist die archäologische Wissenschaft nur dann wirklich reizvoll, wenn sie in irgendeine Kunstform umgegossen wird. Ich will die Dienste des emsigen Gelehrten durchaus nicht unterschätzen, doch fühle ich, dass Keats von Lemprières Doktrinär weit wertvolleren Gebrauch gemacht hat als Professor Max Müller, der dieselbe Mythologie als eine »Krankheit der Sprache« behandelt. »Endymion« ist jeder gesunden, oder, wie in diesem Falle, ungesunden Theorie über eine Epidemie unter den Adjektiven vorzuziehen! Und wer fühlt nicht, dass der Hauptruhmestitel des Buchs Piranesis über Vasen ist, Keats zu seiner »Ode an eine griechische Urne« die Anregung gegeben zu haben? Die Kunst, die Kunst allein kann die Archäologie zu etwas Herrlichem machen. Die Kunst des Theaters kann dies auf die unmittelbarste und lebendigste Art; denn sie vermag in einer ausgezeichneten Aufführung die Illusion des wirklichen Lebens mit den Wundern der unwirklichen Welt zu verbinden. Doch das sechzehnte Jahrhundert war nicht bloß das Zeitalter des Vitruv, es war auch die Zeit des Vecellio. In jeder Nation scheint plötzlich das Interesse für die Trachten ihrer Nachbarn erwacht zu sein. Europa begann seine eigenen Trachten zu durchforschen, die Zahl der Bücher, die über Nationalkostüme publiziert wurden, ist ganz außerordentlich groß. Zu Beginn des Jahrhunderts erreichte die »Nürnberger Chronik« mit ihren zweitausend Illustrationen die fünfte Auflage, und noch vor Ende des Jahrhunderts waren über siebzehn Auflagen der Münsterschen »Kosmographie« veröffentlicht. Außer diesen beiden Büchern erschienen noch Werke von Michael Colyns, von Hans Weigel, von Amman und von Vecellio selbst; alle diese waren mit trefflichen Bildwerken versehen, einige der Zeichnungen bei Vecellio sind vermutlich von der Hand Tizians.

Auch schöpfte man seine Kenntnisse nicht bloß aus Büchern und Abhandlungen. Es entwickelte sich die Gewohnheit, Reisen ins Ausland zu unternehmen. Der kaufmännische Verkehr zwischen den Ländern nahm an Ausdehnung zu. Immer häufigere diplomatische Missionen gewährten jeder Nation viele Möglichkeiten, die Trachtenbuntheit der Zeitgenossen zu studieren. Nachdem beispielsweise die Gesandten des Zaren, des Sultans und des Prinzen von Marokko England verlassen hatten, veranstalteten Heinrich der Achte und seine Freunde verschiedene Maskenspiele im Kostüm ihrer Besucher. Später erblickte London, vielleicht zu häufig, den finsteren Glanz des spanischen Hofs. Aus allen Ländern kamen Gesandte zu Elisabeth. Deren Trachten gewannen – Shakespeare berichtet es uns – für das englische Kostüm große Bedeutung.

Das Interesse beschränkte sich auch keineswegs auf klassische Gewänder oder auf die Kostüme fremder Nationen. Die Theaterleute stellten insbesondere über die früher in England selbst üblichen Trachten Nachforschungen an. Wenn Shakespeare im Prolog zu einem seiner Stücke seinem Bedauern darüber Ausdruck gibt, dass er nicht in der Lage war, Helme aus jener Periode vorzuweisen, spricht er als Theaterleiter, nicht nur als Dichter der Elisabethanischen Zeit. In Cambridge wurde beispielsweise zu Shakespeares Lebzeiten ein Stück, »Richard der Dritte«, aufgeführt, in dem die Schauspieler in den wirklichen Kostümen der Zeit auftraten. Man hatte sich diese Kostüme aus der großen Sammlung historischer Gewänder im Tower beschafft, die stets dem Besuch der Theaterleiter offenstand und diesen bisweilen zur Verfügung gestellt wurde. Ich kann den Gedanken kaum unterdrücken, dass diese Aufführung, soweit das Kostüm infrage kommt, eine viel künstlerischere gewesen sein muss als die Garricksche Darstellung des Shakespeareschen Dramas über diesen Gegenstand. Garrick trat darin in einem seltsam fantastischen Gewande auf, die anderen Schauspieler trugen Kostüme aus der Zeit Georgs des Dritten. Insbesondere Richmond wurde in der Uniform eines jungen Gardisten sehr bewundert.

Denn welchen Nutzen sollte die Schaubühne aus der Archäologie, die unsere Kritiker so seltsam erschreckt hat, ziehen, als den, dass sie, und nur sie allein, uns die Architektur und das äußere Gepräge der Zeit, in der die Handlung des Stücks vor sich geht, vermitteln kann. Sie setzt uns in die Lage, einen Griechen wie einen Griechen, einen Italiener wie einen Italiener angezogen zu sehen, die Bogengänge Venedigs und die Balkone Veronas zu unserer Freude zu schauen. Spielt das Stück in einer der großen Epochen der Geschichte unseres Vaterlandes, so vermag man dadurch diese Zeit in ihrem eigenen Gewande und den König in dem Kleid, in dem er lebte, zu betrachten.

Ich würde, nebenbei bemerkt, gerne wissen, was Lord Lytton noch vor Kurzem dazu gesagt hätte, wenn im Prinzeßtheater bei der Aufführung des Dramas seines Vaters, »Brutus«, sobald der Vorhang aufgezogen, der Titelheld in einem Sessel aus der Zeit der Königin Anna gelehnt hätte, geschmückt mit einer wallenden Perücke und angetan mit einem geblümten Morgenrock, einem Kostüm, das man im letzten Jahrhundert als für das antike Rom besonders passend ansah. In jenen ruhigen Lagen des Theaters bedrohte noch kein Archäologe den Frieden der Bühne oder beunruhigte die Kritiker. Unsere unkünstlerischen Großväter saßen friedlich in einer niederdrückend anachronistischen Atmosphäre und betrachteten mit dem sanften Behagen dieses prosaischen Zeitalters einen bepuderten Iago, der Schönheitspflästerchen trug, einen Lear mit Spitzenmanschetten, eine Lady Macbeth in einer weiten Krinoline. Ich begreife, dass man die Archäologie wegen ihres allzu realistischen Gepräges angreift. Man schießt aber weit übers Ziel, wenn man sie als pedantisch bekämpft. Es ist überhaupt töricht, sie aus irgendwelchen Gründen zu befehden. Man könnte ebensowohl über den Äquator aburteilen. Die Archäologie bedeutet, als eine Wissenschaft, weder etwas Gutes, noch etwas Schlimmes; sie ist einfach eine Tatsache. Ihr Wert hängt gänzlich von dem Gebrauche ab, den man davon macht, und nur ein Künstler kann sie benutzen. Wir wenden uns wegen des Materials an den Archäologen, wegen der Art, wie man es verwendet, an den Künstler.

Beim Entwerfen der Szenerie und der Kostüme eines Shakespeareschen Stücks hat der Künstler zunächst die Zeit, in der dieses Drama spielt, möglichst genau zu fixieren. Dieses Datum sollte mehr aus dem allgemeinen Geiste des Stücks als aus den darin vorkommenden historischen Bemerkungen gewonnen werden. Die meisten Aufführungen des »Hamlet«, die ich gesehen habe, waren in eine viel zu frühe Zeit verlegt. Hamlet ist seinem Wesen nach ein Student aus den Tagen der Wiederbelebung der Wissenschaft, und wenn auch die Anspielung auf den jüngst erfolgten Einbruch der Dänen in England das Stück ins neunte Jahrhundert zurückverlegt, so wird es hinwiederum durch den Gebrauch der Rapiere in eine viel spätere Epoche versetzt. Steht das Datum nun einmal fest, dann hat uns der Archäologe die Tatsachen an die Hand zu geben, der Künstler hat sie in Wirkungen umzuwandeln. Man hat bemerkt, die Anachronismen in den Stücken selbst bezeugten, dass Shakespeare wenig Wert auf historische Genauigkeit gelegt habe, man hat daraus, dass Hektor in sehr unangebrachter Weise Aristoteles zitiert, viel Kapital geschlagen. Andererseits sind wirklich nur wenig Anachronismen da, auch scheinen sie nicht sehr bedeutend. Wäre Shakespeares Aufmerksamkeit von einem anderen Künstler auf diese Dinge gerichtet worden, er hätte sie vermutlich verbessert. Denn wenn man sie auch kaum als Flecken bezeichnen kann, die großen Schönheiten seines Werks liegen keineswegs darin. Wäre dem so, dann könnte der Reiz dieser Anachronismen nur herausgearbeitet werden, wenn das betreffende Stück ganz im Stile des richtigen Datums ausgestattet würde. Betrachtet man Shakespeares Stücke im Ganzen, so fällt ihre außerordentliche Treue, sowohl in den Personen wie den Verwicklungen der Fabel, ins Auge. Viele seiner »dramatis personae« sind Menschen, dic tatsächlich gelebt haben. Einige von ihnen sind seinen Zuhörern wohl im wirklichen Leben begegnet. Der häufigste Angriff, den man gegen Shakespeare richtete, war ja, er habe Lord Cobham karikiert. Was die Verwicklungen seiner Fabeln betrifft, so hat Shakespeare sie stets entweder der verbürgten Geschichte oder den alten Balladen und Überlieferungen entnommen, die im Publikum zur Zeit der Elisabeth als Geschichte galten und die selbst heute kein gelehrter Historiker als völlig unwahr verwerfen würde. Und er hat nicht nur statt fantastischer Erfindungen Tatsachen zur Grundlage vieler seiner Dichtungen genommen, er verleiht auch jedem Stück den allgemeinen Charakter, mit einem Wort die soziale Atmosphäre der Zeit, um die es sich handelt. Er erkannte, dass Dummheit eine der ständigen, charakteristischen Eigenschaften der gesamten europäischen zivilisierten Menschheit bildet, darum findet er keinen Unterschied zwischen dem Londoner Mob seiner Tage und dem römischen Mob der heidnischen Zeit, zwischen einem einfältigen Wächter in Messina und einem albernen Friedensrichter in Windsor. Hat er es aber mit höheren Charakteren zu tun, mit jenen Ausnahmeerscheinungen einer Zeit, die so erlesen sind, dass sie Zeittypen werden, dann gibt er ihnen Siegel und Stempel ihrer Zeit. Virgilia ist eine jener römischen Frauen, auf deren Grabmal geschrieben stand »Domi mansit, lanam fecit«, so wie Julia das romantische Mädchen der Renaissance ist. Er bleibt wahr, selbst in den Charaktereigentümlichkeiten der Rasse. Hamlet besitzt die Fantasiefülle und Unentschlossenheit der nordischen Völker, und die Prinzessin Katharina ist so völlig Französin wie die Heldin von „Divorçons«. Heinrich der Fünfte ist ganz Engländer und Othello ein echter Mohr.

Entnimmt Shakespeare seine Stoffe der Geschichte, vom vierzehnten bis zum sechzehnten Jahrhundert, dann ist es ganz wunderbar, wie genau er sich an die Tatsachen hält – er folgt wirklich Holinshed mit erstaunlicher Treue. Die unaufhörlichen Kriege zwischen Frankreich und England sind mit außerordentlicher, bis zu den Namen der belagerten Städte herab gewahrter Genauigkeit dargestellt, die Einschiffungs- und Landungshäfen, die Örtlichkeiten und Daten der Schlachten, die Ehrentitel der Feldherrn auf beiden Seiten, die Liste der Getöteten und Verwundeten. Aus der Zeit der Bürgerkriege der roten und weißen Rose gibt er uns die sorgsam ausgearbeiteten Stammbäume der sieben Söhne Eduards des Dritten. Die Ansprüche der rivalisierenden Häuser York und Lancaster auf den Thron werden des Breiten erörtert. Wenn die englische Aristokratie schon den Dichter Shakespeare nicht liest, sollte sie ihn doch gewissermaßen als eine Art alter Pairskalender lesen. Es gibt kaum einen einzigen Titel im Oberhaus, natürlich mit Ausnahme der uninteressanten Titel der hohen richterlichen Beamten, der sich nicht bei Shakespeare mit vielen Details der Familiengeschichte, glaubwürdigen und unwahrscheinlichen, vorfände. Wahrhaftig, müssen die Schuljungen die genauen Einzelheiten der

Kämpfe zwischen der roten und weißen Rose nun einmal erfahren, dann könnten sie ihre Aufgaben ebensowohl aus Shakespeare wie aus Schulbüchern lernen, und zwar, ich brauche es kaum zu sagen, auf weit unterhaltendere Weise. In den Tagen Shakespeares selbst erkannte man diesen Nutzen seiner Stücke an. »Die historischen Stücke bringen jenen, die in den Chroniken nicht zu lesen vermögen, historische Kenntnisse bei«, sagt Heywood in einer Abhandlung über die Schaubühne. Und doch waren gewiss die Chroniken aus dem sechzehnten Jahrhundert eine viel angenehmere Lektüre als die Leitfäden aus dem neunzehnten.

Selbstverständlich hängt der ästhetische Wert der Shakespeareschen Stücke auch nicht im Entferntesten von den darin enthaltenen Tatsachen, sondern nur von ihrer Wahrheit ab, und die Wahrheit hat mit den Tatsachen nichts gemein. Sie findet sie oder wählt sie aus, wie es ihr gefällt. Die Art aber, wie Shakespeare von den Tatsachen Gebrauch macht, bildet einen höchst interessanten Teil seiner Arbeitsmethode. Sie zeigt uns die Stellung, die er der Bühne gegenüber einnahm, und seine Beziehung zur großen Kunst der Illusion. Er wäre sicher sehr erstaunt gewesen, seine Stücke den »Feenmärchen« gleichgestellt zu sehen, wie Lord Lytton dies tut. Denn es war eins seiner Ziele, für England ein historisches Nationaldrama zu schaffen. Dieses sollte Ereignisse zum Gegenstand haben, die dem Publikum wohl bekannt waren, deren Helden im Gedächtnis des Volkes lebten. Der Patriotismus gehört, ich brauche dies wohl nicht erst zu bemerken, keineswegs zu den notwendigen Eigentümlichkeiten der Kunst; doch hat er für den Künstler die Bedeutung, dass er ein universelles Empfinden an Stelle des persönlichen setzt, und für das Publikum, dass ihm ein Kunstwerk in einer höchst anziehenden und volkstümlichen Form dargeboten wird. Es ist erwähnenswert, dass Shakespeares erster und letzter Erfolg historische Stücke gewesen sind.

Aber man fragt vielleicht, was dies alles mit Shakespeares Verhalten dem Kostüm gegenüber zu tun haben soll. Ich antworte darauf, dass ein Dramatiker, der auf die historische Genauigkeit der Tatsachen so viel Gewicht legte, die historische Genauigkeit des Kostüms als höchst wichtige Unterstützung seiner Methode, die Illusion hervorzurufen, betrachtet hätte. Und ich trage kein Bedenken, zu erklären, dass dies auch der Fall gewesen ist. Die Erwähnung von Helmen im Prolog zu »Heinrich dem Fünften« mag man als dichterische Erfindung betrachten, obwohl Shakespeare oft

»den einen Helm,
Der einst die Luft von Azincourt erschreckte«,

dort gesehen haben musste, wo er noch heute in der düstern Halle der Westminsterpartei neben dem Sattel des »Sprößling des Ruhms« hängt, neben dem zerhauenen Schild mit seinem zerrissenen blauen Samtfutter und den verblassten goldenen Lilien. Aber die Verwendung von Waffenröcken in »Heinrich dem Sechsten« erklärt sich ganz aus archäologischen Überlieferungen; denn man trug dergleichen Waffenröcke im sechzehnten Jahrhundert nicht, und des Königs Waffenrock hing, glaub' ich, noch in Shakespeares Tagen über seinem Grab in der Kapelle des heiligen Georg zu Windsor. Bis zum unglückseligen Sieg der Philister im Jahre 1645 waren ja die Kapellen und Kathedralen in England die großen Nationalmuseen für das Wissen der Vergangenheit. Hier wurden Rüstungen und Gewänder der Helden der englischen Geschichte aufbewahrt. Ein gut Teil blieb freilich im Tower, und selbst in den Tagen der Elisabeth wurden Reisende dorthin geführt, um die seltsamen Reliquien vergangener Tage zu beschauen, zum Beispiel den ungeheuern Speer des Charles Brandon, der noch jetzt, glaub' ich, die Bewunderung der Besucher vom Lande erweckt. Man wählte jedoch in der Regel die Kathedralen und Kirchen als die geeignetsten Schreine zur Aufbewahrung der historischen Altertümer. In Canterbury zeigt man uns noch immer den Helm des schwarzen Prinzen, in Westminster die Kleider unserer Könige und in der alten St.-Pauls-Kirche das Banner, das über dem Schlachtfeld von Bosworth geweht und das Richmond selbst hier aufgehängt hatte.

Wohin Shakespeare in London auch blicken mochte, überall fand er Gelegenheit, das Gepräge vergangener Zeiten mit allem, was ihnen eigentümlich war, zu erblicken, und es darf nicht bezweifelt werden, dass er von diesen Gelegenheiten Gebrauch gemacht hat. Die Verwendung von Lanzen und Schilden im offenen Kampf zum Beispiel, die so häufig in seinen Stücken wiederkehrt, ist der archäologischen Rüstkammer, keineswegs der militärischen Ausrüstung seiner Tage entnommen. Rüstungen, die ja regelmäßig in seinen Schlachtszenen vorkommen, waren seinerzeit ebenfalls nicht mehr eigentümlich; damals mussten sie bereits jäh den Feuerwaffen weichen. Marwicks Helmbusch, der in »Heinrich dem Sechsten« von solcher Bedeutung ist, erscheint in einem Stück des fünfzehnten Jahrhunderts völlig am Platze, denn zu dieser Zeit trug man noch den Helmbusch, jedoch keineswegs mehr in einem Drama aus den Tagen Shakespeares selbst; dazumal war der Federbusch an seine Stelle getreten – eine Mode, die, wie uns in »Heinrich dem Achten« erzählt wird, aus Frankreich gekommen war. Wir dürfen, was die historischen Stücke betrifft, überzeugt sein, dass man bei diesen archäologische Kenntnisse anwandte. Aber auch in den anderen war es nach meiner Überzeugung ebenso. Das Erscheinen Jupiters auf seinem Adler, den Donnerkeil in den Händen, der Juno mit ihren Pfauen und der Iris mit ihrem buntfarbigen Bogen, das Amazonen-Masken-Fest und die Masken der »Fünf Helden«: dies alles deutet auf archäologische Kenntnisse hin. Ebenso ist ohne Zweifel die Vision, die Posthumus im Gefängnis des Sicilius Leonatus schaut – »ein alter Mann, in der Tracht eines Kriegers, führt eine alte Frau« –, gleichen Ursprungs. Über das »athenische Gewand«, das Lysander von Oberon unterscheidet, hab' ich bereits gesprochen. Doch eins der bezeichnendsten Beispiele ist die Tracht des Coriolan, die Shakespeare direkt Plutarch entnimmt. Dieser Geschichtschreiber erzählt uns in seiner Lebensschilderung des großen Römers von dem Eichenkranz, mit dem Caius Marcius bekränzt wurde, und von dem seltsamen Gewande, in dem er, nach alter Sitte, um die Gunst seiner Wähler werben musste. Über beides verbreitet er sich ausführlich und forscht dem Ursprung und der Deutung der alten Bräuche nach. Shakespeare bekundet wahren Künstlergeist, indem er dem antiken Historiker die Tatsachen entnimmt und sie in dramatische und malerische

Wirkungen umgießt: Das Kleid der Demut, das wölfische Kleid, wie Shakespeare es nennt, bildet den Mittelpunkt des Stücks. Ich könnte noch andere Beispiele anführen, doch genügt dieses eine für meinen Zweck. Daraus ergibt sich klar, dass wir Shakespeares eigene Methode, seine eigenen Wünsche am besten ausführen, wenn wir seine Stücke genau im Gewande ihrer Zeit, im Einklange mit den besten Gewährsmännern inszenieren.

Wäre dies selbst nicht der Fall, so liegt doch kein Grund vor, warum wir Unvollkommenheiten, die der Shakespeareschen Inszenierung anhaften mochten, noch weiter bewahren sollten. Wir könnten ebensogut die Julia durch einen jungen Mann spielen lassen oder uns der Errungenschaft des Szenenwechsels begeben. In einem großen dramatischen Kunstwerk sollten nicht bloß durch den Schauspieler Leidenschaften von heute zum Ausdruck gebracht, diese sollten uns auch in einer dem modernen Geiste entsprechenden Gestalt vermittelt werden. Racine führte seine Römerstücke in der Tracht Ludwigs des Vierzehnten auf einer Bühne vor, auf der die Zuschauer gedrängt saßen; wir verlangen andere Voraussetzungen, um uns seiner Kunst erfreuen zu können. Peinliche Genauigkeit des Details erscheint uns erforderlich, um vollkommene Illusion zu erzielen. Wir müssen nur darauf achten, dass die Details nicht überwiegen. Sie müssen sich vielmehr stets dem Hauptmotiv des Stückes unterordnen. Doch bedeutet solche Unterordnung in der Kunst keineswegs Geringschätzung der Wahrheit. Es bedeutet nur, dass die Tatsachen zu Wirkungen umgewandelt werden, jedem Detail wird die seinem Wert gebührende Stellung angewiesen. »Die kleinen Details der Geschichte und des häuslichen Lebens«, sagt Hugo, »müssen vom Dichter peinlich genau studiert und dargestellt werden. Doch sollen sie nur dem Zweck dienen, die Lebensechtheit des Ganzen zu steigern und selbst die verborgensten Eigentümlichkeiten des Werks mit jener mächtigen Lebensfülle zu durchdringen, die die Personen wahrer erscheinen und darum die Ereignisse erschütternder wirken lässt. Diesem Ziel muss alles untergeordnet werden. Der Mensch steht im Vordergrunde, das übrige durchaus in zweiter Linie.«

Diese Stelle ist nicht ohne Interesse, weil sie von dem ersten großen französischen Dramatiker stammt, der sich archäologischer Genauigkeit auf der Bühne befliss, dessen Dramen in den Details durchaus korrekt sind und die man dennoch allgemein ihrer leidenschaftlichen Empfindung, nicht ihrer pedantischen Genauigkeit – ihrer Lebenskraft, nicht ihrer Wissensfülle wegen kennt. Zwar hat er sich bei der Anwendung merkwürdiger oder seltsamer Ausdrücke zu mancherlei Konzessionen herbeigelassen. Ruy Blas spricht von M. de Priego als von einem »sujet du roi«, statt von dem »noble du roi«, Angelo Malipieri spricht von »la croix rouge«, anstatt von »la croix de gueules«. Doch sind dies Konzessionen, die dem Publikum oder vielmehr einem Teil des Publikums gemacht werden. »Ich bitte hier denkende Zuschauer um Entschuldigung«, sagt er in einer Randbemerkung zu einem seiner Stücke, »hoffen wir, dass eines Tags ein venezianischer Edelmann sein Wappen auf dem Theater ohne Gefahr wird benennen dürfen. Zu diesem Fortschritt wird man gelangen.« Und wenn auch seine Schilderung des Helmbusches nicht ganz zutreffend erscheint, so war dieser selbst doch ganz exakt gearbeitet. Man wird allerdings einwenden, das Publikum nehme von diesen Dingen keine Notiz. Doch darf man nicht vergessen, dass die Kunst kein anderes Ziel hat als ihre eigene Vollkommenheit und dass sie nur nach ihren eigenen Gesetzen vorgeht; eben jenes Stück, das Hamlet selbst als »Kaviar für das Volk« bezeichnet, preist er hoch. Übrigens hat sich das Publikum in England jetzt eine gewisse Umwandlung gefallen lassen. Man schätzt neuerdings die Schönheit weit mehr, als dies noch vor wenigen Jahren der Fall war. Ist man auch nicht mit den Quellen und den archäologischen Daten vertraut, so genießt man doch alles Schöne, was geboten wird. Und darauf allein kommt es an. Weit besser, sich einer Rose zu erfreun, als ihre Wurzel unter das Mikroskop zu legen. Die archäologische Genauigkeit bildet nur eine Voraussetzung der Illusionswirkung auf dem Theater, sie ist keineswegs das Wesentliche. Und Lord Lyttons Vorschlag, die Kostüme sollten nur Schönheit, keineswegs Genauigkeit besitzen, beruht auf einem Missverstehen der Eigentümlichkeit des Kostüms und seiner Bedeutung für die Schaubühne. Sein

Wert ist ein doppelter – ein malerischer und dramatischer; jener hängt von der Farbe, dieser von dem Zuschnitt und seiner Eigenart ab. Die beiden sind aber sehr innig miteinander verbunden. Sooft man in unseren Tagen die historische Genauigkeit vernachlässigt und die in einem Stück vorkommenden verschiedenartigen Gewänder verschiedenen Zeiten entnommen hat, ist das Ergebnis gewesen, dass aus der Bühne ein Chaos der Kostüme, eine Karikatur der Jahrhunderte, ein Maskenball geworden ist. Jede dramatische und malerische Wirkung wurde vernichtet. Denn die Tracht des einen Zeitalters steht nicht im künstlerischen Einklang mit der Tracht des anderen, und die Kostüme verwirren heißt das Drama selbst verwirren. Das Kostüm ist der Weiterbildung, der Entwicklung fähig, es ist ein sehr bedeutsames, vielleicht das bedeutsamste Kennzeichen der Sitten, Gewohnheiten und Lebensweise eines jeden Jahrhunderts. Die puritanische Verachtung der Farbe, der Ausschmückung und der Anmut der Erscheinung hat die große Empörung der mittleren Klassen gegen die Schönheit im siebzehnten Jahrhundert mit verursacht. Ein Historiker, der dies nicht beachtete, würde uns ein höchst ungenaues Gemälde der Zeit darbieten. Ein Dramatiker, der diese Tatsache nicht benützte, würde eine der wichtigsten Möglichkeiten illusionistischer Wirkung preisgeben. Die Verweichlichung in der Kleidung, die die Regierung Richards des Zweiten kennzeichnet, bildete ein ständiges Thema der Autoren jener Zeit. Shakespeare, der zweihundert Jahre später schrieb, gewinnt aus der Vorliebe des Königs für Fröhlichkeit der Erscheinung und fremde Moden manche Pointen des Stücks – man erinnere sich an Einzelheiten, von John of Gaunts Vorwürfen bis zu der Rede Richards selbst, im dritten Akt, bei seiner Thronentsetzung. Und dass Shakespeare Richards Gruft in der Westminsterabtei kannte, scheint aus der Rede Docks zu erhellen:

»Seht, seht den König Richard selbst erscheinen,
So wie die Sonn', errötend mißvergnügt,
Aus feurigem Portal des Ostens tritt,
Wenn sie bemerkt, dass neid'sche Wolken streben.
Zu trüben ihren Glanz.«

Wir können ja noch auf dem Gewand des Königs sein Lieblingssymbol erkennen – die Sonne, die aus Wolken hervorbricht. In der Tat drücken sich in jedem Zeitalter die gesellschaftlichen Zustände in der Kleidung so deutlich aus, dass die Aufführung eines Stückes, das im sechzehnten Jahrhundert spielt, in den Trachten des vierzehnten Jahrhunderts, oder umgekehrt, ihrer Lebensunwahrheit wegen unecht erscheinen würde. So wertvoll der schöne Effekt auf der Schaubühne ist, die höchste Schönheit ist mit der Genauigkeit des Details nicht bloß vergleichbar, sie hängt geradezu davon ab. Ein völlig neues Kostüm zu erfinden, ist außer in der Burleske oder in der Posse beinahe unmöglich. Aus den Kostümen verschiedener Jahrhunderte aber eine neue Tracht zu kombinieren, wäre ein gefährliches Experiment. Wie Shakespeare über den künstlerischen Wert solcher Vermischung dachte, mag man aus seinen beständigen satirischen Ausfällen gegen die Gecken der Elisabethanischen Zeit schließen, die sich einbildeten, sie seien gut angezogen, weil sie ihre Wämser aus Italien, ihre Hüte aus Deutschland und ihre Hosen aus Frankreich bezogen. Und es sollte vermerkt werden, dass die schönsten szenischen Wirkungen, die auf unserer Schaubühne gewonnen wurden, die gewesen sind, die sich durch ihre vollkommene Genauigkeit auszeichneten, wie die Neuaufführungen aus dem achtzehnten Jahrhundert durch Mr. und Mrs. Bancroft auf dem Haymarket-Theater, Mr. Irvings herrliche Aufführung von »Viel Lärm um nichts« und Mr. Barretts »Claudian«. Überdies muss – und dies ist vielleicht die vollständigste Antwort auf Lord Lyttons Theorie – daran erinnert werden, dass sowohl in Fragen des Kostüms wie des Dialogs Schönheit keineswegs das erste Ziel des Dramatikers bildet. Des Dramatikers Ziel ist in erster Linie das Hervorheben des Charakteristischen. Er wünscht so wenig, dass alle seine Personen herrlich angezogen seien, wie er etwa wünschen würde, dass sie alle Charakterschönheit besitzen oder schönes Englisch sprechen. Der wahre Dramatiker zeigt uns das Leben unter künstlerischen Gesichtspunkten, jedoch nicht die Kunst in der Form des Lebens. Die griechische Tracht war die schönste, die die Welt je gesehen hat, und die englische des vergangenen Jahrhunderts eine der abscheulichsten. Trotzdem können wir bei einem Stück Sheridans keineswegs die nämlichen Kostüme wie bei einem Drama von Sophokles verwenden. Denn wie Polonius in seinen ausgezeichneten Bemerkungen, denen zu danken ich hier die günstige Gelegenheit finde, ausführt: Eins der ersten Erfordernisse der Kleidung ist, dass sie etwas besage. In dem affektierten Stil der Kleidung des achtzehnten Jahrhunderts drückten sich die affektierten Manieren, die affektierte Art der Konversation der damaligen Gesellschaft charakteristisch aus. Der realistische Dramatiker wird diese bezeichnenden Züge bis herab zu den geringfügigsten Details sehr hoch zu schätzen wissen. Das Material hierfür kann er bloß aus der Archäologie gewinnen. Doch genügt es keineswegs, dass ein Kostüm historisch genau sei. Es muss auch der Erscheinung und der Gestalt des Schauspielers und seiner vermutlichen Stellung im Stück wie der Haltung, die er darin notwendigerweise einzunehmen hat, entsprechen. Bei Mr. Hares Aufführung von »Wie es euch gefällt« auf dem St.-James-Theater wurde die Pointe der Klage des Orlando, dass er wie ein Bauer, nicht wie ein Edelmann erzogen worden sei, durch die Überladenheit seines Anzugs ganz um ihre Wirkung gebracht. Auch war die prunkvolle Kleidung des verbannten Herzogs und seiner Freunde durchaus nicht am Platze. Mr. Lewis Wingfields Erklärung, die Luxusgesetze jener Zeit seien der Grund dieses Prunks, reicht, wie ich fürchte, kaum aus. Geächtete Männer, die sich im Walde verborgen halten und vom Weidwerk leben, dürfen sich nicht sehr um die Regeln der Toilette bekümmern. Sie waren vermutlich wie das Gefolge Robin Hoods gekleidet, mit dem sie im Verlaufe des Stückes sogar verglichen werden. Dass sie in ihrem Auftreten keineswegs reichen Edelmännern glichen, kann man aus den Worten Orlandos, als er auf sie losstürmt, erkennen. Er hält sie irrigerweise für Räuber und ist ganz erstaunt, dass sie ihm in höfisch-gebildeten Ausdrücken antworten. Die Aufführung des nämlichen Stückes durch Lady Archibald Campbell unter der Leitung E. W. Godwins war, soweit die Ausstattung infrage kommt, weit mehr von künstlerischen Gesichtspunkten beherrscht. Mir wenigstens schien es so. Der Herzog und seine Gefährten trugen wollene Waffenröcke, lederne Jacken, hohe Stiefel, Stulphandschuhe, breitrandige

Hüte und Kapuzen. Da sie in einem wirklichen Wald agierten, fanden sie gewiss ihre Bekleidung sehr bequem. Jede Person im Stück trug eine passende Kleidung. Das Braun und Grün der Gewänder harmonierte vortrefflich mit den Farnkräutern, durch die sie schritten, mit den Bäumen, unter denen sie lagen, mit der lieblichen englischen Landschaft, die das ländliche Spiel umschloss. Die vollkommene Natürlichkeit der Szene entsprang der vollkommenen Genauigkeit und Angemessenheit jedes Kleidungsstücks. Die Archäologie konnte nicht auf eine strengere Probe gestellt werden und nicht siegreicher daraus hervorgehen. Die ganze Aufführung bewies ein für allemal, dass ein Gewand immer unwirklich, unnatürlich und theatralisch, im Sinne von gekünstelt erscheint, wenn es nicht archäologisch genau und künstlerisch angemessen ist.

Es genügt aber auch keineswegs, dass ein Kostüm historisch genau und künstlerisch angemessen ist und in herrlichen Farben schimmert; der ganze Bühnenraum muss Farbenschönheit zeigen. Solange der Hintergrund von einem Künstler gemalt wird und die Vordergrundfiguren unabhängig davon von einem anderen entworfen werden, besteht immer die Gefahr, dass das Bühnenbild der harmonischen Wirkung ermangle. Man sollte für jede Szene ein Farbenschema wie für die Ausschmückung eines Zimmers anlegen, man sollte die Gewänder, die zur Benutzung gelangen sollen, zu allen möglichen Kombinationen vermischen und wieder mischen und das Nichtzusammenklingende entfernen. Was die besonderen Farbenarten betrifft, so wird die Bühne oft zu grell gemacht, zum Teil dadurch, dass die Kostüme allzu sehr den Eindruck des Neuen hervorrufen. Eine gewisse Schäbigkeit, die im modernen Leben bloß das Streben der niederen Volksschichten nach einer gewissen Haltung ausdrückt, ist nicht ohne künstlerischen Wert. Moderne Farben gewinnen oft sehr, wenn sie ein wenig verblasst sind. Auch die blaue Farbe wird zu häufig benützt: sie ist nicht bloß bei Gaslicht von zweifelhafter Wirkung; es fällt überhaupt schwer, sich in England ein durchaus gutes Blau zu verschaffen. Das feine chinesische Blau, das wir alle so sehr bewundern, braucht zwei Jahre, um zu färben. Das englische Publikum will aber auf eine Farbe nicht so lange warten. Pfauenblau wurde natürlich auf der Bühne mit Vorteil zur Anwendung gebracht, hauptsächlich im Lyzeumtheater; doch sind alle Versuche, die ich kenne, ein gutes Lichtblau oder ein gutes Dunkelblau zu erzielen, fehlgeschlagen. Der Wert der schwarzen Farbe wird kaum genügend gewürdigt. Mr. Irving hat sie in »Hamlet« als Grundnote der Inszenierung mit großer Wirkung zur Anwendung gebracht, aber als neutrale, den Ton hebende Farbe ist ihre Bedeutung noch nicht erkannt. Dies scheint erstaunlich, da Schwarz ja die allgemein übliche Farbe der Kleidung eines Jahrhunderts ist, in dem wir, wie Baudelaire sagt, alle »irgendein Begräbnis feiern«. Der Archäologe der Zukunft wird vermutlich unsere Zeit als eine Epoche bezeichnen, welche die Schönheit des Schwarzen erkannte. Ich glaube aber nicht, dass dies wirklich, soweit es sich um Bühnen- und Hausdekoration handelt, der Fall ist. Der dekorative Wert des Schwarzen ist so bedeutend wie der von Weiß oder Gold. Es vermag die Farben zu sondern und harmonisch zu verbinden. In modernen Stücken ist der schwarze Rock des Helden an sich von Bedeutung, und man sollte ihm einen entsprechenden Hintergrund geben. Das geschieht aber nur selten. In der Tat war der einzige treffliche Hintergrund eines in unserer Kleidung spielenden Stücks, den ich jemals gesehen habe, in einer dunkelgrau und creme-weiß gehaltenen Szene des ersten Aktes der »Princess Georges« in der Aufführung von Mrs. Langtry. In der Regel verschwindet der Held im bric-à-brac und unter Palmenbäumen; er verliert sich in den goldenen Abgründen der Louis-Quatorze-Möbel, er schrumpft inmitten der Mosaiken zu einer bloßen Mücke zusammen, während doch der Hintergrund nur immer Hintergrund bleiben und die Farbe der Wirkung untergeordnet werden sollte. Dies wird freilich nur dann möglich sein, wenn ein Geist die ganze Aufführung leitet. Mögen auch die Werke der Kunst verschieden sein, das Wesen künstlerischer Wirkung ist Einheit.

Monarchie, Anarchie und Revolution mögen um ihre Berechtigung, Nationen zu regieren, streiten; ein Theater jedoch sollte einem gebildeten Despoten unterstehen. Mag man auch die Arbeit teilen, der lenkende Geist muss einheitlich sein. Wer das Kostüm eines Zeitalters versteht, versteht auch notwendigerweise seine Architektur und sein Milieu; es fällt nicht schwer, aus der in einer gewissen Zeit üblichen Form der Stühle zu schließen, ob man Krinolinen trug oder nicht. In der Kunst gibt es keine Spezialität. Jede wirkliche künstlerische Aufführung sollte das Gepräge des nämlichen Meisters tragen, eines Meisters, der nicht bloß jedes Detail selbst zeichnen und gruppieren, sondern auch die Art und Weise, wie jedes Kostüm zu tragen ist, vollständig kontrollieren müsste.

Mademoiselle Mars erklärte bei der ersten Aufführung, »Hernani«, ihren Partner nur unter der Bedingung »Mon Lion« zu nennen, dass man ihr gestatte, ein gewisses kleines, damals auf den Boulevards sehr fashionables Barett zu tragen. Manche jungen Schauspielerinnen unserer Tage bestehen noch immer darauf, unter griechischen Gewändern steife Unterröcke zu tragen; dabei geht die ganze Zartheit der Linien und Farben des Kostüms verloren; derlei Frevel sollte man nicht dulden. Man sollte auch weit mehr Kostümproben abhalten, als das jetzt geschieht. Schauspieler wie etwa Mr. Forbes Robertson, Mr. Conway, Mr. George Alexander und andere – der älteren Künstler zu geschweigen – bewegen sich bequem und elegant in der Tracht jedes Jahrhunderts. Doch gibt es andererseits nicht wenige, die in einem Gewand ohne Seitentaschen nicht zu wissen scheinen, was sie mit ihren Händen beginnen sollen; sie tragen ihre Röcke, als wären es Kostüme. Nun sind es allerdings für den, der sie entwirft, Kostüme, für den, der sie trägt, sollten es aber Kleider sein. Auch ist es an der Zeit, die unsere Bühne beherrschende Anschauung, dass die Griechen und Römer stets, auch im Freien, bloßen Hauptes einhergingen, zu zerstören. Diesen Irrtum haben die Theaterleiter aus den Tagen Elisabeths nicht begangen: sie statteten vielmehr ihre römischen Senatoren sowohl mit langen Gewändern wie auch mit Hüten aus.

Häufigere Kostümproben hätten noch eine weitere Bedeutung: Die Schauspieler würden dadurch lernen, dass es gewisse Gesten und Bewegungen gibt, die einem bestimmten Kostümstil nicht bloß angemessen, sondern geradezu von ihm bedingt sind. Der maßlose Gebrauch, den man beispielsweise im achtzehnten Jahrhundert von den Armen machte, war das natürliche Ergebnis der weiten Reifröcke. Das würdeschwere Auftreten Burleighs war seiner Halskrause nicht minder als seiner Kunsteinsicht zu danken. Solange überdies sich ein Schauspieler nicht in seiner Kleidung heimisch fühlt, ist er auch in seiner Rolle nicht heimisch.

Darüber, dass die Schönheit des Kostüms im Zuschauer künstlerisches Temperament und jene Freude an der Schönheit um ihrer selbst willen erzeugt, ohne die große Kunstschöpfungen nicht verstanden werden können, will ich hier nicht sprechen. Doch kann man den Wert, den Shakespeare dieser Frage bei der Aufführung seiner Tragödien beilegte, daraus ermessen, dass er diese stets bei künstlichem Licht und in einem schwarzverhängten Theaterraum spielte. Ich wollte nur darauf hinweisen, dass die Anwendung der Archäologie keine pedantische Methode ist, sondern eine Methode, künstlerische Illusionen hervorzurufen, dass man dadurch die Möglichkeit gewinnt, Charaktere ohne Schilderung zu erklären und dramatische Situationen und Effekte hervorzubringen. Man muss, meine ich, beklagen, dass so viele Kritiker eine der wichtigsten Bewegungen unseres modernen Theaters angegriffen haben, ehe diese Bewegung noch zu ihrer Vollendung gelangte. Dass sie einmal dahin gelangen wird, empfinde ich ebenso deutlich, wie etwa, dass man in Zukunft von den Kritikern mehr verlangen wird, als dass sie sich an Macready erinnern oder Benjamin Webster gesehen haben: Wir werden von ihnen die Pflege des Schönheitssinnes verlangen. »Pour être plus difficile, la tâche n'en est que plus glorieuse.« Und wenn sie diese Bewegung schon nicht bestärken, so sollten sie sich ihr doch nicht entgegenstellen; denn Shakespeare hätte ihr unter allen Dramatikern am meisten Beifall gezollt. Ist es doch ihre Methode, die Illusion des Wahren hervorzurufen, und ihr Ergebnis, dass sie die Illusion der Schönheit hervorruft. Nicht, dass ich etwa mit allem, was ich in diesem Essay sage, übereinstimme. Mit vielem stimme ich durchaus nicht überein. Der Essay vertritt bloß einen künstlerischen Standpunkt, und in der ästhetischen Kritik ist der Standpunkt alles. In der Kunst gibt es keine allgemeine Wahrheit. Eine Wahrheit ist in der Kunst alles das, dessen Gegenteil nicht minder wahr ist. Wie wir nur in der Kunstkritik und durch sie die platonische Lehre von den Ideen erfassen können, so können wir nur in der Kunstkritik und durch sie das Hegelsche System des Widerspruchs begreifen. Die Wahrheiten der Metaphysik sind Maskenwahrheiten.

Die Entwicklung der historisch-kritischen Methode

Dieser Essay wurde für den Chancellor's English Essay Prize in Oxford verfasst, bei dem das Thema ‚Die historische-kritische Methode in der Antike' war. Der Preis wurde nicht vergeben. Dank ist Professor J.W. Mackail für die Überprüfung der Korrekturabzüge geschuldet.

I.

Die historisch-kritische Methode[1] taucht nirgendwo als eine isolierte Tatsache in der Zivilisation oder Literatur irgendeines Volkes auf. Sie ist Teil eines komplexen Wirkens Richtung Freiheit, was auch als eine Revolte gegen Autorität beschrieben werden kann. Sie ist lediglich eine Facette des spekulativen Geistes der Innovation, die in der Handlungssphäre Demokratie und Revolution hervorbringt und die in der Sphäre des Geistes der Ursprung von Philosophie und Naturwissenschaft ist. Ihre Bedeutung als ein Faktor des Fortschrittes liegt nicht so sehr in den Ergebnissen, die sie erreicht, sondern in dem Ton des Denkens, den sie repräsentiert, sowie der Methode, durch die sie funktioniert.

1 Ist ein Zweig der Literaturkritik, der die Ursprünge antiker Texte untersucht, um *die Welt hinter dem Text* zu verstehen. Sie wurde auf viele religiöse Schriften aus verschiedenen Teilen der Welt und Perioden der Geschichte angewendet. Anm. d. Ü.

Da sie insofern das Ergebnis von Kräften ist, die im Wesentlichen revolutionär sind, kann sie nicht in den alten Welten des materiellen Despotismus Asiens oder der statischen Zivilisation Ägyptens gefunden werden. Die Tonzylinder aus Assyrien und Babylon oder die Hieroglyphen der Pyramiden bilden keine Geschichte, sondern nur das Material der Geschichte.

Die chinesischen Annalen etwa zeichnen sich durch eine Nüchternheit der Urteilskraft und eine Freiheit von Erfindungen aus, was so gut wie einmalig in den Schriften aller Völker ist. Doch der beschützende Geist, der das Charakteristikum dieses Volkes ist, erwies sich sowohl als verhängnisvoll für ihre Literatur wie für ihren Handel. Freie Kritik war hier so unbekannt wie freier Handel. Dennoch war ihr scharfer, analytischer und logischer Geist im Vergleich mit den Hindus eher auf Grammatik, Kritik und Philosophie ausgerichtet und nicht auf Geschichte oder Chronologie. In der Tat, ihre Vorstellungskraft schien in Bezug auf Geschichtsschreibung Amok gelaufen zu sein und dabei Legenden und Tatsachen so unauflösbar vermischt zu haben, dass jeder Versuch, sie voneinander zu trennen, eitel erscheint. Wenn wir die Identifikation des griechischen Sandracottus mit dem indischen Chandragupta außer Acht lassen, so haben wir wirklich keine Möglichkeit, wie wir den Wahrheitsgehalt ihrer Schriften oder ihre Untersuchungsmethoden überprüfen können.

Erst beim hellenischen Zweig der indo-germanischen Rasse findet sich eigentliche Geschichtsschreibung wie auch der Geist der historisch-kritischen Methode; nämlich bei diesem wundervollen Ableger der primitiven Arier, die wir die Griechen nennen und denen wir, wie schon gesagt wurde, all die Entwicklungen in der Welt verdanken, außer den blinden Kräften der Natur.

Denn von dem Tag an, als sie die kalten Plateaus Tibets verließen und als Nomadenvolk in Richtung der ägäischen Küste zogen, war das Merkmal ihrer Natur eine Streben nach Erkenntnis, und der Geist der historisch-kritischen Methode ist ein Aspekt dieser wunderbaren Aufklärung oder Erleuchtung des Intellekts, der sich wie eine großer Lichtstrom um das 6. Jahrhundert v. Chr. auf die griechischen Rasse gelegt zu haben scheint.

L'esprit d'un siècle ne naît pas et ne meurt pas à jour fixe,[2] und der erste Kritiker ist vielleicht genauso schwer zu entdecken wie der erste Mensch. Aus der Demokratie übernimmt der Geist der Kritik seine Intoleranz gegenüber dogmatischer Autorität, aus der Naturwissenschaft die verlockenden Analogien von Recht und Ordnung und aus der Philosophie die Vorstellung einer wesentlichen Einheit, die den komplexen Erscheinungsformen der Phänomene zugrunde liegt. Es scheint zunächst eher eine veränderte Geisteshaltung als ein Forschungsprinzip zu sein, und seine frühesten Einflüsse finden sich in den heiligen Schriften.

Denn die Menschen beginnen zuerst in Fragen der Religion zu zweifeln und dann in Angelegenheiten von eher weltlichem Interesse. Und was die Geisteshaltung der historisch-kritischen Methode in ihrer letzten Entwicklung betrifft, so beschränkte sie sich nicht nur auf die empirische Methode, festzustellen, ob ein Ereignis tatsächlich eingetreten ist oder nicht, sondern befasste sich auch mit der Untersuchung der Ursachen von Ereignissen sowie der allgemeinen Beziehungen, die die Phänomene des Lebens zueinander haben. In ihrer letzten Entwicklung geht sie in die allgemeinen Fragen der Geschichtsphilosophie über.

Während nun die Arbeiten der historisch-kritischen Methode in den Sphären sowohl der heiligen als auch uninspirierten Geschichtsschreibung im wesentlichen Manifestationen derselben Geisteshaltung sind, so sind doch ihre Methoden so verschieden, die Beweismittel so vollkommen getrennt und die Motive in jedem Fall so unzusammenhängend, dass es für eine klare Einschätzung des Fortschritts des griechi-

2 Der Geist eines Jahrhunderts wird weder geboren noch stirbt er an einem bestimmten Tag; Anm. d. Ü.

schen Denkens notwendig ist, dass wir diese beiden Fragen getrennt voneinander betrachten müssen. Ich werde dann in beiden Fällen die Abfolge der Schriftsteller in ihrer chronologischen Ordnung als eine rationale Ordnung darstellen – nicht, dass die Abfolge der Zeit immer eine Abfolge der Ideen sei, oder dass die Dialektik sich immer in der geraden Linie bewegt, wie Hegel ihren Fortschritt begriffen hat. Im griechischen Denken gibt es, wie anderswo auch, Perioden der Stagnation und des scheinbaren Rückgangs, doch erscheint seine intellektuelle Entwicklung, nicht nur in der Frage der historisch-kritischen Methode, sondern auch in Kunst, Dichtung und Philosophie, so grundlegend normal, so frei von allen störenden äußeren Einflüssen, so eigentümlich rational, dass, indem wir den Schritten der Zeit folgen, wir in der von der Vernunft gebilligten Ordnung fortschreiten werden.

II.

In einer frühen Periode ihrer intellektuellen Entwicklung erreichten die Griechen jenen kritischen Punkt in der Geschichte jeder zivilisierten Nation, wenn Spekulatives in den Bereich offenbarter Wahrheit eindringt, wenn die geistigen Ideen des Volkes nicht mehr durch die niedrigeren, materiellen Vorstellungen ihrer inspirierten Schriftsteller befriedigt werden und wenn die Menschen es unmöglich finden, den neuen Wein des freien Denkens in die alten Flaschen eines engen und fesselnden Glaubens zu gießen.

Von ihren arischen Vorfahren hatten sie das fatale Erbe einer Mythologie erhalten, die mit unmoralischen und monströsen Geschichten befleckt war und die bestrebt war, die rationale Ordnung der Natur in einem Chaos von Wundern zu verbergen. Sie wollten so die Vollkommenheit von Gottes Natur durch eine angedichtete Schlechtigkeit verunstalten – eine wahre Nessos-Robe, in dem der Herakles des Rationalismus gerade noch der Vernichtung entgangen ist. Während nun zweifellos die Spekulationen von Thales sowie die verlockenden Analogien von Gesetz und Ordnung, die von der Naturwissenschaft bereitgestellt wurden, die wichtigsten Kräfte waren, um den Geist des Skeptizismus zu fördern, so war es jedoch die ethischen Seite, auf der die griechische Mythologie angreifbar wurde.

Es ist stets schwierig, den volkstümlichen Glauben an Wunder zu erschüttern, aber niemand wird Sünde und Unmoral als Attribute des Ideals zulassen, das er anbetet. Daher zeigen sich die ersten Symptome einer neuen Gedankenordnung in dem leidenschaftlichen Aufschrei von Xenophanes und Heraklit gegenüber den bösen Dingen, die seit Homer den Söhnen Gottes nachgesagt wurden. Und in der Erzählung von Pythagoras, in der er beschrieb, wie die ‚zwei Begründer der griechischen Theologie' in der Hölle gefoltert wurden, können wir ebenso deutlich den Beginn der Aufklärung erkennen wie im *Inferno* Dantes den Beginn der Reformation.

Jeder ehrliche Glaube an die einfachen Wahrheiten dieser Geschichten erlag dann bald dem destruktiven Effekt der *a priori* ethischen Kritik dieser Schule. Aber die orthodoxe Partei fand, wie es ihr Brauch ist, sofort einen geeigneten Schutz unter der Ägide der Metaphernlehre und der verborgenen Bedeutungen.

Für diese allegorische Schule war die Geschichte des Kampfes um die Mauern von Troja ein Geheimnis, hinter dem, wie hinter einem Schleier, bestimmte moralische und physische Wahrheiten verborgen lagen. Der Wettstreit zwischen Athene und Ares war der ewige Kampf zwischen dem rationalen Denken und der rohen Kraft der Unwissenheit. Die Pfeile, die im Köcher des Apollo rasselten, waren nicht länger Instrumente der Rache, die mit dem goldenen Bogen des Kindes Gottes geschossen wurden, sondern die gemeinen Strahlen der Sonne, die selbst als nichts anderes verstanden wurde als eine träge Masse brennenden Metalls.

Die moderne Untersuchung, zusammen mit der Rücksichtslosigkeit einer philisterhaften Analyse, hat schließlich aus Helena von Troja ein Symbol der Morgenröte gemacht. Es gab auch Philister unter den Griechen, die ἄναξ ἀδρῶν[3] als bloße Metapher für atmosphärische Gewalten begriffen.

Während nun diese Tendenz, nach Metaphern und verborgenen Bedeutungen zu suchen, als einer der Keime der historisch-kritischen Methode eingestuft werden muss, war sie im Grunde genommen noch unwissenschaftlich. Ihre innewohnende Schwäche wurde von Platon klar aufgezeigt. Er machte deutlich, dass, obwohl diese Theorie viele der Legenden zu erklären vermag, sie zudem auch als ein universelles Prinzip gelten können muss. Diese Position ist er jedoch keineswegs bereit zuzugeben.

Unter Zurückweisung der allegorischen Deu tung der heiligen Schriften als eine im Wesentlichen gefährliche Methode, die entweder zu viel oder zu wenig beweist, kehrte Platon zu der früheren Angriffsart zurück und schrieb Geschichte um, indem er sie mit einem didaktischen Zweck ausstattete. Er legte damit bestimmte ethische Regeln der historisch-kritischen Methode fest: Gott ist gut; Gott ist gerecht; Gott ist wahr; Gott ist von den gewöhnlichen Leidenschaften des Menschen befreit. Solcherart seien die Prüfungen, die wir den Geschichten der griechischen Religion auferlegen sollten.

‚Gott bestimmt niemanden zum Untergang, noch bringt er unschuldigen Städten Zerstörung. Er wandelt nie in seltsamer Verkleidung auf der Erde, noch trauert er um den Tod eines geliebten Sohnes. Hinfort mit den Tränen für Sarpedon, dem täuschenden Traum, der Agamemnon gesendet wurde, und der Geschichte des gebrochenen Bundes!‘ (Platon, *Der Staat*, Buch II)

Ähnliche ethische Regeln werden auf die Berichte der Helden der alten Tage angewandt, und durch dieselben *apriorischen* Grundsätze wird Achilles von den Vorwürfen der Habgier und der Unverschämtheit in einer Passage befreit, die als das früheste Beispiel dieser ‚Schönfärberei

3 Der Führer der Menschen – Agamemnon; Anm. d. Ü.

von großen Männern', wie man so sagt, gelten kann; etwas, was in unserer Zeit doch so populär ist, in der Catilina und Clodius als ehrliche und weitsichtige Politiker dargestellt werden, in der Tiberius als eine *edle und gute Natur* verstanden und Nero von seinem schändlichen Erbe als vollendeter *Dilettant* gerettet wird, indem seine moralischen Verwirrungen durch seinen exquisiten Sinn für Kunst sowie seine charmante Tenorstimme entschuldigt werden.

Aber neben dem allegorisierenden Prinzip der Interpretation und der ethischen Rekonstruktion der Geschichte gab es eine dritte Theorie, die man als halbgeschichtlich bezeichnen kann und die den Namen des Euhemeros trägt, obwohl er keineswegs der Erste war, der sie hervorgebracht hatte.

Indem er sich auf ein fiktives Monument berief, von dem er erklärte, dass er es auf der Insel Panchaia entdeckt hatte, und das angeblich eine von Zeus errichtete Säule war, um die Ereignisse seiner Herrschaft auf der Erde zu kennzeichnen, versuchte dieser oberflächliche Denker zu zeigen, dass die Götter und Helden des alten Griechenlands ‚bloß gewöhnliche Sterbliche waren, deren Leistungen zum Großteil übertrieben und falsch dargestellt worden waren,' und dass die richtigen Regeln der historisch-kritischen Methode in Bezug auf die Behandlung von Mythen darin bestehen, das Unglaubliche zu rationalisieren und das, was in plausibler Hinsicht übrig bleibt, als wirkliche Wahrheit darzustellen.

Für ihn und seine Schule waren zum Beispiel die Zentauren, also jene mythischen Söhne des Sturms, die eine Mischung zwischen Menschen und Tieren waren, in Wirklichkeit nur einige Jugendliche aus dem Dorf Nephele in Thessalien, die sich durch ihre sportlichen Vorlieben auszeichnet hatten; die ‚voll-gepanzerten Ritter', die so mystisch den Zähnen des Drachen entsprungen waren, waren tatsächlich Söldnertruppen, die von den Gewinnen einer erfolgreichen Elfenbein-Spekulation unterstützt wurden; und Aktaion, der Meister von Jagdhunden, war einfach durch die Ausgaben seiner Hundezucht um Haus und Hof gebracht worden.

Dass nun unter dem Glanze von Mythos und Legende eine Ebene historischer Tatsachen liegt, ist eine Vorstellung, die durch die modernen Untersuchungen mythopoetischer Geistesprozesse in nachchristlicher Zeit äußerst wahrscheinlich ist. Karl der Große und Roland, St. Francis und Wilhelm Tell sind nichtsdestotrotz echte Persönlichkeiten. Doch obwohl ihre Geschichten zwar mit vielem, das fiktiv und unglaublich ist, angereichert sind, ist doch in allen Fällen eine äußere Bestätigung möglich. Man denke an die Erwähnung von Roland und Roncesvalles in den Chroniken von England oder (im Kontext der griechischen Legende) an die Ausgrabungen bei Hissarlik Tepe. Aber eine mythische Erzählung ihres Kerns übernatürlicher Elementen zu berauben und die so gewonnene trockene Hülle als historische Tatsache darzustellen, heißt, die wahre Untersuchungsmethode völlig misszuverstehen und das Plausibilität als Wahrheit darzustellen.

Und was den kritischen Punkt angeht, der von Palaiphatos, Strabo und Polybius hervorgerbacht wurde, nämlich dass es unvorstellbar ist, dass Homer sich alles ausgedacht habe, so können wir das ohne Skrupel bejahen, denn Mythen wie Verfassungen, wachsen allmählich und werden nicht an einem Tage geformt. Doch zwischen der bewussten Schöpfung eines Dichters und der historischen Genauigkeit liegt ein weites Feld mythopoetischer Möglichkeiten.

Diese euhemeristische Theorie[4] wurde von den unwissenschaftlichen Römern als eine im Wesentlichen philosophische und kritische Methode willkommen geheißen. Sie war ihnen vom Dichter Ennius, dem Pionier des kosmopolitischen Hellenismus, vorgestellt worden und bestimmte den Ton des antiken Denkens in Bezug auf die Frage, wie die

4 Euhemerismus ist ein Versuch, die Mythologie so zu deuten, dass mythischen Ereignissen reale Ereignisse oder Personen zugrunde liegen; Anm. d. Ü.

Mythologie behandelt werden sollte. Und zwar bis zum Aufstieg des Christentums, als sie von solchen Schriftstellern wie Augustinus und Minucius Felix in eine furchtbare Waffe zum Angriff auf das Heidentum verwandelt wurde. Die Theorie wurde dann von allen aufgegeben, die immer noch das Knie vor Athena oder Zeus beugten, und fand dann eine allgemeine Rückkehr – unterstützt von den philosophischen Mystikern von Alexandria – als allegorisierendes Prinzip der Interpretation, nämlich als das einzige Mittel, die Götter des Olymp von den Titanangriffen des neuen galiläischen Gottes zu retten. In welch eitler Verteidigung kann uns am besten die Marienstatue im Herzen des Pantheons sagen.

Wie dem aber auch sei, Religionen können absorbiert werden, aber sie werden niemals widerlegt, und die Geschichten der griechischen Mythologie, vergeistigt durch den reinigenden Einfluss des Christentums, tauchten zu unserer Zeit in vielen südlichen Teile Europas wieder auf. Die alte Fabel, dass die griechischen Götter ihren Dienst unter den Namen der neuen Religion angetreten haben, birgt in sich mehr Wahrheit, als viele zugeben wollen.

Nachdem ich nun den Fortschritt der historisch-kritischen Methode in Bezug auf die besondere Behandlung von Mythen und Legenden nachvollzogen habe, werde ich fortfahren, die Form zu untersuchen, in der sich derselbe Geist in Bezug auf das manifestierte, was man weltliche Geschichte und weltliche Geschichtsschreibung nennen könnte. Das auf diese Weise durchquerte Feld wird in gewisser Hinsicht das gleiche sein, aber die mentale Einstellung, die Geisteshaltung und das Motiv der Untersuchung werden andere sein.

Es gab Helden vor dem Sohn des Atreus wie auch Historiker vor Herodot, und doch wird Letzterer zu Recht als der Vater der Geschichte gefeiert, denn bei ihm finden wir nicht bloß die empirische Verbindung von Ursache und Wirkung, sondern den ständigen Bezug auf Gesetzmäßigkeiten. Dies ist das Charakteristikum eines richtigen Historikers.

Denn die gesamte Geschichtsschreibung muss im Grunde allgemeingültig sein; und zwar nicht in dem Sinne, dass sie alle gleichzeitigen Ereignisse der vergangenen Zeit umfassen soll, sondern dass die verwendeten Prinzipien allgemeingültig sein müssen. Und die Ideen, die die Arbeit von Herodot durchdringen, sind so bedeutend, dass selbst das moderne Denken sie noch nicht abgelegt hat. Die unmittelbare Beherrschung der Welt durch Gott, das Verderben und die Bestrafung, welche Sünde und Stolz unweigerlich mit sich bringen, die Offenbarung von Gottes Plan für Sein Volk durch Zeichen und Omen, durch Wunder und Prophezeiung: Diese sind für Herodot die Gesetze, welche die Phänomene der Geschichte bestimmen. Er ist im Wesentlichen vom Typ her ein übernatürlicher Historiker. Seine Augen sind stets bemüht, den Geist Gottes zu erkennen, der sich über das Gesicht der Wasser des Lebens bewegt. Er beschäftigt sich mehr mit dem Endgültigen als mit wirksamen Ursachen.

Dennoch können wir in ihm den Aufstieg jenes *historischen Sinns* erkennen, der der rationale Vorläufer der Wissenschaft der historisch-kritischen Methode, der φυσικὸν κριτήριον[5], ist, um die Worte eines griechischen Schriftstellers zu verwenden, im Gegensatz zu dem, was entweder τέχνη[6] oder διδαχῇ[7] ist.

Er ist durch das Tal des Glaubens gewandert und hat einen flüchtigen Blick auf die sonnendurchfluteten Höhen der Vernunft erhascht. Aber wie all jene, die das Übernatürliche akzeptieren und dennoch versuchen, die Regeln des Rationalismus zu verwenden, leidet er unter grundlegenden Widersprüchlichkeiten. Um den Charakter dieses historischen Denkens bei Herodot besser erfassen zu können, ist es notwendig, die verschiedenen Formen der Kritik, in denen es sich manifestiert, ausführlicher zu untersuchen.

---

5 Der Maßstab der Wahrheit; Anm. d. Ü.

6 Technik, Kunst oder Handwerk; Anm. d. Ü.

7 Lehre, Doktrin; Anm. d. Ü.

Solche fabelhaften Geschichten wie die des Phönix, der ziegenfüßigen Männer, der kopflosen Wesen mit Augen in ihren Brüsten, der Männer, die sechs Monate im Jahr schliefen (τοῦτο οὐκ ἐνδέχομαι ηὴν ἀρχὴν),[8] des Werwolfes der Neuri und dergleichen werden von ihm völlig abgelehnt, da sie der gewöhnlichen Lebenserfahrung und jenen Naturgesetzen widersprechen, deren universalen Einfluss die frühen griechischen Philosophen bereits geltend gemacht hatten. Andere Legenden, wie etwa, dass Cyrus von der Hündin gesäugt wurde oder dass es in Nordeuropa einen Federnregen gab, wurden von ihm durch den Namen einer Frau und durch den Schneefall erklärt. Der übernatürliche Ursprung der skythischen Nation durch die Vereinigung von Herkules mit der monströsen Echidna wird von ihm durch den wahrscheinlicheren Bericht abgelehnt, dass es sich um einen Nomadenstamm handelte, der von den Massageten[9] aus Asien vertrieben wurde; und er nimmt an, dass die lokalen Namen ihres Landes ein Beweis für die Tatsache sind, dass die Kimmerer[10] die ursprünglichen Bewohner des Landes waren.

Im Fall von Herodot wird es jedoch lehrreicher sein, von solchen Dingen zu Fragen allgemeinerer Wahrscheinlichkeit überzugehen, deren wahre Auffassung eher von einer bestimmten Geistesqualität abhängt und nicht von der Möglichkeit von schon formulierten Regeln; insgesamt Fragen, die kein unwichtiger Teil der wissenschaftlichen Geschichte sind. Denn man muss sich immer daran erinnern, dass die Regeln der historischen-kritischen Methode gänzlich von denjenigen der gerichtlichen Beweisführung verschieden sind, denn sie können nicht, wie die Letzteren, jedem gewöhnlichen Gemüt offenbart werden, sondern appellieren an eine gewisse historische Veranlagung, die auf der Erfahrung des Lebens basiert. Abgesehen davon sind die Regeln für die Beweisaufnahme an Gerichten feststehend, während die Wissenschaft historischer

8 Das ist es, was ich im Prinzip akzeptiere; Anm. d. Ü.

9 Ein Reitervolk aus dem Iran aus dem 6. Jahrhundert; Anm. d. Ü.

10 Ein indo-germanisches Reitervolk der Antike; Anm. d. Ü.

Wahrscheinlichkeit im Wesentlichen progressiv ist und sich mit dem fortschreitenden Geist jedes Zeitalters ändert.

Von allen spekulativen Regeln der historisch-kritischen Methode ist jetzt keine wichtiger als die, die auf psychologischer Wahrscheinlichkeit beruht.

Herodot lehnte durch sein Wissen um die menschliche Natur die Vorstellung ab, Helena habe sich innerhalb der Mauern Trojas befunden. Wäre sie dort gewesen, behauptete er, wären Priamos und seine Verwandten niemals so wütend gewesen, sie aufzugeben, wie sie es waren, als sie, ihre Kinder und ihre Stadt in Gefahr waren. Und in Hinblick auf die diesbezügliche Autorität Homers zeigen einige zufällige Passagen in seinem Gedicht, dass er von Helens Aufenthalt in Ägypten während der Belagerung gewusst haben musste, aber dennoch die andere Geschichte als ein geeigneteres Motiv für seinen Epos auswählte. Ebenso glaubte er nicht, dass die Familie der Alkmaioniden – eine Familie, die sich stets der Tyrannei entgegenstellt hatte und der Athen, noch mehr als Harmodios und Aristogeiton, seine Freiheit schuldete – jemals so tückisch gewesen sein sollte, nach der Schlacht von Marathon als Signal für den persischen Gastgeber ein Schild hochzuhalten, um nun in die Stadt einzufallen. Ein Schild, so gibt er zu, wurde hochgehalten, aber es hätte unmöglich von solchen Freunden der Freiheit getan werden können, wie es das Haus der Alkmaioniden war; noch glaubte er, dass ein großer König wie Rhampsinitos seine Tochter ins Freudenhaus geschickt hätte.

Woanders argumentierte er auf der Basis von Wahrscheinlichkeiten. Eine griechische Kurtisane wie Rhodopis wäre wohl kaum reich genug gewesen, um eine Pyramide zu bauen, und abgesehen davon ist die Geschichte aus chronologischen Gründen auch unmöglich.

In einer anderen Passage (Kap. 2, 63), in der er vom gewaltsamen Zutritt der Priester von Ares in die Kapelle der Mutter des Gottes berichtet, was eine Art religiöser Fraktionskampf gewesen zu sein scheint, bei dem offenbar auch Stöcke benutzt wurden, schrieb er: ‚Ich bin mir sicher, dass viele von ihnen mit eingeschlagenen Köpfen gestorben sind, ungeachtet der ägyptischen Priester, die das Gegenteil behaupten.' Es liegt auch etwas auf charmante Weise Naives in dem Bericht, den er über den berühmten griechischen Schwimmer abgab, der scheinbar eine Entfernung von über achtzig Stadien geschwommen war, um seine Landsleute vor dem persischen Vormarsch zu warnen. ‚Wenn ich', so schrieb er, ‚meine Meinung zu dem Thema abgeben kann, so würde ich sagen, dass er in ein Boot gekommen ist.'

Da liegt natürlich etwas Triviales in den von mir zitierten Fällen. Aber bei einem Schriftsteller wie Herodot, der an der Grenze zwischen Glaube und Rationalismus steht, bemerkt man selbst die kleinsten Anflüge des kritischen und skeptischen Forschungsgeistes.

Wie selten es sich wirklich bei ihm so verhielt, kann durch einen Hinweis auf jene Stellen gezeigt werden, wo er im Zusammenhang mit Religionsfragen rationalistische Methoden anwendet. Er kämpft nirgends mit den moralischen und wissenschaftlichen Schwierigkeiten der griechischen Bibel. Und wo er die wunderbaren Errungenschaften des Herkules in Ägypten als unglaubwürdig ablehnt, so tut er dies mit der ausdrücklichen Begründung, dass er noch nicht unter die Götter aufgenommen worden und daher noch den gewöhnlichen Bedingungen des sterblichen Lebens unterworfen war (ἔτι ἄνθρωπον ἐόντα).[11]

Doch sogar innerhalb dieser Grenzen scheint sein religiöses Gewissen wegen eines solch gewagten Rationalismus beunruhigt gewesen zu sein, und der ganze Abschnitt (Kap. 2, 45) endet mit der frommen Hoffnung, dass Gott ihm hoffentlich verzeihen werde, dass er so weit gegangen ist, und meint damit natürlich die lange und rationale Passage, in der er die mythische Darstellung der Gründung von Dodona ablehnt. ‚Wie sollte eine Taube mit einer menschlichen Stimme spre-

11 Noch ein Mensch; Anm. d. Ü.

chen können?', fragte er, und machte aus dem Vogel eine ausländische Prinzessin.

In entsprechender Weise scheint er eher anzunehmen, dass der große Sturm zu Beginn des persischen Krieges wegen gewöhnlicher atmosphärischer Ursachen und nicht wegen der Beschwörungen der *Magier* sein Ende fand. Er nennt Melampos, den die Mehrheit der Griechen als einen inspirierten Propheten betrachteten, ‚einen klugen Mann, der sich die Kunst der Prophezeiung angeeignet hatte'. Und was das Wunder betrifft, welches von den ägäischen Statuen der Urgottheiten Damia und Auxesia erzählt wird, nämlich dass sie auf die Knie fielen, als die frevelhaften Athener sich bemühten, sie fortzutragen, ‚so kann das glauben', schreib er, ‚wer mag, aber für mich selbst ist diese Geschichte unglaubwürdig.'

So viel also zu der rationalistischen Geisteshaltung der historisch-kritischen Methode, insoweit sie ausdrücklich in den Werken dieses großen und philosophischen Schriftstellers erschienen ist. Doch um seine Position angemessen würdigen zu können, müssen wir erwähnen, wie bewusst er sich des Wertes der Urkundenbeweise, des Gebrauchs von Inschriften und der Bedeutung der Dichter war, die Licht auf die Sitten und Bräuchen sowie historischen Ereignissen warfen. Kein Schriftsteller irgendeines Zeitalters hatte lebhafter erkannt als er, dass die Geschichtsschreibung eine Angelegenheit von Beweisen ist und dass diese für den Historiker ebenso notwendig sind, seine Kompetenz zu begründen, wie vor Gericht einen Zeugen zu befragen.

Während wir jedoch bei Herodot den Beginn eines historischen Gespürs erkennen können, dürfen wir uns nicht der Einsicht verwehren, dass er in einer große Anzahl von Fällen übernatürliche Einflüsse als Teil der gewöhnlichen Kräfte des Lebens geltend macht. Verglichen mit Thukydides, der ihm in Bezug auf die Entwicklung der Geschichtsschreibung folgte, erscheint er fast wie ein mittelalterlicher Schriftsteller, der einem modernen Rationalisten gegenübersteht. Zwischen diesen beiden Autoren besteht, obgleich sie zeitnah voneinander lebten, ein unendlicher Abgrund des Denkens.

Der wesentliche Unterschied ihrer Methoden lässt sich am besten an jenen Passagen verdeutlichen, in denen sie dasselbe Thema behandeln. Die Exekution der spartanischen Herolde Nicolaos und Aneristos während des Peloponnesischen Krieges wurde von Herodot als ein übernatürliches Beispiel für das Wirken der Nemesis und den Zorn eines empörten Helden angesehen, während die lange Belagerung und der endgültige Fall Trojas von der rächenden Hand Gottes herbeigeführt worden war, der den Menschen die mächtigen Strafen aufbürden wollte, die immer auf gewaltige Sünden folgen. Doch Thukydides sah in keinem dieser Ereignisse den Finger der Vorsehung oder die Bestrafung der Übeltäter oder wollte es nicht sehen. Der Tod der Herolde war nur ein Vergeltungsschlag Athens für ähnliche Gewalttaten, die von der Gegenseite begangen worden waren. Die lange Qual der zehnjährigen Belagerung war nur auf die Möglichkeiten des guten Proviantamtes in der griechischen Armee zurückzuführen, während der letztendliche Fall der Stadt das Ergebnis eines gemeinsamen militärischen Angriffs infolge der guten Versorgung von Vorräten war.

Man sollte dabei anmerken, dass Thukydides in Bezug auf diese letztere Passage, aber auch sonst und im Allgemeinen in keinerlei Hinsicht die Wahrheit dieser alten Legenden bezweifelt hat.

Agamemnon und Atreus, Theseus und Eurystheus, ja selbst Minos, in Bezug auf den Herodot seine Zweifel hatte, sind für ihn genauso wirkliche Persönlichkeiten wie Alkibiades oder Gylippos. Die Standpunkte seiner historisch-kritischen Methode bestehen erstens in seiner Ablehnung jedweder außernatürlichen Einmischung und zweitens in der Zuordnung der Motive und Denkweisen seiner Zeit zu diesen antiken Helden. Die Gegenwart war für ihn nicht nur der Schlüssel zur Erklärung der Vergangenheit, sondern auch zur Voraussage der Zukunft.

Was nun seine Einstellung gegenüber dem Übernatürlichen betrifft, so stimmt er mit der modernen Wissenschaft überein. So wie wir wissen, dass uns urzeitliche Kohlelager durch die Spuren von Regentropfen und andere atmosphärische Erscheinungen, die denen unserer Tage ähneln, offenbart werden, so wissen wir auch, dass bei der Einschätzung der Geschichte der Vergangenheit die Vorstellung keiner Kraft erlaubt werden darf, deren Wirkungen wir bei den uns bekannten Phänomenen nicht beobachten können. Regeln der radikal-historischen Glaubwürdigkeit für die Erklärung von Ereignissen niederzulegen, die einige Tausend Jahre in der Vergangenheit liegen, ist ebenso unwissenschaftlich, wie Übernatürliches und geologische Theorien zu vermischen.

Was auch immer die Regeln der Kunst sein mögen, so ist keine Schwierigkeit in der Geschichte derart unüberwindlich, dass sie die Einführung des Geistes θεὸς ἀπὸ μηχανῆς[12] im Sinne einer Verletzung der Naturgesetze rechtfertigt.

Auf der anderen Seite jedoch fällt Thukydides in einen Anachronismus. Sich den ritterlichen und selbstverleugnenden Motiven der Recken des trojanischen Kreuzzugs deshalb zu verweigern, weil er selbst in der Zeit der streitliebenden Athener lebte, zeugt von einer völligen Unkenntnis der verschiedenen Eigenschaften der menschlichen Natur, wie sie sich unter verschiedenen Umständen entwickeln kann. Und um einem primitiven Häuptling wie Agamemnon jene Art von Autorität zu verweigern, der wir das göttliche Recht zuschreiben, heißt einem historischen Irrtum verfallen.

Nachdem wir die von Thukydides verfolgte historisch-kritische Methode auf diese Weise beschrieben haben, müssen wir nun mehr ins Detail gehen, vor allem in Hinblick auf jene besonderen Aspekte, in denen er für sich selbst eine rationalere Methode zur Einschätzung von Beweisen beansprucht als seine Vorgänger.

---

12 Deus ex machina; Anm. d. Ü.

‚Wie wenig Schmerzen', bemerkte er, ‚nimmt das gemeine Volk in der Untersuchung der Wahrheit auf sich und ist mit seinen vorgefassten Meinungen zufrieden.' Die Mehrheit der Griechen etwa glaubt an die Pitanatischen Truppen der spartanischen Armee sowie daran, dass die spartanischen Könige das Vorrecht einer Doppelwahlstimme gehabt hatten, wobei keine dieser Meinungen tatsächlich auf Fakten beruht. Aber der Hauptpunkt, den er betont, – da es den ‚unkritischen Weg, durch den die Menschen Legenden formen, sogar die Legenden ihres eigenen Landes' aufzeigt – ist die vollkommene Unbegründetheit der athenischen Tradition, mit der Harmodios und Aristogeiton als patriotische Befreier Athens von der Tyrannei Peisistratos dargestellt wurden. Und besonders, was das angebliche Motiv ihrer Freiheitsliebe angeht, seien beide in Wirklichkeit nur durch persönliche Motive geleitet gewesen, wobei Aristogeiton eifersüchtig war, dass Hamordios mehr Aufmerksamkeit von Hipparchos erhielt als er – damals ein schöner Junge in der Blüte griechischer Lieblichkeit – während dessen spätere Entrüstung durch eine Beleidigung geweckt wurde, die seiner Schwester durch den Prinzen widerfahren war.

Ihr Motiv war also persönliche Rache, während das Ergebnis ihrer Verschwörung nur dazu diente, die Ketten der Knechtschaft, die Athen an das Haus des Peisistratos band, fester zu machen, denn der von ihnen getötete Hipparchos war nur der jüngere Bruder des Tyrannen und nicht der Tyrann selbst.

Um seine Theorie zu beweisen, dass Hippias der Ältere von beiden war, verwies er auf den Beweis eines öffentlichen Eintrags, in dem sein Name unmittelbar nach dem seines Vaters auftrat – ein Punkt, der seiner Ansicht nach zeigte, dass er der Älteste war und damit der Erbe. Diese Ansicht bekräftigte er ferner durch eine Inschrift auf dem Altar des Apollo, die die Kinder des Hippias und nicht die seiner Brüder erwähnte, ‚denn für gewöhnlich heiratete der Älteste zuerst'. Darüber hinaus wies er auf die allgemeine Wahrscheinlichkeit hin, dass Hippias, wenn er der Jüngere gewesen wäre, nicht so leicht nach Hipparchos Tod die tyrannische Herrschaft erlangt hätte.

Was nun aber bei Thukydides bedeutsam ist – wie sich in der Behandlung der Legenden im Allgemein zeigt –, sind nicht die Ergebnisse, die er erreichte, sondern die Methode, mit der er gearbeitet hatte. Als erster großer rationalistischer Historiker hat er den Weg für all jene geebnet, die ihm nachfolgten. Und das, obwohl man sich auch immer erinnern muss, dass – während die totale Abwesenheit von allem mystischen Drum und Dran der übernatürlichen Theorie des Lebens in seiner Arbeit ein Fortschritt des Rationalismus und einer Epoche der wissenschaftlichen Geschichte ist, deren Bedeutung niemals überschätzt werden konnte – wir hier auch das völlige Fehlen jeglicher Erwähnung der verschiedenen sozialen und ökonomischen Kräfte bemerken, die ja wichtige Faktoren in der Evolution der Welt sind und auf die Herodot in seiner unsterblichen Arbeit zu Recht große Bedeutung gelegt hatte. Die Geschichtsschreibung von Thukydides war im Wesentlichen einseitig und unvollständig. Die komplizierten Einzelheiten von Belagerungen und Schlachten, Themen, mit denen der eigentliche Historiker eigentlich nichts zu tun hatte, außer insoweit sie den Geist der Zeit beleuchteten, würden wir gern gegen eine Notiz über den Zustand der Privatgesellschaft in Athen oder auch über der Einfluss und die Position von Frauen austauschen.

Es gibt einen Fortschritt in der historisch-kritischen Methode. Es gibt einen Fortschritt in der Konzeption und dem Motiv der Geschichte selbst. Denn bei Thukydides können wir jene natürliche Reaktion gegen didaktische und theologische Überlegungen im Bereich des reinen Intellekts erkennen, dessen Geist in der euripidäischen Behandlung der Tragödie und der späteren Schulen der Kunst ebenso zu finden ist wie in der platonischen Konzeption der Wissenschaft.

Die Geschichte bietet zweifellos großartige Lehren für unsere Ausbildung, so wie jede gute Kunst zu uns als der Verkünder der edelsten Wahrheit spricht. Doch dem Maler oder dem Historiker moralische Lehren als ein bewusstes Ziel, das es zu erlangen gilt, einzuimpfen, bedeutet, das wahre Motiv und Charakteristikum sowohl der Kunst als auch der Geschichte völlig zu verfehlen, was in dem einen Fall das Hervorbringen von Schönheit und in dem anderen die Entdeckung der Gesetze der Entwicklung des Fortschritts ist: *Il ne faut demander de l'Art que l'Art, du passé que le passé.*[13]

Herodot schrieb, um die wunderbaren Wege der Vorsehung und der Verderben zu illustrieren, welche auf die Sünde folgten. Seine Arbeit ist ein gutes Beispiel für die Tatsache, dass eine moralische Zielstellung nicht auf Kritik verzichten kann. Thukydides hatte keine Neigung zu predigen und keine Lehre, die er beweisen wollte. Er analysierte die Ergebnisse, die sich zwangsläufig aus bestimmten Ursachen ergaben, damit nämlich bei einer Wiederholung einer ähnlichen Krise die Menschen wissen, wie sie handeln können.

Sein Ziel war es, die Gesetze der Vergangenheit zu entdecken, damit diese Licht für die Zukunft spenden können. Wir dürfen die Anerkennung des Nutzens der Geschichte nicht mit irgendwelchen Vorstellungen über didaktische Ziele vermischen. Zwei weitere Punkte bei Thukydides sind für unsere Betrachtung von Bedeutung: seine Verständnis des Aufstiegs der griechischen Zivilisation und der primitiven Bedingungen von Hellas sowie die Frage, inwieweit man wirklich sagen kann, dass er die Existenz von Gesetzen tatsächlich anerkannt hat, die die komplizierten Phänomene des Lebens regulieren.

III.

Die Untersuchung der beiden großen Probleme des Ursprungs der Gesellschaft und der Geschichtsphilosophie nimmt eine so wichtige Stellung in der Entwicklung des griechischen Denkens ein, dass es, um eine klare Sicht auf die Arbeitsweise des kritischen Geistes zu erlangen, notwendig sein wird, den Aufstieg und die wissenschaftliche Entwicklung

13 Wir dürfen von der Kunst nur Kunst verlangen, und von der Vergangenheit nur vergangenes. Anm. d. Ü.

nicht nur in den Werken der eigentlichen Historiker nachzuvollziehen, sondern auch in den philosophischen Abhandlungen von Platon und Aristoteles. Die bedeutenden Stellungen, die diese beiden großen Denker in der Entwicklung der historisch-kritischen Methode einnehmen, kann kaum überschätzt werden. Ich meine dies nicht nur in Bezug auf ihre Auseinandersetzung mit der griechischen Bibel sowie Platons Bestreben, die heilige Geschichte durch die Anwendung der ethischen Regeln seiner Zeit von ihrer Unsittlichkeit zu befreien – zu einer Zeit, als Aristoteles begann, die Vorstellung von Wundern durch eine wissenschaftliche Rechtsauffassung zu untergraben –, sondern in Bezug auf die zwei grundlegenderen Fragen des Aufstiegs bürgerlicher Institutionen und der Philosophie der Geschichtsschreibung.

Was zunächst die gegenwärtigen Theorien über den primitiven Zustand der Gesellschaft anbelangt, gab es darüber, wie auch jetzt, abweichende Meinungen in der hellenischen Gesellschaft. Denn während die Mehrheit der orthodoxen Öffentlichkeit, von der Hesiod als ein Repräsentant genommen werden kann, auf ein märchenhaftes Zeitalter unschuldigen Glücks zurückblickte – so wie es viele in unseren Tage auch noch tun – auf ein *bell' età dell' auro,*[14] in dem Sünde und Tod unbekannt und Männer und Frauen wie Götter waren – sahen die führenden Männer des Intellekts wie etwa Aristoteles und Platon, Aischylos und viele der anderen Dichter[15] in dem primitiven Menschen lediglich ‚einen kleinen Funken Menschlichkeit, bewahrt auf einer Bergspitze wie nach einer Sintflut', ‚ohne Ideen und Vorstellungen von Städten, Regierungen oder Gesetzgebung', ‚das Leben wilder Bestien in sonnenlosen Höhlen lebend', ‚während ihr einziges Gesetz das Überleben des Stärkeren ist'.

Und das war auch die Meinung von Thukydides, dessen *Der Peloponnesische Krieg* eine höchst wertvolle Abhandlung über den frühen Zustand von Hellas enthält, die wir ausführlich untersuchen werden.

---

14 Ein goldenes Zeitalter; Anm. d. Ü.

15 Platons *Gesetze*; Aischalos' *Der gefesselte Prometheus.*

Was die von Thukydides zur Erklärung der alten Geschichte angewandten Mittel angeht, so habe ich bereits darauf hingewiesen – während ich anerkenne, dass ‚es die Tendenz jedes Dichters ist, zu übertreiben, wie es die jedes Chronisten ist, zu versuchen, auf Kosten der Wahrheit attraktiver zu erscheinen' –, dass er in durchaus euhemeristischer Weise annimmt, dass es unter dem Schleier von Mythos und Legende eine rationale Tatsachenbasis gibt, die durch die Methode der Ablehnung aller übernatürlichen Einflüsse sowie aller außergewöhnlichen Motivationen, die die Handelnden beeinflussen können, erkannt werden kann. In völliger Übereinstimmung damit verwies er zum Beispiel auf den homerischen Beinamen *ἀφνειός*[16] Korinths, und zwar als Beweis für den frühen kommerziellen Wohlstand dieser Stadt; er verwies auch auf die Tatsache, dass der Gattungsname der *Hellenen* nicht in der *Ilias* vorkommt und sah es als Bestätigung seiner Theorie, dass die primitiven griechischen Stämme im Wesentlichen nicht geeint waren; und in Bezug auf die Zeile ‚Über viele Inseln und Argos herrschte er', auf Agamemnon bezugnehmend, argumentierte Thukydides, dass seine Streitkräfte zumindest teilweise aus einer Schiffsflotte bestanden haben mussten, da ‚Agamemnons Streitkraft eine kontinentale Macht war, und er nicht die benachbarten Inseln hätte beherrschen können, es sei denn durch den Besitz einer Flotte.'

Indem er in gewissem Sinne die vergleichende Forschungsmethode vorwegnahm, ging er von der Tatsache aus, dass die barbarischeren griechischen Stämme wie die Ätoliens und Alkanariens zu seiner Zeit noch Waffen trugen, und argumentierte, dass dieser Brauch ursprünglich im ganzen Land verbreitet war. ‚Die Tatsache', schrieb er, ‚dass die Menschen in diesen Teilen Hellas immer noch auf die alte Weise lebten, deutet auf eine Zeit, in der allen die gleiche Lebensweise eigen war.' In ähnlicher Weise zeigte er in einer weiteren Passage, wie seine Theorie über den ehrwürdigen Charakter der Piraterie in alten Zeiten durch ‚die Ehre, die einige Bewohner des Kontinents immer noch den Plünderern

16 Reue, Bußfertigkeit; Anm. d. Ü.

entgegenbringen' bestätigt wird, wie auch durch die Tatsache, dass die Frage ‚Bist du ein Pirat?', wie von den Poeten beschrieben, ein immer wieder auftretendes Element in den primitiven Gesellschaft war. Und da er beobachtet hatte, dass der alte griechische Brauch, bei gymnastischen Wettkämpfen Gürtel zu tragen, unter den unzivilisierten asiatischen Stämmen immer noch auftauchte, argumentierte er, dass es noch viele andere Punkte gab, in denen eine Ähnlichkeit zwischen dem Leben der primitiven Hellenen und der heutigen Barbaren bestand.

Was die Zeugnisse anbelangt, die die antiken Ruinen bieten, so können sie, da die Griechen ihre Städte[17] immer in einiger Entfernung vom Meer gebaut haben, als Beweis für die nicht abgesicherte Disposition der frühen griechischen Gesellschaft genommen werden. Und doch war er so vorsichtig genug, uns davor zu warnen (und dies gilt für alle Archäologen), aus den spärlichen Überresten zu schlussfolgern, dass die legendäre Größe einer Stadt in primitiven Zeiten lediglich eine Übertreibung war. ‚Wir sind nicht berechtigt', schrieb er, ‚die traditionelle Vorstellung von der Größe der trojanischen Kriegsmacht abzulehnen, weil uns Mykene und die anderen Städte dieser Zeit klein und unbedeutend erscheinen. Denn wenn Lakedaimon[18] vergehen würde, würde jeder Antiquar, der nur aus den Ruinen schließt, geneigt sein, die Geschichte der spartanischen Hegemonie als einen müßigen Mythos zu betrachten. Denn die Stadt war nur eine bloße Ansammlung von Dörfern nach dem alten Muster von Hellas und verfügte über keine der prächtigen öffentlichen Gebäude und Tempel, die Athen charakterisieren. Zudem würden Athens Überreste so großartig sein, um einen oberflächlichen Beobachter zu einer übertriebenen Einschätzung der athenischen Macht zu verführen.' Nichts kann wissenschaftlicher sein als die niedergelegten archäologischen Regeln, deren Gültigkeit jedem

17 Etwa in ähnlicher Weise spricht Platon in seinen *Gesetzen* von der Lage Ilions zwischen den Flüssen des Tals, und zwar als ein Beweis dafür, dass sie nicht lange nach der Flut gebaut wurde.

18 Alter Name für Sparta; Anm. d. Ü.

deutlich gemacht wird, der die verwüsteten Gebiete der Evrotas-Ebenen mit den herrschaftlichen Denkmälern der Akropolis in Athen verglichen hat.[19]

Auf der anderen Seite war sich Thukydides durchaus des Wertes archäologischer Überreste bewusst. Er verwies zum Beispiel auf den Charakter der Rüstung, die in den Attischen Gräbern gefunden wurden, sowie auf die besondere Art der Bestattungskultur, um seine Theorie von der Vorherrschaft des karischen Elements unter den primitiven Inselbewohnern zu untermauern. Er bezog sich auch auf die Anhäufung der Tempel entweder direkt bei der Akropolis oder in ihrer unmittelbaren Umgebung sowie den Namen *ἄστυ*,[20] durch den sie noch bekannt war, sowie auch die Heiligkeit, die dem dortigen Wasser zugeschrieben wurde, und zwar als Beweise dafür, dass die ursprüngliche Stadt auf die Zitadelle beschränkt war und der Bezirk unmittelbar darunter lag. Und schließlich wies er in der Einführung seiner Geschichtsschreibung darauf hin, indem er eine der wissenschaftlichsten Methoden vorwegnahm, wie die ungeheure Fruchtbarkeit des Bodens in den Frühstadien der Zivilisation dazu führte, die Verherrlichung des Individuums zu begünstigen und so den normalen Fortschritt des Landes durch ‚den Aufstieg von Fraktionen, dieser endlosen Quelle des Verderbens' zu stören. Er veranschaulichte seine Theorie, indem er auf die endlosen politischen Revolutionen hinwies, die Arkadien, Thessalien und Böotien – die drei reichsten Flecken Griechenlands –, charakterisierten, sowie auf das entgegengesetzte Beispiel des friedlichen Staates Attika, der stets für die Trockenheit und Kargheit seines Bodens bekannt war.

19 Plutarch bemerkt, dass das *einzige* Beweismaterial, das Griechenland von der Wahrheit besitzt, dass die legendäre Macht von Athen keine ‚Romanze oder erfundene Geschichte' ist, die öffentlichen und heiligen Gebäude sind. Dies ist ein Beispiel für die übertriebene Bedeutung, die den Ruinen zugemessen wird, vor der uns Thukydides gewarnt hat.

20 Große Stadt; Anm. d. Ü.

Während wir nun zweifellos an diesen Passagen die ersten Erscheinungsformen der modernen Forschungsprinzipien erkennen können, müssen wir uns doch auch daran erinnern, dass *Der Peloponnesische Krieg* keineswegs umfassend ist, und dass dort überhaupt keine Theorie über die wichtigen Fragen der allgemeinen Bedingungen des Aufstiegs und Fortschritts der Menschheit angeboten werden. Dies ist ein Problem, das zuerst in Platons *Staat* wissenschaftlich diskutiert wird.

Während nun das Studium des primitiven Menschen eine im Wesentlichen induktive Wissenschaft ist, die eher auf der Anhäufung von Beweisen als auf Spekulationen beruht, wurde es bei den Griechen eher vermittels deduktiver Prinzipien betrieben. Thukydides nutzte in der Tat die Möglichkeiten, die die ungleiche Entwicklung der Zivilisation Griechenlands zu seiner Zeit bot, und in jenen Passagen, auf die ich hingewiesen habe, scheint er die Vergleichende Methode vorweggenommen zu haben. Und doch wir finden keine späteren Schriftsteller, die von den wunderbar genauen und malerischen Berichten Herodots Gebrauch gemacht haben, in denen er die Sitten wilder Stämme beschrieben hatte. Um einen Fall zu nennen, der in Bezug auf moderne Fragen viel aussagen kann, so finden wir in den Werken dieses großen Reisenden die allmählichen und zunehmenden Schritte in der Entwicklung des Familienlebens, wie es sich klar in der rein herdenartigen Zusammenballung der Agathyrsi, ihrer primitiven Ahnenfolge durch Frauen und das Auftauchen des Gefühls der Vaterschaft aus der Polyandrie manifestierte. Dieser Stamm befand sich damals in jenem Grenzgebiet zwischen Abhängigkeitsbeziehungen und Familie, was für moderne Anthropologen ein so schwer zu untersuchendes Feld ist. Die alten Autoren sind jedoch einhellig der Meinung, dass die Familie die grundlegende Einheit der Gesellschaft war, obwohl ihnen, wie ich gesagt habe, eine induktive Studie primitiver Rassen – oder sogar die von Herodot verfassten Berichte – gezeigt hätte, dass die *νεοττιὰ ἴδια*[21] des persönlichen Haushalts, um Platons Ausdruck zu gebrauchen, eine höchst komplexe Vorstellung ist, die

21 Neuen Vorstellungen; Anm. d. Ü.

stets in einem späteren Stadium einer Zivilisation auftaucht, gemeinsam mit der Anerkennung des Privateigentums und der Rechte des Individuums.

Auch die Philologie, die sich in den Händen der modernen Forscher als ein prächtiges Forschungsinstrument erwiesen hatte, wurde in der Antike vermittels von Grundsätzen studiert, die zu unwissenschaftlich waren, als wirklich einen Nutzen zu haben. Herodot wies darauf hin, dass das Wort *Eridanos* im Wesentlichen griechischen Charakters ist und dass folglich der Fluss, der angeblich um die Welt laufen soll, wahrscheinlich eine reine griechische Erfindung ist. Seine Bemerkungen über Sprache im Allgemeinen, wie im Fall der *Piromis* und dem Ende der persischen Namen, zeigen jedoch, auf welchen unvertretbaren Grundlagen seine Kenntnisse der Sprache beruhten.

In den *Bakchen* des Euripides gibt es eine äußerst interessante Passage, in der die unmoralischen Geschichten der griechischen Mythologie durch dieses Missverständnis von Wörtern und Metaphern erklärt wird, etwas, was die moderne Wissenschaft eine Krankheit der Sprache nennt. Als Antwort auf den gottlosen Rationalismus des Pentheus – eine Art moderner Philister – meinte Teiresias, der als der Max Müller des thebanischen Zyklus bezeichnet werden kann, dass die Geschichte von Dionysos, die in Zeus' Schenkel eingeschlossen ist, in Wirklichkeit der sprachlichen Verwirrung zwischen μηρός und ὅμηρος[22] entsprungen ist.

Im Großen und Ganzen aber – ich habe diese beiden Beispiele nur erwähnt, um den unwissenschaftlichen Charakter der frühen Philologie zu zeigen – können wir sagen, dass dieses wichtige Instrument zur Deutung der Geschichte der Vergangenheit von den Alten nicht wirklich als Mittel der historisch-kritischen Methode benutzt wurde. Noch benutzten sie jene andere Methode, die in unserer Zeit so ge-

22 Oberschenkel, Heimatstadt; Anm. d. Ü.

winnbringend verwendet wurde, nämlich durch die Symbolik und den Formeln einer fortgeschrittenen Zivilisation das unbewusste Überleben der alten Bräuche aufzuspüren. Wie wir etwa in der scheinbaren Erbeutung der Braut während eines Hochzeitsfestes – wie es bis vor Kurzem in Wales üblich war – den alten barbarischen Brauch der Exogamie erkennen können, so sahen die antiken Schriftsteller darin nur das Gedenken an ein rein historisches Ereignis.

Aristoteles erzählte uns nicht, durch welche Methode er entdeckt hatte, dass die Griechen in primitiven Zeiten ihre Frauen gekauft hatten. Doch bewertet man diese Frage nach seinen allgemeinen Grundsätzen, kam Aristoteles wahrscheinlich durch eine Legende oder einen Mythos auf die Idee, der bis zu seiner Zeit überdauert hatte, und nicht, wie wir es tun würden, indem wir uns die Heiratsgeschenke genauer anschauen, die der Braut und ihren Verwandten übergeben wurden.[23]

Der Ursprung des bekannten Sprichwortes ‚Nicht der Kühe wert', der die Vorstellungen eines ländlichen Zustands der Gesellschaft nahelegt, bevor der Gebrauch von Metallen erfunden worden war, wurde von Plutarch der Tatsache zugeschrieben, dass Theseus Geldmünzen mit einem Stierkopf geprägt hatte. Auf ähnliche Weise wurde von ihm das Amathousianische Fest, bei dem ein junger Mann die Arbeit einer Frau nachstellt, als ein zu Ehren Ariadnes eingeführtes Ritual betrachtet; dasselbe gilt auch für die karische Anbetung des Spargels, die als eine einfache Gedenkfeier der Abenteuer der Nymphe Perigune verstanden wurde. Erstere Erzählungen können *wir* jedoch als den Beginn von den Verwandtschaftsbeziehungen durch den Vater ist erkennen, eine Vorstellung, die immer noch in den neuseeländischen Stämmen verbreitet ist, während die letztere Erzählung ein Relikt der Totem- und Fetischanbetung von Pflanzen ist.

23 Der fiktive Verkauf in der römischen Ehe *per coemptionem* war ursprünglich natürlich ein echter Verkauf.

Ganz im Gegensatz zu diesem modernen induktiven Forschungsprinzip steht der philosophische ausgerichtete Platon, dessen Darstellung des primitiven Menschen gänzlich spekulativ und deduktiv war.

Den Ursprung der Gesellschaft schrieb er der Notwendigkeit zu – der Mutter aller Erfindungen. Er stellte sich vor, dass sich der einzelne Mensch absichtlich mit anderen wegen der Vorteile der Arbeitsteilung und der Befriedigung gegenseitiger Bedürfnisses zusammengeschlossen habe.

Es muss jedoch beachtet werden, dass Platon in dieser ganzen Passage des *Staates* nicht so sehr versuchte, die Bedingungen der frühen Gesellschaft zu analysieren, sondern die Bedeutung der Arbeitsteilung, die Schibboleth[24] seiner politischen Ökonomie, zu veranschaulichen. Er wollte damit natürlich zeigen, welch mächtiger Faktor es in den primitivsten wie in den komplexesten Staaten gewesen sein muss. Auf dieselbe Weise schrieb er in den *Gesetzen* fast die Geschichte des Peloponnes um, um die Notwendigkeit eines Gleichgewichts der Kräfte zu beweisen. Er selbst musste erkannt haben, wie unvollständig seine Theorie im Wesentlichen ist, mit der er die Herkunft des Familienlebens, die Stellung und den Einfluss von Frauen und andere soziale Fragen außer Acht gelassen hatte, wie auch die tieferen Motive der Religion, die ja wichtige Faktoren einer jeden frühen Zivilisation sind. Aristoteles hatte den Einfluss dessen offenbar begriffen, wenn er sagte, dass das Ziel der primitiven Gesellschaft nicht nur im Leben, sondern im höheren Leben besteht, und dass in Bezug auf den Ursprung der Gesellschaft der Nutzen nicht das einzige Motiv ist, sondern auch das Geistige, insofern ‚geistig' die wahre Bedeutung des komplexen Ausdrucks *τὸ καλόν*[25] hervorbringt.

Aristoteles' Theorie über die Entstehung von Gesellschaft beruhte nun, wie seine Ethikphilosophie, letztlich auf dem Prinzip der letzten Ursa-

24 Eine sprachliche Besonderheit, durch die sich ein Sprecher einer Gruppe oder einer Region zuordnen lässt; Anm. d. Ü.

25 Das Schöne; Anm. d. Ü.

chen, nicht auf der theologischen Bedeutung eines von außen auferlegten Zieles oder einer Tendenz, sondern der wissenschaftlichen Vorstellung, dass jedes Organ eine korrespondierende Funktion hat. ‚Die Natur macht nichts umsonst', war, in diesem wie in anderen Belangen, die Ansicht von Aristoteles. Der Mensch, der das einzige Tier ist, das über die Macht der rationalen Rede verfügt, sei von Natur aus dazu bestimmt, sozial zu sein, und zwar mehr als die Biene oder jedes andere gesellige Tier.

Er ist *φύσει πολιτικός*,[26] und die nationale Tendenz zu höheren Formen der Vollkommenheit führt dazu, den ‚bewaffneten Wilden, der gewöhnlich seine Frau verkaufte' zur freien Unabhängigkeit eines freien Staates zu führen und damit zum Prinzip des *ισότης τοῦ ἄρχειν καὶ τοῦ ἄρχεσθαι*, was der wahre Test der Staatsbürgerschaft ist. Die von der Menschheit durchschrittenen Stadien beginnen bei der Familie als der primären Einheit.

Die Zusammenballungen von Familien bilden ein Dorf, welches von jener patriarchalen Herrschaft regiert wird, die die älteste Regierungsform der Welt ist. Dies wird durch die Tatsache gezeigt, dass sie alle Menschen als die Verfassung des Himmels betrachten; und die Dörfer verschmelzen in dem Staat.

Aristoteles, wie alle griechischen Denker, fand sein Ideal innerhalb der Mauern der πόλις,[27] und doch könnten wir vielleicht in seiner Bemerkung, dass ein vereintes Griechenland die Welt regieren würde, eine Vorwegnahme dieser ‚bundesstaatlichen Einheit freier Staaten zu einem zusammengeschlossenem Reich' erkennen, was für uns, mehr noch als die πόλις, die perfekte Staatsform ist.

Inwieweit Aristoteles mit den Materialien, die ihm die griechische Literatur geboten hatte, berechtigt gewesen war, die Familie als die ulti-

26 Von politischer Natur; Anm. d. Ü
27 Gleicher unter Gleichen; Anm. d Ü.

mative Einheit zu betrachten, habe ich schon angedeutet. Übrigens möchte ich anmerken, dass Aristoteles – hätte er über die Bedeutung jenes athenischen Gesetzes nachgedacht, welches, während es die Ehe mit einer Halbschwester verbot, das mit einer leiblichen Schwester erlaubte, oder auch über die allgemeine Tradition Athens, dass vor der Zeit Cecrops die Kinder die Namen ihrer Mütter trugen – kaum die Universalität der Ahnenschaft durch Frauen sowie das späte Auftauchen der Monandry[28] hätte übersehen können. Doch obwohl er dies übersah, muss man wie viele moderne Autoren wie etwa Sir Henry Maine zugeben, dass er im Wesentlichen als Forscher von induktiven Instanzen aufgetreten ist, woran wir seinen Fortschritt gegenüber Platon erkennen können. Die Abhandlung περὶ πολιτειών,' wäre sie uns in ihrer Gesamtheit erhalten geblieben, wäre wohl eine der wertvollsten Errungenschaften der Entwicklung der historisch-kritischen Methode und die erste wissenschaftliche Abhandlung über die Wissenschaft vergleichender Politik gewesen.

Einige Fragmente aber sind uns erhalten geblieben. In einer davon bezieht sich Aristoteles auf die Autorität einer alten Inschrift des ‚Diskus von Iphitus', eine der berühmtesten griechischen Antiquitäten, um seine Theorie der Lykurgischen Wiederbelebung des Olympischen Festivals zu belegen. Auch bezeugt sich sein gewaltiges Unterfangen in den ausführlichen Erklärungen, die er über die historische Herkunft von Sprichwörtern wie οὐδεῖς μέγας κακὸς ἰχθῦς[29], von religiösen Liedern, der Bottikanischen Jungfrauen oder des Lobs der Liebe und des Krieges abgab.

Und schließlich ist zu beachten, um wie viel umfassender seine Theorie des Ursprunges der Gesellschaft im Vergleich zu der Platons ist. Sie beruhen beide auf psychologischen Grundlagen, doch Aristoteles' Anerkennung der Idee des Fortschritts sowie unserer Neigung zu einem

---

28 Stadt; Anm. d. Ü.

29 Ein Paarungsverhalten, bei dem die Frau immer nur einen Partner zur Zeit hat; Anm. d. Ü.

edleren Leben zeigt, wie viel tiefer seine Kenntnis der menschlichen Natur war.

Polybius beschreibt nun in der Einleitung seiner Philosophie der Geschichte und in Anlehnung an diese beiden Philosophen ebenfalls den Ursprung der Gesellschaft. Irgendwie im Geiste Platons stellt er sich vor, dass sich – nach den zyklischen Überschwemmungen, die die Menschheit zu bestimmten Zeiten auslöschten und damit stets auch alle vorher existierenden Zivilisationen zerstörten – die wenigen überlebenden Mitglieder der Menschheit sich zum gegenseitigen Schutz zusammenrotteten, und, wie es im Fall der Tiere üblich ist, dann den körperlich Stärksten zum König wählten. In kurzer Zeit beginnen dann aufgrund des Sympathiewirkens und des Wunsches nach Anerkennung die moralischen Qualitäten aufzutauchen, und intellektuelle statt körperliche Fähigkeiten wurden zu den Qualifikationskriterien der Herrschaft.

Andere Dinge, wie das Auftauchen von Gesetzen und dergleichen, beruhen auf einer halbwegs modernen Geisteshaltung, und obwohl es nicht scheint, als hätte Polybius die induktive Forschungsmethode in diesem Fall angewandt – oder besser gesagt die Methode der hierarchischen Ordnung des rationalen Fortschritts der Ideen im Leben –, ist er nicht weit von dem entfernt, was uns auch die mühsamen Untersuchungen der modernen Reisenden ermöglicht haben.

Und in der Tat ist es in Bezug auf die spekulativen Aspekte in der Geschichtsbildung in jeder Hinsicht bemerkenswert, wie die zutreffendsten Berichte über den Übergang von der Barbarei zur Zivilisation in der antiken Literatur eben aus den Werken der Dichter stammen. Die elaborierten Untersuchungen von Mr. Tylor und Sir John Lubbock haben nicht viel mehr getan, als die Theorien zu beweisen, die in *Der gefesselte Prometheus* und *De Rerum Natura* schon beschrieben worden waren. Doch weder Aischylos noch Lucretius folgten dem modernen Weg, sondern erlangten die Wahrheit vielmehr durch eine fast mystische und kreative Vorstellungskraft, wie wir sie heutzutage als eine gefährliche Macht aus der Wissenschaft zu verbannen suchen, und dies, obwohl ihr die Wissenschaft viele ihrer prächtigsten Regeln zu verdanken hat.[30]

Indem ich nun die Frage nach dem Ursprung der Gesellschaft, wie sie von den Alten gelehrt wurde, hinter mir lasse, wende ich mich nun der anderen und wichtigeren Frage zu, nämlich inwieweit die Alten das erreicht haben, was wir die Philosophie der Geschichte nennen.

Zunächst müssen wir anmerken, dass, während die Vorstellungen von Gesetz und Ordnung als die herrschenden Prinzipien im Bereich der Naturwissenschaften erkannt worden sind, man im Bereich der Geschichte und des Lebens des Menschen jedoch noch immer auf einen starken Widerstand gestoßen ist, und zwar aufgrund der Unberechenbarkeit zweier großer Kräfte, die auf das menschliche Handeln einwirken. Dies wäre einerseits eine gewisse grundlose Spontaneität, welche wir den freien Willen nennen, und anderersits jener übernatürliche Einmischung, die wir den Eigenschaften Gottes zurechnen.

Dass es nun eine Wissenschaft der scheinbar variablen Phänomene der Geschichte gibt, ist eine Vorstellung, die *wir* erst vor Kurzem zu schätzen gelernt haben. Doch scheint sie sich, wie alle anderen großen Gedanken, dem griechischem Geist spontan offenbart zu haben, und zwar durch eine gewisse Herrlichkeit in ihrer Vorstellungskraft in der Morgendämmerung ihrer Zivilisation, bevor die induktive Forschung sie mit den Instrumenten der Verifikation ausgestattet hatte. Ich denke, es ist möglich, in einigen der mystischen Spekulationen der frühen griechischen Denker das Verlangen zu erkennen, das zu entdecken, was diese ‚unveränderlichen Daseins variabler Zustände' nennen, und sie in die Gesetzmäßigkeiten aufzunehmen, die die verschiedenen Manifestationen der organischen Körper, einschließlich derer des Menschen, zu erklären vermag. Dies ist an sich der Keim der Geschichtsphilosophie. Und zwar der Keim einer Idee, von der es nicht viel zu sagen gibt, außer

30 Der Staat; Anm. d. Ü.

dass jede Art historisch-kritischer Methodik, die ihres Namens würdig ist, letztendlich darauf beruhen muss.

Denn die erste Voraussetzung für jede wissenschaftliche Geschichtsauffassung ist die Lehre von der gleichförmigen Abfolge. Mit anderen Worten davon, dass also bestimmte Ereignisse geschehen sind, dass gewisse andere Ereignisse, die ihnen entsprechen, geschehen werden; und dass die Vergangenheit der Schlüssel für die Zukunft ist.

Bei der Geburt dieser großen Vorstellung war es nun die Wissenschaft, die den Vorsitz hatte; doch die Religion war es, die sie von Anfang an mit ihrer eigenen Kleidung ausstattete und die Menschen damit vertraut machte, indem sie zunächst an ihre Herzen und erst dann an ihren Intellekt appellierte; wohl wissend, dass große Wahrheiten am Anfang durch sittliche Gegebenheiten und nicht durch den Intellekt verbreitet werden.

So erscheint bei Herodot, den wir als Vertreter des orthodoxen Denkens erkennen können, die Idee der einheitlichen Folge von Ursache und Wirkung unter der theologischen Perspektive von Nemesis und Vorsehung; dies entspricht tatsächlich der wissenschaftlichen Vorstellung des Gesetzes, nur dass es von einem ethischen Standpunkt aus betrachtet wird.

Bei Thukydides beruht die Geschichtsphilosophie auf der Wahrscheinlichkeit, die uns die Gleichförmigkeit der menschlichen Natur bietet, nämlich dass die Zukunft im Laufe der menschlichen Geschichte der Vergangenheit ähneln wird, wenn sie sich nicht sogar wiederholt. Er scheint in diesem Sinne eine Wiederkehr der Phänomene der Geschichte als ebenso wahrscheinlich zu betrachten zu sein wie das erneute Auftreten der Pestepidemie.

Ungeachtet dessen, was deutsche Kritiker über dieses Thema geschrieben haben, müssen wir uns davor hüten, diese Vorstellung als reine

Wiederholung jener Theorie zyklischer Ereignisse zu betrachten, nach der die Welt nichts anderes ist als die regelmäßige Wiederholung von Strophe und Antistrophe im ewigen Chor von Leben und Tod.

Denn in seinen Bemerkungen über die Exzesse der korcyrischen-Revolution führte Thukydides seine Vorstellung von der Wiederkehr der Geschichte eindeutig auf die psychologischen Grundlagen der allgemeinen Gleichheit der Menschheit zurück.

‚Die Leiden', schrieb er, ‚welche die Revolutionen den Städten brachten, waren ihrer viele und schreckliche. Sie werden immer wieder eintreten, solange die menschliche Natur sich nicht verändert, obgleich sie in ihren Symptomen in schwererer oder milderer Form variieren, je nach Besonderheit der einzelnen Fälle.'

‚In Frieden und Wohlstand haben Staaten und Individuen eine bessere Gesinnung, weil sie nicht mit zwingenden Notwendigkeiten konfrontiert sind. Denn der Krieg beschränkt die Bedürfnisse der Menschen und beweist sich als harter Aufseher, der den Charakter der meisten Menschen zu ihrem Schicksal zwingt.'

IV.

Es ist offensichtlich, dass Thukydides bereit war, die Mannigfaltigkeit der Erscheinungen zuzulassen, die als äußere Ursachen auf den Charakter der Natur des Menschen einwirken können. Und doch sind dies nur sehr allgemeine Aussagen: Die gewöhnlichen Wirkungen von Frieden und Krieg wurden zwar anerkannt, doch es gab keine wirkliche Analyse der unmittelbaren Ursachen und allgemeinen Gesetze der Phänomene des Lebens. Thukydides schien nicht die Wahrheit anzuerkennen, dass, wenn die Menschheit auch im Kreise geht, die Kreise selbst doch immer größer werden.

Vielleicht könnte man sagen, dass sich die Geschichtsphilosophie bei ihm im metaphysischen Stadium befand. Und wir können in der Entwicklung dieser Idee durch Herodot bis zu Polybius die Veranschaulichung des Comte'schen Gesetzes der drei Stufen des Denkens erkennen, nämlich des theologischen, des metaphysischen und des wissenschaftlichen Denkens. Denn aus der Unbestimmtheit der theologischen Mystik heraus wurde diese Anschauung, die wir Geschichtsphilosophie nennen, zu einem wissenschaftlichen Prinzip erhoben, durch welches die Vergangenheit erklärt und die Zukunft unter Berufung auf allgemeine Gesetze vorausgesagt werden konnte.

Wie nun bei Platon der früheste Bericht über die Natur des Fortschritts der Menschheit zu finden ist, so finden wir bei ihm auch den ersten ausdrücklichen Versuch, auf rationale Weise eine allgemeine Geschichtsphilosophie zu begründen. Nachdem der Philosoph einen fast vollkommenen Staat geschaffen hat, fuhr er fort, eine ausführliche Theorie über die komplexen Ursachen zu bilden, die Revolutionen hervorbringen, sowie über die moralischen Wirkungen verschiedener Regierungs- und Bildungsformen, des Aufstiegs der kriminellen Klassen und ihrer Verbindung mit dem Pauperismus, das heißt mit einem Wort eine Geschichtsschreibung der deduktiven Methode, bei der er *a priori* von psychologischen Prinzipien ausging, um die herrschenden Gesetze im offensichtlichen Chaos des politischen Lebens zu entdecken.

Es gab seit Platon viele Versuche, aus einem einzigen philosophischen Prinzip alle Phänomene abzuleiten, die die Erfahrung später für uns bestätigt. Fichte meinte, er könne den Weltplan aus der Idee der Weltzeit vorhersagen. Hegel träumte, er habe den Schlüssel zu den Mysterien des Lebens in der Entwicklung der Freiheit gefunden, wie Krause den Schlüssel in den Seins-Kategorien. Die einzige wissenschaftliche Grundlage, auf der die wahre Geschichtsphilosophie beruhen muss, ist die vollständige Kenntnis der Gesetze der menschlichen Natur in all ihren Aspekten, Bestrebungen, Kräften und Tendenzen. Und diese große

Wahrheit, von der man sagt, dass sie Thukydides bis zu einem gewissen Grad verstanden hatte, wurde uns zuerst von Platon geschenkt.

Es kann allerdings von diesem Philosophen nicht gesagt werden, dass seine Philosophie oder seine Geschichtsschreibung ganz und gar eine *a priori* ist. *On est de son siècle même quand on y proteste*,[31] und so finden wir bei ihm immer wieder Hinweise auf die spartanische Lebensweise, das pythagoreische System, die allgemeinen Merkmale griechischer Tyranneien und griechischer Demokratien. In seiner Darstellung der Methode zur Bildung eines ideellen Staates schrieb er, dass der politische Künstler zwar seinen Blick auf die Sonne der abstrakten Wahrheit im Himmel der reinen Vernunft richten, sich aber auch der Verwirklichung der Ideale auf der Erde zuwenden sollte. Und doch ist der allgemeine Charakter der platonischen Methode, um die es uns besonders geht, im Wesentlichen deduktiv und *a priori*. Und er selbst, in seiner Nephelokokkygia,[32] beginnt sicherlich mit einem καθαρὸς πίναξ[33] und macht eine volle Kehrtwende in Bezug auf Geschichte und Erfahrung. Und weil er im Wesentlichen *a priori* ein Theoretiker war, wurde er von Aristoteles kritisiert.

Um die Einzelheiten des von Platon beschriebenen tatsächlichen Schemas der Gesetze politischer Revolutionen zu verstehen, müssen wir zuerst feststellen, dass die Hauptursache für den Zerfall des idealen Staates jenes allgemeine Prinzip ist, welches genauso für die Pflanzen- und Tierwelt gilt wie auch für die Welt der Geschichte. Alle Dinge sind so geschaffen, dass sie verfallen – ein Prinzip, das, obgleich es in den Begriffen metaphysischer Abstraktion ausgedrückt wird, seinem Wesen nach wissenschaftlich ist. Denn wir müssen auch berücksichtigen, dass eine kontinuierliche Umverteilung von Materie und Bewegung das unvermeidliche Ergebnis der nominellen Beharrlichkeit der Kräfte ist, und

---

31 ‚Wir stammen aus seinem Jahrhundert, auch wenn wir protestieren'; Anm. d. Ü.

32 Der Akt, Formen und Muster in den Wolken zu suchen; Anm. d. Ü.

33 Reinen Tisch; Anm. d. Ü.

dass ein vollkommenes Gleichgewicht in der Politik ebenso unmöglich ist wie auch in der Physik.

Die sekundären Gründe, die die Vollkommenheit der platonischen ‚Stadt der Sonne' verhindern, finden sich im intellektuellen Verfall der Rasse infolge unheilvoller Ehen und in der philisterhaften Überhöhung der körperlicher Leistungen gegenüber der geistigen Kultur. Und während er die hierarchische Abfolge von Timokratie und Oligarchie, Demokratie und Tyrannei sehr ausführlich behandelt und ihre Ursachen auf sehr dramatische und psychologische Weise analysiert, so scheint es durch die tatsächliche Abfolge in der Geschichte nicht gerechtfertigt zu werden.

Und in der Tat ist es auf den ersten Blick offensichtlich, dass die platonische Abfolge der Staatsformen eher die Abfolge von Ideen im philosophischen Denken als eine geschichtliche Zeitfolge repräsentiert.

Aristoteles begegnet dem Ganzen einfach durch die Berufung auf Tatsachen. Wenn die Theorie des periodischen Verfalls aller erschaffenen Dinge, so meinte er, wissenschaftlich sei, so müsse sie auch allgemeingültig sein und daher für alle anderen Staaten ebenso wie für das Ideal gelten. Außerdem verwandelt sich ein Staat gewöhnlich in sein Gegenteil und nicht in die nächste Version. Insofern würde sich der ideale Staat nicht in eine Timokratie verwandeln, während jedoch eine Oligarchie häufiger als eine Tyrannei der Demokratie folgt. Platon erwähnte nicht, in was sich eine Tyrannei verwandelte. Entsprechend der Zyklustheorie sollte sie wieder in den idealen Zustand übergehen. Tatsächlich aber verwandelt sich eine Tyrannei manchmal in eine andere wie im Falle von Sikyon oder in eine Demokratie wie im Falle von Syrakus oder in eine Aristokratie wie im Falle von Karthago. Auch das Beispiel Siziliens zeigt, dass einer Oligarchie oftmals die Tyrannei folgt, wie bei Lentini und Gela. Außerdem ist es absurd, Gier als das Hauptmotiv des Verfalls zu verstehen oder von Habgier als der Wurzel der Oligarchie zu sprechen, wenn in fast allen wahren Oligarchien das Geldmachen gesetzlich verboten ist. Und schlussendlich vernachlässigt die platonische Theorie die verschiedenen Arten von Demokratie und Tyrannei.

Nun kann nichts wichtiger sein als die Passage in Aristoteles' *Politik,* Vers 12, die eine besondere Stufe in der Entwicklung der historisch-kritischen Methode kennzeichnet. Denn es gibt nichts, worauf Aristoteles so bestand wie darauf, dass die Verallgemeinerungen, die von Tatsachen stammen, zu den Daten der *a priori*-Methode hinzugefügt werden sollten – ein Prinzip, von dem wir wissen, dass es nicht nur gültig ist in Bezug auf eine deduktiv-spekulative Politik, sondern auch für die Physik. Denn sind nicht die übrig gebliebenen Phänomene der Chemiker eine wertvolle Quelle für die Verbesserung der Theorie?

Seine eigene Methode ist im Wesentlichen historisch, aber keineswegs empirisch. Im Gegenteil, dieser weitsichtige Denker, der zu Recht als *il maestro di color che sanno*[34] bezeichnet wird, mag klar erkannt haben, dass die wahre Methode weder ausschließlich empirisch noch ausschließlich spekulativ ist. Sie ist eher eine Vereinigung beider in einem Prozess, welcher als Analyse oder auch als Interpretation von Tatsachen bezeichnet werden kann. Dieser Prozess ist auch die Anwendung auf Tatsachen zu allgemeinen Vorstellungen definiert worden, um die wichtigen Eigenschaften der Phänomene festzulegen und sie dauerhaft in ihren wahren Beziehungen zu präsentieren. Er war auch der Erste, der nicht nur darauf hinwies – was selbst in unserer Zeit kaum genug geschätzt wird – dass die Natur, einschließlich der Entwicklung des Menschen, nicht aus zusammenhanglosen Episoden wie bei einer schlechten Tragödie besteht und dass Inkonsequenz und Anomalie in der Moral ebenso unmöglich sind wie in der physischen Welt, sondern auch darauf, dass, wenn der oberflächliche Beobachter annimmt, er sähe eine Revolution, der philosophische Kritiker nur die allmähliche und rationale Entwicklung der unvermeidlichen Ergebnisse bestimmter Vorläufer erkennt.

34 ‚Der Meister der Farben, für die, die wissen'; Anm. d. Ü.

Während er die Notwendigkeit einer psychologischen Grundlage für die Geschichtsphilosophie anerkannte, fügte er ihr auch die bedeutende Erkenntnis hinzu, dass der Mensch – soll er in seiner richtigen Stellung sowohl im Universum als auch in Bezug auf seine natürlichen Kräften verstanden werden – von unten aus dem hierarchischen Fortschritt der höheren Funktion aus den niederen Lebensformen studiert werden muss. Diese wichtige Maxime – will man eine klare Vorstellung von etwas gewinnen, so muss man ‚seinen Wachstum von Anfang an studieren' – wird formell in der Einleitung der *Politik* niedergelegt, wo wir tatsächlich auch andere charakteristische Aspekte der modernen Evolutionstheorie finden, wie etwa die ‚Differenzierung der Funktionen' und das ‚Überleben des Angepasstesten'.

Was für ein wertvoller Schritt dies in der Entwicklung der historisch-kritischen Methode war, ist unnötig zu erwähnen. Dadurch wurde uns der wahre Faden gegeben, um uns durch das verwirrende Labyrinth der Tatsachen zu führen. Die Geschichte (um Begriffe zu verwenden, mit denen uns Aristoteles vertraut gemacht hat) kann von zwei grundsätzlich verschiedenen Standpunkten aus betrachtet werden. Entweder als ein Kunstwerk, dessen τέλος[35] oder letzte Ursache außerhalb von ihm liegt und ihm von außen aufgezwungen wird. Oder als ein Organismus, der das Gesetz seiner eigenen Entwicklung in sich birgt und seine Vollkommenheit nur dadurch ausbaut, dass er ist, was er ist. Wenn wir nun Ersteres annehmen, was wir die theologische Anschauung nennen können, werden wir uns in der steten Gefahr befinden, in die Fallgrube von *a-priori*-Schlussfolgerungen zu stolpern – jener Grenze, von der gesagt wurde, dass kein Reisender jemals von ihr zurückkehrt. Letzteres ist eine wissenschaftliche Theorie und wurde zur Gänze von Aristoteles begriffen. Seine Anwendung der induktiven Methode auf die Geschichte und die Anwendung der Evolutionstheorie auf die Menschheit zeigt, dass er sich vollkommen bewusst darüber war, dass die Philosophie der Geschichte nicht von den Tatsachen der Geschichte getrennt ist und dass das ratio-

35 Ziel, Sinn; Anm. d. Ü.

nale Gesetz der komplexen Phänomene des Lebens wie das Ideal in der Welt des Denkens durch Tatsachen zu erreichen ist und nicht von ihnen überlagert wird.

Wenn man schließlich den enormen Dank einschätzen will, den die Wissenschaft der historisch-kritischen Methode Aristoteles' schuldet, dürfen wir nicht über seine Haltung hinsichtlich dieser beiden großen Schwierigkeiten bei der Bildung einer Geschichtsphilosophie hinweggehen, die ich oben erwähnt habe. Ich meine damit die Annahme eines außer-natürlichen Einflusses auf die normale Entwicklung der Welt und den unschätzbaren Einfluss, der durch die Macht des freien Willens ausgeübt wird.

Was nun Ersteres betrifft, so könnte man sagen, dass er es völlig vernachlässigt hat. Die besonderen Akte der Vorsehung, die von Gottes unmittelbarer Herrschaft über die Welt künden und die Herodot noch als mächtige Orientierungspunkte der Geschichte betrachtet hatte, waren für ihn im Wesentlichen störende Elemente in der Herrschaft universeller Gesetzmäßigkeiten, dessen grenzenloses Reich er – von allen großen Denkern der Antike – als Erster bereit war, explizit anzuerkennen.

Indem er sich von der populären Religion wie auch von den tieferen Vorstellungen Herodots und der Tragischen Schule fernhielt, stellte er sich Gott nicht länger als jemanden mit schönen Gliedern und verräterischem Gesicht vor, noch betrachtete er ihn als einen eifersüchtigen Richter, der in die Weltgeschichte eingreift, um die Bösen zur bestrafen und die Stolzen zu Fall zu bringen. Gott war für ihn die Inkarnation des reinen Verstandes, ein Wesen, dessen Tätigkeit die Kontemplation seiner eigenen Vollkommenheit war, ein Wesen, das die Philosophie nachahmen konnte, auf das aber Gebete keinen Einfluss nehmen konnten.

Was nun die andere Schwierigkeit bei der Bildung der Geschichtsphilosophie angeht, erscheint der Konflikt des freien Willens mit den allgemeinen Gesetzmäßigkeiten im griechischen Denken zunächst in der üblich theologischen Form, also dort, wo alle großen Ideen geboren zu werden scheinen.

Es waren solche Legenden wie jene von Ödipus und Adrastus, die die Kämpfe des Einzelnen gegen die überwältigenden Kräfte der Umstände und Notwendigkeiten veranschaulicht hatten, und die den frühen Griechen die gleichen Lehren gaben, wie wir sie auch heute, in etwas weniger künstlerischer Form, aus dem Studium der Statistik und der Gesetze der Physiologie ziehen können.

Bei Aristoteles findet sich natürlich keine Spur übernatürlicher Einflüsse. Die Furien, die ihr Opfer zuerst zur Sünde verführten und dann bestraften, sind nicht länger ‚Schlangen-tragende Göttinnen, deren Augen und Münder in Flammen stehen', sondern jene bösen Gedanken, die in der unreinen Seele leben. Hier, wie in allen anderen Punkten, mit Aristoteles übereinzustimmen, heißt, die reine Atmosphäre des wissenschaftlichen und modernen Denkens zu erreichen.

Doch während er die Lehre des reinen Determinismus in seiner rohen Form als eine *reductio ad absurdum* des Lebens ablehnte, war er sich der Tatsache voll bewusst, dass der Wille keine geheimnisvolle Krafteinheit ist, jenseits derer nichts liegt und dessen besonderes Merkmal die Inkonsistenz ist, sondern eine bestimmte schöpferische Einstellung des Geistes, die von Anfang an von Gewohnheiten, Erziehung und Umständen beeinflusst wird; also, mit einem Wort, absolut veränderbar, sodass der gute und der böse Mensch gleichermaßen die Macht des freien Willens zu verlieren scheinen. Denn der eine ist moralisch unfähig zu sündigen, während der andere körperlich unfähig für die Läuterung ist.

Den Einfluss des Klimas und der Temperatur auf die Bildung der Natur des Menschen (eine Vorstellung, die in modernen Zeiten vielleicht zu weit getrieben wird, wenn der Hindu durch eine ‚Rassentheorie' eine ausreichende Erklärung erfahren soll und wenn der Längen- und Breitengrad eines Landes ein Hinweis auf seine Moral geben soll)[36] beachtete Aristoteles gar nicht. Ich beziehe mich dabei nicht auf kleinere Aspekte wie etwa die oligarchischen Tendenzen eines Landes, das sich auf Pferdezucht spezialisiert hat, und des Einflusses der Nähe des Meeres auf die Demokratiebildung (was für die Betrachtung der griechischen Geschichte bedeutsam ist), sondern eher auf jene umfassenderen Perspektiven im siebten Buch seiner *Politik*. Dort schreibt er die glückliche Vereinigung der intellektuellen Leistungen mit dem Geiste des Fortschritts im griechischen Charakters dem gemäßigten Klima zu und zeigte auf, wie die extreme Kälte im Norden die geistigen Fähigkeiten seiner Einwohner abstumpft und sie zu sozialer Organisation oder auch zur Bildung eines größeren Imperiums unfähig gemacht hat. Gleichermaßen war für ihn die entkräftende Hitze für das Bedürfnis nach Geist und Tapferkeit in den östlichen Ländern verantwortlich, das damals wie heute das Merkmal der Bevölkerung in diesem Teil der Erde ist.

Thukydides hatte zwar den kausalen Zusammenhang zwischen politischen Revolutionen und der Fruchtbarkeit des Bodens aufgezeigt, ging aber noch einen Schritt weiter und wies darauf hin, dass die verschiedenen Formen des Klimas einen Einfluss auf den psychologischen Charakter eines Volkes haben – in beiden Fällen kann dies als das erste Auftauchen einer wertvollen Form der historisch-kritischen Methode betrachtet werden.

Für die Entwicklung der Dialektik, wie für Gott, sind Zeitintervalle ohne Bedeutung. Von Platon und Aristoteles gehen wir direkt über zu Polybius.

Der Fortschritt des Denkens vom Philosophen der Akademie zum arkadischen Historiker lässt sich am besten durch einen Vergleich der Methode illustrieren, mit der jeder der drei Schriftsteller, die ich als höchs-

36 Cousin irrt sich in dieser Hinsicht. Zu sagen: ‚Nenne mir die Breite und die Länge eines Landes, seiner Flüsse und seiner Berge, und ich werde die Rasse bestimmen', ist sicherlich eine eklatante Übertreibung.

ten Ausdruck des Rationalismus ihres jeweiligen Zeitalters ausgewählt habe, ihren idealen Zustand erreicht haben. Denn dieser Rationalismus kann in gewisser Weise als das geistigste Prinzip angesehen werden, welches sie in der Geschichte erkennen konnten.

Platon schuf seine Vorstellungen nach *a-priori*-Prinzipien. Aristoteles erzeugte seine durch eine Analyse der bestehenden Strukturen. Und Polybius begründe seine Vorstellungen in der Welt der Tatsachen. Aristoteles kritisierte die deduktiven Spekulationen Platons vermittels induktiver Negativbeispiele, während Polybius die ‚ Stadt der Wolken' in dem *Staat* überhaupt nicht berücksichtigte. Er verglich sie mit einem Athleten, der niemals auf dem ‚Hügel der Verfassung' gelaufen ist, und mit einer Statue, die so schön ist, dass sie sich den gewöhnlichen Bedingungen der Menschheit und damit den Regeln der Kritik vollkommen entzieht.

In seinen Augen hatte der römische Staat durch die gegenseitige Wirkung von drei entgegengesetzten Kräften[37] jenes stabile Gleichgewicht in der Politik erreicht, das das Ideal aller theoretischen Schriftsteller der Antike gewesen war. Und im Zusammenhang mit diesem Punkt wird es angemessen sein zu bemerken, wie viel Wahrheit in der Beschuldigung steckt, die gegen die Alten stets vorgebracht wird, nämlich dass sie nichts von der Idee des Fortschritts wussten. Denn die Bedeutung ihrer Spekulationen wird uns verborgen bleiben, wenn wir nicht versuchen zu verstehen, was ihr Ziel war und warum es das war.

Diese Aussage ist nun, wie die meisten Verallgemeinerungen, zumindest ungenau. Das Gebet von Platons idealer Stadt könnte als Text über die Tür des letzten Tempels der Menschheit geschrieben werden, der von den Schülern Fouriers und Saint-Simons errichtet wurde. Doch es stimmt mit Sicherheit, dass ihre höchsten Prinzipien Ordnung und Dauer und nicht unendlicher Fortschritt waren. Wenn wir die künstlerischen

37 Das heißt die monarchischen, aristokratischen und demokratischen Elemente der römischen Verfassung.

Vorurteile beiseitelassen, die die Griechen dazu veranlasst haben können, die Idee des unendlichen Fortschritts zurückzuweisen, so könnten wir feststellen, dass die moderne Auffassung vom Fortschritt teils auf der neuen Begeisterung und Verehrung der Menschheit und teils auf den glänzenden Hoffnungen materieller Verbesserungen in der Zivilisation beruht, die die angewandte Wissenschaft uns bereitgestellt hat, also zwei Einflüsse, von denen das altgriechische Denken befreit gewesen zu sein scheint. Denn die Griechen ruinierten den vollkommenen Humanismus der großen Män Kräfte unterstellten. Und dies, während ihre Wissenschaft dem Charakter nach äußerst spekulativ und oftmals fast mystisch war, auf Kultur und nicht auf Nützlichkeit abzielend wie auf höhere Spiritualität und stärkere Ehrfurcht vor dem Gesetz, statt auf die gesteigerten Möglichkeiten der Fortbewegung und der billigen Produktion alltäglicher Dinge, in Bezug auf die unsere moderne wissenschaftliche Schule nicht aufhört, sich selbst zu rühmen. Und schließlich, und vielleicht hauptsächlich, müssen wir uns daran erinnern, dass der ‚Pestherd in allen griechischen Staaten', wie es einer ihrer eigenen Schriftsteller nannte, die schreckliche Unsicherheit in Bezug auf Leben und Eigentum war, die selbst aus den Parteienbildung und den Revolutionen resultierte. Diese verunsicherten Griechenland immer wieder und brachten damit letztlich eine fanatische Geisteshaltung hervor, wie wir sie auch in der Religion im Mittelalter in Europa betrachten können.

Diese Überlegungen werden es uns ermöglichen, zum einen zu verstehen, wie es zustande kam, dass – so radikal und skrupellos wie die griechischen politischen Theoretiker auch waren – kein moderner Konservativer einen Aufschrei gegen die geringste Neuerung machte, sobald ihr Ziel einmal erreicht war. Sogar anerkannte Verbesserungen von Dingen wie etwa der Spiele für Kinder oder der Arten der Musik wurden von ihnen mit äußerster Besorgnis als Vorboten der *drapeau rouge*[38] der Reform angesehen. Und zum anderen wird es uns zeigen, wie es sein konnte, dass

38 Rote Flagge; Anm. d. Ü.

Polybius sein Ideal im Staatenbund von Rom fand, während es für Aristoteles wie für Mr. Bright in der Mittelschicht lag. Polybius begnügt sich jedoch nicht damit, seinen Idealzustand zu verdeutlichen, sondern beschäftigt sich in beträchtlichem Ausmaß mit der Frage jener allgemeinen Gesetzmäßigkeiten, deren Betrachtung den wesentlichen Bestandteil der Geschichtsphilosophie ausmacht.

Er beginnt damit, indem er das allgemeine Prinzip akzeptiert, dass alle Dinge dazu bestimmt sind zu vergehen, ‚so wie Eisen Rost produziert und das Holz jene Tiere hervorbringt, die es zerstört, auch jeder Staat den Samen seiner eigenen Korruption in sich trägt'. Er war jedoch nicht zufrieden damit, sich auf dieser Erkenntnis auszuruhen, sondern fuhr fort, sich mit den unmittelbareren Ursachen von Revolutionen zu befassen, von denen er annahm, dass sie in der Natur zweifach sind, nämlich entweder äußerlich oder innerlich. Nun sind die ersteren Ursachen, die von der synchronen Verbindung anderer Ereignisse außerhalb der Sphäre der wissenschaftlichen Betrachtung abhängen, ihrem Wesen nach unberechenbar. Doch die letztere Art von Ursachen, obwohl sie viele Formen annehmen kann, ergibt sich immer aus dem großen Übergewicht eines einzelnen Elements zum Nachteil der anderen, wobei dem die rationale Gesetzmäßigkeit zugrunde liegt, die allen politischen Veränderungen eigen ist, nämlich dass Stabilität nur aus einem statischen Gleichgewicht gegenüberliegender Teile möglich wird; denn je einfacher eine Verfassung ist, desto unsicherer ist sie auch. Platon hatte schon früh darauf hingewiesen, dass die extreme Freiheit einer Demokratie immer zum Despotismus führte, aber Polybius analysierte dieses Gesetz und zeigte die wissenschaftlichen Prinzipien auf, auf denen es beruht.

Die Lehre von der Instabilität reiner Verfassungen bildet eine wichtige Epoche in der Geschichtsphilosophie. Ihre besondere Anwendbarkeit auf die Politik unserer Tage hat sich in dem Aufstieg des großen Napoleon gezeigt, als der französische Staat seine Unterteilungen in Kaste und Vorurteil, von Landadel und Vermögensinteressen, verloren hatte, also Institutionen, in denen der Pöbel nur Hindernisse der Freiheit sah, die aber in der Tat die einzigen denkbaren Verteidigungen gegen das Auftauchen dieses periodischen Sirius der Politik gewesen waren.

Es gibt ein Prinzip, das Tocqueville niemals müde wird zu erklären und das von Herbert Spencer unter dem allgemeinen Gesetz, welches für alle organischen Körper gilt, zusammengefasst wurde. Wir nennen es die Instabilität des Homogenen. Die verschiedenen Manifestationen dieser Gesetzmäßigkeit, wie es sich in den normalen, regelmäßigen Revolutionen und Entwicklungen der verschiedenen Regierungsformen gezeigt hat, wurden mit großer Klarheit von Polybius offenbart. Und die Kenntnis dieses Gesetzes wird es dem unbefangenen Beobachter zu jeder Zeit ermöglichen zu erkennen, in welcher Periode der konstitutionellen Entwicklung sich ein bestimmter Staat befindet und in welche Form er als Nächstes übergehen wird, obwohl möglicherweise die genaue Zeit der Veränderungen mehr oder weniger ungewiss bleiben muss.

In dieser notwendigerweise unvollständigen Darstellung der Gesetze politischer Revolutionen, wie sie von Polybius dargelegt wurde, ist vielleicht ausreichend zum Ausdruck gekommen, was seine wahre Position in der rationalen Entwicklung der ‚Idee' war, die ich die Geschichtsphilosophie nenne, da sie die Geschichtsschreibung vereinheitlicht. Während Geschichte bei Herodot noch undeutlich durch das Glas der Religion betrachtet wurde und eher metaphysisch und weniger wissenschaftlich bei Thukydides zum Ausdruck kam, bemühte sich Platon, sie durch den Adlerflug der Spekulation zu begreifen. Er wollte sie mit dem gierigen Griff einer Seele erfassen, die noch ungeduldig in Bezug auf die langsamere und doch sicherere induktive Methode ist, von der Aristoteles in seiner scharfen Kritik seines größeren Meisters zeigte, dass sie brillanter als jede vage Theorie ist, wenn es eben um Wahrheit geht.

Was war also die Position von Polybius? Hat er irgendeine neue Methode geschaffen? Polybius war einer der Männer, die zu spät geboren wurden, um wirklich originell zu sein. Thukydides gehört die Ehre, der Erste in der Geschichte des griechischen Denkens gewesen zu sein, die erhabene Ruhe des Gesetzes und der Ordnung erkannt zu haben, die den unruhigen Stürmen des Lebens zugrunde liegen. Sowohl Platon als auch Aristoteles repräsentieren jeweils neue große Prinzipien. Polybius' Aufgabe war es – und wie edel seine Aufgabe war, zeigen seine Schriften –, die in seinen Vorgängern implizierten Ideen deutlicher hervorzuheben; zu zeigen, dass sie von größerer Anwendbarkeit und vielleicht von tieferer Bedeutung waren, als es zuvor schien; noch genauer die Gesetze zu untersuchen, die sie entdeckt hatten; und schließlich noch deutlicher als irgendjemand den Bereich der Wissenschaft und ihre Mittel aufzuzeigen, die sie boten, um die Gegenwart zu analysieren und daher auch vorherzusagen, was kommen würde. Seine Aufgabe lag darin, das aufzunehmen, was sie zurückgelassen hatten, um ihren Prinzipien durch eine umfassendere Anwendung neues Leben zu verleihen.

Mit Polybius endete dieser große harmonische Gesang des griechischen Denkens. Als die Geschichtsphilosophie in Plutarchs Traktat über ‚Den verzögerten Zorn Gottes' als Nächstes auftauchte, war das Pendel des Denkens dorthin zurückgeschwungen, wo es herkam. Seine Theorie wurde den Römern durch den kultivierten Stil Ciceros vorgestellt und von ihnen als philosophische Lobrede ihres Staates verstanden. Der letzte Hinweis dieses griechischen Denkens in der lateinischen Literatur findet sich auf den Seiten von Tacitus, der auf die stabile Staatsform anspielt, die aus diesen Elementen gebildet wird, und zwar als eine Verfassung, die leichter ist zu verherrlichen als zu produzieren, in keinem Fall aber dauerhaft ist. Doch Polybius hatte die Zukunft mit klarem Auge gesehen und hatte ebenso den Aufstieg des Reiches aus der unausgeglichenen Macht der Ochlokratie fünfzig Jahre früher prophezeit, lange bevor im julianischen Haushalt Freude herrschte über die Geburt jenes Jungen, der zur Macht und als Verfechter des Volkes geboren wurde und später im Purpur eines Königs sterben sollte.

Kein Aspekt der historisch-kritischen Methode ist wichtiger als die Mittel, durch die die Alten zur Geschichtsphilosophie gelangten. Das Prinzip der Vererbung kann sowohl in der Literatur als auch im organischen

Leben aufgezeigt werden: Aristoteles, Platon und Polybius sind die direkten Vorfahren von Fichte und Hegel, von Vico und Cousin, von Montesquieu und Tocqueville.

Da es nicht mein Ziel ist, von all diesen Historikern zu berichten, sondern nur jene großen Denker hervorzuheben, deren Methoden die Entwicklung der historisch-kritischen Methode ermöglicht haben, werde ich die Analytiker und Chronisten zwischen Thukydides und Polybius übergehen. Vielleicht kann es aber auch dazu dienen, ein neues Licht auf das wahre Wesen dieser Geisteshaltung und seiner innigen Verbindung mit allen anderen Formen des fortgeschrittenen Denkens zu werfen, wenn ich eine Einschätzung des Charakters und der Entstehung jener vielen Einflüsse abgebe, die der wissenschaftliche Geschichtsforschung so abträglich waren und die so eine große Kluft zwischen diesen beiden Historikern verursacht hatten.

An erster Stelle steht dabei der wachsende Einfluss der Rhetorik und der isokratischen Schule, die die Geschichte als eine Arena zur Zurschaustellung von Pathos oder Paradoxa angesehen zu haben scheint und die für eine wissenschaftliche Erforschung von Gesetzmäßigkeiten nichts übrig hatte.

Das neue Zeitalter war das Zeitalter des Stils. Dieselbe Haltung ausschließlicher Aufmerksamkeit auf die Form, durch die Euripides oft, wie Swinburne, die Musik der Melodie und Bedeutung der Moral vorzog, und die den späteren griechischen Statuen die raffinierte Verweichlichung und diese überforderte Anmut in der Haltung verlieh, wurde auch in der Sphäre der Geschichte gespürt. Die Regeln, die für die historische Komposition aufgestellt wurden, waren jene, die sich auf den ästhetischen Wert der Abschweifungen sowie der Legalität der Verwendung von mehr als einer Metapher im selben Satz und dergleichen bezogen. Und die Historiker wurden nicht nach ihrer Aussagekraft bewertet, sondern nach der Güte des Griechischen, in dem sie zu schreiben fähig waren.

Ich muss auch den wichtigen Einfluss von Alexander dem Großen auf die Literatur hervorheben. Während seine Reisen die genauere Erforschung der Geografie förderten, so scheint die Pracht seiner Errungenschaften die Geschichtsschreibung wieder in die Sphäre der Romantik überführt zu haben. Dem Auftreten großer Menschen in der Welt folgt unweigerlich der Aufstieg eines mythopoetischen Geistes, und damit jener Tendenz, nach dem Wunderbaren Ausschau zu halten, etwas, was für die wahre historisch-kritische Methode sehr verhängnisvoll ist. Von einem Alexander, einem Napoleon, einem Franz von Assisi und einem Mohammed muss man annehmen, dass sie außerhalb der einschränkenden Bedingungen rationaler Gesetzmäßigkeiten liegen, genauso wie es vor nicht allzu langer Zeit von Kometen angenommen wurde. Während die Gründung der Stadt Alexandria – in der westliches und östliches Denken in einer Weise aufeinandertrafen, die für beide so seltsame Resultate zeigte – die kritischen Neigungen des griechischen Geistes auf Fragen der Grammatik, der Philologie und dergleichen aufteilte, so war die enge, künstliche Atmosphäre dieser Universitätsstadt (wie wir sie nennen können) verhängnisvoll für die Entwicklung eines unabhängigen und spekulativen Forschungsgeistes, der neue Forschungsmethoden sucht, von denen die historisch-kritische Methode eine ist.

Die Alexandriner verbanden eine große Liebe zum Lernen mit einer Ignoranz für die wahren Prinzipien der Forschung wie auch eine enthusiastische Haltung für die Anhäufung von Materialien mit der wunderbaren Unfähigkeit, sie auch zu verwenden. Nicht aus dem heißen Klima Ägyptens oder unter den Sophisten Athens, sondern aus dem Herzen Griechenlands entsprang der tatsächlich geniale Mensch, auf dessen Einfluss in der Entwicklung der Geschichtsphilosophie ich gerade eingegangen bin. Geboren in der heiteren und reinen Luft des klaren Berglandes von Arkadien reproduzierte Polybius in seinem Werk den Charakter jenes Ortes, wo er geboren worden war. Denn von allen Historikern – ich meine nicht nur vom Altertum, sondern von allen Zeiten – war keiner rationaler als er, keiner freier von jeglichem Glauben an ‚Visionen und Omen, den monströsen Legenden, dem speichelleckerischen Aberglauben und der unmännlichen Begierde nach dem Übernatürlichen', die er gezwungen war als Merkmale einiger Historiker, die ihm vorausgegangen waren, zu bemerken. Er hatte nicht nur das Glück gehabt, in diesem Land geboren worden zu sein, sondern war auch zu jener wundersamen Zeit geboren. Denn da er selbst die geistige Überlegenheit des griechischen Intellekts darstellte und mit dem Eroberer der Welt seiner Tage in einer Art ritterlicher Freundschaft verbündet gewesen war, scheint er, wie durch die Hand des Schicksals, wie schon gesagt worden ist, ‚viel deutlicher als die Römer selbst die geschichtliche Stellung Roms verstanden zu haben'. Außerdem konnte er, mit tieferer Einsicht als alle anderen, die beiden großen Folgeerscheinungen der antiken Zivilisation erkennen, nämlich das materielle Reich der Stadt der sieben Hügel und die geistige Souveränität von Hellas.

Vor seiner eigenen Zeit, so schrieb er,[39] wurden die Ereignisse der Welt nicht als miteinander verbunden betrachtet, und die einzelnen Länder hatten ihre eigene Geschichtsschreibung. Doch durch das Weltreich der Römer wurde erstmals eine allgemeine Geschichtsschreibung ermöglicht.[40] Dies ist das erhabene Motiv seiner Arbeit: den allmählichen Aufstieg dieser italienischen Stadt von dem Tage an zu verfolgen, als die erste Legion die Meeresenge von Messina durchquerte und in der Nähe der fruchtbaren Felder Siziliens landete, bis hin zur Zeit, als Korinth im Osten und Karthago im Westen der unbeugsamen Welle des Reiches nichts entgegenzusetzen hatten und die Adlerschwingen von Rom den umfassenden Sieg von Calp und den Säulen des Herkules bis nach Syrien und den Nil trugen. Gleichzeitig erkannte er, dass sich die Planung des römischen Reiches unter der Ägide des Willen Gottes entfaltet hatte.[41] Denn, wie einer der Schriftgelehrten des Mit-

39 Polybius, I. 4, besonders VIII. 4, und passim.

40 Er machte eine Ausnahme.

41 Polybius, VIII. 4

telalters sagte, war das τύχη[42] von Polybius jene Kraft, die wir Christen Gott nennen. Das zweite Ziel seiner Geschichtsschreibung besteht darin, auf die rationalen und menschlichen und natürlichen Ursachen hinzuweisen, die dieses Ergebnis hervorgebracht haben, um damit zwischen Gottes mittelbarer und unmittelbarer Herrschaft der Welt unterscheiden zu können.

Mit jedem direkten Eingreifen Gottes in die normale Entwicklung des Menschen will er nichts zu tun haben; und noch weniger mit irgendeiner Vorstellung vom Zufall als Faktor in Bezug auf die Phänomene des Lebens. Zufall und Wunder, schrieb er, sind bloße Ausdrucksformen unserer Unwissenheit rationaler Ursachen. Der Geist des Rationalismus – den wir bei Herodot als eine vage, unsichere Haltung erkannt haben und der eine konsequente Geisteshaltung von Thukydides war, über die niemals diskutiert oder die gar erklärt wurde – wurde von Polybius genauestens analysiert und als das bedeutsame Instrument der historischen Forschung verstanden.

Herodot glaubte zwar grundsätzlich an das Übernatürliche, war aber dennoch skeptisch. Thukydides ignorierte einfach das Übernatürliche. Er hat es nicht diskutiert und einfach getilgt, indem er Geschichte ganz ohne es erklärte. Polybius ging ausführlich auf die ganze Frage ein und erklärt seine Herkunft und Methode. Herodot hätte an Scipios Traum geglaubt. Thukydides hätte ihn komplett ignoriert. Polybius erklärte ihn. Er ist die Kulmination der rationalen Entwicklung der Dialektik. ‚Nichts', schrieb er, ‚offenbart den närrischen Verstand mehr als der Versuch, Phänomene durch das Zufallsprinzip oder übernatürliches Eingreifen zu erklären. Geschichtsschreibung ist eine Suche nach rationalen Ursachen, und es gibt nichts in der Welt – selbst jene Phänomene, die uns am weitesten vom Gesetz der Wahrscheinlichkeit entfernt zu sein scheinen –, das nicht das logische und unvermeidliche Ergebnis bestimmter rationaler Ursachen ist.'

42 Schicksal; Anm. d. Ü.

Einige Dinge sind natürlich *a priori* abzulehnen, ohne auf das Thema einzugehen: ‚Was solche Wunder anbelangt', so sagte er,[43] ‚wie etwa jenes, dass auf eine bestimmten Artemis-Statue niemals Regen oder Schnee fällt, obwohl sie draußen steht, oder dem, dass diejenigen, die den Altar Gottes in Arkadien betreten, keinen natürlichen Schatten mehr haben, so kann von mir nicht wirklich erwartet werden, über das Thema zu diskutieren. Denn diese Dinge sind nicht nur äußerst unwahrscheinlich, sondern absolut unmöglich.'

‚Vernünftig zu argumentieren in Bezug auf eine anerkannte Absurdität ist ebenso sinnlos wie zu versuchen, Wasser mit einem Sieb aufzunehmen; die entscheidende Frage ist, die Möglichkeit des Übernatürlichen zuzugeben oder nicht; dies ist der Kern der Angelegenheit.'

Was Polybius empfand, war, dass Wunders zu bejahen bedeutet, Geschichtsschreibung zu verneinen. Denn ebenso wie wissenschaftliche und chemische Experimente entweder unmöglich oder nutzlos sind, wenn sie der anhaltenden Einmischung fremder Körper ausgesetzt sind, so würden die Gesetze und Prinzipien, die die Geschichte bestimmen, sowie die Ursachen der Phänomene, die Entwicklung des Fortschritts, ja die ganze Wissenschaft des Umgangs des Menschen mit seiner eigenen Rasse und mit der Natur ein versiegeltes Buch für denjenigen bleiben, der die Möglichkeit eines übernatürlichen Einflusses bejaht.

Die Geschichten von Wundern müssen also *a priori* aus rationalen Gründe abgelehnt werden. Doch im Fall von Ereignissen, von denen wir wissen, dass sie geschehen sind, wird der wissenschaftlicher Historiker nicht ruhen, bis er ihre natürlichen Ursachen entdeckt hat. Diese können, wie zum Beispiel beim wunderbaren Aufstieg des römischen Reiches – von dem Polybius sagt, dass es das Wunderbarste ist, was Gott je hervorgebracht hat[44] –, in der Vortrefflichkeit ihrer Verfassung,

43 Polybius, XVI. 12.
44 Polybius, VIII. 4.

der Weisheit ihrer Ratgeber, ihrer prächtigen militärischen Strategien und ihrem Aberglauben gefunden werden. Während Polybius jedoch die offenbarte Religion, natürlich, als objektive Realität der Wahrheit betrachtete,[45] betonte er ihren moralisch subjektiven Einfluss und ging in einer Passage zu diesem Thema sogar so weit, die Einführung des Übernatürlichen in die Geschichte in sehr kleinen Mengen zu rechtfertigen, und zwar wegen der extrem guten Wirkung, die es auf das fromme Volk hat.

Aber vielleicht gibt es in der ganzen antiken und neuzeitlichen Geschichte keine Passage, die einen so männlichen und großartigen Geist des Rationalismus atmet wie die, die uns im Vatikan erhalten geblieben ist – welch seltsame letzte Ruhestätte! Dort behandelt er den schrecklichen Niedergang der Bevölkerung, die sein Heimatland zu seiner Zeit erfahren hatte und der von der allgemeinen orthodoxen Öffentlichkeit als ein besonderes harsches Urteil Gottes verstanden worden war, der als Strafe für die Sünden des Volkes die Frauen kinderlos gemacht hatte. Denn es war in der Geschichte des Landes eine ganz und gar beispiellose Katastrophe, die von irgendeinem ihrer politisch-ökonomischen Schriftsteller völlig unvorhergesehen geblieben war. Und dies obwohl sie stets die Gefahren erwarteten, die durch eine Bevölkerung entstehen mussten, die über ihre Mittel lebt und wegen ihrer Größe nicht mehr regiert werden kann. Polybius wollte jedoch in dieser Angelegenheit weder etwas mit dem Priester noch mit dem Wundertäter zu tun haben. Er wollte nicht einmal das ‚heilige Herz Griechenlands' – Delphi, Apollons Schrein – aufsuchen, dessen Inspiration sogar Thukydides bestätigt und vor dessen Weisheit sich Sokrates verbeugt hatte. Wie närrisch, sagte er, sei der Mann, der in dieser Hinsicht Gott anbeten würde. Wir müssten vielmehr nach den rationalen Ursachen Ausschau halten, und die Ursachen müssen klar erkannt werden. Er fuhr dann fort und erkannte, wie all dies aus einer allgemeinen Zurückhaltung gegenüber der Ehe und den Kosten, eine große Fami-

45 Polybius ähnelte in dieser Hinsicht Gibbon. Wie er nahm er an, dass alle Religionen für den Philosophen falsch, für den Pöbel wahr und für den Staatsmann nützlich sind.

lie zu unterhalten, resultierte, was wiederum das Ergebnis der Unaufrichtigkeit und der Gier der Männer seiner Zeit war. Er erklärt also anhand völlig rationaler Prinzipien dieses anscheinend übernatürliche Urteil.

Nun ist zu bedenken, dass, während seine Ablehnung von Wundern, da sie eine Verletzung unantastbarer Gesetze sind, ganz und gar *a priori* ist – denn eine Diskussion dieser Dinge ist natürlich für einen vernünftigen Denker unmöglich –, so ruht doch seine Ablehnung eines übernatürlichen Eingreifens gänzlich auf der wissenschaftlichen Notwendigkeit, nach natürlichen Ursachen zu suchen. Und er verhält sich sehr folgerichtig dabei, seine Position in Bezug auf diese Prinzipien aufrechtzuerhalten. Denn wo es schwierig oder unmöglich ist, irgendeinen rationalen Grund für Phänomene zu bestimmen oder ihre Gesetze zu entdecken, willigt er widerwillig in die Alternative ein, einen übernatürlichen Einfluss zuzulassen, den ihm seine im Wesentlichen wissenschaftliche Methode logisch aufgezwungen hat. Er billigt auf diese Weise zum Beispiel Gebete als Anlass für den Regen, und zwar aus dem ausdrücklichen Grund, dass die Gesetze der Meteorologie noch nicht vollständig entdeckt worden waren. Er wäre natürlich der Erste gewesen, der unsere modernen Entdeckungen in dieser Sache begrüßt hätte. Der fragliche Abschnitt ist in jedem Fall einer der interessantesten in seinem ganzen Werk; natürlich nicht, weil er irgendeine Neigung offenbart, sich dem Übernatürlichen hinzugeben, sondern weil die Passage zeigt, wie logisch und vernünftig seine Argumentationsweise war und wie aufrichtig und klar sein Geist.

Nachdem ich nun Polybius' Haltung gegenüber dem Übernatürlichen und den allgemeinen Vorstellungen, die seine Forschung geleitet haben, untersucht habe, werde ich fortfahren, die Methode zu untersuchen, die er bei seiner wissenschaftlichen Untersuchung der komplexen Phänomene des Lebens angewendet hat. Denn wie ich bereits im Laufe dieses Essays gesagt habe, sind bei allen großen Schriftstellern nicht so sehr die Ergebnisse wichtig, zu denen sie gekommen sind, sondern die Methoden, die sie angewendet haben. Das zunehmende Wissen von Tatsachen vermag jede Schlussfolgerung in der Geschichte ebenso wie in der Naturwissenschaft verändern. Doch eine wissenschaftliche Methode ist ein Gewinn für alle Zeiten, und der wahre, wenn nicht der einzige Fortschritt der historisch-kritischen Methode besteht in der Verbesserung der Forschungsinstrumente.

Was nun seine Geschichtsauffassung betrifft, so habe ich bereits darauf hingewiesen, dass es für ihn im Wesentlichen eine Suche nach Ursachen und damit ein zu lösendes Problem war und kein zu malendes Bild, ja, eine wissenschaftliche Untersuchung von Gesetzen und Tendenzen und kein romantischer Bericht über überraschende Vorfälle und wundersame Abenteuer. Thukydides hatte in der Einleitung seines großen Werkes den ersten Ton der wissenschaftlichen Geschichtsauffassung erklingen lassen. ‚Die Abwesenheit von Romantik auf meinen Seiten', sagte er, ‚wird, so fürchte ich, etwas von ihrem Wert nehmen, aber ich habe meine Arbeit nicht geschrieben, damit man sich eine Stunde vertreiben, sondern damit man über alle Zeiten verfügen kann.'[46] Polybius folgte dem mit fast denselben Worten. Wenn wir, so sagte er, die Erwägung von Ursachen, Methoden und Motiven aus der Geschichte verbannen und uns weigern zu überlegen, inwieweit irgendein Ergebnis eine rationale Konsequenz hat, so ist das, was übrig bleibt, ein rednerischer Essay, der für den Augenblick Freude bereiten mag, der aber für die Erklärung der Zukunft überhaupt keinen wissenschaftlichen Wert hat. An anderer Stelle schrieb er, dass ‚die Geschichte, die der Darstellung von Ursache und Gesetz beraubt wurde, eine nutzlose Sache ist, obwohl sie einen Narren anzulocken vermag'. Und überall in seiner Geschichtsschreibung wird derselbe Punkt in jeder Hinsicht immer wieder dargelegt und veranschaulicht.

So weit zur Konzeption der Geschichte. Nun zur Grundlagenarbeit. Im Hinblick auf den Charakter der vom wissenschaftlichen Forscher auszuwählenden Phänomene hatte Aristoteles die allgemeine Formel aufgestellt, dass die Natur in ihren normalen Manifestationen untersucht werden sollte. Polybius folgte – getreu seiner Art,

46 Vgl. Polybius, XII. 25.

die Prinzipien, die im Werk anderer enthalten sind, explizit anzuwenden – der Lehre Aristoteles und betonte besonders den rationalen und ungestörten Charakter in der Entwicklung der römischen Verfassung, da sie besondere Möglichkeiten zur Entdeckung der Gesetze seines Fortschritts ermöglichte. Politische Revolutionen ergeben sich dabei wegen äußerer oder innerer Faktoren. Die Ersteren sind rein störende Kräfte, die außerhalb der Sphäre der wissenschaftlichen Kalkulation liegen. Es sind die Letzteren, die für das Aufstellen von Prinzipien und die Aufklärung der Sequenzen rationaler Evolution wichtig sind.

Man kann also sagen, er habe eine der wichtigsten Wahrheiten der modernen Forschungsmethoden vorausgesehen: Ich meine den Grundsatz, der besagt, dass ebenso, wie das Studium der Physiologie dem Studium der Pathologie vorausgehen sollte, oder wie die Gesetze der Krankheit am besten durch die Phänomene der Gesundheit studiert werden sollten, die Methode, um zu allen großen sozialen und politischen Wahrheiten zu gelangen, darauf beruhen sollte, diejenigen Fälle zu untersuchen, in denen die Entwicklung normal, rational und ungestört verlaufen ist.

Je mehr Leute sich mit den infrage stehenden Regeln eingemischt haben, umso schwieriger es wird, die Gesetze seines Fortschritts zu verallgemeinern und die getrennten Kräfte seiner Zivilisation zu analysieren. Und während wir erkannt haben, dass Aristoteles die wissenschaftliche Behandlung der Geschichte in allgemeiner Weise vorweggenommen hat, gehört Polybius doch die Ehre, der Erste gewesen zu sein, der sie ausdrücklich im Bereich der Geschichte angewendet hat.

Ich habe gezeigt, wie das Motiv der Arbeit dieses großen Wissenschaftshistorikers im Wesentlichen die Suche nach Ursachen war. Und seinem analytischen Geist getreu achtete er darauf, zu untersuchen, was eine Ursache eigentlich ist und welcher Teil der Vorgeschichte eines jeden Ergebnisses untersucht werden sollte. Zur Illustration: Was den Ursprung des Krieges mit Perseus anbelangt, so sahen einige die Vertreibung von Abrupolis durch Perseus, die Expedition des Letzteren nach Delphi, die Verschwörung gegen Eumenes und die Ergreifung der Botschafter in Boetien als Ursachen des Krieges an. Von diesen Vorfällen waren die beiden Ersteren, wie Polybius meinte, nur Scheingründe, und die beiden Letzteren nur die direkten Anlässe zum Krieg. Der Krieg war tatsächlich aber ein Vermächtnis, das Perseus von seinem Vater hinterlassen wurde, der entschlossen war, mit Rom zu kämpfen.[47]

Hier wie anderswo produzierte er nicht wirklich eine neue Idee. Thukydides hatte auf den Unterschied zwischen wahren und der angeblichen Ursachen hingewiesen, und das aristotelische Diktum über Revolutionen fällte die Unterscheidung zwischen Ursache und Anlass mit der Brillanz eines Epigramms. Aber die explizite und rationale Untersuchung des Unterschieds zwischen αἰτία und πρόφασις[48] war Polybius vorbehalten. Keine Regel der historisch-kritischen Methode kann als wertvoller betrachtet werden als die, die an dieser Unterscheidung beteiligt war, und ein Übergehen dieser hat unsere Geschichte mit den verächtlichen Berichten und Verschwörungen über die Intrigen von Höflingen und Königen gefüllt: Zweifellos interessant für jene, die der Reformation Anne Boleyns schönes Antlitz, dem persischen Krieg den Einfluss eines Arztes oder einer Rede von Atossa oder die Französischen Revolution der Madame de Maintenon zuschreiben, aber ohne jeden Wert für diejenigen, die eine wissenschaftliche Behandlung der Geschichte anstreben.

Aber die Frage nach der Methode, zu der ich immer zurückkehren muss, ist immer noch nicht erschöpft. Es gibt noch einen anderen Aspekt, mit dem sie betrachtet werden kann, und ich werde mich dem nun zuwenden.

47 Polybius, XXII. 8.

48 Ursache und Vorwand; Anm. d. Ü.

Eine der größten Schwierigkeiten, mit denrn der moderne Historiker zu kämpfen hat, ist die enorme Komplexität der Tatsachen, die er berücksichtigen muss: D'Alemberts Vorschlag, am Ende jedes Jahrhunderts eine Auswahl von Tatsachen zu treffen und den Rest zu verbrennen (wenn es wirklich ernsthaft beabsichtigt war), kann natürlich noch nicht einmal für einen Moment tatsächlich erwogen werden. Ein Problem verliert seinen ganzen Wert, wenn es vereinfacht wird, und die Welt wäre umso ärmer, wenn die Sibylle der Geschichte ihre Bände verbrennen würde. Und abgesehen davon, wie Gibbon sagte, ‚würde Montesquieu in den unbedeutendsten Tatsachen Beziehungen aufdecken, die das gemeine Volk übersieht'.

Auch kann der wissenschaftliche Geschichtsforscher die einzelnen Elemente, die er untersuchen will, nicht wie ein Experimentalchemiker von störenden und fremden Ursachen isolieren (obwohl er manchmal, wie in Irrenanstalten und Gefängnissen, Phänomene im gewissen Sinne isoliert beobachten kann). Er ist also entweder gezwungen, deduktiv aus allgemeinen Gesetzen zu argumentieren oder die Methode der Abstraktion zu verwenden und die Phänomene, die in Wirklichkeit niemals isoliert sind, als isoliert behandeln. Und genau das haben Polybius und Thukydides getan. Denn es gibt in den Arbeiten dieser zwei Schriftsteller eine bestimmte plastische Einheit des Typs und des Motivs. Was auch immer sie geschrieben haben, ist durch und durch von einer besonderen Qualität, Einmaligkeit und Konzentration der Absicht durchdrungen, die wir der umfassenderen Breite gegenüberstellen können, die sich nicht nur im modernen Geist, sondern auch in Herodot manifestiert hatte. Thukydides, der die Gesellschaft als ausschließlich von politischen Motiven beeinflusst betrachtet hatte, hatte keine anderen Kräfte berücksichtigt, und folglich müssen seine Ergebnisse, wie die der meisten modernen Ökonomen, weitgehend modifiziert werden,[49] bevor sie

49 Ich meine besonders seine grundlegende Verurteilung der moralischen Dekadenz der griechischen Gesellschaft während des Peloponnesischen-Krieges, die nach dem, was uns von der Athener Literatur geblieben ist, völlig übertrieben gewesen sein muss. Er

mit dem übereinstimmen, von dem wir wissen, dass es der tatsächliche Tatbestand war. In ähnlicher Weise befasste sich Polybius nur mit jenen Kräften, die dazu führten, dass die zivilisierte Welt unter die Herrschaft Roms fiel, und hebt im thukydidäischen Geist den Bedarf an Bildhaftigkeit und Romantik in seinen Schriften hervor, was das Ergebnis der Methode der Abstraktion ist. Er war jedoch umsichtig genug, uns darauf aufmerksam zu machen, dass seine Ablehnung aller anderen Kräfte im Wesentlichen beabsichtigt und das Ergebnis einer vorgefassten Theorie ist, und keinesfalls auf Nachlässigkeit jeglicher Art zurückzuführen sei.

Was nun den allgemeinen Wert der abstrakten Methode und der Berechtigung ihrer Anwendung im Bereich der Geschichte angeht, ist dies hier vielleicht nicht der geeignetste Ort für eine Diskussion. Es ist jedoch in jeder Hinsicht erwähnenswert, dass Polybius sich jener Tatsache bewusst ist, welche gewöhnlich als der stärkste Einwand gegen die Anwendung der abstrakten Methode erhoben wird – ich meine die Vorstellung von einer Gesellschaft als einer Art menschlichem Organismus, dessen Teile unlösbar miteinander verbunden sind und in dem alle Teile betroffen sind, wenn ein Teil in irgendeiner Weise gestört oder erregt wird. Diese Vorstellung der organischen Natur der Gesellschaft findet sich zuerst bei Platon und Aristoteles, der sie auf Städte angewendet hat. Polybius aber erhob es zu einem allgemeinen Merkmal der Geschichte. Es ist eine Idee von höchster Bedeutsamkeit, besonders für einen Mann wie Polybius, dessen Gedanken sich fortwährend der wesentlichen Einheit der Geschichte und der Unmöglichkeit der Isolierung zugewendet haben.

Was aber die besondere Art der Untersuchung dieser Gruppe von Phänomenen anbelangt, die er durch die abstrakte Methode erhalten hatte, so würde er, wie er uns mitteilte, weder die rein deduktive noch die rein

---

betrachtet Männer nur anhand ihres politischen Handelns: und in der Politik wird der Mann, der ehrenhaft und kultiviert ist, keine Bedenken haben, etwas für seine Partei zu tun.

induktive Form anwenden, sondern eine Vereinigung aus beidem. Er übernahm, mit anderen Worten, jene Analysemethode, deren Wichtigkeit ich schon früher gekennzeichnet hatte.

Und während schließlich, ohne Zweifel, das Ergebnis der Anwendung der abstrakten Methode die enorme Einfachheit in den infrage stehenden Elemente ist, muss sogar innerhalb der Grenze, die so gewonnen wird, eine bestimmte Auswahl getroffen werden, und eine Auswahl schließt stets eine Theorie mit ein. Denn die Fakten des Lebens können nicht so leicht tabellarisch erfasst werden wie die Farben von Vögeln und Insekten. Nun wies Polybius darauf hin, dass besonders jene Phänomene zu betrachten sind, die als παράδειγμα[50] oder Proben dienen können und den Charakter der Tendenzen des Zeitalters so deutlich zeigen, wie auch ‚ein einziger Tropfen aus einem vollen Fass ausreichen wird, um die Art des gesamten Inhalts zu offenbaren'. Diese Anerkennung der Bedeutung einzelner Fakten, nicht für sich selbst, sondern aufgrund der von ihnen vertretenen Geisteshaltung, ist ein äußerst wissenschaftliches Vorgehen; denn wir wissen, dass der Anatom aus dem einzelnen Knochen oder sogar aus dem Zahn das Skelett des urzeitlichen Pferdes vollständig rekonstruieren kann, und der Botaniker kann den Charakter der Flora und Fauna einer bestimmten Gegend durch ein einziges Exemplar bestimmen.

Indem er die Wahrheit als ‚das göttlichste Etwas der Natur' und das ‚Auge und Licht der Geschichte' betrachtete, scheute Polybius keine Mühe, was den Erwerb von historischen Materialien oder das Studium der Wissenschaften von Politik und Krieg anging, Dinge, die er für die Ausbildung des Wissenschaftshistorikers als notwendig erachtete. Die Arbeit, die er auf sich nahm, spiegelte sich im Übrigen auch in der Art wider, auf die er andere Autoritäten kritisierte.

Es gibt etwas bei der antiken Kritik, das, als Regel, verachtenswert ist. Die moderne Idee des Kritikers als Interpret, als Begründer der Schön-

50 Beispiele; Anm. d. Ü.

heit und der Exzellenz der Arbeit, die er auswählt, scheint noch völlig unbekannt. Nichts kann zum Beispiel verfänglicher oder unfairer sein als die Methode, mit der Aristoteles in seinen ethischen Werken den idealen Staat Platons kritisiert hatte, und die von Polybius aus Timaios zitierten Passagen zeigen, dass Letzterer den ihm verliehenen verunglimpfenden Namen gänzlich verdient hatte. Aber bei Polybius findet sich, glaube ich, wenig von jener Bitterkeit und Kleinheit des Geistes, die die meisten anderen Schriftsteller ausgezeichnet hatten. Und in jener bemerkenswerten Geschichte, in der er von seiner Beziehungen zu einem von ihm kritisierten Historiker berichtet, zeigt sich, dass er ein Mann von großer Höflichkeit und Finesse war – wie es sich für jemanden gehörte, der immer in der Gesellschaft derer gelebt hatte, die von hoher und edler Geburt waren.

Was den Charakter der Regeln betrifft, mit denen er die Werke anderer Autoren kritisierte, so verwendete er in den meisten Fällen einfach sein eigenes geografisches und militärisches Wissen und zeigte zum Beispiel die Unmöglichkeit der Berichte über Nabis Auszug aus Sparta, und zwar einfach durch seine Kenntnis der fraglichen Orte. Dasselbe gilt für die Widersprüchlichkeiten in den Berichten der Schlacht von Issos oder den Berichten, die Ephoros über die Kämpfe von Leuktra und Mantineia abgegeben hat. Über letzteren Fall sagte er, dass, wenn sich jemand die Mühe machen würde, den Boden des Schlachtfeldes zu vermessen und dann die gegebenen Manöver zu überprüfen, so würde er feststellen, wie ungenau die Berichte sind.

In anderen Fällen bezieht er sich auf öffentliche Dokumente, deren Bedeutung er immer anerkannt hatte; er belegte durch ein Dokument aus den öffentlichen Archiven von Rhodos, wie ungenau die Berichte der Schlacht um Lade von Zeno und Antisthenes waren. Oder er appellierte an die psychologische Wahrscheinlichkeit, indem er zum Beispiel die skandalösen Geschichten von Philipp von Makedonien ablehnte, einfach wegen der allgemeinen Größe des Königs. Stattdessen argumentierte er, dass ein so gut erzogener und respektabler Junge wie

Demochares sich niemals dessen schuldig gemacht haben könnte, was man ihm vorgeworfen hatte.

Aber das Hauptziel seiner Literaturkritik ist Timaios, der in seiner Strenge anderen gegenüber unerbittlich war. Der allgemeine Vorwurf, den er gegen ihn erhebt, ist, dass er sein Geschichtswissen nicht aus den gefährlichen Bereichen eines Lebens, sondern aus der sicheren Trägheit des scholastischen Lebens herleitete. Es gab tatsächlich keinen anderen Punkt, den er so vehement vertrat. ‚Geschichte', so sagte er, ‚die in einer Bibliothek geschrieben wird, erzeugt ein genauso lebloses und ungenaues Bild der Geschichte wie ein Gemälde, das nicht von einem lebenden, sondern von einem ausgestopften Tier gemacht wird.'

Es gibt einen größeren Unterschied, erklärt er an anderer Stelle, zwischen der Geschichte eines Augenzeugen und von jemandem, dessen Wissen aus Büchern kommt, als zwischen den Szenen des wirklichen Lebens und den fiktiven Landschaften einer Theaterkulisse. Darüber hinaus ging er ausführlich auf Passagen ein, von denen er annahm, dass Timaios einer falschen Methode und perversen Wahrheiten gefolgt ist, Passagen, bei denen es sich lohnt, sie genauer zu untersuchen.

Da es einen römischen Brauch gab, an einem bestimmten Tag ein Kriegspferd zu erschießen, folgerte Timaios, dass das Volk trojanischen Ursprungs sei. Polybius wies jedoch darauf hin, dass diese Schlussfolgerung ziemlich unverzeihlich ist, weil Pferdeopfer gewöhnliche Riten sind, die allen barbarischen Stämmen eigen sind. Timaios übertrug also, wie es bei griechischen Schriftstellern üblich war, einen Brauch der Gegenwart auf ein historisches Ereignis in der Vergangenheit. Polybius hingegen nutzte die vergleichende Methode, indem er zeigte, dass dieser Brauch ein gewöhnlicher Schritt in der Zivilisation jedes frühen Volkes ist.

An anderer Stelle zeigte er, wie unlogisch die Skepsis von Timaios in Bezug auf die Existenz des Stieres von Phalaris ist, indem er einfach auf die

Statue des Stieres verwies, die noch in Karthago zu sehen war. Aber einer der wichtigen Punkte, die er gegen diesen sizilianischen Historiker angewendet hatte, bezog sich auf die Frage nach dem Ursprung der lokrianischen Kolonie. In Übereinstimmung mit der erhaltenen Überlieferung hatte Aristoteles die lokrianische Kolonie so dargestellt, dass sie von einigen Parthenidä oder Sklavenkindern, wie sie genannt wurden, gegründet worden war, eine Beschreibung, die die Empörung des Timaios erregt hatte, da er sehr viel Aufwand betrieben hatte, diese Theorie zu widerlegen. Er tat dies aus folgenden Gründen:

Zunächst wies er darauf hin, dass die Griechen in den alten Tagen überhaupt keine Sklaven hatten, sodass ihre Erwähnung letztlich ein Anachronismus sei. Als Nächstes erklärte er, dass ihm in der griechischen Stadt Lokris bestimmte alte Inschriften gezeigt worden waren, in denen ihre Beziehung zu der italienischen Stadt in Begriffen der Position zwischen Eltern und Kind ausgedrückt wurde, was auch zeige, dass jeder Stadt das gegenseitige Bürgerrecht gewährt wurde. Darüber hinaus erwähnte er verschiedene als unsicher geltende Fragen hinsichtlich ihrer internationalen Beziehungen, in Bezug auf die Polybius diametral entgegengesetzte Gründe gewählt hatte. Und zugunsten seiner eigenen Meinung betont er zweierlei: Erstens, da die Spartaner Urlaub machen durften, um zu Hause ihre Frauen zu besuchen, war es unwahrscheinlich, dass die Lokrianer nicht dasselbe Privileg gehabt haben sollten. Und zweitens, dass die italienischen Lokrianer nichts von der aristotelischen Version gewusst haben, sondern im Gegenteil sehr strenge Gesetze gegen Ehebrecher, entlaufene Sklaven und dergleichen hatten. Die meisten dieser Fragen beruhen nun auf bloßer Wahrscheinlichkeit, die immer subjektiven Regeln folgt, die nicht immer schlüssig sind. Ich möchte jedoch mit Hinweis auf die Inschriften bemerken – die, wenn es sie gegeben hätte, die Angelegenheit sicher beendet hätten –, dass Polybius sie als eine bloße Erfindung von Timaios betrachtet hatte, der, wie er anmerkte, keine näheren Angaben über sie machte, und dies obwohl er in der Regel übereifrig war, für alles Mögliche Kapitel und Verse anzugeben. Ein etwas interessanterer Punkt ist der, wo er Timaios für die Einführung von fiktiver Rede in seinen

Erzählungen angriff. Denn in diesem Punkte schien Polybius den Meinungen der Literaten zu diesem Thema weit voraus zu sein, nicht nur zu seiner Zeit, sondern auch noch Jahrhunderte danach.

Herodot hatte Reden eingeführt, die zugegebenermaßen sowohl dramatisch als auch fiktiv waren. Thukydides sagte ganz klar, dass er, wo er nicht herausfinden konnte, was die Leute wirklich gesagt hatten, niederlegte, was sie gesagt haben könnten. Sallust wies zwar darauf hin, dass die Rede, die er dem Tribun Memmius in den Mund legte, im Wesentlichen echt ist; doch die Reden, die im Senat anlässlich der Catilinarischen Verschwörung gehalten wurden, unterscheiden sich doch sehr von den gleichen Reden, wie sie bei Cicero auftauchten. Livius ließ seine alten Römer mit der ganzen Subtilität eines Hortensius oder Scaevola über Logik streiten und kämpfen. Und selbst in späteren Tagen, als Stenografen den Debatten des Senats beiwohnten und eine Art *Daily News* in Rom erschien, erfahren wir durch eine kürzlich in Lugdunum entdeckte Inschrift, dass eine der berühmtesten Reden bei Tacitus (in der Kaiser Claudius den Galliern ihre Freiheit schenkt) völlig erfunden ist.

Andererseits darf nicht vergessen werden, dass diese Reden nicht absichtlich irreführen sollten. Sie wurden nur als ein gewisses dramatisches Element betrachtet, das man in die Geschichte einführen durfte, um der Erzählung mehr Leben und Wirklichkeit zu verleihen. Sie sollten kritisiert werden, und zwar nicht, indem man argumentierte, wie in einer Zeit vor der Kurzschrift ein solcher Bericht überhaupt möglich war oder wie, durch Mangel an schriftlichen Dokumenten, Tradition einen so genauen verbalen Bericht überliefern kann, sondern als ein höherer Test ihrer psychologischen Wahrscheinlichkeit in Bezug auf die Personen, denen sie in den Mund gelegt wurden. Ein alter Historiker würde als Antwort auf moderne Kritik wahrscheinlich sagen, dass diese fiktiven Reden in Wirklichkeit wahrer seien als die tatsächlichen, etwa so wie Aristoteles der Poesie ein höheres Maß an Wahrheit im Vergleich zur Geschichte zuschrieb. Die ganze Angelegenheit ist deshalb so interessant, weil sie zeigt, wie weit Polybius seiner Zeit voraus gewesen ist.

Es ist möglich, anhand der Schriften dieses letzten Wissenschaftshistorikers zu erkennen, was er als die Merkmale des idealen Geschichtsschreibers betrachtete; und es wirft kein geringes Licht auf den Fortschritt der historisch-kritischen Methode, wenn wir danach streben zu analysieren, was bei Polybius letztlich nur mehr oder weniger verstreute Aussagen sind. Der ideale Historiker muss, was die Ereignisse angeht, die er beschreibt, zeitgemäß sein, oder er darf von ihnen nur eine Generation entfernt leben. Wo es möglich ist, sollte er ein Augenzeuge dessen gewesen sein, was er beschreibt. Und wo dies nicht in seiner Macht steht, sollte er alle Traditionen und Geschichten sorgfältig überprüfen und nicht bereit sein zu akzeptieren, was an der Stelle des Wahren plausibel klingt. Er sollte kein Bücherwurm sein, der sich von den Erfahrungen der Welt in der künstlichen Isolation einer Universitätsstadt fernhält, sondern ein Politiker, ein Soldat und ein Reisender, ein Mann nicht nur des Denkens, sondern des Handelns, der Großes leisten kann ebenso wie es zu beschreiben, jemand, der auf dem Gebiet der Geschichte das sein kann, was Byron und Aischylos in der Sphäre der Dichtung waren, sowohl *le chantre et le héros*.[51]

Er sollte sich vor Augen halten, dass der Zufall nur ein Synonym für unsere Unwissenheit ist; dass die Herrschaft des Gesetzes den Bereich der Geschichte ebenso durchdringt wie den der politischen Wissenschaft. Er sollte sich daran gewöhnen, für alle Ereignisse rationale und natürliche Ursachen zu suchen. Und während er den praktischen Nutzen des Übernatürlichen erkennen sollte – gewissermaßen in erzieherischer Hinsicht –, sollte er sich nicht solchen intellektuellen Luftschlössern hingeben, sondern entweder zugeben, dass hier unantastbare Gesetze verletzt werden, oder er sollte in einer Sphäre argumentieren, in der ein solches Argument *a priori* vernichtet wird. Er sollte frei sein von jeder Voreingenommenheit gegenüber Freund und Land. Er sollte höflich und sanft in seiner Kritik sein. Er sollte die Geschichte nicht als bloße Gelegenheit für ausgezeichnetes und tragisches Schreiben betrachten, noch sollte er

51 Der Sänger und der Held; Anm. d. Ü.

die Wahrheit zugunsten eines Paradoxes oder eines Epigramms verfälschen.

Während so ein Historiker die Wichtigkeit bestimmter Tatsachen als Beispiele höherer Wahrheiten anerkennt, sollte er eine breite und allgemeine Sicht auf die Menschheit einnehmen. Er sollte sich mit der ganzen Rasse und mit der Welt befassen, nicht mit bestimmten Stämmen oder einzelnen Ländern. Er sollte berücksichtigen, dass die Welt tatsächlich ein Organismus ist, in dem kein Teil bewegt werden kann, ohne dass nicht auch die anderen Teile betroffen sind. Er sollte zwischen Ursache und Gelegenheit, zwischen dem Einfluss allgemeiner Gesetze und besonderen Einfällen unterscheiden und daran denken, dass die größten Lektionen der Welt in der Geschichte enthalten sind. Es ist dann die Pflicht des Historikers, diese zu offenbaren, nicht nur, um Nationen davor zu bewahren, jene unklugen Strategien erneut zu verfolgen, die zu Unehre und Verderben führen, sondern damit die Individuen durch die intellektuelle Kultivierung der Geschichte jene Wahrheiten begreifen, die sie sonst in der bitteren Schule der Erfahrung lernen müssen.

Was nun seine Theorie der Notwendigkeit betrifft, dass der Historiker ein Zeitgenosse der von ihm beschriebenen Ereignissen sein soll, so ist diese Bemerkung, insofern der Historiker ein bloßer Erzähler ist, zweifellos wahr. Doch um die Harmonie und rationale Stellung der Fakten einer großen Epoche würdigen zu können, um ihre Gesetze sowie die Ursachen, die sie hervorgebracht haben, und die Wirkungen, die sie erzeugt hat, erkennen zu können, muss die Szene aus einer bestimmten Höhe und Entfernung aus betrachtet werden. Durchaus zeitgenössische Historiker wie Lord Clarendon oder auch Thukydides sind in Wirklichkeit Teil der Geschichte, die sie beurteilen; und im Falle solcher zeitgenössischer Historiker wie Fabius und Philistos ist Polybius gezwungen anzuerkennen, dass sie durch patriotische und andere Überlegungen irregeleitet worden waren. Gegen Polybius selbst kann keine ähnliche Anklage erhoben werden. In der Tat war er fähig, wie von einem hohen Turm aus die umfassenden Tendenzen der antiken Welt, den Triumph der römischen Institutionen und des griechischen Denkens zu erkennen, welches die letzte Botschaft der alten Welt und, in einem geistigeren Sinne, das Evangelium der Neuen geworden ist.

Eine Sache sah er tatsächlich nicht; oder wenn er sie sah, maß er ihr nur wenig Bedeutung bei – nämlich, wie sich vom Osten aus, wie eine Welle, ein geistiger Einfall neuer Religionen in die Welt ausbreitete, und zwar ausgehend von einer Zeit, als die pessinuntinische Mutter der Götter, eine formlose Steinmasse, von ihrem heiligsten Bürger in die ewige Stadt gebracht wurde, bis zu dem Tage, als das Schiff *Castor und Pollux* bei Pozzuoli lag und der heilige Paulus sein Gesicht dem Martyrium und dem Sieg in Rom zuwandte. Polybius konnte aus seinem Wissen über die Ursachen der Revolutionen und den Tendenzen der verschiedenen Regierungsformen den Aufstand jener demokratischen Denkweise voraussagen, die, sobald der Samen zur Ermordung der Gracchi und des Exils von Marius gepflanzt wurde, wie alle demokratischen Bewegungen in der höchsten Autorität eines einzelnen Mannes kulminierte: nämlich der Herrschaft der Welt unter dem rechtmäßigen Herrscher der Welt, Caius Julius Cäsar. Dies sah er tatsächlich auf äußerst klare Weise. Doch die Zuwendung der Menschenherzen gen Osten, zum erste Schimmern dieser herrlichen Morgendämmerung, die die Hügel von Galiläa durchbrach und die Erde wie mit neuem Wein überflutete, blieb seinen Augen verborgen.

Es gibt viele Aspekte in der Beschreibung des idealen Historikers, die man mit dem Bild des idealen Philosophen vergleichen kann, das uns Platon gegeben hat. Sie sind beide ‚Beobachter aller Zeiten und allen Daseins'. Nichts ist in ihren Augen verachtenswert, denn alle Dinge haben eine Bedeutung. Beide wandeln sie in erhabener Vernunft über allen Menschen, sind sich der Wirkungsweise Gottes bewusst und sind dabei doch frei von den Schrecken des Bettelmönchs und des vagabundierenden Wundertäters. Doch die Parallelen enden hier. Denn der eine steht abseits von dem Weltensturm von Graupel und Hagel, seine Augen auf entfernte und sonnenbeschienene Höhen gerichtet, das Wissen um des

Wissens wegen und Weisheit um die Freude der Weisheit wegen, während der andere ein Handelnder in der Welt ist, der stets versucht, sein Wissen auf nützliche Dinge anzuwenden. Beide streben gleichermaßen zur Wahrheit, doch der eine aus Gründen der Nützlichkeit, der andere wegen ihrer Schönheit. Der Historiker betrachtet sie als das rationale Prinzip aller wahren Geschichte und nicht mehr. Für den anderen ist sie ein alles durchdringender und mystischer Enthusiasmus, ‚wie das Verlangen nach starkem Wein, das Verlangen des Ehrgeizes und die leidenschaftliche Liebe zum Schönen'.

Obwohl wir im Historiker die höheren und geistigeren Eigenschaften vermissen, die allein der Philosoph der Akademie besitzt, dürfen wir uns nicht der Verdienste jenes großen Rationalisten verschließen, der die jüngsten Worte der modernen Wissenschaft vorweggenommen zu haben scheint. Noch sollte er im schmalen Lichtschein betrachtet werden, in dem er von den meisten modernen Kritikern als der ausdrückliche Verfechter des Rationalismus geschätzt wird. Denn er ist mit einer anderen Idee verbunden, deren Verlauf wie der des großen Flusses seiner Heimat Arkadien ist: Aus einem trockenen und sonnengebleichten Felsen entspringend, wo er an Kraft und Schönheit gewinnt, bis er die Asphodeliengründe von Olympia und das Licht und Lachen der Ionischen Gewässer erreicht.

Denn in ihm können wir die ersten Töne dieses großen Kultes der siebenhügeligen Stadt erkennen, die Virgil sein Epos und Livius seine Geschichte schrieben ließ, die in Dante ihren höchsten Vertreter fand, als er von einem Reich träumte, in dem sich der Kaiser um die Körper und der Papst um die Seelen der Menschen kümmerte. Auf diese Weise hat er die Vorstellung von Gottes geistigem Reich und der universalen Bruderschaft des Menschen vereinigt und im großen Ozean des universellen Denkens hin ausgebreitet, wie sich auch der Peneios im Meer verliert.

Polybius war der letzte Wissenschaftshistoriker Griechenlands. Der Schriftsteller, der den Fortschritt des Denkens passend zu vervollständigen schien, war lediglich ein Autor von Biografien. Ich werde hier nicht Plutarchs Verwendung der induktiven Methode anführen, wie sie sich in seinem ständigen Gebrauch von Inschriften und Statuen, von öffentlichen Dokumenten und Gebäuden und dergleichen zeigte, weil es tatsächlich keine neue Methode beinhaltete. Es ist seine Haltung gegenüber Wundern, der ich mich zuwenden möchte.

Plutarch ist philosophisch genug, um zu erkennen, dass Wunder im Sinne einer Verletzung der Naturgesetze unmöglich sind. Es ist absurd, so schrieb er, dass die Statue eines Heiligen sprechen kann und dass ein lebloses Objekt, das nicht über Stimmorgane verfügt, in der Lage sein sollte, einen artikulierten Laut von sich zu geben. Auf der anderen Seite protestiert er gegen die Wissenschaft, da sie sich durch die ausschließliche Erklärung der natürlichen Ursachen von ihrer transzendentalen Bedeutung losgesagt hatte. ‚Wenn die Tränen auf der Wange einer heiligen Statue durch die Feuchtigkeit erklärt wurde, die bestimmte Temperaturen auf Holz und Marmor hervorbringen, so folgt daraus keineswegs, dass sie nicht doch ein Zeichen der Trauer Gottes waren.' Als Lampon in dem Wunder des einhörnigen Widders das Omen der Herrschaft des Perikles sah, und als Anaxagoras zeigte, dass diese abnormale Entwicklung das folgerichtige Ergebnis der eigenartigen Bildung des Schädels war, so hatten sowohl der Träumer als auch der Mann der Wissenschaft recht. Es war die Aufgabe des Letzteren, darüber nachzudenken, wie das Wunder überhaupt zustande kam, wie es die des Ersteren war, zu zeigen, warum er so geformt war und was dies wohl bedeutete. Der Fortschritt des Denkens wird in allen Einzelheiten veranschaulicht. Herodot hatte ein starkes Gefühl für die Unmöglichkeit der Verletzung der Naturgesetze. Thukydides ignorierte das Übernatürliche. Polybius rationalisierte es. Plutarch erhob es wieder zu mystischen Höhen, obwohl er sich auf das Gesetz stützte. Mit einem Wort, Plutarch fühlte, dass, während die Wissenschaft das Übernatürliche zum Natürlichen hinabführt, doch letztendlich alles, was natürlich ist, tatsächlich übernatürlichen Ursprungs ist. Für ihn, wie für viele in unserer Zeit, war die Religion jene transzendentale Geisteshaltung, die, während sie eine

Welt betrachtet, die auf unantastbaren Gesetzen beruht, dennoch danach strebt, Gott zu ehren, und zwar nicht in der Verletzung, sondern in der Erfüllung der Natur.

Es mag paradox erscheinen, in Verbindung mit dem Priester von Chaironeia einen so reinen Rationalisten wie Herbert Spencer zu erwähnen. Doch wenn wir als die letzte Nachricht der modernen Wissenschaft lesen, dass ‚wenn die Gleichung des Lebens auf ihren geringsten Nenner reduziert worden ist, die Symbole weiterhin Symbole sind', das heißt bloße Zeichen jener unbekannten Realität, die aller Materie und allem Geist zugrunde liegt, so können wir doch fühlen, wie über die weite Straße von Jahrhunderten der eine Gedanke den nächsten hervorbringt und dass Plutarch eine höhere Position innehatte, als ihm gewöhnlich im Fortschritt des griechischen Intellekts zugerechnet wird.

Und tatsächlich scheint von modernen Kritikern nicht nur die Bedeutung von Plutarch selbst, sondern auch die seines Geburtslandes in der Entwicklung der griechischen Zivilisation übergangen worden zu sein. Für uns wird der kahle Felsen, dem der Parthenon als Krone dient und der zwischen Kolonos und den violetten Hügeln Attikas liegt, immer der heiligste Ort Griechenlands sein. Delphi kommt als Nächstes und dann die Wiesen von Eurotas, wo dieses edle Volk lebte, welches auf hellenische Weise die Reaktion des Gesetzes der Pflicht gegen das Gesetz der Schönheit vertrat, und den Gegensatz von Verhalten zu Kultur. Während man jedoch auf den Höhen des Kithairon steht und auf die große Ebenen von Böotien blickt, kommt einem die enorme Bedeutung der Teilung von Hellas in den Sinn. Im Norden lagen Orchomenos und das Minjan-Schatzhaus, Sitz jener Handelsfürsten von Phönizien, die das Wissen der Buchstaben und der Kunst der Goldarbeitens nach Griechenland brachten. Theben liegt uns mit der Dunkelheit der schrecklichen Legenden von der griechischen Tragödie zu Füßen, die immer noch nachklingen, dem Geburtsort von Pindar und von der Krankenschwester von Epaminondas und dem Heiligen Bund.

Und aus der Ebene, wo ‚Mars zu tanzen liebte', erhob sich der Zufluchtsort der Musen, Helikon, durch dessen Silberströme Corinna und Hesiod sangen; während weit entfernt unter diesen schneebedeckten Bergen Chaironeia und die Ebene der Löwen liegt, wo die Griechen mit eitler Ritterlichkeit versuchten, zuerst Mazedonien und dann Rom zu kontrollieren; Chaironeia, wo Plutarch im Sommer der griechischen Zivilisation aus dem trostlosen Niedergang einer sterbenden Religion erwachte, als die Mäher glaubten, sie hätten das Feld bestellt.

Die griechische Philosophie begann und endete in Skeltizismus: Das erste und letzte Wort der griechischen Geschichte war der Glaube.

So großartig in ihrem Tod wie die Sonnenuntergänge im Winter ging die griechische Religion in den Schrecken der Nacht über. Denn die cimmerische Finsternis brach herein, und als die Athener Schulen schlossen und die Athena-Statue zerbrach, ging der griechische Geist von den Göttern und der Geschichte seines eigenen Landes zu den Feinheiten der Definition der Trinitätslehre, der Mystik und dem Versuch über, Platon in Einklang mit Christus zu bringen sowie Gethsemane und die Bergpredigt mit dem athenischen Gefängnis und der Diskussion in den Wäldern von Colonus zu versöhnen. Der griechische Geist schlief nahezu eintausend Jahre. Und als er wieder erwachte, hatte er wie Antaios neue Kraft aus der Erde gewonnen. Und wie Apollo hatte er durch seine lange Knechtschaft nichts von seiner Göttlichkeit verloren.

In der Geschichte des römischen Denkens finden wir nirgendwo jene Merkmale der griechischen Illumination, auf die ich hingewiesen habe und die die notwendigen Begleiterscheinungen des Aufstiegs der historisch-kritischen Methode sind. Der konservative Respekt vor der Tradition, durch den sich das römische Volk an den Ritualen und Formeln des Gesetzes erfreute und der in ihrer Politik ebenso wie in ihrer Religion offenbar wurde, war für jedes Aufkommen eines Geistes der Revolte gegen Autorität verhängnisvoll; etwas, dessen Bedeutung wir als Faktor des intellektuellen Fortschritt bereits erkannt haben.

Die Tafeln der Pontifizes bewahrten sorgfältig die Aufzeichnungen der Sonnenfinsternisse und anderer atmosphärischer Phänomene, und was wir die Kunst der Überprüfung von Daten nennen, war ihnen schon zu einem frühen Zeitpunkt bekannt. Aber es gab kein spontanes Auftauchen der Naturwissenschaft, um mit ihren Analogien von Gesetz und Ordnung eine neue Forschungsmethode anzuregen, noch irgendein natürliches Hervorspringen des forschenden Geistes der Philosophie mit ihrer Vereinheitlichung aller Phänomene und Kenntnisse. Zu der Zeit, als die ganze Flut des östlichen Aberglaubens in das Herz der Hauptstadt strömte, verbannte der Senat die griechischen Philosophen aus Rom. Und von den drei Systemen, die schließlich in der Stadt wurzelten, wurden nur die von Zeno und Epikur als Regeln für die Ordnung des Lebens benutzt, während der dogmatische Skeptizismus von Karneades seinen Grundsätzen entsprechend die Möglichkeit der Argumentation vernichtete und eine vollkommene Gleichgültigkeit gegenüber der Forschung mit sich brachte.

Auch waren die Römer niemals glücklich genug, sich wie die Griechen dem Albtraum irgendeines dogmatischen Systems von Legenden und Mythen stellen zu müssen, deren Unmoral und Absurditäten einen revolutionären Ausbruch skeptischer Kritik hätten hervorrufen können. Denn die römische Religion isolierte sich vom Fortschritt schon zu einer frühen Periode ihrer Entwicklung. Ihre Götter blieben bloße Abstraktionen alltäglicher Tugenden oder uninteressanter Personifikationen nützlicher Dinge des Lebens. Das alte primitive Glaubensbekenntnis wurde zwar als staatliche Institution wegen der enormen Möglichkeiten, die es der Politik geboten hatte, immer noch aufrechterhalten, aber als ein geistiges Glaubenssystem wurde es sowohl vom gemeinen Volk als auch von den gebildeten Klassen in einer sehr frühen Periode einstimmig abgelehnt, und zwar aus dem vernünftigen Grund, weil es so extrem langweilig war. Ersteres flüchtete sich in die mystischen Sinnlichkeiten der Verehrung der Isis, Letzteres jedoch in die stoischen Lebensregeln. Die Römer klassifizierten ihre Götter sorgfältig ihrer Rangfolge nach, analysierten ihre Genealogien in der mühevollen Geisteshaltung moderner Heraldik, umzäunten sie mit einem Ritual, das so kompliziert war wie ihr Gesetz, aber kümmerten sich nie genug um sie, um wirklich an sie zu glauben. So störte es sie nicht, als die Philosophen verkündeten, dass Minerva nur die Erinnerung sei. Sie war nie was anderes gewesen. Sie protestierten auch nicht, als Lukretius über Ceres und Liber zu behaupten wagte, sie seien nur das Kornfeld und die Frucht des Weinstocks. Denn sie hatten in den Asphodeliengründe Siziliens nie um die Tochter Demeters getrauert, noch mit Tier-Haut und Speer die Lichtungen von Kithairon durchquert.

Diese kurze Skizze des Zustandes des römischen Denkens kann dazu dienen, uns auf den fast völligen Mangel der wissenschaftlichen historisch-kritischen Methode vorzubereiten, wie wir es in ihrer Literatur erkennen können. Die römische Geschichtsschreibung hatte ihren Ursprung im Päpstlichen Kollegium kirchlicher Juristen und behielt bis zum Ende jene unkritische Geisteshaltung bei, die auch ihr Oberhaupt charakterisierte. Sie besaß von Anfang an eine äußerst umfangreiche Sammlung von Materialien der Geschichte, die jedoch nur Antiquare, aber keine Historiker hervorbrachten. Es ist so schwer, Fakten zu verwenden, und doch so einfach, sie zu sammeln.

Ermüdet von der dumpfen Eintönigkeit der päpstlichen Annalen, die sich nur noch um dem Anstieg und Niedergang der Vorräte und die Sonnenfinsternisse kümmerten, schrieb Cato mit eigener Hand für die Unterweisung seines Kindes eine Geschichte, die er *Origines* nannte. Vor seiner Zeit hatten einige aristokratische Familien in der gleichen Geisteshaltung Geschichte in der griechischen Sprache verfasst, in der die Deutschen des achtzehnten Jahrhunderts Französisch als literarische Sprache verwendet hatten. Der erste richtige römische Historiker war indes Sallust. Zwischen den extravaganten Lobreden, die ihm von den Franzosen (wie De Closset) überliefert wurden, und Dr. Mommsens Ansicht, er sei nur ein politischer Pamphletist, ist es recht schwierig, eine *via media* der unvoreingenommenen Wertschätzung zu erreichen. Er hat jedenfalls den Ruf, ein rein rationalistischer Historiker zu sein, vielleicht als Einziger in der römischen Literatur. Cicero hatte viele Qualifikationen als ein wissenschaftlicher Historiker und schätzte (wie er es gewöhnlich tat) seine Fähigkeiten selbst sehr hoch ein. In Bezug auf alte Legenden war er jedoch ziemlich unbefriedigend, da er zu vernünftig war, ihnen zu glauben, und zu patriotisch, um sie gänzlich abzulehnen. Und das war tatsächlich auch die Haltung von Livius, der für die frühen römischen Legenden von dem Rest der Welt eine gewisse unkritische Huldigung verlangt. Seine Ansicht in Bezug auf Geschichte war, dass es sich nicht lohnt, die Wahrheit dieser Geschichten zu untersuchen.

In seinen Händen entrollt sich vor unseren Augen die Geschichte Roms wie ein prächtiger Wandteppich, in dem ein Sieg auf den Nächsten folgt und Triumph auf Triumph, und die Linie der Helden niemals zu enden scheint. Erst, wenn wir hinter die Leinwand treten und die einfachen Mittel sehen, durch die diese Wirkung erzeugt wurde, begreifen wir, dass Livius wie die meisten anschaulichen Schriftsteller ein letztlich gleichgültiger Kritiker war. Was seine Einstellung zur Glaubwürdigkeit der frührömischen Geschichte anlangt, so war er sich ihrer mythischen und ungesunden Natur ebenso bewusst wie wir. Er entschied zum Beispiel nicht, ob die Horatier Albaner oder Römer waren; wer der erste Diktator war; wie viele Tribunen es gab es und dergleichen. Seine Methode bestand in der Regel darin, alle Berichte zu erwähnen und sich manchmal für den wahrscheinlichsten zu entscheiden. Keine Regeln der historisch-kritischen Methode werden jemals entdecken, ob die römischen Frauen die Mutter von Coriolanus von sich aus oder auf Vorschlag des Senats hin verhörten; ob Remus deshalb getötet wurde, weil er über die Mauer seines Bruders gesprungen war oder weil sie sich über Vögel gestritten hatten. Livius hielt sein Urteil über diese wichtigen Tatsachen und die Geschichte zurück, wenn er in Bezug auf ihren Wahrheitsgehalt befragt wurde. Wenn er zwischen zwei Historikern entscheiden musste, wählte er denjenigen, der den von ihm beschriebenen Tatsachen zeitlich näher liegt. Aber er war kein Kritiker, sondern nur ein gewissenhafter Schriftsteller. Es ist eine reine Verschwendung, über seine kritischen Kräfte nachzudenken, denn sie existieren nicht.

Im Falle des Tacitus hat die Fantasie den Platz der Geschichte eingenommen. Die Vergangenheit lebt wieder auf seinen Seiten auf, jedoch nicht durch eine mühsame kritische Methode, sondern eher durch die dramatische und psychologische Fähigkeit, die er besaß.

An die Philosophie der Geschichte glaubte er jedoch nicht. Er konnte sich nie entscheiden, was er in Bezug auf Gottes Herrschaft über die Welt glauben sollte. Es gab weder bei ihm noch bei sonst irgendwem in der römischen Literatur irgendeine Methode.

Nationen haben vielleicht keine Missionen, aber sie haben sicherlich Funktionen. Und die Funktion des alten Italiens bestand nicht nur darin, uns das zu geben, was feststehend ist bei unseren Institutionen und vernünftig an unserem Gesetz, sondern die spirituellen Bestrebungen des Ariers und des Semiten in einem elementaren Glaubensbekenntnis zu integrieren. Italien war kein Pionier im intellektuellen Fortschritt noch eine treibende Kraft in der Evolution des Denkens. Die Eule der Göttin der Weisheit durchquerte das ganze Land und fand nirgendwo eine Ruhestätte. Die Taube, die der Vogel Christi ist, flog direkt in die Stadt Rom, und die neue Herrschaft begann. Es war die Mode der frühen italienischen Maler, die Soldaten, die über das Grab Christi wachten, in mittelalterlicher Tracht darzustellen, und dies, was das Ergebnis des offenen Anachronismus aller wahren Kunst ist, kann uns als Allegorie dienen. Denn vergeblich bemühte sich das Mittelalter, den schon begrabenen Geist des Fortschritts zu bewahren. Als die Dämmerung des griechischen Geistes begann, war das Grab leer und die Grabkleider waren schon abgelegt. Die Menschheit war von den Toten auferstanden.

Das Studium des Griechischen, so wurde schon treffend gesagt, impliziert die Geburt der Kritik, von Vergleich und von Forschung. Am Anfang dieser Erziehung des modernen durch das antike Denken, den wir die Renaissance nennen, waren es die Worte von Aristoteles, die Kolumbus in die Neue Welt segeln ließen, während ein Fragment der pythagoreischen Astronomie Kopernikus dazu brachte, jenen Gedankengang zu beginnen, der die ganze Vorstellung von der Position unseres Planeten im Universum revolutionierte. Dann wurde erkannt, dass die einzige Bedeutung des Fortschritts eine Rückkehr zur griechischen Denkweise war. Die mönchischen Hymnen, die die Seiten griechischer Manuskripte verdeckt hatten, wurden gelöscht, die Pracht der neuen Methode entfaltete sich der Welt, und aus dem melancholischen Meer des Mittelalters erhob sich der freie Geist des Menschen in all jener Pracht glücklichen erwachsensein, wenn die körperlichen Kräfte durch eine neue Vitalität beschleunigt zu werden scheinen, ja, wenn das Auge klarer als gewöhnlich sieht und der Verstand versteht, was ihm vorher noch verborgen war. Um den Beginn des sechzehnten Jahrhunderts zu verkünden, entsprangen aus der kleinen venezianischen Druckpresse all die großen Autoren der Antike, die auf der Titelseite die Worte *Ἄλδος ὁ Μανούτιος*[52] trugen; Worte, die dazu dienen könnten, uns daran zu erinnern, mit welch wunderbarer Voraussicht Polybius das Schicksal der Welt erkannt hatte, als er die materielle Souveränität der römischen Institutionen voraussagte und in sich selbst das intellektuelle Reich Griechenlands erkannte.

Der Verlauf des Studiums des Geistes der Geschichtskritik war keine nutzlose Untersuchung von Formen des Denkens, die jetzt antiquiert sind und keine Rolle mehr spielen. Die einzige Geisteshaltung, die uns wirklich fern ist, ist die mittelalterliche; der griechische Geist ist im Wesentlichen modern. Die Einführung der vergleichenden Forschungsmethode, die die Geschichte zur Offenlegung ihrer Geheimnisse gezwungen hat, ist in gewissem Maße die unsere. Von uns stammen auch das wissenschaftliche Wissen der Philologie und die Theorie des Überlebens. Die Alten wussten auch nichts von der Lehre der Durchschnittswerte oder von dem Kreuzesversuch; also zwei Methoden, die sich für die moderne Kritik als so wichtig erwiesen haben. Die eine, die einen wichtigen Beweis für die statischen Elemente der Geschichte und die Einflüsse aller physischen Umgebungen auf das Leben des Menschen

52 Aldus Pius Manutius; venezianischer Verleger und Buchdrucker; Anm. d. Ü.

veranschaulichte; die andere, die wie im Fall des Moulin-Quignon-Schädels dazu diente, eine ganz neue Wissenschaft der prähistorischen Archäologie zu begründen und uns in eine Zeit zurückzuversetzen, in der der Mensch der Steinzeit gleichzeitig mit dem Mammut und dem Wollnashorn lebte. Doch abgesehen davon haben wir der Wissenschaft der historisch-kritischen Methode keine neuen Regeln oder eine neue Methode hinzugefügt. Über dem tausendjährigen Morast reichen sich der griechische und der moderne Geist die Hände.

In dem Fackelrennen, bei dem die griechischen Jungen vom cerameischen Feld des Todes zum Haus der Göttin der Weisheit rannten, erhielt nicht nur der, der zuerst das Ziel erreichte, sondern auch derjenige, der als Erster mit der brennenden Fackel rannte, einen Preis. In dem Lampadephoria der Zivilisation und des freien Denkens dürfen wir nicht diejenigen vergessen, die zuerst diese heilige Flamme entzündet haben, die zunehmend prachtvoll unsere Fußstapfen zu dem noch fernen und göttlichen Ereignis der Erlangung vollkommener Wahrheit erhellt.

Die englische Renaissance in der Kunst

(‚Die englische Renaissance in der Kunst' wurde als Vortrag zum ersten Mal am 9. Januar 1882 in der Chickering Hall in New York gehalten. Ein Auszug davon wurde am folgenden Tag in der New York Tribune und in anderen amerikanischen Zeitungen veröffentlicht. Seitdem wurde dieser Auszug von Zeit zu Zeit in nicht autorisierten Ausgaben mehr oder weniger genau nachgedruckt.

Es gibt nur vier Kopien des Vortrags, von denen die früheste vollständig in der Handschrift des Autors verfasst wurde. Die anderen wurden abgetippt und enthalten viele Korrekturen und Ergänzungen, die der Autor im Manuskript gemacht hat. Diese wurden alle zusammengetragen, und der hier wiedergegebene Text enthält, so gut wie möglich, den Vortrag in seiner ursprünglichen Form, wie er vom Autor während seiner Tour durch die Vereinigten Staaten vorgetragen wurde.)

Eines der vielen Dingen, die wir der höchsten ästhetischen Fähigkeit Goethes zu verdanken haben, ist, dass er uns gelehrt hat, das Schöne so konkret wie möglich zu definieren, und es, so meine ich, immer in seinen besonderen Erscheinungen zu erkennen. In diesem Vortrag, den ich die Ehre habe, Ihnen vortragen zu können, werde ich also weder versuchen, irgendeine abstrakte Definition von Schönheit abzugeben – irgendeine universelle Formel, wie sie von der Philosophie des achtzehnten Jahrhunderts angestrebt wurde –, noch versuchen mitzuteilen, was an sich unkommunizierbar ist, nämlich weshalb uns ein bestimmtes Bild oder ein Gedicht mit einer einzigartigen und besonderen Freude berührt. Stattdessen werde ich Ihnen die allgemeinen Ideen aufzeigen, die die große englische Renaissance der Kunst in diesem Jahrhundert charakterisiert, um so weit wie möglich ihre Quelle zu entdecken und ihre Zukunft einzuschätzen.

Ich nenne es unsere englische Renaissance, weil es wie die große italienische Renaissance des fünfzehnten Jahrhunderts in der Tat eine Art Neugeburt des Geistes des Menschen ist, und zwar in seinem Verlangen nach einer anmutigeren und schöneren Lebensweise, seiner Leidenschaft für die körperliche Schönheit, seiner ausschließlichen Konzentration auf die Form, seiner Suche nach neuen Themen für die Poesie, neuen Formen für die Kunst und neuen intellektuellen und fantasievollen Genüssen. Ich nenne es unsere romantische Bewegung, da es unser jüngster Ausdruck von Schönheit ist.

Es wurde als eine bloße Wiederbelebung der griechischen Denkweisen und des mittelalterlichen Gefühls beschrieben. Ich würde eher sagen, dass sie diesen Formen des menschlichen Geistes das an künstlerischem Wert hinzugefügt hat, was die Komplexität und Erfahrung des modernen Lebens zu bieten hat. Aus dem einen zieht sie ihre Klarheit der Vision und ihre anhaltende Ruhe, aus der anderen ihre Vielfalt des Ausdruckes und des Geheimnisses ihrer Vision. Denn, wie Goethe gesagt hat, ist das Studium der Alten nichts als eine Rückkehr in die wirkliche Welt (denn dies ist es, was sie getan haben); und was, sagte Mazzini, ist die Vorliebe für das Mittelalter anderes als Individualität?

Es war tatsächlich die Vereinigung des Hellenismus – und seiner Tiefe, seiner Vernünftigkeit, seiner ruhigen Besessenheit von der Schönheit – mit dem intensiven Individualismus und der leidenschaftlichen Stimmung des romantischen Geistes, aus der dann die Kunst des neunzehnten Jahrhunderts in England entsprungen war, etwa so, wie auch die Ehe zwischen Faust und Helena von Troja den schönen Euphorion hervorgebracht hatte.

Solche Ausdrücke wie *klassisch* und *romantisch* neigen oft dazu, die Schlagworte von Schulen zu werden. Wir müssen uns jedoch immer daran erinnern, dass die Kunst nur einen Satz zu sagen hat: Es gibt für sie nur ein hohes Gesetz, nämlich das Gesetz von Form oder Harmonie. Doch zwischen der klassischen und der romantischen Geisteshaltung liegt zumindest dieser Unterschied, dass sich die eine mit dem Typ und die andere mit der Ausnahme beschäftigt. In dem Werk, das im Geiste der Romantik entstanden ist, sind es nicht länger die bleibenden und wesentlichen Wahrheiten des Lebens, um die es sich dreht. Es ist die gegenwärtige Situation des Einen, der momentane Aspekt des Anderen, den die Kunst zu vermitteln sucht. In der Bildhauerei, die vom Typus her der einen Geisteshaltung entstammt, herrscht das Subjekt über die Situation; in der Malerei, welche vom Typus der anderen Haltung entstammt, überwiegt die Situation vor dem Subjekt.

Es gibt also zwei Geisteshaltungen: Die hellenische Geisteshaltung und die der Romantik können als die wesentlichen Elemente unserer bewussten intellektuellen Tradition und unseres beständigen Geschmacksstandards angesehen werden. Was ihren Ursprung betrifft, so gibt es in der Kunst wie in der Politik nur einen Ursprung für alle Revolutionen, nämlich das Verlangen des Menschen nach einer edleren Lebensform, nach einer freieren Ausdrucksmöglichkeit und Ausdrucksweise. Ich glaube jedoch, dass dabei, die sinnliche und intellektuelle Geisteshaltung einzuschätzen, die unserer englischen Renaissance innewohnt, jeder Versuch, sie von dem Fortschritt, der Bewegung und dem sozialen Leben des Zeitalters, welches sie hervorgebracht hat, zu isolieren, dazu führt, sie ihrer wahren Vitalität zu berauben und in ihrer wahren Bedeutung nur misszuverstehen. Und indem wir uns von den Bestrebungen und Leidenschaften dieser überfüllten modernen Welt lösen – jenen Leidenschaften und Bestrebungen, die mit Kunst und der Liebe zur Kunst zu tun haben –, müssen wir jene großen Ereignisse der Geschichte berücksichtigen, die einem solchen künstlerischen Gefühl am meisten entgegenstehen.

Aller wilden, politischen Leidenschaft oder jener harten Stimme eines wüsten Volkes in Revolte wesensfremd, wie unsere englische Renaissance in ihrem leidenschaftlichen Kult der reinen Schönheit, ihrer makellosen Hingabe zur Form, ihrer exklusiven und empfindlichen Natur erscheinen muss, ist es die Französischen Revolution, bei der wir nach dem wichtigsten Faktor ihres Auftauchens und der ersten Bedingung ihrer Geburt Ausschau halten müssen. Dieser großen Revolution, von der wir alle Kinder sind, obwohl einige oftmals lautstark gegen sie die Stimme erheben; dieser Revolution, von der aus, als selbst solche Geister wie Coleridge und Wordsworth in England ihren Mut verloren hatten, die edlen Liebesbotschaften von der jungen Republik über das Meer geweht wurden.

Es stimmt, dass uns unser modernes Gefühl der Kontinuität der Geschichte gezeigt hat, dass es weder in der Politik noch in der Natur Revolutionen gibt, sondern nur Entwicklungen, und dass das Vorspiel zu diesem wilden Sturm, der Frankreich 1789 überfiel und jeden König in Europa um seinen Thron erzittern ließ, zuerst in der Literatur erklang, Jahre bevor die Bastille fiel und der Palast eingenommen worden war. Der Weg zu diesen roten Szenen an der Seine und der Loire wurde durch den kritischen Geist Deutschlands und Englands geebnet, der die Menschen dazu brachte, alles auf die Probe von Vernunft und Nützlichkeit zu stellen, während die Unzufriedenheit der Menschen auf den Straßen von Paris das Echo war, das dem Leben von Emile und Werther folgte. Denn Rousseau, vom ruhigen Bergsee aus, hatte die Menschheit in das goldene Zeitalter zurückgerufen, das immer noch vor uns liegt, und predigte eine Rückkehr zur Natur auf eine Weise, deren leidenschaftliche Musik noch immer unsere scharfe Nordluft begleitet. Und Goethe und Scott hatten die Romantik aus dem Gefängnis zurückgebracht, in dem sie so viele Jahrhunderte lang gelebt hatte; und was ist Romantik, wenn nicht Menschlichkeit?

Doch im Schoß der Revolution selbst und im Sturm und Schrecken dieser wilden Zeit waren Tendenzen verborgen, die die künstlerische

Renaissance zur rechten Zeit ihrem Dienst unterwarf – eine wissenschaftliche Tendenz zunächst, die in unserer Zeit eine Brut von lauten Titanen hervorgebracht hatte, die jedoch auch in der Sphäre der Poesie nicht unproduktiv war. Ich meine damit nicht nur, dem Enthusiasmus jene intellektuelle Basis hinzuzufügen, die seine Stärke ist, oder jenen offensichtlichen Einfluss, an den Wordsworth dachte, als er sagte, dass Poesie lediglich der leidenschaftliche Ausdruck im Angesicht der Wissenschaft sei und dass, wenn die Wissenschaft Fleisch und Blut annimmt, der Dichter seinen göttlichen Geist zur Verfügung stellt, um die Wandlung zu unterstützen. Auch verweile ich nicht länger bei dem großen kosmischen Gefühl und dem tiefen Pantheismus der Wissenschaft, denen Shelley sein erstes und Swinburne das letzte prachtvolle Lied gewidmet hatte, sondern will mich vielmehr ihrem Einfluss auf den künstlerischen Geist zuwenden, wie er die Beobachtung und das Gefühl der Begrenzung bewahrt, sowie der Klarheit der Vision, die ja die Eigenschaften des wirklichen Künstlers sind.

Die große und goldene Regel der Kunst wie des Lebens, schrieb William Blake, liegt darin, dass, je schärfer und klarer die Grenzlinie ist, umso perfekter das Kunstwerk ist. Und je weniger ausgeprägt und scharf diese ist, desto offensichtlicher werden die Beweise für schwache Imitation, Plagiat und Pfusch. ‚Die großen Erfinder aller Zeiten wussten dies – Michelangelo und Albert Dürer sind nur dadurch bekannt.' Und ein anderes Mal schrieb er mit der einfachen Direktheit, zu der nur die Prosa des neunzehnten Jahrhunderts fähig war, dass ‚etwas zu verallgemeinern bedeutet, ein Idiot zu sein'.

Und diese Liebe zum definitiven Entwurf, diese Klarheit der Vision und dieses künstlerische Gefühl für die Grenze sind die Kennzeichen aller großen Werke und der Poesie: von der Vision Homers wie der Vision Dantes, von Keats und William Morris wie von Chaucer und Theokritus. Sie liegt allen edlen, realistischen und romantischen Werken zugrunde, im Gegensatz zu den farblosen und leeren Abstraktionen der Dichter des achtzehnten Jahrhunderts und der klassischen Dramatiker Frankreichs oder der vagen Spiritualität der sentimentalen Schule Deutschlands. Sie steht auch im Gegensatz zu jenem Geist des Transzendentalismus, der auch die Wurzel und die Blume der großen Revolution war und der den leidenschaftlichen Betrachtungen Wordsworths zugrunde lag sowie dem adler-ähnlichen Flug von Shelley Flügel und Feuer verlieh; der in der Sphäre der Philosophie, obwohl durch die Materialismus und Positivismus unserer Tage verdrängt, zwei große Schulen des Denkens hinterließ, nämlich die Schule von Newman in Oxford und die Schule von Emerson in Amerika. Und doch ist dieser Geist des Transzendentalismus dem Geist der Kunst fremd. Denn der Künstler kann keine Sphäre des Lebens als Ersatz für das Leben selbst akzeptieren. Für ihn gibt es kein Entkommen vor der Knechtschaft der Erde: Es gibt nicht einmal den Wunsch, ihr zu entkommen.

Der Künstler ist in der Tat der einzig wahre Realist: Der Symbolismus, der das Wesen der transzendentalen Geisteshaltung ist, ist ihm fremd. Das metaphysische Bewusstsein Asiens erschafft das monströse, vielbrüstige Götzenbild von Ephesus. Aber für den griechischen, reinen Künstler ist dieses Werk mit jenem geistigen Leben ausgestattet, das vollkommenen mit den Tatsachen des physischen Lebens übereinstimmt.

‚Der Sturm der Revolution', wie Andre Chenier sagte, ‚lässt die Fackel der Poesie ausgehen.' Nicht nur für kurze Zeit ist der wahre Einfluss einer solchen Katastrophe spürbar: Zunächst scheint der Wunsch nach Gleichheit Persönlichkeiten von gigantischerer Statur hervorgebracht zu haben, als sie die Welt sie jemals zuvor gesehen hat. Die Menschen hörten die Leier von Byron und die Legionen von Napoleon; es war eine Periode von maßlosen Leidenschaften und von ebenso maßloser Verzweiflung; Ehrgeiz und Unzufriedenheit waren die Akkorde des Lebens und der Kunst; das Zeitalter war ein Zeitalter der Revolte: eine Phase, durch die der menschliche Geist gehen muss, aber eine, in der er nicht ruhen kann. Denn das Ziel der Kultur ist nicht Rebellion, sondern Friede, das gefährliche Tal, in dem unwissende Armeen in der Nacht aufeinanderprallen und das kein Wohnort für jene ist, denen die Götter das frische Hochland, die sonnigen Höhen und die klare, ungetrübte Luft zugewiesen haben.

Und bald fand dieser Wunsch nach Perfektion, der der Revolution zugrunde lag, in einem jungen englischen Dichter seine vollkommenste und makelloseste Verwirklichung.

Phidias und die Errungenschaften der griechischen Kunst lassen sich schon bei Homer erahnen. Dante nahm die Leidenschaft und Farbe und Intensität der italienischen Malerei vorweg. Die moderne Liebe zur Landschaft stammt von Rousseau. Und in Keats kann man den Beginn der künstlerischen Renaissance von England erkennen.

Byron war ein Rebell und Shelley ein Träumer. Aber in der Ruhe und Klarheit seiner Vision, seiner vollkommenen Selbstbeherrschung, seinem unfehlbaren Sinn für Schönheit und seiner Anerkennung eines besonderen Bereichs für die Einbildungskraft war Keats der reine und in sich ruhende Künstler, der Vorläufer der Präraffaeliten und damit der großen romantischen Bewegung, von der ich hier sprechen werde.

Blake hatte in der Tat für die Kunst eine erhabene, spirituelle Mission beansprucht und angestrebt, Gestaltungskunst auf das ideale Niveau von Poesie und Musik zu heben, aber die Entlegenheit seiner Vision sowohl in der Malerei als auch in der Poesie sowie die Unvollständigkeit seiner technischen Möglichkeiten waren einem wirklichen Einfluss abträglich gewesen. In Keats aber fand sich der künstlerische Geist dieses Jahrhunderts in seiner absoluten Inkarnation.

Wer waren diese *Präraffaeliten*? Wenn Sie neun Zehntel der britischen Öffentlichkeit fragen würden, was das Wort *Ästhetik* für sie bedeutet, so würden diese ihnen sagen, dass es das französische Wort für Affektiertheit oder das deutsche Wort für eine untere Wandbekleidung ist. Und wenn man nach den Präraffaeliten fragt, wird man wahrscheinlich von exzentrischen jungen Männern hören, denen eine gewisse göttliche Verschlagenheit und heilig gehaltene zeichnerische Ungeschicklichkeit das Wichtigste in der Kunst waren. Nichts von den großen Männern des eigenen Landes zu wissen, ist eines der notwendigen Elemente der englischen Erziehung.

Was die Präraffaeliten betrifft, so ist ihre Geschichte ziemlich leicht erzählt. Im Jahre 1847 begannen sich in London einige junge Männer, allesamt Dichter und Maler und leidenschaftliche Bewunderer von Keats, für Diskussionen über die Kunst zu treffen. Das Ergebnis solcher Diskussionen war, dass das englische Philisterpublikum plötzlich aus der seiner gewöhnlichen Apathie gerissen wurde, als es hörte, dass sich unter ihnen eine Gruppe junger Männer entwickelt hatte, die entschlossen waren, die englische Malerei und Poesie zu revolutionieren. Sie nannten sich selbst die präraffaelitische Bruderschaft.

In England reichte es damals wie heute für einen Mann aus, zu versuchen, irgendeine ernsthaft schöne Arbeit zu produzieren, um alle seine Rechte als Bürger zu verlieren. Zudem hatte die präraffaelitische Bruderschaft – unter der ihnen Dante Rossetti, Holman Hunt und Millais – drei Dinge, die einem das englische Publikum niemals vergeben kann: Jugend, Kraft und Enthusiasmus.

Satire, stets so unfruchtbar wie beschämend und so ohnmächtig wie unverschämt, zahlte ihnen jene übliche Huldigung, die das Mittelmaß eben für das Genie übrig hat, und erzeugt hier, wie immer, unendlichen Schaden für die Öffentlichkeit, indem sie sie für das Schöne unempfindlich macht und den Bürgern jene Respektlosigkeit lehrt, die die Quelle aller Niederträchtigkeit und Kleinheit des Lebens ist. Bemerkenswerterweise schadet dies dem Künstler dabei gar nicht, sondern bestätigt ihn in der vollkommenen Richtigkeit seiner Arbeit und seines Ehrgeizes. Drei Vierteln der britischen Öffentlichkeit in allen Punkten widersprechen zu können, ist eines der wichtigen Kennzeichen geistiger Gesundheit und eine der besten Tröstungen in Momenten geistigen Zweifels.

Was die Ideen angeht, mit denen diese jungen Männer die englische Kunst erneuert haben, so können wir an der Basis ihrer Schöpfungen den Wunsch erkennen, der Kunst einen tieferen spirituellen wie auch dekorativeren Wert zu verleihen.

Präraffaeliten nannten sie sich selbst; nicht dass sie die italienischen Meister überhaupt nachgeahmt hätten. Stattdessen kennzeichnete sich ihr Werk, im Gegensatz zu den leichten Abstraktionen Raffaels, durch einen stärkerer Realismus der Vorstellungskraft, einen sorgfältigeren Realismus bezüglich der Technik, eine zugleich leidenschaftlichere und lebhaftere Vision und eine Individualität, die zugleich intimer und intensiver ist.

Denn es genügt nicht, dass ein Kunstwerk den ästhetischen Ansprüchen seiner Zeit gerecht wird. Es muss auch, wenn es uns mit einer andauernden Freude berühren soll, darum gehen, den Eindruck einer ausgeprägten Eigenständigkeit zu hinterlassen, einer Individualität, mit der der gewöhnliche Mensch nicht vertraut ist und die wir nur ihrer Neuheit und unseres Erstaunen wegen erkennen.

La personnalité, sagte einer der größten der modernen französischen Kritiker, *voilà ce qui nous sauvera.*[53]

Vor allem aber war es eine Rückkehr zur Natur – diese Formel, die zu so vielen und so unterschiedlichen Bewegungen zu passen scheint. Sie zeichneten und malten nichts als das, was sie sahen, und sie versuchten sich die Dinge so vorzustellen, wie sie wirklich geschehen sind. Später gesellten sich zu jenem alten Haus an der Blackfriars Bridge, wo sich diese junge Bruderschaft traf und arbeitete, zwei junge Männer aus Oxford hinzu, nämlich Edward Burne-Jones und William Morris. Letzterer ersetzte den einfacheren Realismus der frühen Tage durch eine makellosere Hingabe an die Schönheit und eine intensivere Suche nach

53 Der Charakter ist das, was uns retten wird; Anm. d. Ü.

Perfektion. Er war ein Meister exquisiter Gestaltung und spiritueller Vision, und war eher ein Verwandter der florentinischen und nicht der venezianischen Schule. Er spürte, dass die genaue Nachahmung der Natur ein störendes Element in der einfallsreichen Kunst ist. Der sichtbare Aspekt des modernen Lebens störte ihn nicht; ihm ging es eher darum, das Schöne in den griechischen, italienischen und keltischen Legenden zu verewigen. Morris verdanken wir auch eine Poesie, deren vollkommene Präzision sowie Klarheit der Worte und der Vision in der Literatur unseres Landes nicht übertroffen wurde. Durch die Wiederbelebung der dekorativen Künste hat er unserer individualisierten romantischen Bewegung auch eine soziale Idee und einen sozialen Faktor geschenkt.

Aber die von dieser Clique junger Männer vollbrachte Revolution, gemeinsam mit Ruskins tadelloser und glühender Eloquenz, ihnen zu helfen, war nicht nur eine der bloßen Ideen, sondern eine Revolution der Ausführung; nicht der Konzeptionen, sondern der Schöpfungen.

Denn für alle großen Epochen in der Geschichte der Entwicklung der Künste gab es auch Epochen, die sich nicht durch ein gesteigertes Gefühl oder eine Begeisterung für das Gefühl der Kunst kennzeichneten, sondern durch rein technische Verbesserungen. Die Entdeckung der Marmorsteinbrüche in den purpurnen Schluchten des Pendeli und auf den kleinen, tief liegenden Hügeln der Insel Paros gab den Griechen die Gelegenheit zu jener verstärkten Tatkraft und jenem sinnlicheren und einfacheren Humanismus, den die ägyptischen Bildhauer, die mühsam mit dem harten porphyrischen und rosaroten Granit der Wüste arbeiten mussten, nicht erlangen konnten. Die Pracht der venezianischen Schule begann mit der Einführung des neuen Ölmediums für die Malerei. Der Fortschritt in der modernen Musik ist gänzlich auf die Erfindung neuer Instrumente zurückzuführen und in keinerlei Hinsicht auf ein gesteigertes Bewusstsein des Musikers. Der Kritiker mag versuchen, die verzögerten musikalischen Auflösungen Beethovens[54] auf ein Gefühl der Unvoll-

54 Als ein Beispiel für die Ungenauigkeit der veröffentlichten Ausgaben dieses Vortrags

ständigkeit des modernen intellektuellen Geistes zurückzuführen, doch der Künstler hätte geantwortet, wie es einer von ihnen auch getan hat hat: ‚Lasst sie die Quinten heraussuchen, und lasst uns in Ruhe.'

Und so verhält es sich auch in der Poesie. Die Liebe zur kuriosen französischen Verslehre wie der Ballade, der Villanelle, der Rondel und der Wert, der von Dante Rossetti und Swinburne auf komplizierte Alliterationen und auf neugierige Wörter und Refrains gelegt wurde, sind lediglich der Versuch, jene Flöte und Gambe und Trompete zu vervollkommnen, durch die der Geist des Zeitalters und die Lippen des Dichtes die Musik in ihren vielen Botschaften blasen kann.

Und so ist es auch bei unserer romantischen Bewegung gewesen: Es war eine Reaktion gegen die leere konventionelle Kunstfertigkeit, die laxe Ausführung früherer Poesie und Malerei, und zeigte sich in den Arbeiten von Männern wie Rossetti und Burne-Jones in einer viel größeren Farbenpracht und einem viel komplizierteren Gestaltungswunder, als englische Kunst es jemals hervorgebracht hatte. In den Gedichten Rossettis, Morris', Swinburnes und Tennysons stehen eine vollkommene Präzision und Sprachwahl, ein makelloser und furchtloser Stil, eine Suche nach süßen und kostbaren Melodien und ein nachhaltiges Bewusstsein des musikalischen Wertes jedes Wortes jenem Wert gegenüber, der rein intellektuell ist. In dieser Hinsicht stimmten sie mit der romantischen Bewegung Frankreichs überein, über die in nicht uncharakteristischer Weise Théophile Gautiers sprach, als er dem jungen Dichters den Rat gab, dass dieser doch jeden Tag sein Wörterbuch lesen sollte, denn es sei das einzige Buch, das die Lektüre eines Dichters wert sei.

Während dann das Material der Kunstfertigkeit auf diese Weise ausgearbeitet und auch erkannt wurde, dass es selbst über nicht kommunizierba-

---

muss erwähnt werden, dass alle unautorisierten Versionen diese Passage wiedergeben als: Der Künstler mag die niedergeschlagene Revolution von Bunthorne einfach auf den Mangel an technischen Mitteln zurückführen!

re und ewige Qualitäten verfügt, die den poetischen Sinn vollkommen befriedigen und für ihre ästhetischen Wirkung keine erhabene intellektuelle Vision, keine tiefe Kritik am Leben oder überhaupt irgendeine leidenschaftliche menschliche Emotion benötigen, so ist doch die Arbeitsmethode des Dichters – was die Leute seine Inspiration nennen – dem kontrollierenden Einfluss der künstlerischen Geisteshaltung nicht entgangen. Nicht, dass die Fantasie ihre Flügel verloren hätte, doch wir haben uns daran gewöhnt, ihre unzähligen Pulsationen zu zählen, ihre grenzenlose Stärke einzuschätzen und ihre unregierbare Freiheit zu regieren.

Für die Griechen hatte dieses Problem der Bedingungen der poetischen Produktion sowie der Spontaneität oder des Selbstbewusstseins jeder künstlerischen Arbeit eine besondere Faszination ausgeübt. Wir finden es in der Mystik Platons und im Rationalismus des Aristoteles. Wir finden das Problem später auch in der italienischen Renaissance, wo es Männer wie Leonardo da Vinci beschäftigt hatte. Schiller versuchte das Gleichgewicht zwischen Form und Gefühl neu zu balancieren, und Goethe die Bedeutung des Selbstbewusstseins in der Kunst neu einzuschätzen. Wordsworths Definition von Poesie als ‚in Ruhe erinnertes Gefühl' kann als eine Analyse einer der Phasen betrachtet werden, durch die alle imaginative Arbeit gehen muss. Und in Keats' Sehnsucht, ‚ohne dieses Fieber zu komponieren' (ich zitiere aus einem seiner Briefe), wie auch seinem Wunsch, die poetische Glut durch eine ‚nachdenkliche und stille Kraft' zu ersetzen, können wir den wichtigsten Moment in der Entwicklung des künstlerischen Lebens entdecken. Diese Frage trat auch so früh und so seltsam in der amerikanischen Literatur in Erscheinung; und ich brauche euch nicht daran zu erinnern, wie sehr die jungen Dichter der romantischen französischen Bewegung durch Edgar Allan Poes Analyse seiner eigenen Fantasie bei der Kreation jenes höchst fantasiereichen Werkes, welches wir unter dem Namen *Der Rabe* kennen, angeregt und bewegt wurden.

Im letzten Jahrhundert, als das intellektuelle und didaktische Element in so großem Ausmaße in das Reich der Poesie eingedrungen war, begannen Künstler wie Goethe gegen diese Auffassung zu protestieren. ‚Umso unverständlicher ein Gedicht zunächst der Vernunft ist, desto besser', sagte er einmal und behauptete die absolute Vormachtstellung der Imagination in der Poesie. Doch in diesem Jahrhundert sind es eher die Ansprüche der emotionalen Fähigkeiten und die Behauptungen des bloßen Gefühls, gegen die der Künstler reagieren muss. Die einfache Äußerung von Freude ist genauso wenig Poesie wie ein reiner Schmerzensschrei, und die wirklichen Erfahrungen des Künstlers sind immer jene, die nicht ihren direkten Ausdruck finden, sondern in einer künstlerischen Form gesammelt und absorbiert werden, und die von solchen direkten Erfahrungen am entferntesten zu liegen scheinen.

‚Das Herz enthält Leidenschaft, aber die Phantasie allein enthält Poesie', sagte Charles Baudelaire einmal. Das war auch die Lehre, die Théophile Gautier, der subtilste aller modernen Kritiker wie auch der faszinierendste aller modernen Dichter, nicht müde wurde zu lehren – ‚Jeder ist von einem Sonnenaufgang oder Sonnenuntergang betroffen'. Das besondere Kennzeichen des Künstlers ist nicht so sehr seine Fähigkeit, die Natur zu fühlen, sondern seine Fähigkeit, sie darzustellen. Die vollständige Unterwerfung aller intellektuellen und emotionalen Fähigkeiten unter das lebendige und informierende poetische Prinzip ist das sicherste Kennzeichen der Stärke unserer Renaissance.

Wir haben gesehen, wie der künstlerische Geist zunächst in der entzückenden und technischen Sphäre der Sprache zum Ausdruck kam – der Sphäre des Ausdrucks im Gegensatz zum Thema – und dann die Vorstellungskraft des Dichters im Umgang mit seinem Thema kontrollierte. Und nun möchte ich seine Arbeitsweise in Bezug auf die Wahl des Themas aufzeigen. Die Anerkennung eines getrennten Bereichs für den Künstler, ein Bewusstsein des absoluten Unterschieds zwischen der Welt der Kunst und der Welt wirklicher Tatsachen, zwischen klassischer Anmut und der absoluten Realität, bildet nicht nur das wesentliche Element jedes ästhetischen Reizes, sondern ist das Merkmal aller großen fantasievollen Werke und aller großen Epochen künstlerischen Schaffens – sei es im Zeitalters Phidias wie auch dem Michelangelos, Sophokles' und Goethes.

Die Kunst schadet niemals sich selbst, wenn sie sich über die sozialen Probleme des Alltags erhebt. Vielmehr verdeutlicht sie uns, was wir uns wünschen und begehren. Denn für die meisten von uns ist das wirkliche Leben nicht das Leben, das wir führen. Dem Wesen seiner eigenen Vollkommenheit treu zu bleiben und eifersüchtig auf die eigene unerreichbare Schönheit zu sein, heißt, dass es weniger wahrscheinlich ist, die Form im Gefühl zu vergessen oder die Leidenschaft der Schöpfung als Ersatz für die Schönheit des Geschaffenen zu akzeptieren.

Der Künstler ist in der Tat das Kind seines Zeitalters, aber die Gegenwart wird ihm nicht realer erscheinen als die Vergangenheit. Denn wie der Philosoph platonischer Vision ist auch der Dichter ein Beobachter aller Zeiten und allen Daseins. Für ihn ist keine Form obsolet und kein Thema veraltet. Im Gegenteil, was auch immer die Welt an Leben und an Leidenschaft gekannt hat, sei es in der Wüste von Judäa oder im arkadischen Tal, an den Flüssen von Troja oder den Flüssen von Damaskus, in den überfüllten und abscheulichen Straßen einer modernen Stadt oder auf den angenehmen Wegen Camelots: Alles liegt vor ihm wie eine ausgebreitete Schriftrolle, alles ist mit wundersamen Leben angefüllt. Er wird sich davon nehmen, was für seinen eigenen Geist heilsam ist, und nicht mehr. Er wird einige Fakten auswählen und andere mit der ruhigen künstlerischen Kontrolle eines Menschen, der im Besitz des Geheimnisses der Schönheit ist, zurückweisen.

Es gibt durchaus eine poetische Haltung, die man allen Dingen gegenüber einnehmen kann, aber nicht alle Dinge sind geeignete Themen für die Poesie. In das sichere und heilige Haus der Schönheit wird der wahre Künstler nichts bringen, was rau oder störend ist, nichts, was Schmerz erzeugt, nichts, worüber zu streiten ist, nichts, worüber Männer diskutieren. Er kann sich, wenn er will, in die Diskussion aller sozialen Probleme seiner Zeit, der Armengesetze und der Steuer, des Freihandels und der zweimetallischen Währung und dergleichen stürzen; doch wenn er über diese Themen schreibt, wird er es, wie Milton edel ausgedrückt hat, mit seiner linken Hand tun, in Prosa und nicht in Versen, in einer Broschüre und nicht in lyrischer Form. Byron verfügte nicht über diese exquisite Geisteshaltung in der künstlerischen Wahl, und auch Wordsworth nicht. In der Arbeit dieser beiden Männer gibt es vieles, was wir ablehnen müssen, vieles, was uns nicht jenes Gefühl von Rast und vollkommener Ruhe gibt, welches die Wirkung aller feinen, fantasievollen Arbeit sein sollte. Aber Keats verkörperte es, und in seiner schönen *Ode auf eine griechische Urne* fand es seinen sichersten und fehlerlosesten Ausdruck.

Es nützt nichts, dass die Muse der Poesie in solch klarer Form wie von Whitman dazu aufgerufen wird, von Griechenland und Ionien auszuwandern und auf den Felsen des verschneiten Parnass ‚ENTFERNT' und ‚LASSEN' zu plakatieren.[55] Calliopes Ruf ist noch nicht verstummt, noch endeten die Epen Asiens; die Sphinx ist noch nicht still, noch ist der Brunnen von Castaly trocken. Denn Kunst ist das Leben selbst und weiß nichts vom Tode. Sie ist die absolute Wahrheit und kümmert sich nicht um Fakten. Sie sieht (wie Mr. Swinburne, so erinnere ich mich, beim Abendessen bemerkte), dass Achilles sogar jetzt noch wirklicher ist als Wellington, nicht nur edler und interessanter, sondern positiver und realer.

Literatur muss immer auf einem Prinzip basieren, und zeitweilige Überlegungen sind keine Prinzipien. Denn für den Dichter sind alle Zeiten und Orte eines. Das, mit dem er sich beschäftigt, ist ewig und ewig das Gleiche. Kein Thema ist untauglich, keine Vergangenheit oder Gegenwart sei vorzuziehen. Die Dampfpfeife wird ihn nicht beleidigen noch die Flöten von Arkadien ermüden. Für ihn gibt es nur eine Zeit, nämlich den künstlerischen Moment; nur ein Gesetz, das Gesetz der Form; nur ein Land, das Land der Schönheit

55 Hinweis auf einen Vers in Walt Whitmans *Grashalme*; Anm. d. Ü.

– ein Land, das von der wirklichen Welt zwar getrennt und doch sinnlicher ist, weil es länger währt. Für ihn gibt es nur Ruhe, und zwar jene Ruhe, die den Gesichtern der griechischen Statuen innewohnt, die Ruhe, die nicht aus Zurückweisung, sondern der Aufnahme der Leidenschaft entsteht, die Ruhe, die Verzweiflung und Kummer nicht stören, sondern nur verstärken kann. Und so kommt es, dass derjenige, der am entferntesten von seiner Zeit zu stehen scheint, derjenige ist, der sie am besten widerspiegeln kann, weil er das Leben vom Zufälligen und Vergänglichen befreit wie auch von jenem ‚Trübsinn der Vertrautheit, der uns das Leben so verdunkelt'.

Diese seltsamen, wildäugigen Sibyllen, die ewig im Wirbelwind der Ekstase festgehalten sind, und diese mächtigen und titanischen Propheten, die mit dem Geheimnis der Erde und der Last der Geheimnisse arbeiten, die die Kapelle von Papst Sixtus in Rom bewachen und verherrlichen: Offenbaren sie uns nicht mehr vom wahren Geist der italienischen Renaissance, vom Traum von Savonarola und von der Sünde Borgias, als uns all die prügelnden Bauern und kochenden Frauen der holländischen Kunst von dem wahren Geist der Geschichte Hollands lehren können?

Und so fanden auch in unseren Tagen die zwei wichtigsten Tendenzen des neunzehnten Jahrhunderts – die demokratisch, pantheistische Tendenz sowie die Tendenz, das Leben um der Kunst willen zu würdigen – ihren vollkommensten und vollständigsten Ausdruck in den Dichtungen von Shelley und Keats, die den blinden Augen ihrer eigenen Zeit wie Wanderer in der Wildnis und Prediger unwirklicher Dingen erschienen waren. Und ich erinnere mich daran, wie ich mit Mr. Burne-Jones über die moderne Wissenschaft gesprochen habe, und er mir sagte: ‚Je materialistischer die Wissenschaft wird, umso mehr Engel muss ich malen. Ihre Flügel sind mein Protest zugunsten der Unsterblichkeit der Seele.'

Dies sind die intellektuellen Spekulationen, die der Kunst zugrunde liegen. Wo in den Künsten selbst finden wir jene Tiefe menschlichen

Mitgefühls, die die Bedingung aller edlen Arbeit ist; wo in den Künsten sollen wir nach dem Ausschau halten, was Mazzini die soziale Idee – im Gegensatz zu der rein persönlichen Idee – nennen würde? Mit welchem Anspruch fordere ich für den Künstler die Liebe und Loyalität der Männer und Frauen dieser Welt? Ich denke, ich kann das beantworten.

Welche spirituelle Botschaft im Künstler zum Ausdruck kommt, ist eine Frage für seine eigene Seele. Er mag das Urteil wie Michelangelo oder den Frieden wie Fra Angelico bringen; er kann mit der Trauer wie der große Athener oder mit der Fröhlichkeit der Sänger von Sizilien kommen. Wir müssen nichts anderes tun als seine Lehre anzunehmen, denn wir wissen, dass wir die bitteren Lippen Leopardis nicht mit der heiteren Ruhe Goethes zerschlagen können. Aber um diese Wahrheit zu rechtfertigen, muss eine solche Botschaft die Flamme der Beredsamkeit auf jenen Lippen tragen, die sie ausspricht, muss Pracht und Herrlichkeit in jener Vision mit sich bringen, die ihr Zeugnis ist, und darf nur durch eine Sache gerechtfertigt werden: makellose Schönheit und vollkommene Ausdrucksform. Dies ist in der Tat die soziale Idee, die die Bedeutung der Freude in der Kunst ist.

Viele haben wahrscheinlich das große Meisterstück von Rubens gesehen, welches in der Galerie von Brüssel hängt, dieses schnelle und wundervolle Schauspiel von Pferd und Reiter, festgehalten in seinem exquisitesten und feurigsten Moment, in dem die Winde die karmesinroten Banner bewegen und die Luft von dem Glanz der Rüstung erleuchtet wird. Dies ist Freude an der Kunst, und das, obwohl dieser goldene Hügel von den verletzten Füßen Christi betreten wurde und es der Tod des Menschensohnes ist, weswegen dieser wunderschöne Reiterzug an uns vorüberschreitet.

Aber unser ruheloser moderner intellektueller Geist ist nicht empfänglich genug für das sinnliche Element der Kunst. Und so bleibt vielen der wahre Einfluss der Künste verborgen. Nur wenige, die der Tyrannei der

Seele entkommen sind, haben das Geheimnis jener hohen Stunden gelernt, wenn das Denken ausgesetzt wird.

Und das ist in der Tat der Grund für den Einfluss, den die östliche Kunst auf uns in Europa hat, sowie für unsere Faszination an der japanischen Arbeit. Während sich die westliche Welt der Kunst die unerträgliche Bürde der eigenen intellektuellen Zweifel sowie die geistige Tragödie ihrer eigenen Sorgen auferlegt hat, ist der Osten den primären und malerischen Bedingungen der Kunst immer treu geblieben.

Bei der Beurteilung einer schönen Statue wird das ästhetische Vermögen absolut und vollständig durch die herrlichen Rundungen dieser Marmor-Lippen befriedigt, die unsere Beschwerden verstummen lassen. In seinem primären Aspekt verfügt ein Gemälde über nicht mehr oder weniger geistige Botschaft oder Bedeutung als ein exquisites Fragment aus venezianischem Glas oder eine blaue Kachel aus der Wand von Damaskus. Denn es ist eine schön eingefärbte Oberfläche, und nichts mehr. Die Weisen, durch die alle edlen fantasiereichen Werke der Malerei die Seele berühren und berühren sollten, liegen nicht in den Wahrheiten des Lebens, noch in metaphysischen Wahrheiten. Dieser Bildzauber, der für seine Wirkung von keiner literarischen Reminiszenz und keiner bloß übertragbaren technischen Fertigkeit abhängt, stammt stattdessen von einem gewissen erfinderischen und schöpferischen Umgang mit der Farbe. In der holländischen Malerei und häufig auch in den Werken Giorgiones oder Tizians ist es fast immer unabhängig von allem, was im Gegenstande poetisch ist, einer Art von Form und Wahl bei der Verarbeitung, die selbst ganz befriedigend ist und, wie die Griechen sagen würden, ein Ende für sich ist.

Und so stammt auch in der Poesie die eigentliche poetische Qualität, die Freude an der Poesie, nie aus dem Thema an sich, sondern aus einem erfinderischen Umgang mit rhythmischer Sprache und dem, was Keats das ‚sinnliche Leben der Verse' nannte. Das Element des Liedes im Gesang, begleitet durch die tiefe Freude der Bewegung, ist so süß, dass, während die unvollständigen Leben gewöhnlicher Menschen keine heilende Kraft darin erkennen, sich die Dornenkrone des Dichters für unser Vergnügen in Rosen verwandeln wird. Seine Verzweiflung wird, zu unserem Entzücken, seine Dornen vergolden, und sein Schmerz wird, wie Adonis, in seiner Qual schön sein. Und wenn das Herz des Dichters bricht, wird es dies in der Musik hervorbringen.

Und Gesundheit in der Kunst – was ist das? Es hat nichts mit einer vernünftigen Kritik am Leben zu tun. Es liegt mehr Gesundheit in Baudelaire als in Kingsley. Gesundheit besteht in der Anerkennung der Grenzen der Form, mit der er arbeitet. Es ist die Ehre und die Huldigung, die er dem Material entgegenbringt, welches er benutzt – sei es die Sprache mit ihren Herrlichkeiten oder Marmor oder Farbstoff –, wohl wissend, dass die wahre Bruderschaft der Künste nicht darin besteht, sich gegenseitig ihre Methoden auszuleihen, sondern in der Schöpfung der gleichen einzigartigen künstlerischen Freuden; wobei dies jeder einzelne durch seine eigenen individuellen Mittel tut. Dieses Entzücken ist so, wie jenes, das uns die Musik schenkt – denn Musik ist die Kunst, in der Form und Materie immer eins sind. Die Kunst, deren Gegenstand nicht von der Weise des Ausdrucks getrennt werden kann, die Kunst, die das künstlerische Ideal am vollkommensten verwirklicht und die der Zustand ist, zu dem alle anderen Künste beständig streben.

Und Kritik – welchen Platz soll sie in unserer Kultur haben? Nun, ich denke, dass die erste Pflicht eines Kunstkritikers darin besteht, immer und bezüglich aller Arbeiten den Mund zu halten: *C'est un grand avantage de n'avoir rien fait, mais il ne faut pas en abuser.*[56]

Nur durch das Geheimnis der Schöpfung kann man die Qualität der geschaffenen Dinge erkennen. Man hat *Patience oder Bunthornes Braut* einhundert Nächte lang gehört und mich nur ein einziges Mal.

56 Es ist ein großer Vorteil, nichts getan zu haben, aber übertreiben Sie es nicht! Anm. d. Ü.

Es wird zweifellos die Satire pikanter machen, wenn man etwas über das Thema weiß, aber man darf nicht Ästhetik durch die Satire von Mr. Gilbert beurteilen. Genauso wenig sollte man die Stärke und Pracht der Sonne oder des Meeres durch den Staub, der im Sonnenstrahl tanzt, oder durch die Blase, die auf der Welle zerplatzt, beurteilen. Denn die Künstler, wie die griechischen Götter, werden nur einander offenbart, wie Emerson irgendwo sagt. Ihren wirklichen Wert wird nur die Zeit zeigen. In dieser Hinsicht zeigt sich auch Omnipotenz nur mit der Zeit. Der wahre Kritiker adressiert nicht den Künstler, sondern nur das Publikum. Seine Arbeit hat mit ihnen zu tun. Die Kunst kann niemals andere Ansprüche als ihre eigene Vollkommenheit haben. Es ist Sache des Kritikers, für die Kunst das soziale Bestreben zu erzeugen, indem er den Menschen die Haltung zeigt, in der sie sich jeder künstlerischen Arbeit annähern können, die Liebe, die sie ihr geben, und die Lehre, die sie daraus ziehen sollen.

All diese Aufrufe an die Kunst, sich mit dem modernen Fortschritt und der Zivilisation in Einklang zu bringen und sich zum Sprachrohr der Stimme der Menschheit zu machen, diese Appelle an die Kunst, ‚eine Mission zu haben', sind in Wirklichkeit Appelle an die Öffentlichkeit. Die Kunst, die die Bedingungen der Schönheit erfüllt hat, hat damit alle Bedingungen erfüllt. Es liegt am Kritiker, den Leuten beizubringen, in der Ruhe solcher Kunst den höchsten Ausdruck ihrer eigenen stürmischsten Leidenschaften zu finden. ‚Ich habe keine Verehrung', sagte Keats, ‚für die Öffentlichkeit, noch für irgendetwas anderes außer dem Ewigen Sein, der Erinnerung großer Männer und dem Prinzip der Schönheit.'

Das ist also das Prinzip, von dem ich glaube, dass es unserer englische Renaissance unterliegt, einer vielseitigen und wunderbaren Renaissance, die starke Ambitionen und erhabene Persönlichkeiten hervorbringt, doch die trotz all ihrer großartigen Leistungen in der Poesie, in der dekorativen Kunst und in der Malerei und trotz der erhabenen Anmut der Kleidung und der Möbel von Häusern und dergleichen noch nicht vollständig ist. Denn ohne ein schönes nationales Leben kann es keine große

Skulptur geben, und die kommerzielle Geisteshaltung Englands hat dies vollkommen zerstört: Es kann kein großes Drama ohne ein edles nationales Leben geben, und die kommerzielle Geisteshaltung Englands hat auch das zerstört.

Es ist nicht so, dass die makellose Gelassenheit des Marmors nicht die Last des modernen intellektuellen Geistes ertragen kann, oder dem Feuer der romantischen Leidenschaft unterworfen wird – das Grab von Herzog Lorenzo und die Kapelle der Medici zeigen uns das – sondern es ist einfach, wie Théophile Gautier zu sagen pflegte, dass die sichtbare Welt tot ist, *le monde visible a disparu*.[57]

Es ist auch nicht wieder so, dass der Roman das Theaterstück getötet hat, wie uns einige Kritiker weismachen wollen – die romantische Bewegung in Frankreich zeigt uns das. Die Arbeiten von Balzac und Hugo entstanden Seite an Seite, ergänzten sich gegenseitig, obwohl es keiner von ihnen bemerkte. Während alle anderen Formen der Poesie in einem unwürdigen Zeitalter gedeihen können, kann der großartige Individualismus des Lyrikers, der von seiner eigenen Leidenschaft angetrieben und von seiner eigenen Kraft angezündet wird, als eine Feuersäule sowohl über die Wüsten hinweggehen als auch über die Orte, die angenehm sind. Es ist dennoch herrlich, obwohl ihm kein Mensch zu folgen vermag. Im Gegenteil, durch die größere Erhabenheit seiner Einsamkeit kann es dazu kommen, dass er erhabenere Äußerungen sowie intensivere und klarere Lieder hervorbringt. Aus dem gemeinen Elend des schmutzigen Lebens, welches ihn begrenzt, kann sich der Träumer oder der Idylliker auf den Flügeln der Poesie erheben, kann mit Rehhaut und Speer die mondhellen Höhen von Cithæron durchqueren, obwohl dort Faune und Bassariden längst nicht mehr tanzen. Wie Keats kann er durch die Wälder der alten Welt von Latmos wandern oder wie Morris gemeinsam mit dem Wikinger auf dem Deck der Galeere stehen, wenn es König und Galeere längst nicht

57 Die sichtbare Welt ist verschwunden; Anm. d. Ü.

mehr gibt. Doch das Drama ist der Treffpunkt von Kunst und Leben. Es dreht sich, wie Mazzini sagte, nicht mehr bloß um den Menschen, sondern um den sozialen Menschen, um den Menschen in seiner Beziehung zu Gott wie zur Menschheit. Es ist das Produkt einer Periode großer nationaler vereinigter Energie; es ist unmöglich ohne ein edles Publikum und gehört solchen Zeitaltern wie dem der Elizabeth in London und des Perikles in Athen an; es ist Teil einer so hohen moralischen und geistigen Leidenschaft, wie sie nach Griechenland nach der Niederlage der persischen Flotte und nach England nach dem Untergang der Armada von Spanien kam.

Shelley fühlte, wie unvollständig unsere Bewegung in dieser Hinsicht war, und hatte in einer großen Tragödie gezeigt, durch welchen Schrecken und welches Mitleid er unser Zeitalter gereinigt hätte; aber trotz *The Cenci* ist das Drama eine der künstlerischen Formen, durch die das Genie Englands dieses Jahrhunderts vergeblich versucht hatte, seinen Ausdruck zu finden. Er hat keine würdigen Nachahmer.

Wir sollten diese unsere großartige Bewegung vervollständigen und perfektionieren, denn es liegt etwas Hellenisches in der Luft und der Welt, etwas, das einen schnelleren Atem der Freude und auch mehr Kraft aus Elizabeths England mit sich bringt, als uns jede alte Zivilisation geben kann. Denn zumindest seid ihr jung; ‚Keine hungrigen Generationen treten euch nieder'. Die Vergangenheit ermüdet euch nicht mit der unerträglichen Last ihrer Erinnerungen, noch verspottet sie euch mit den Ruinen einer Schönheit, deren Geheimnis ihr verloren habt. Gerade diese Abwesenheit der Tradition, von der Mr. Ruskin dachte, dass sie eure Flüsse des Lachens und eure Blumen des Lichtes berauben würde, könnte eher die Quelle eurer Freiheit und Stärke sein.

Literarisch mit der vollkommenen Einfachheit und Sorglosigkeit einer Tierbewegung sprechen zu können, oder mit der Unantastbarkeit der Bäume im Wald und des Grases am Straßenrand, wurde von einem eurer amerikanischen Dichter als der makellose Triumph der Kunst definiert. Es ist ein Triumph, den ihr, über alle Nationen hinausragend, erlangen könnt. Denn die Stimmen, die in Meer und Berg wohnen, sprechen nicht nur die auserwählte Musik der Freiheit. Andere Botschaften liegen dort im Wunder der windgepeitschten Höhen und der Würde der stillen Tiefe verborgen – Botschaften, die euch, wenn ihr nur hören wollt, die Pracht einer neuen Einbildungskraft und das Wunder einer neuen Schönheit verleihen können.

‚Ich sehe', sagte Goethe, ‚den Beginn einer neuen Literatur voraus, die alle Menschen für sich beanspruchen können, denn sie alle haben zu ihrem Fundament beigetragen.' Wenn dies so ist und wenn sich die Rohstoffe für eine Zivilisation, die so groß ist wie die von Europa, finden lassen, welchen Nutzen wird das ganze Studium unserer Dichter und Maler dann noch haben? Ich könnte darauf antworten, dass der Intellekt ohne direktes didaktisches Objekt auf ein künstlerisches und historisches Problem gerichtet werden kann. Oder dass die einzige Forderung des Intellekts lediglich darin besteht, sich selbst lebendig zu fühlen. Oder dass nichts, was Männer oder Frauen jemals interessiert hat, aufhören kann, ein passendes Thema für die Kultur zu sein.

Ich könnte euch daran erinnern, was ganz Europa dem Leid eines einzigen Florentiners im Exil in Verona oder der Liebe Petrarcas bei diesem kleinen Brunnen in Südfrankreich zu verdanken hat; mehr noch, wie sogar in diesem dumpfen, materialistischen Zeitalter der einfache Ausdruck des einfachen Lebens eines alten Mannes – fernab vom Lärm großer Städte und zwischen den Seen und nebligen Hügeln von Cumberland – England Schätze neuer Freuden hinzugefügt hat. Die Luxusschätze Englands sind im Vergleich dazu so unfruchtbar wie das Meer, das es befährt, und so bitter wie das Feuer, das England macht.

Ich denke, dass es euch etwas anderes geben wird, nämlich das Wissen um echte Stärke in der Kunst: Nicht, dass ihr die Werke dieser Männer nachahmen solltet; aber ihren künstlerischen Geist und ihre künstlerische Haltung solltet ihr in euch aufnehmen.

Denn wenn die Leidenschaft für die Schöpfung sowohl bei Nationen als auch bei Individuen nicht von der kritischen und der ästhetischen Fähigkeit begleitet wird, wird ihre Kraft vergeudet sein, was dazu führen mag, in der künstlerischen Geisteshaltung zu versagen oder Gefühle und Form zu verwechseln oder den falschen Idealen zu folgen.

Denn die verschiedenen geistigen Formen der Vorstellungskraft haben eine natürliche Affinität zu bestimmten sinnlichen Formen der Kunst – und die Qualitäten jeder Kunst zu erkennen, ihre Grenzen ebenso zu verstärken wie ihre Ausdrucksmöglichkeiten, ist eines der Ziele, die Kultur uns stellt. Es ist kein erhöhtes moralisches Gefühl und keine erhöhte moralische Betrachtungsweise, die die Literatur benötigt. In der Tat sollte man nie von einem moralischen oder unmoralischen Gedicht sprechen – Gedichte sind entweder gut geschrieben oder schlecht geschrieben, das ist alles. Und in der Tat ist jedes moralische Element oder jeder auch nur angedeutete Hinweis auf einen Maßstab des Guten oder Bösen in der Kunst oft ein Zeichen einer Unvollständigkeit in der Vision, oft ein Zeichen der Zwietracht in der Harmonie imaginativer Schöpfung. Denn jedes gute Werk zielt auf eine rein künstlerische Wirkung ab. ‚Wir müssen vorsichtig sein', sagte Goethe, ‚nicht immer auf die Kultur zu schauen, um zu erkennen, was offensichtlich moralisch ist. Alles, was großartig ist, fördert die Zivilisation, sobald wir uns dessen bewusst sind.'

Aber wie in euren Städten, so fehlen auch in eurer Literatur bleibende Regeln und ein Geschmacksstandard sowie eine erhöhte Sensibilität für Schönheit (wenn ich das so sagen darf). Alle edlen Werke sind nicht nur national, sondern allgemeingültig. Die politische Unabhängigkeit einer Nation darf nicht mit irgendeiner intellektuellen Isolation verwechselt werden, die euch die geistige Freiheit, euer eigenes großzügiges Leben und die liberale Luft geben wird. Von uns werdet ihr die klassische Zurückhaltung der Form lernen.

Denn alle große Kunst ist eine zarte Kunst; Rauheit hat sehr wenig mit Stärke zu tun und Härte sehr wenig mit Macht. ‚Der Künstler muss', wie Mr. Swinburne sagt, ‚gut verständlich sein.'

Diese Begrenzung ist für den Künstler die vollkommene Freiheit: es ist zugleich Ursprung und Zeichen seiner Stärke. Daher sind alle größten Meister des Stils – Dante, Sophokles, Shakespeare – ebenfalls auch die größten Meister der geistigen und intellektuellen Vision.

Liebt Kunst um ihrer selbst willen, und dann werden euch alle Dinge, die ihr braucht, verfügbar sein.

Diese Hingabe an die Schönheit und an die Erschaffung schöner Dinge ist der Test aller großen zivilisierten Nationen. Die Philosophie lehrt uns, das Unglück unserer Nachbarn mit Gleichmut zu ertragen, und die Wissenschaft löst das moralische Gefühl wie eine Zuckerlösung auf, aber Kunst macht das Leben eines jeden Bürgers nicht zur einer Spekulation, sondern zu einem Sakrament. Kunst macht das Leben der Rasse unsterblich.

Denn Schönheit ist das Einzige, das die Zeit nicht zersetzen kann. Philosophien zerfallen wie Sanddünen, und Glaubensbekenntnisse folgen einander wie die welken Blätter des Herbstes. Aber was tatsächlich schön ist, ist eine Freude für alle Jahreszeiten und ein Besitz für alle Ewigkeit.

Kriege, das Aufeinanderprallen der Armeen und das Zusammentreffen der Männer auf dem Schlachtfeld oder der belagerten Stadt und die Neubildung von Nationen müssen immer wieder geschehen. Aber ich denke, dass die Kunst eine gemeinsame intellektuelle Atmosphäre für alle Länder bilden kann – wenn sie die Welt nicht auch mit den silbernen Flügeln des Friedens überschattet. Sie kann die Menschen zumindest zu solchen Brüdern machen, dass sie sich nicht gegenseitig wegen der Laune oder Torheit eines Königs oder Ministers umbringen müssen, wie sie es derzeit in Europa tun. Brüderlichkeit würde nicht mehr durch die Taten Kains getrübt, noch wird Freiheit durch den Kuss der Anarchie verraten; denn der nationale Hass ist dort am stärksten, wo Kultur am niedrigsten ist.

‚Wie hätte ich dies tun sollen?', sagte Goethe, als man ihm vorwarf, nicht wie Korner etwas gegen die Franzosen geschrieben zu haben. ‚Wie könnte ich, dem allein Barbarei und Kultur von Bedeutung sind, eine Nation hassen, die zu den kultiviertesten der Erde gehört, eine Nation, der ich einen Großteil meiner eigenen Kultivierung verdanke?'

Mit unserer Renaissance versuchen wir eine Souveränität zu erzeugen, die England auch dann noch auszeichnen wird, wenn die gelben Leoparden des Krieges müde geworden sind und die Rose ihres Schildes nicht mehr mit dem Blut des Kampfes eingefärbt ist. Und auch ihr, die ihr in das großzügige Herz eines großen Volkes diesen durchdringenden künstlerischen Geist aufgenommen habt, werdet euch solche Reichtümer erschaffen, wie ihr sie noch nie geschaffen habt, obwohl euer Land längst ein Netz von Eisenbahnen und eure Städte die Häfen für die Galeeren des Welt sind.

Ich weiß, dass die göttlich natürliche Voraussicht der Schönheit, die das unveräußerliche Erbe der griechischen und italienischen Kultur ist, nicht unser Erbe ist. Für solch eine gestaltende und vorherrschende Geisthaltung in der Kunst, die uns von allen harten und fremden Einflüssen abschirmt, müssen wir uns als nördliche Rassen eher dem angespannten Selbstbewusstsein unserer Zeit zuwenden, welches, da es der Schlüssel all unserer romantischen Kunst ist, auch die Quelle von allem oder fast allem in unserer Kultur ist. Ich meine jene intellektuelle Neugierde des neunzehnten Jahrhunderts, die stets nach dem Geheimnis des Lebens Ausschau hielt, welches immer noch den alten und vergangenen Formen der Kultur innewohnt. Sie nimmt von allem, was für den modernen Geist nützlich ist – aus Athen ihr Erstaunen ohne ihre Anbetung, aus Venedig ihre Pracht ohne ihre Sündhaftigkeit. Derselbe Geist analysiert stets seine eigene Stärke und seine eigene Schwäche, und zählt, was er dem Osten wie dem Westen, den Olivenbäumen von Kolonus wie den Palmen aus dem Libanon, Gethsemane und dem Garten der Proserpina verdankt.

Und doch können die Wahrheiten der Kunst nicht gelehrt werden. Sie werden nur offenbart, und zwar denen, die durch das Studium und die Verehrung aller schönen Dinge empfänglich wurden. Daher stammt auch die enorme Bedeutung, die den dekorativen Künsten in unserer englischen Renaissance beigemessen wurde; daher all das Wunder der Gestaltungskraft, das den Händen Edward Burne-Jones entstammt, all das Weben von Wandteppichen und das Bemalen von Glas, die schöne Arbeit mit Ton und Metall und Holz, die wir William Morris, dem größten Handwerker Englands seit dem vierzehnten Jahrhundert, verdanken.

Es wird in den kommenden Jahren nichts im Haus eines jeden Menschen geben, das seinem Schöpfer wie auch seinem Benutzer keine Freude bereitet hat. Die Kinder, wie die Kinder Platons perfekter Stadt, werden ‚in einer einfachen Atmosphäre schöner Dinge aufwachsen' – ich zitiere eine Passage aus dem *Staat* – ‚eine einfache Atmosphäre schöner Dinge, in der Schönheit, die der Geist der Kunst ist, dem Auge und Ohr wie ein frischer Hauch jenes Windes vorkommen wird, der Gesundheit von einem klaren Hochland mit sich bringt. Sie wird unmerklich und allmählich die Seele des Kindes in eine Harmonie mit aller Kenntnis und Weisheit bringen, so dass es lieben wird, was schön und gut ist, und hassen, was böse und hässlich ist (denn beides gehört stets zusammen), und zwar lange bevor es den Grund dafür kennt. Und dann, wenn sich der Verstand entwickelt hat, wird sie ihn als Freund auf die Wange küssen.'

Dies ist es, wie Platon dachte, was die dekorative Kunst für eine Nation tun kann. Er hatte die Gewissheit, dass jedem das Geheimnis nicht nur der Philosophie, sondern der ganzen Existenz verborgen sei, der seine Jugend in unzüchtiger und vulgärer Umgebung verbracht hatte, und dass die Schönheit der Form und Farbe selbst an den gemeinsten Orten des Hauses ihren Weg zu dem innersten Ort der Seele finden wird. Sie wird den Jungen auf natürliche Weise dahin führen, nach jener göttlichen Harmonie des geistigen Lebens Ausschau zu halten, für die die Kunst für ihn das materielle Symbol und Garantie war.

Für uns wird diese Liebe zu den schönen Dingen das Vorspiel für alles Wissen und alle Weisheit sein. Aber es gibt Zeiten, in denen Weisheit zur Last wird und Wissen und Kummer eines sind, denn wie jeder Körper seinen Schatten wirft, so hat auch jede Seele ihre Skepsis. Wohin sollen wir in solchen schrecklichen Momenten der Zwietracht und Verzweiflung in diesem zerrissenen und unruhigen Zeitalter unsere Schritte richten, wenn nicht zu jenem sicheren Haus der Schönheit, wo man immer ein wenig vergessen kann und es immer eine große Freude gibt; zu dieser *città divina*, wie die alten italienischen Ketzer es nannten, der göttlichen Stadt, wo man, wenn auch nur für einen kurzen Moment, fernab von der Spaltung und dem Schrecken der Welt verbleiben kann.

Das ist der *Trost der Künste*, das das Schlüsselwort zu Gautiers Poesie ist und das Geheimnis des modernen Lebens, wie Goethe es vorausgesagt hat. Erinnert euch daran, was er dem deutschen Volke gesagt hat: ‚Habt nur den Mut, euch euren Eindrücken zu überlassen, erlaubt euch, entzückt, bewegt, erhöht, ja belehrt und zu etwas Großen inspiriert zu sein.' Der Mut, sich den Eindrücken zu überlassen: Ja, das ist das Geheimnis des künstlerischen Lebens – denn während die Kunst als Flucht vor der Tyrannei der Sinne definiert wurde, ist sie eher eine Flucht vor der Tyrannei der Seele. Aber nur denen, die sie über alles anbeten, enthüllt sie ihren wahren Schatz. Den anderen aber wird sie so kraftlos scheinen wie die verstümmelte Venus des Louvre der romantischen und doch skeptischen Natur Heinrich Heines erschienen war.

Und in der Tat denke ich, es wäre unmöglich, den Gewinn zu überschätzen, der daraus resultieren würde, wenn wir nur das hätten, was dem Schöpfer und dem Nutzer Freude bereitet. Das ist die einfachste aller Regeln der Dekoration. Zumindest denke ich, dass es uns dies ermöglichen würde: Es gibt keinen besseren Test für ein großes Land, als zu überprüfen, wie nahe es seinen eigenen Dichtern steht. Aber zwischen den Sängern unserer Tage und den Arbeitern, zu denen sie singen, scheint eine sich immer weiter ausbreitende und trennende Kluft zu liegen, eine Kluft, die Verleumdung und Spott nicht überwinden können, die aber von den leuchtenden Flügeln der Liebe überspannt wird.

Und von einer solchen Liebe nehme ich an, dass die edle einfallsreiche Arbeit die sicherste Saat und Vorbereitung sein würde. Ich meine nicht nur den direkten literarischen Ausdruck der Kunst, durch den ein griechischer Junge von dem kleinen rot-schwarzen Krug des Öls, von der löwenähnlichen Pracht des Achilles, von der Kraft Hektors, der Schönheit von Paris und dem Wunder Helens erfahren konnte, lange bevor er auf dem überfüllten Marktplatz oder im Marmor-Theater stand; oder durch welche ein italienisches Kind des fünfzehnten Jahrhunderts von der Keuschheit Lukretias und dem Tod Camillas durch die geschnitzte Tür oder das gemalte Bild erfahren konnte. Denn das Gute, das wir von der Kunst erfahren, ist nicht das, was wir daraus lernen; es ist, was wir dadurch werden. Ihr wirklicher Einfluss besteht darin, dem Geist jenen Enthusiasmus zu verleihen, der das Geheimnis des Hellenismus ist; ihn daran zu gewöhnen, von der Kunst all das zu verlangen, was Kunst dabei tun kann, die Tatsachen des gemeinsamen Lebens für uns neu zu ordnen – sei es, indem sie dem eigenen Moment die spirituellste Interpretation der höchsten Leidenschaft oder jenen Gedanken den sinnlichsten Ausdruck verleiht, die am weitesten von den Sinnen entfernt liegen; sich daran zu gewöhnen, die Dinge der Einbildungskraft um ihrer selbst willen zu lieben und Schönheit und

Gnade in allen Dingen zu begehren. Denn wer Kunst nicht in allen Dingen liebt, liebt sie gar nicht, und wer die Kunst nicht in allen Dingen braucht, braucht sie gar nicht.

Ich werde hier nicht bei unseren großen gotischen Kathedralen verweilen, von denen ich sicher bin, dass sie euch entzückt haben. Ich spreche hier davon, wie der damalige Künstler, Handwerker mit Stein oder Glas stets die besten und schönsten Motive für seine Kunst in der täglichen Arbeit der Handwerker um ihn herum fand, – wie bei diesen schönen Fenstern von Chartres –, wo der Färber mit dem Bottich arbeitet, der Töpfer an der Drehscheibe sitzt und der Weber am Webstuhl steht. Alles wahre Handwerker, ganz entzückend anzuschauen, nicht wie der selbstgefällige und faule Ladenbesitzer unsere Zeit, der nichts von dem Netz oder der Vase versteht, die er verkauft, außer dass er euch den doppelten Wert in Rechnung stellt und euch zudem für einen Dummkopf hält, weil ihr es zu diesem Preis auch gekauft habt. Ich kann auch nur nebenbei auf den immensen Einfluss hinweisen, den das dekorative Werk Griechenlands und Italiens auf seine Künstler ausgeübt hatte, den Bildhauer den begrenzenden Einfluss der Gestaltung lehrend, welche die Pracht des Parthenons kennzeichnete, und den Maler auf die ursprünglichen, primären Bedingungen edler Farbe zurückführte, was das Geheimnis der Schule von Venedig war. Ich möchte stattdessen, zumindest in dieser Vorlesung, auf die Wirkung der dekorativen Kunst auf das menschliche Leben eingehen – und auf ihre soziale und nicht nur rein künstlerische Wirkung.

Es gibt zwei Arten von Menschen auf der Welt, zwei große Überzeugungen und zwei verschiedene Formen von Naturen: Menschen, denen es am Ende um Handlung, und Menschen, denen es am Ende ums Denken geht. Was die Letzteren betrifft, die nach Erfahrung selbst und nicht den Früchten der Erfahrung streben, die immer mit einer Leidenschaften in dieser feurigen Welt brennen müssen, die das Leben nicht wegen seines Geheimnisses interessant finden, sondern wegen seiner Situationen, wegen seiner Pulsationen, und nicht wegen seines

Sinns: Die Leidenschaft für die Schönheit, die von den dekorativen Künsten erzeugt wird, wird für sie befriedigender sein als jeder politische oder religiöse Enthusiasmus, jede Begeisterung für die Menschheit, jede Ekstase oder Sorge aus Liebe. Denn die Kunst erklärt einem in erster Linie nichts anderes als einen Moment der höchsten Qualität. So weit zu denen, bei denen es um das Denken geht! Was die anderen betrifft, die annehmen, dass dieses Leben untrennbar mit der Arbeit verbunden ist, so sollte ihnen diese Bewegung besonders lieb und teuer sein; denn wenn unsere Tage ohne Emsigkeit unfruchtbar sind, so ist Emsigkeit ohne Kunst Barbarei.

Wir werden immer Holz fällen und Wasser schöpfen müssen. Unsere moderne Maschinerie hat die Arbeit des Menschen noch nicht sehr erleichtert. Aber wenigstens soll der Krug, der am Brunnen steht, schön sein, und sicher wird die Arbeit des Tages dadurch leichter werden. Lasst das Holz für eine schöne Form und gnädige Gestaltung empfänglich werden, und es wird nicht länger ein Ausdruck von Unzufriedenheit, sondern von Freude für den Arbeiter sein. Denn was ist Dekoration, wenn nicht der Ausdruck der Freude des Arbeiters bei seiner Arbeit? Und nicht nur Freude – dies ist eine großartige Sache und doch nicht genug –, sondern die Gelegenheit, seine eigene Individualität auszudrücken, die wie sie das Wesen allen Lebens auch die Quelle aller Kunst ist. ‚Ich habe es versucht', so sagte einmal William Morris zu mir, ‚ich habe versucht, aus jedem meiner Arbeiter einen Künstler zu machen, und wenn ich Künstler sage, meine ich einen Menschen.' Für den Arbeiter also, was für ein Handwerker er auch sei, ist die Kunst nicht länger ein purpurnes Gewand, das von einem Sklaven gewebt und dem weiß gewordenen Körper eines aussätzigen Königs umgeworfen wird, um die Sünde seines Luxus' zu verbergen und zu schmücken, sondern vielmehr der schöne und edle Ausdruck eines Lebens, in dem etwas Schönes und Edles verborgen liegt.

Und so muss man seine Handwerker aussuchen und ihnen so weit wie möglich die richtige Umgebung bereitstellen. Man muss sich daran erinnern, dass die wirkliche Prüfung und Tugend eines Handwerkers nicht sein Ernst oder seine Geschäftigkeit ist, sondern die Macht seiner Gestaltungsfähigkeit. ‚Gestaltung ist nicht das Kind einer untätigen Phantasie. Es ist das erlernte Ergebnis von angehäufter Beobachtung und herrlicher Gewohnheit.' Alle Lehren dieser Welt nützen nichts, wenn man seine Handwerker nicht mit glücklichen Einflüssen und schönen Dingen umgibt. Es ist unmöglich für ihn, richtige Ideen über Farben zu haben, wenn er nicht die schönen Farben der Natur sieht; es ist unmöglich für ihn, eine schöne Handlung zu vollbringen, es sei denn, er sieht in der Welt schöne Vorfälle und Handlungen.

Um Sympathie zu kultivieren, muss man Zeit unter den Lebewesen verbringen und über sie nachdenken; und um Bewunderung zu kultivieren, muss man Zeit zwischen schönen Dingen verbringen und sie betrachten. ‚Der Stahl aus Toledo und die Seide aus Genua haben der Unterdrückung Stärke und dem Stolz seine Gnade verliehen', wie Mr. Ruskin sagte. Erschaffe eine Kunst, die von den Händen des Volkes zur Freude der Menschen gemacht wird, um die Herzen der Menschen zu erfreuen; eine Kunst, die Ausdruck eurer Freude am Leben sein wird. Es gibt nichts, was ‚dem gewöhnlichen Leben zu gemein und was in gewöhnlichen Dingen zu trivial ist, um nicht durch eure Berührung veredelt zu werden'; nichts im Leben, das die Kunst nicht erheben kann.

Ihr habt, so glaube ich, von zwei Blumen gehört, die mit der ästhetischen Bewegung in England in Verbindung stehen, und gesagt (ich versichere euch, fälschlicherweise), dass sie die Nahrungsmittel einiger ästhetischer junger Männer seien. Nun, lasst mich erklären, dass der Grund, warum wir die Lilie und die Sonnenblume lieben – trotz allem, was Mr. Gilbert euch dazu sagen kann – überhaupt nicht an irgendeiner Mode liegt. Es liegt daran, weil diese zwei lieblichen Blumen die zwei vollkommensten Modelle der Gestaltungskraft in England sind, zwei, die am natürlichsten an die dekorative Kunst angepasst sind – die knallige löwenartige Schönheit der einen und die kostbare Lieblichkeit der anderen schenken dem Künstler die vollkommenste und reinste Freude. Lasst dort keine Blume in euren Wiesen sein, die nicht ihre Ranken um eure Kissen windet, kein kleines Blatt in euren Titanenwäldern, das kein Vorbild ist, keine wilde Rose, die für immer in einem Bogen oder Fenster lebt, keinen Vogel, der nicht das schillernde Wunder seiner Farbe schenkt, um die Kostbarkeit einfacher Verzierungen wertvoller zu machen.

Wir verbringen unsere Tage, jeder von uns, auf der Suche nach dem Geheimnis des Lebens. Nun, das Geheimnis des Lebens liegt in der Kunst.

Hausdekoration

(Ein Vortrag, der 1882 während Oscar Wildes Amerika-Tour gehalten wurde. Es wurde als Vortrag über ‚Die praktische Anwendung der Prinzipien der ästhetischen Theorie auf äußere und innere Hausdekoration, mit Betrachtungen zu Kleidung und Schmuck' angekündigt. Das erste Mal, dass dieser Vortrag gehalten wurde, war der 11. Mai 1882.)

In meinem letzten Vortrag habe ich Ihnen etwas von der Kunstgeschichte Englands erzählt. Ich strebte danach, den Einfluss der französischen Revolution auf ihre Entwicklung zu verfolgen. Ich berichtete auch von dem Lied von Keats und der Schule der Präraffaeliten. Aber ich möchte die Bewegung, die ich die englische Renaissance genannt habe, nicht irgendeinem schutzspendendem Ort, wie edel er auch sei, oder vermittels irgendeines Namen, wie verehrt er auch sei, unterstellen. Ihre Wurzeln müssen tatsächlich in Dingen gesucht werden, die längst vergangen sind, und nicht, wie manche annehmen, in der Fantasie von ein paar jungen Männern – obwohl ich nicht ganz sicher bin, dass es irgendetwas Besseres gibt als die Fantasie junger Männer.

Als ich bei einer früheren Gelegenheit hier bei Ihnen erscheinen durfte, hatte ich nichts von der amerikanischen Kunst gesehen, abgesehen von den dorischen Säulen und den korinthischen Schornsteinen, die auf dem Broadway und der Fifth Avenue zu sehen sind. Seitdem habe ich etwa fünfzig oder sechzig verschiedene Städte dieses Landes kennengelernt. Ich denke, dass das, was die Menschen hier brauchen, nicht so sehr eine hoch fantasievolle Kunst ist, sondern etwas, was die täglichen Gebrauchsgegenstände veredelt. Ich nehme an, dass der Dichter singen und der Künstler malen wird, und zwar ganz unabhängig davon, ob ihn die

Welt lobt oder tadelt. Er lebt in seiner eigenen Welt und ist ganz unabhängig von seinen Mitmenschen. Aber der Handwerker ist abhängig von der Freude und Meinung seiner Mitmenschen. Er braucht eure Ermutigung und er muss eine schöne Umgebung haben. Ihr liebt zwar Kunst, und doch ehrt ihr den Handwerker nicht genug. Natürlich werden jene Millionäre, die Europa zu ihrem Vergnügen plündern können, nicht darauf achten, so ein Bestreben zu fördern. Aber ich spreche für diejenigen, deren Verlangen nach schönen Dingen größer ist als ihre Mittel. Ich denke, dass es ein großes Ärgernis ist, dass man von euren Handwerkern keine große Dinge erwartet. Dies kann einem nicht gleichgültig sein, denn Kunst ist nicht etwas, mit dem man machen kann, was man will. Es ist eine Notwendigkeit des menschlichen Lebens.

Was ist die Bedeutung jener schönen Dekoration, die wir Kunst nennen? In erster Linie ist es etwas von Wert für den Handwerker und es ist die Freude, die er notwendigerweise erfahren muss, wenn er eine schöne Sache erschafft. Das Kennzeichen aller guten Kunst bestehen nicht darin, dass die Sache exakt oder auf besonders feine Art gemacht wird, denn eine Maschine vermag dies auch zu bewerkstelligen, sondern dass sie mit dem Kopf und dem Herzen des Handwerkers gemacht wurde. Ich kann den Punkt nicht oft genug betonen, dass schöne und rationale Entwürfe in aller Arbeit notwendig sind. Ich konnte mir nicht vorstellen, wie viel schlechte Arbeit geleistet wird, bis ich einige eurer einfacheren Städte besucht habe. Ich sah, wo ich auch hinging, schreckliche entworfene Tapeten und eingefärbte Teppiche sowie auch jenen alten Schuldigen, das Rosshaar-Sofa, dessen stumpfes und gleichgültiges Aussehen stets so deprimierend ist. Ich fand bedeutungslose Kronleuchter und maschinell hergestellte Möbel, in der Regel aus Rosenholz, die unter dem Gewicht des Interviewers knarrten. Ich stieß auf den kleinen eisernen Ofen, bei dem man immer darauf besteht, ihn mit maschinell hergestellten Ornamenten zu verzieren, was in etwa so langweilig ist wie ein regnerischer Tag oder irgendeine andere besonders schreckliche Institution. Wenn ungewöhnliche Extravaganz erlaubt war, wurde es umgehend mit zwei Beerdigungsurnen garniert.

Man muss sich immer daran erinnern, dass das, was gut und sorgfältig von einem ehrlichen Handwerker nach einem rationalen Entwurf gemacht wird, im Laufe der Jahre immer an Schönheit und Wert gewinnen wird. Die alten Möbel, die vor zweihundert Jahren von den Pilgern hierhergebracht worden sind – wie die, die ich in Neuengland sah –, sind heute genauso gut und schön wie damals. Was man nun tun muss, ist, Künstler und Handwerker zusammenzubringen. Handwerker können ohne eine solche Gesellschaft nicht leben und sicherlich nicht gedeihen. Trenne diese beiden, und beraube die Kunst von allen spirituellen Motiven.

Nachdem man dies erreicht hat, muss man den Handwerker in eine wunderschöne Umgebung bringen. Der Künstler ist nicht abhängig vom Sichtbaren und Greifbaren. Er hat seine Visionen und seine Träume, von denen er sich nährt. Aber der Handwerker muss schöne Formen sehen, wenn er morgens zu seiner Arbeit geht und abends von ihr zurückkehrt. Und in diesem Zusammenhang möchte ich euch versichern, dass edle und schöne Entwürfe nie das Ergebnis eines faulen oder sinnlosen Tagtraumes sind. Sie entstehen nur als Anhäufung von Gewohnheiten langer und reizvoller Beobachtung. Und doch können solche Dinge nicht gelehrt werden. Richtige Ideen, die sie betreffen, können sicherlich nur diejenigen haben, die an schöne Räume und zufriedenstellende Farben gewöhnt sind.

Vielleicht ist es für uns eines der schwierigsten Dinge, bemerkenswerte und fröhliche Kleidung zu gestalten. Es würde dem Leben mehr Freude verleihen, wenn wir uns daran gewöhnen würden, schöne Farben zu verwenden, wenn wir unsere Kleidung entwerfen. Die Kleidung der Zukunft, denke ich, wird Tuche in großem Maße und mit fröhlicher Farbe verwenden. Gegenwärtig haben wir den Adel bei der Kleidung verloren und damit den modernen Bildhauer fast vernichtet. Wenn wir uns die Figuren anschauen, die unsere Parks zieren, könnte man sich fast wünschen, wir hätten die edle Kunst völlig umgebracht. Den Gehrock des Salons in Bronze oder die doppelte Weste im Marmor verewigt zu sehen fügt dem Tod einen neuen Schrecken hinzu. In der Tat, wenn wir die Geschichte des Kostüms betrachten und eine Antwort auf die Fragen suchen, die wir vorgebracht haben, so gibt es wenig, was entweder schön oder angemessen ist. Eine der frühesten Formen ist die griechische Draperie, die ja für junge Mädchen ganz exquisit ist. Ich denke, wir können dann für unseren Enthusiasmus für das Kleid der Zeit von Charles I. begnadigt werden, welches in der Tat so schön ist, dass es trotz seiner Erfindung durch die Kavaliere von den Puritanern kopiert worden ist. Und die Kleidung für die Kinder dieser Zeit darf nicht übergangen werden. Es war ein goldenes Zeitalter für die Kleinen. Ich glaube nicht, dass sie jemals so schön aussahen wie auf den Bildern dieser Zeit. Die Kleidung des letzten Jahrhunderts in England ist auch besonders anmutig. Es liegt nichts Bizarres oder Seltsames darin, sondern sie ist voller Harmonie und Schönheit. In diesen Tagen, in denen wir schrecklich an den Einfällen den modernen Hutmacher gelitten haben, hören wir Damen sagen, dass sie nicht mehr als einmal ein Kleid zu tragen beabsichtigen. Früher, als die Kleider mit schönen Mustern verziert und mit exquisiter Stickerei gearbeitet waren, waren die Damen eher stolz darauf, das Kleidungsstück hervorzubringen und es so oft wie möglich zu tragen, um es dann ihren Töchtern zu vermachen – ein Prozess, der, denke ich, von einem modernen Ehemann sehr geschätzt wird, wenn er aufgefordert wird, die Rechnungen seiner Frau zu begleichen.

Und wie sollen sich Männer kleiden? Männer sagen, dass sie sich nicht besonders darum kümmern müssen, wie sie sich kleiden, und dass es nicht wichtig sei. Ich muss antworten, dass ich das nicht glaube. Auf all meinen Reisen durch das Land waren die einzigen gut gekleideten Männer, die ich gesehen habe – und indem ich dies sage, drücke ich meine Geringschätzung für den polierten und gespielten Unwillen der Dandys der Fifth Avenue aus –, die westlichen Bergarbeiter. Ihre breitkrempigen Hüte, die ihre Gesichter vor der Sonne und dem Regen schützten, und der Mantel, der mit Abstand den schönsten aller jemals erfundenen Stoffe hatte, mögen bewundert werden. Auch ihre hohen Stiefel waren vernünftig und praktisch. Sie trugen nur, was bequem und daher schön war. Als ich sie ansah, konnte ich nicht umhin, mit Bedauern an die Zeit zurückzudenken, in der diese pittoresken Bergleute ihr Glück gemacht und nach Osten gegangen waren, um wieder all die Abscheulichkeiten der modernen modischen Kleidung zu übernehmen. Tatsächlich war ich so besorgt, dass mir einige von ihnen versprechen mussten, dass, wenn sie wieder in den überfüllten Szenen der östlichen Zivilisation erscheinen würden, sie immer noch ihr schönes Kostüm tragen würden. Aber ich glaube nicht, dass sie es tun werden.

Was Amerika heute will, ist eine rationaler Kunstschule. Schlechte Kunst ist weitaus schlimmer als gar keine Kunst. Ihr müsst euren Handwerkern Beispiele guter Arbeit zeigen, damit sie wissen, was einfach und wahr und schön ist. Zu diesem Zweck sollte man ein Museum an diese Schulen anbinden – nicht eine jener schrecklichen modernen Einrichtungen, wo es eine ausgestopfte und sehr staubige Giraffe und ein oder zwei Fossilien zu sehen gibt, sondern einen Ort, an dem es aus verschiedenen Epochen und Ländern Beispiele für Kunstdekoration gibt. Ein solcher Ort ist das South Kensington Museum in London, auf das wir große Hoffnungen für die Zukunft setzen. Ich gehe jeden Samstagabend dorthin, wenn das Museum später als sonst schließt, um den Handwerker, Holzarbeiter, Glasbläser und Metallarbeiter zu betrachten. Und genau hier trifft der kultivierte Mensch den Arbeiter, der seiner Freude zu Diensten ist. Er erfährt mehr über den Adel des Arbeiters, und der Arbeiter, der diese Wertschätzung spürt, erfährt mehr über den Adel seiner Arbeit.

Es gibt hier zu viele weiße Wände. Mehr Farbe ist vonnöten. Ihr solltet solche Männer wie Whistler unter euch haben, um euch die Schönheit und Freude der Farbe beizubringen. Nehmt Mr. Whistlers *Symphonie in Weiß*, von der ihr euch ohne Zweifel sicher Bizarres vorgestellt habt. Es ist nichts dergleichen. Stellt euch einen kühlen, grauen Himmel vor, der hier und da mit weißen Wolken gesprenkelt ist, einen grauen Ozean und drei wunderschöne, weiß gekleidete, sich über das Wasser lehnende Gestalten, die weiße Blumen ins Meer werfen. Hier ist kein ausschweifendes intellektuelles Schema erkennbar, das euch beunruhigen könnte, und keine Metaphysik, von der wir in der Kunst freilich genug gehabt haben. Doch wenn die einfache und unbegleitete Farbe die richtige Tonart trifft, wird die ganze Konzeption klar. Ich betrachte Mr. Whistlers berühmten *Peacock Room* als die edelste Schöpfung in Sachen Farbe und Kunst, seit Correggio diesen wundervollen Raum in Italien geschmückt hat, in dem die kleinen Kinder an den Wänden tanzen. Mr. Whistler beendete die Arbeit an einem anderen Zimmer, kurz bevor ich ankam – ein Frühstückszimmer in Blau und Gelb. Die Decke war hellblau, das Schränkchen und die Möbel waren aus gelbem Holz, die Vorhänge an den Fenstern waren weiß und gelb, und als der Tisch mit zierlichem blauem Geschirr zum Frühstück gedeckt war, konnte man sich nichts vorstellen, dass gleichermaßen so einfach und so fröhlich war.

Der Fehler, den ich in den meisten eurer Räume bemerkt habe, ist, dass es offenbar kein bestimmtes Farbschema gibt. Nichts ist auf eine Tonart abgestimmt, wie es jedoch sein sollte. Die Wohnungen sind voll von schönen Dingen, die nichts miteinander zu tun haben. Auch hier müssen eure Künstler dekorieren, was nützlich ist. In euren Kunstschulen gibt es keinen Versuch, solche Dinge wie die Vasen zu dekorieren. Nichts ist hässlicher als ein gewöhnlicher Krug. Ein Museum könnte mit den verschiedenen Arten von Vasen angefüllt werden, wie sie in heißen Ländern verwendet werden. Doch wir geben uns weiterhin zufrieden mit jenem deprimierenden Krug, der schlicht einen Griff an der einen Seite hat. Ich erkenne keine Weisheit darin, Teller mit Sonnenuntergängen und Suppentellern mit Mondscheinszenen zu dekorieren. Ich glaube nicht, dass es zum Vergnügen der Riesentafelente ist, sie für solche Herrlichkeiten zu verschwenden. Außerdem wollen wir keinen Suppenteller, dessen Boden in der Ferne zu verschwinden scheint. Niemand fühlt sich unter solchen Bedingungen weder sicher noch wohl. Tatsächlich erkannte ich, dass in den Kunstschulen des Landes nicht der Unterschied zwischen dekorativer und fantasievoller Kunst gelehrt wird.

Die Bedingungen der Kunst sollten einfach sein. Viel mehr hängt vom Herzen als vom Kopf ab. Die Wertschätzung der Kunst hängt nicht von einem ausgeklügelten Lernschema ab. Kunst benötigt eine gute und gesunde Atmosphäre. Die Motive für die Kunst liegen immer noch in uns, so wie es sich auch bei den Alten verhielt. Und die Themen finden sich ebenso beim ernsthaften Bildhauer und Maler. Nichts ist pittoresker und anmutiger als ein Mann bei der Arbeit. Der Künstler, der auf den Kinderspielplatz geht und die Kinder beim Sport beobachtet und sieht, wie sich der Junge bückt, um seinen Schuh zu binden, wird dieselben Themen finden, die auch die Aufmerksamkeit der alten Griechen auf sich gezogen haben. Solche Beobachtungen und Illustrationen werden das ihrige tun, um den dummen Eindruck zu korrigieren, dass geistige und körperliche Schönheit stets voneinander verschieden sind.

Vielleicht mehr als irgendein anderes Land hat euch die Natur großzügig Material für den Kunstarbeiter zur Verfügung gestellt, um damit zu arbeiten. Ihr habt Marmorsteinbrüche, in denen der Stein farblich schöner ist als alles, was die Griechen jemals für ihre schöne Arbeit hatten. Und doch werde ich Tag für Tag mit den großen Gebäuden eines dummen Mannes konfrontiert, der dieses schöne Material auf eine Weise benutzt hat, als wäre es nicht kostbar. Marmor sollte von niemandem außer einem edlen Handwerker benutzt werden. Es gibt nichts, was mir bei der Reise durch euer Land ein größeres Gefühl der Unfruchtbarkeit vermittelt hat als das gänzliche Fehlen von Holzschnitzereien in euren Häusern. Holzschnitzerei ist die einfachste der dekorativen Künste. In der Schweiz verschönert der kleine barfüßige Junge die Vorhalle seines Vaters mit reiner Geschicklichkeit. Warum sollten amerikanische Jungs es nicht viel mehr und besser tun als Schweizer Jungs?

Es gibt nichts, das gröber in Konzeption und vulgärer in Ausführung ist als moderner Schmuck. Dies ist etwas, das leicht korrigiert werden kann. Etwas Besseres sollte aus dem schönen Gold gemacht werden, das in euren Berghöhlen gespeichert und entlang eurer Flussbetten verstreut ist. Als ich in Leadville war und darüber nachdachte, dass all das glänzende Silber, das ich aus den Minen kommen sah, in hässliche Dollars verwandelt wird, wurde ich sehr traurig. Es sollte zu etwas Dauerhafterem gemacht werden. Die goldenen Tore von Florenz sind heute genauso so schön wie damals, als Michelangelo sie sah.

Wir sollten mehr von dem Handwerker sehen. Wir sollten uns nicht damit begnügen, dass der Verkäufer zwischen uns vermittelt – der Verkäufer, der nichts von dem versteht, was er verkauft, außer, dass er preislich zu viel draufschlägt. Dem Handwerker zuzusehen wird uns diese wichtigste Lektion lehren: den Adel aller sinnvollen Kunstfertigkeit.

Ich habe in meinem letzten Vortrag davon gesprochen, dass Kunst durch eine universelle Sprache eine neue Brüderlichkeit unter den Menschen schaffen könnte. Ich sagte, dass Krieg unter ihrem wohltätigen Einfluss überwunden werden könnte. Welchen Platz sollte ich dann der Ausbildung der Kunst verleihen? Wenn Kinder unter schönen Dingen aufwachsen, werden sie Schönheit lieben und Hässlichkeit verabscheuen, lange bevor sie den Grund dafür kennen. Wenn man in ein Haus geht, in dem alles roh und unedel ist, findet man eben Dinge, die abgebrochen und unansehnlich sind. Niemand kümmert sich darum. Wenn aber alles zierlich und zart ist, werden unbewusst Sanftheit und Raffinesse erworben. Als ich in San Francisco war, besuchte ich häufig das chinesische Viertel. Dort sah ich einen großen chinesischen Arbeiter einen Graben ausheben. Er trank jeden Tag seinen Tee aus einer kleinen Tasse, die so zart war wie das Blütenblatt einer Blume, während mir gleichzeitig in allen großen Hotels des Landes, wo Tausende von Dollars für große vergoldete Spiegel und bunte Säulen verschwendet werden, der Kaffee in groben, dickwändigen Tassen serviert wurde. Ich glaube, ich habe etwas Schöneres verdient.

Die Kunstsysteme der Vergangenheit wurden von Philosophen entwickelt, die Menschen gewissermaßen als Hindernisse betrachtet haben. Sie haben versucht, den Geist von Jungs zu bilden, bevor sie wirklich einen hatten. Wie viel besser wäre es, Kindern in diesen frühen Jahren beizubringen, ihre Hände im vernünftigen Dienst für die Menschheit zu stellen. Ich würde jeder Schule eine Werkstatt hinzufügen und eine Stunde pro Tag dem Unterricht der einfachen dekorativen Künste widmen. Es wäre eine goldene Stunde für die Kinder. Und man würde bald eine Rasse von Handwerkern produzieren, die das Gesicht des Landes verwandeln würde. Ich habe nur eine solche Schule in den Vereinigten Staaten gesehen. Das war in Philadelphia, und sie war von meinem Freund Mr. Leyland gegründet worden. Ich war gestern dort und habe heute einige Arbeiten mitgebracht, um es Ihnen zu zeigen. Dies hier sind zwei Scheiben aus geschlagenem Messing: die Verzierungen auf ihnen sind schön, die Verarbeitung ist einfach und das gesamte Ergebnis ist zufriedenstellend. Die Arbeit wurde von einem zwölfjährigen Jungen erledigt. Dies hier ist eine Holzschale von einem kleinen dreizehnjährigen Mädchen. Das Design ist schön und die Färbung ist zart und hübsch. Hier sieht man ein Stück Holzschnitzerei, hergestellt von einem neunjährigen Jungen. Mit solch einer Arbeit lernen Kinder die Aufrichtigkeit der Kunst. Sie lernen, den Lügner der Kunst zu verabscheuen – den Mann, der Holz anmalt, damit es wie Eisen aussieht, oder Eisen, um wie Stein auszusehen. Es ist eine praktische Schule der Moralentwicklung. Es gibt keinen besseren Weg, die Natur zu lieben, als Kunst zu verstehen. Sie ehrt jede Blume auf dem Felde. Was wir wollen, ist, dass etwas Spirituelles dem Leben hinzugefügt wird. Nichts ist so unwürdig, als dass die Kunst es nicht heiligen könnte.

Die Kunst und der Handwerker

(Die Fragmente, auf denen diese Vorlesung basiert, stammen vollständig aus den ursprünglichen Manuskripten, die erst kürzlich entdeckt wurden. Es steht nicht fest, dass sie alle zur selben Vorlesung gehören oder dass alle zur selben Zeit geschrieben wurden. Einige Teile wurden 1882 in Philadelphia verfasst.)

Menschen sprechen oft so, als gäbe es einen Gegensatz zwischen dem, was schön, und dem, was nützlich ist. Es gibt keinen Gegensatz zur Schönheit außer der Hässlichkeit: Alle Dinge sind entweder schön oder hässlich, und Nützlichkeit liegt stets auf der Seite des Schönen, da schöne Dekoration immer auf der Seite des Schönen liegt. Schöne Dekoration ist immer ein Ausdruck davon, etwas einen Wert zu verleihen. Kein Handwerker wird schlechte Arbeit auf schöne Weise dekorieren. Dessen kann man sich sicher sein. Wenn man in irgendeinem Handwerk oder Handel schlechte und wertlose Entwürfe hat, wird man auch nur nutzlose Handwerker vorfinden. Aber sobald einem edle und schöne Entwürfe vorliegen, dann bekommt man Menschen von Macht und Intellekt und Gefühl, die für einen arbeiten. Mit guten Entwürfen hat man Handwerker, die nicht nur mit ihren Händen, sondern auch mit ihren Herzen und Köpfen arbeiten; sonst bekommt man nur den Narren oder den Müßiggänger.

Dass die Schönheit des Lebens keine Angelegenheit von nur einem Moment ist, würden, so nehme ich an, nur wenige Menschen behaupten.

Und doch verhalten sich die meisten zivilisierten Menschen so, als wäre es so, und tun dabei sowohl sich selbst als auch denjenigen, die nach ihnen kommen, Unrecht an. Denn Schönheit, die durch die Kunst möglich ist, ist keine bloße Zufälligkeit des menschlichen Lebens, mit der man machen kann, was man will. Sie ist eine positive Lebensnotwendigkeit, wenn wir so leben wollen, wie es die Natur für uns vorgesehen hat. Das heißt, wenn wir nicht damit zufrieden sind, weniger zu sein, als ein Mensch.

Man sollte nicht annehmen, dass der kommerzielle Geist, der die Grundlage unseres Lebens und unserer Städte ist, der Kunst entgegengesetzt ist. Wer hat die schönen Städte der Welt gebaut, wenn nicht Geschäftsleute, und nur Geschäftsleute? Genua wurde von seinen Händlern erbaut, Florenz von seinen Bankiers und Venedig, die schönste Stadt von allen, von seinen edlen und ehrlichen Kaufleuten.

Ich will von euch nicht, dass ihr ‚ein neues Pisa erbaut', noch dass ihr ‚das Leben oder die Dekorationen des dreizehnten Jahrhunderts zurückbringt'. ‚Die Umstände, mit denen ihr eure Handwerker umgeben müsst, *Hausdekoration*, sind diejenigen des modernen amerikanischen Lebens, ‚denn die Entwürfe, die man jetzt von den Handwerker verlangen kann, sind solche, die dem modernen amerikanischen Leben Schönheit verleihen'. Die Kunst, die wir wollen, ist die Kunst, die auf den Erfindungen der modernen Zivilisation basiert und die allen Bedürfnissen des Lebens im neunzehnten Jahrhundert gerecht wird.

Glauben Sie zum Beispiel, dass wir gegen Maschinen sind? Ich sage euch, wir verehren sie; wir verehren sie, wenn sie ihre eigentliche Arbeit tun, wenn sie den Menschen von unedler und seelenloser Arbeit befreien und wenn sie nicht versuchen, das zu tun, was nur durch die Hände und Herzen der Menschen wertvoll wird. Lasst uns keine maschinell hergestellten Ornamente haben; all dies ist schlecht und wertlos und hässlich. Und lasst uns nicht die Mittel der Zivilisation für den Zweck der Zivilisation missverstehen; Dampfmaschine, Telefon und dergleichen sind alles wunderbare Erfindungen. Aber man muss sich klarmachen, dass ihr Wert ganz von den Verwendungen und von der Geisteshaltung abhängt, mit der wir sie verwenden, und nicht von den Dingen selbst.

Es ist zweifellos ein großer Vorteil, mit einem Mann an den Antipoden über ein Telefon sprechen zu können; doch der Vorteil hängt ganz von dem Wert dessen ab, was die beiden Männer einander zu sagen haben. Wenn man nur Verleumdungen in die Röhre schreit oder Torheiten in den Draht flüstert, so glaube man nicht, dass irgendjemand wirklich von der Erfindung profitiert.

Der Zug, der einen gewöhnlichen Engländer mit einer Geschwindigkeit von vierzig Meilen pro Stunde durch Italien wirbelt und ihn schließlich nach Hause schickt, ohne eine Erinnerung an dieses liebliche Land gewonnen zu haben außer, von einem Kurier übers Ohr gehauen worden zu sein oder ein schlechtes Abendessen in Verona gehabt zu haben, tut weder ihm noch der Zivilisation viel Gutes. Aber diese schnelle Legion feuriger Motoren, die den brennenden Ruinen von Chicago die liebevolle Hilfe und den großzügigen Schatz der Welt brachten, ist doch so edel und so schön wie jede goldene Truppe von Engeln, die in der Antike die Hungrigen nährten und die Nackten bekleideten. Alle Maschinen können schön sein, selbst wenn sie schmucklos sind. Man versuche nicht, sie zu dekorieren. Wir können nicht anders als anzunehmen, dass alle guten Maschinen anmutig sind.

Man statte, wie gesagt, den Handwerker von heute mit einer hellen und edlen Umgebung aus. Eine stattliche und einfache Architektur für eure Städte, helle und einfache Kleidung für die Männer und Frauen: Dies sind die Bedingungen einer echten künstlerischen Bewegung. Denn der Künstler beschäftigt sich in erster Linie nicht mit irgendeiner Theorie über das Leben, sondern mit dem Leben selbst, mit der Freude und Lieblichkeit, die täglich aus einer schönen Außenwelt auf Auge und Ohr treffen sollte.

Aber Einfachheit darf nicht zur Unfruchtbarkeit werden oder hellen Farben zu knallig sein. Denn alle schönen Farben sind abgestufte Farben, und zwar Farben, die ineinander überzugehen scheinen – Farben ohne Ton sind wie Musik ohne Harmonie, und erzeugen lediglich Zwietracht. Unfruchtbare Architektur, die vulgären und grellen Werbungen, die nicht nur eure Städte, sondern jeden Stein und Fluss, den ich bisher in Amerika gesehen habe, entweihten – all das ist nicht genug. Wir müssen in jeder Stadt eine Schule für Gestaltung und Design haben. Es sollte ein herrschaftliches und edles Gebäude sein, voll mit den besten Beispielen der Kunst der Welt. Außerdem sollte man die Designer nicht in einem kargen, weiß getünchten Raum stehen und sie in dieser deprimierenden und farblosen Atmosphäre arbeiten lassen, wie ich es bei vielen amerikanischen Schulen gesehen habe. Man sollte ihnen stattdessen eine wunderschöne Umgebung bereitstellen. Wenn man dem Handwerker ein beständiges Regelwerk und einen hohen Geschmackssinn ermöglichen will, sollte er stets Exemplare der besten dekorativen Kunst der Welt in der Nähe haben, sodass man ihm sagen kann: ‚Das ist gute Arbeit. Griechenland oder Italien oder Japan haben es vor so vielen Jahren hervorgebracht, und doch ist es ewig jung, weil ewig schön.' Man arbeite in dieser Geisteshaltung. Kopiere nicht, sondern arbeite sowohl mit Liebe, Ehrfurcht und Freiheit in der Vorstellungskraft. Sie müssen dem Handwerker das Wesen von Farbe und Design beibringen, nämlich dass alle schönen Farben abgestufte Farben sind und dass grelle Farben vulgär sind. Man zeige ihm die Qualität irgendeines schönen Werkes der Natur, wie etwa eine Rose oder irgendein schönes Kunstwerk, wie einen östlichen Teppich, und lasse ihn die exquisite Farbabstufung bezeugen, also wie ein Ton auf einen anderen wie die aufeinanderfolgenden Akkorde einer Symphonie antwortet. Man lehre ihn, dass der wahre Designer nicht derjenige ist, der das Design macht und es dann färbt, sondern derjenige ist, der in Farbe entwirft, der mit Farbe schöpft und in Farbe denkt. Man zeige ihm, wie die schönsten Buntglasfenster Europas mit weißem Glas und die schönsten orientalischen Wandteppiche mit kräftigsten Farben gefüllt sind. Und dann, was das Design anbelangt, zeige man ihm, wie der wahre Designer zunächst jede gegebene begrenzte Fläche nehmen wird, eine kleine Silberscheibe vielleicht, eine griechische Münze, oder eine breite Fläche aus gebördelten Decken oder herrschaftlichen Wänden, wie es Tintoretto in Venedig wählte, und diese begrenzte Fläche wird er dann mit schönster Dekoration füllen, so wie ein goldener Kelch mit Wein gefüllt wird, in dem Maße vollständig, dass man nichts davon nehmen oder etwas hinzufügen könnte. Denn von einem guten Entwurf kann man nichts wegnehmen, noch kann man etwas hinzufügen. Jeder Aspekt ist absolut notwendig und wichtig für den Effekt des Ganzen, wie eine Note oder ein Akkord aus einer Sonate Beethovens.

So angefüllt zu werden ist das Wesen guten Designs. Mit einer einfachen Anordnung von Blättern und einem fliegendem Vogel wird euch ein japanischer Künstler den Eindruck vermitteln, dass er einen Schilffächer oder einen Lackschrank, an dem er arbeitet, vollständig mit schönstem Design bedeckt hat, und zwar nur weil er den genauen Ort kennt, an dem er die Blätter und Vogel zu platzieren hat. Gutes Design hängt auch von der Textur des verwendeten Utensils und dem Verwendungszweck ab. Eines der ersten Dinge, die ich in einer amerikanischen Schule für Gestaltung sah, war eine junge Dame, die eine romantische Mondlandschaft auf einem großen runden Teller malte, sowie eine andere junge Dame, die eine Reihe von Tellern mit Sonnenuntergängen in den bemerkenswertesten Farben verzierte. Lasst diese Damen Mondlandschaften und Sonnenuntergänge malen, aber nicht auf Tellern oder Geschirr! Lasst sie für solche Arbeiten Leinwand oder Papier nehmen, nicht aber Ton oder Porzellan. Sie malen die falschen Themen auf das falsche Material! Ihnen wurde nicht gezeigt, dass jedes Material und jede Textur bestimmte Eigenschaften besitzt. Das für ein Material passende Design ist für das andere vollkommen falsch, genauso wie das Design, das man für einen flachen Tischüberwurf verwenden sollte, ganz anders als das Design sein sollte, welches man für einen Vorhang verwenden würde. Das eine wird nämlich immer glatt sein während sich das andere in Falten liegt. Und auch die Verwendung eines Objekts sollte bei der Wahl des Designs eine Rolle spielen. Man möchte seine Suppenschildkröte nicht von Tellern mit romantischem Mondlicht noch seine Muscheln von einem Teller mit einem Sonnenuntergang essen. Der Ruhm der Sonne und des Mondes: Lass sie von einem Landschaftskünstler auf eine Weise an die Wände der Zimmer gemalt werden, dass sie uns an die unsterbliche Schönheit der Sonnenuntergänge erinnern, doch lasst sie kein Motiv auf unseren Schüsseln sein, aus denen wir unsere Suppe essen und die zweimal am Tag in die Küche gebracht werden, um dort von der Magd gewaschen und geschrubbt zu werden.

All diese Dinge sind so einfach, und doch sind sie fast vergessen. Eure Schule für Gestaltung wird eure Mädchen und Jungen unterrichten, die Handwerker der Zukunft zu sein (doch alle Kunstschulen sollten örtliche Schulen sein). Wir sprechen zwar von der italienischen Schule der Malerei, aber es gibt keine italienische Schule; es gab nur die Schulen in jeder Stadt. Jede Stadt in Italien – von Venedig, der Königin des Meeres, bis zur kleinen Bergfestung von Perugia – hatte ihre eigene Kunstschule, jede anders und alle schön.

Man kümmere sich erst einmal nicht darum, was es für Kunst in Philadelphia oder New York gibt. Ermöglicht durch die Hände eurer Bürger aber schöne Kunst zur Freude der Bürger, denn dies sind die primären Elemente einer großen künstlerischen Bewegung.

Die Bedingungen der Kunst sind viel einfacher, als es sich die Menschen normalerweise vorstellen. Für die edelste Kunst braucht man eine klare und gesunde Atmosphäre, die nicht wie die Luft unserer englischen Städte durch den Rauch und Schmutz und die Entsetzlichkeit der offenen Öfen und der Fabrikschornsteine verschmutzt ist. Männer und Frauen müssen einen starken, gesunden und gesunden Körperbau haben. Kranke, untätige oder melancholische Leute können nicht viel in der Kunst bewirken. Und zuletzt bedarf es eines besonderen individuellen Gefühls in jedem Mann und jeder Frau, denn dies ist das Wesen der Kunst – das Verlangen des Menschen, sich auf die edelste Weise auszudrücken. Und das ist der Grund, warum die großartigste Kunst der Welt immer aus einer Republik kam: Athen, Venedig und Florenz – dort gab es keine

Könige, und daher war ihre Kunst so edel und einfach und aufrichtig. Aber wenn man wissen will, welche Art von Kunst einem Land durch die Torheit eines Königs auferlegt werden kann, dann betrachte man nur die dekorative Kunst Frankreichs unter dem *grand monarque*, nämlich Ludwig dem Vierzehnten. Die grell vergoldeten Möbel wanden sich unter ihrem eigenen Schrecken und ihrer Hässlichkeit, mit Nymphen, die aus jedem Winkel grinsten. Unrealistische und monströse Kunst ist das, die nur zu solch Perücken tragenden Prahlhansen wie dem Adel von Frankreich zu passen schien, nicht jedoch zu euch oder zu mir. Wir wollen nicht, dass die Reichen noch mehr schönere Dinge besitzen, sondern dass die Armen mehr schöne Dinge erschaffen. Denn jener Mensch ist arm, der nicht schöpfen kann. Noch soll die Kunst, die wir brauchen, lediglich eine purpurrote Robe sein, die von einem Sklaven gewebt und über den weiß gewordenen Körper eines aussätzigen Königs geworfen wird, um die Sünde seines Luxus' zu schmücken oder zu verbergen. Sie soll stattdessen der edle und schöne Ausdruck des edlen und schönen Lebens eines Volkes sein. Die Kunst soll wieder der herrlichste aller Akkorde sein, durch den der Geist einer großen Nation seine edelste Äußerung findet.

Um einen herum, so sagte ich, liegen die Bedingungen für eine große künstlerische Bewegung jeder großen Kunst. Lasst uns eine von ihnen betrachten, nämlich den Bildhauer selbst.

Würde ein moderner Bildhauer kommen und fragen: ‚Wo genau kann man unter den Männern, die Gehröcke und Schornsteinhüte tragen, geeignete Subjekte für Skulpturen finden?', so würde ich ihm antworten, dass er zum Hafenbecken einer großen Stadt gehen und beobachten soll, wie die Männer, die Schiffe entladen oder beladen, am Rad oder der Ankerwinde oder der Gangway arbeiten. Ich habe noch nie einen Mann beobachtet, der etwas Nützliches getan hat und der dabei nicht zu irgendeinem Zeitpunkt seiner Arbeit anmutig gewesen ist. Nur der Müßiggänger ist für den Künstler nutzlos und uninteressant. Ich würde den Bildhauer bitten, mit mir zu irgendeiner Schule oder Universität zu gehen, oder zum Laufplatz und zur Turnhalle, um dort den jungen Männern zuzusehen, wie sie ein Rennen starten, Keulen werfen oder sich kniend ihre Schuhe binden, bevor sie springen, um dann eine Skulptur von ihnen anzufertigen. Und wenn er der Städte überdrüssig ist, dann würde ich ihn bitten, auf die Feldern und Wiesen zu gehen, um die Arbeiter mit ihren Sicheln und die Viehtreiber mit ihrem Lasso zu beobachten. Denn wenn man in so einfachen täglichen Dingen nicht die edelsten Motive für Kunst findet – wie etwa eine Frau, die Wasser aus dem Brunnen schöpft, oder einen Mann, der an seiner Sense lehnt – dann wird man sie nirgends finden. Die Griechen schufen Skulpturen von Göttern und Göttinnen, weil sie sie liebten; die Goten schufen Abbilder von Heiligen und Königen, weil sie an sie glaubten. Ihr aber interessiert euch nicht wirklich für griechische Götter und Göttinnen, noch für Heilige und Könige, und das ist in Ordnung. Aber was ihr liebt, sind eure eigenen Männer und Frauen, eure eigenen Blumen und Felder, eure eigenen Hügel und Berge, und dies ist es, was eure Kunst darstellen sollte.

Unsere Bewegung war die erste, die den Handwerker und den Künstler zusammengeführt hat. Wenn man den einen von dem anderen trennt, ruiniert man beide. Man beraubt den einen aller spirituellen Motiven und aller fantasievollen Freude, und man isoliert den anderen von jeder echten technischen Perfektion. Die beiden größten Kunstschulen der Welt, die der Bildhauer in Athen und die der Maler in Venedig, hatten ihren Ursprung in einer langen Reihe von einfachen und ernsthaften Handwerkern. Es war der griechische Töpfer, der dem Bildhauer den zurückhaltenden Einfluss des Designs beibrachte, der später der Ruhm des Parthenons war. Es war der italienische Dekorateur von Truhen und Haushaltswaren, durch die die venezianische Malerei sich selbst in ihrem ursprünglichen Verfahren und der edlen Farbe treu bleib. Denn wir sollten nie vergessen, dass alle Künste schöne Künste sind und alle Künste auch dekorative Künste. Der größte Triumph der italienischen Malerei war die Dekoration einer Papstkapelle in Rom und die Wand eines Zimmers in Venedig. Michelangelo fertigte die eine und Tintoret, der Sohn des Färbers, die anderen an. Und die kleine ‚holländische Landschaft, die ihr heute über eure Anrichte und morgen zwischen die Fenster hängt, ist keineswegs eine weniger herrliche Arbeit als die Feld- und Waldflächen, mit denen Benozzo die schwermütige Arkade des Campo Santo in Pisa mit Grün verschönert hat', wie Ruskin sagte.

Man imitiere nicht die Werke einer Nation, sei es Griechenland oder Japan, Italien oder England; doch ihren künstlerischen Geist und ihre künstlerische Haltung, ihre eigene Welt, sollte man in sich aufnehmen, nie aber nachahmen oder kopieren. Solange man nicht einen ebenso schönen Entwurf für bemaltes Porzellan oder gehämmertes Messing mit einem amerikanischen Truthahn vorweisen kann, so wie es der Japaner mit seinem grauen Silberstorch tut, so lange wird man niemals irgendwas erreicht haben. Lass die Griechen ihre Löwen abbilden und die Goten ihre Drachen: Büffel und Wildhirsche aber sind eure Tiere.

Goldrute und Aster und Rose und all die Blumen, die eure Täler im Frühling und eure Hügel im Herbst bedecken: Lasst sie die Blumen eurer Kunst sein. Die Natur hat euch nicht nur die edelsten Motive für eine neue Schule der Dekoration gegeben, sondern euch vor allem auch die Utensilien zur Verfügung gestellt, mit denen ihr arbeiten könnt.

Ihr habt Steinbrüche aus Marmor, die reicher sind als Pendeli und vielseitiger als Paros. Aber baut keine großen weißen quadratischen Häuser aus Marmor und denkt, dass das schön sei oder dass ihr den Marmor gut verwendet. Wenn ihr mit Marmor baut, müsst ihr daraus entweder fröhliche Dekorationen erzeugen, wie etwa die tanzenden Kinder, die die marmornen Schlösser der Loire schmücken, oder sie mit schönen Skulpturen ausfüllen, wie es die Griechen getan haben, oder es mit anderem farbigen Marmor einlegen, wie es in Venedig getan wurde. Ansonsten hättet ihr besser mit einfachen roten Ziegelsteinen wie eure puritanischen Väter gebaut, ohne Heuchelei und doch mit einiger Schönheit. Behandelt Marmor nicht wie einen gewöhnlichen Stein und baut ein Haus nicht aus Marmorblöcken. Denn es ist in der Tat ein kostbarer Stein, und nur Handwerker mit Erfindungsreichtum und Zartheit der

Hand sollten ihn überhaupt berühren dürfen, um edle Statuen oder schöne Dekoration zu fertigen oder ihn mit anderem farbigem Marmor zu schmücken. Denn ‚die wahren Farben der Architektur sind die des Natursteins, und ich möchte sie in vollem Umfang ausnutzen. Hier findet sich jede Variation, von blassem Gelb bis zu Purpur, Orange, Rot und Braun; fast jede Art von Grün und Grau, und reines Weiß: Welche Harmonien kann man damit nicht erreichen? Mit fleckigem und buntem Stein sind die Möglichkeiten unbegrenzt, die Arten unzählbar. Werden hellere Farben benötigt, so kann man Glas und durch Glas geschütztes Gold in Mosaiken verwenden, eine Art von Arbeit, die ebenso haltbar ist wie fester Stein; es ist unmöglich, dass sie mit der Zeit ihren Glanz verliert. Ausserdem überlasst dem Maler die beschattete Loggia und die innere Kammer.

Dies ist die wahre Art und Weise, zu bauen. Wo dies nicht verwirklicht werden kann, kann die Möglichkeit der äußeren Färbung tatsächlich ohne Schande angewandt werden – aber es muss mit der warnenden Bemerkung sein, dass eine Zeit kommen wird, in der solche Hilfsmittel unmöglich werden und das Gebäude ob seiner Leblosigkeit beurteilt und seinen Tod erleiden wird. Besser sind weniger helle und dauerhaftere Stoffe. Die transparenten Alabaster von San Miniato und die Mosaiken von San Marco werden in jeder Rückkehr von Morgen und Abend warm gefüllt und hell berührt, während die Farben der gotischen Kathedralen längst verblichen sind; und die Tempel, deren azurblau und purpur einmal über dem griechischen Vorgebirge flammten, überdauern nun in ihrer verblichenen Weisheit wie Schnee, den die Sonne nicht erwärmt hat.'- Ruskin, *Sieben Lampen der Architektur, II.*

Ich kenne nichts so Alltägliches wie den modernen Schmuck. Wie leicht wäre es, dies zu ändern und Goldschmiedearbeiten zu produzieren, die uns allen Freude bereiten. Das Gold steht euch in schier unerschöpflichen Mengen bereit, gelagert in den Berghöhlen oder verstreut im Flusssand. Es wurde euch nicht nur für unfruchtbare Spekulation zur Verfügung gestellt. Es sollte eine bessere Verwendung dafür geben als lediglich den Kaufmann in Panik zu versetzen. Wir erinnern uns nicht häufig genug daran, wie beständig die Geschichte einer großen Nation in und durch ihre Kunst geformt wurde. Nur wenige dünne Kränze aus geschlagenem Gold erzählen uns vom stattlichen Reich Etruriens; und während in den Straßen von Florenz der edle Ritter und der hochmütige Herzog seit langem verschwunden sind, bewachen die Tore, die der einfache Goldschmied Ghiberti zu ihrem Vergnügen erschuf, noch immer das schönes Haus der Taufe, immer noch des Lobes von Michelangelo würdig, der sie die Tore zum Paradies nannte.

Entwickelt so eure Schule für Gestaltung, sucht eure Handarbeiter. Und wenn ihr einen findet, der die Hand zart zu führen versteht und über das Wunder der Erfindungsgabe verfügt, die für die Goldschmiedearbeiten so notwendig ist, so lasst ihn nicht in der Dunkelheit eines großen Geschäfts mit zwei großen Helfern schuften (die nicht dazu da sind, um deinen Anweisungen nachzukommen. Dies tun sie nie; sondern um dich zu zwingen, etwas zu kaufen, was du überhaupt nicht kaufen willst). Wenn du etwas in Gold gefertigt haben willst, einen Kelch oder ein Schild für ein Fest oder eine Halskette oder einen Kranz für eine Frau, sag ihm, was dir an der Dekoration am besten gefällt, sei es Blume oder Kranz, fliegender Vogel oder rennender Jagdhund, ein Bild der Frau, die du liebst, oder des Freundes, den du verehrst. Beobachte, wie er das Gold in diese dünnen Scheiben klopft, die so zart sind wie die Blütenblätter einer gelben Rose. Wer auch immer dieser Handarbeiter sein mag, hilf ihm, wertschätze ihn, und so wird man aus seiner Hand eine schöne Arbeit erhalten, die für alle Zeiten eine Freude sein wird.

Das ist die Geisteshaltung unserer Bewegung in England, und das ist die Geisteshaltung, von der wir uns wünschen, dass auch ihr sie verwirklicht. Verewigt durch eure Kunst also das, was bei euren Männern und Frauen edel, was bei euren Seen und Bergen imposant und an euren Blumen und der Natur schön ist. Wir wollen, dass es nichts in euren Häusern gibt, das dem, der es geschaffen hat, und dem, der es nutzt, keine Freude bereitet. Wir möchten, dass ihr eine Kunst ermöglicht, die von den Händen der Menschen gemacht wird, um die Herzen der Menschen zu erfreuen. Schätzt ihr diese Geisteshaltung oder nicht? Haltet ihr sie nicht auch für einfach und stark, edel in ihrem Ziel und schön in ihrem Ergebnis?

Torheit und Verleumdung vergehen. Ihr wisst jetzt, was wir meinen: Ihr könnt jetzt einschätzen, was über unsere Bewegung gesagt wird – über ihren Wert und ihr Motiv.

Es sollte ein Gesetz dafür geben, dass gewöhnliche Zeitungen nicht über Kunst schreiben dürfen. Der Schaden, den sie durch ihr dummes und chaotisches Schreiben anrichten, ist unmöglich zu überschätzen – nicht so sehr für den Künstler, sondern für die Öffentlichkeit, die durch sie geblendet wird. Dem Künstler kann sie gar nicht schaden. Ohne sie würden wir einen Menschen einfach seiner Arbeit nach einschätzen. Aber gegenwärtig versuchen die Zeitungen, die Öffentlichkeit dazu zu bringen, zum Beispiel einen Bildhauer nie anhand seiner Statuen, sondern anhand der Art zu bewerten, wie er seine Frau behandelt; oder ein Maler nach der Höhe seines Einkommens und einen Dichter nach der Farbe seines Halsbandes. Ich sagte, dass es ein Gesetz geben sollte, und doch gibt es in Wirklichkeit keine Notwendigkeit für ein solches Gesetz: Nichts könnte einfacher sein, als aus dem gewöhnlichen Kritiker einen Kriminellen zu machen. Aber lassen wir ein so unkünstlerisches Thema und kehren zu schöneren Dingen zurück und erinnern uns daran, dass die Kunst, die der Geisteshaltung der modernen Zeitungen entspricht, genau die Art von Kunst ist, die Sie und ich vermeiden sollten – groteske Kunst, Bosheit, die euch von jeder Straßenecke verspottet und verleumdet.

Vielleicht werdet ihr überrascht sein, dass ich von der Arbeit und dem Handwerker spreche. Ihr habt von mir, so fürchte ich, durch eure einfallsreichen Zeitungen gehört, und zwar, wenn nicht nur als einem ‚jungen japanischen Mann', sondern auch als einem jungen Mann, dem die Hetze und das Geschrei und die Wirklichkeit der modernen Welt zuwider seien und dessen größte Schwierigkeit es im Leben bislang war, dem Niveau seines blauen Porzellans zu entsprechen – ein Paradoxon, von dem sich England noch nicht erholt hat.

Lassen Sie mich erklären, wie es mir in den Sinn kam, eine künstlerische Bewegung in England zu erschaffen, eine Bewegung, um den Reichen zu zeigen, welche schönen Dinge sie genießen, und den Armen, welche schönen Dinge sie erschaffen können.

Eines Sommernachmittags in Oxford – ‚diese süße Stadt mit ihren träumerischen Türmen', so lieblich in seiner Pracht wie Venedig und so edel in seinem Wissen wie Rom, wo sich, entlang der langen High Street, vorbei an stillen Kreuzgängen und stattlichen Toren, Türme erstrecken, bis man die lange, graue, siebenbogige Brücke erreicht, die die Heilige Maria zu bewachen pflegte (pflegte, sage ich, weil sie sie jetzt niederreißen, um eine Straßenbahn und eine leichte gusseiserne Brücke an ihrer Stelle zu bauen und so die schönste Stadt Englands entweihen) – schlenderten wir, eine Truppe junger Männer, gerade die Straße herunter. Einige von uns, wie ich nur neunzehn Jahre, gingen zum Fluss oder Tennisplatz oder Kricketfeld, als Ruskin, zur Vorlesung gehend, in Haube und Robe auf uns zu kam. Er schien beunruhigt und bat uns, mit ihm zu seinem Vortrag zu kommen. Und da sprach er diesmal nicht von der Kunst, sondern vom Leben. Er sagte, dass es ihm falsch schien, dass der gute Körperbau und die Kraft der jungen Männer Englands ziellos auf dem Cricketplatz verschwendet werden sollten, ohne dass man, wenn man gut ruderte, zu einem anderen Ergebnis kommen sollte als zu einem Zinnpokal. Er dachte, sagte er, dass wir an etwas arbeiten sollten, etwas, das anderen Menschen etwas Gutes tun würde, etwas, mit dem wir zeigen könnten, dass aller Arbeit etwas Edles innewohnt. Wir waren alle sehr bewegt und sagten, wir würden alles tun, was er wollte. Also wanderte er in Oxford herum und fand zwei Dörfer, nämlich das Obere und das Untere Hinksey. Dazwischen lag ein großer Sumpf, sodass die Dorfbewohner nicht ohne einen Umweg von vielen Meilen von einem Dorf zum anderen gelangen konnten. Und als wir im Winter zurückkamen, bat er uns, ihm zu helfen, eine Straße durch diesen Morast zu bauen, damit diese Dorfbewohner ihn benutzen können. So gingen wir Tag für Tag dorthin und lernten, wie man Boden aufwirft und Steine bricht und Schubkarren auf einer Planke entlangfährt – eine sehr schwierige Aufgabe. Und Ruskin arbeitete mit uns im Nebel und Regen und Schlamm eines typischen Oxford-Winters, und unsere Freunde wie unsere Feinde kamen und verspotteten uns. Uns hat es damals nicht viel ausgemacht, und wir haben ganze zwei Monate an der Straße gearbeitet. Und was ist aus der Straße geworden? Nun, wie eine schlechte Vorlesung endete das Vorhaben plötzlich – in der Mitte des Sumpfes. Ruskin war nach Venedig gegangen, und wir hatten keinen Anführer mehr; die ‚Gräber', wie man uns nannte, entzweiten sich. Aber ich dachte mir, dass, wenn es unter den jungen Männern ausreichend beseelten Geist gibt, um einer solchen Arbeit wie den Straßenbau aus einem Ideal heraus zu folgen, dann könnte ich mit ihnen eine künstlerische Bewegung schaffen, die das Gesicht von England verändern könnte. Also suchte ich sie zu finden –, Führer nannten sie mich – aber es gab keinen Führer: wir waren alle nur Suchende und durch edle Freundschaft und edle Kunst miteinander verbunden. Keiner von uns blieb untätig: Die meisten von uns waren Dichter, und alle ehrgeizig: einige waren auch Maler und Metallarbeiter oder Modellierer, entschlossen, dass wir versuchen würden, schöne Arbeit zu erschaffen: sowohl für den Handwerker als auch die, die Gedichte und Bilder lieben.

Wir haben etwas in England geschaffen und wir werden noch mehr tun. Ich will nun nicht, dass ihr eure brillanten jungen Männer, eure schönen jungen Mädchen, dazu bringt, eine Straße im Sumpf für irgendein Dorf in Amerika zu bauen. Aber ich denke, jeder von euch hat die Möglichkeit, die Kunst zu üben.

Wir müssen, wie Emerson sagte, ein mechanisches Handwerk für unsere Kultur haben, eine Grundlage für die höheren Errungenschaften unserer Handarbeit – die Nutzlosigkeit der Hände der meisten Menschen scheint mir eine sehr unpraktische Angelegenheit zu sein. ‚Keine Trennung von der Arbeit kann für den Seher ohne einen Verlust von Macht oder Wahrheit sein', sagte Emerson weiter. Der Heroismus, den uns der Eindruck von Epaminondas erzeugen würde, muss der eines Eroberers sein. Der Held der Zukunft ist derjenige, der diesen Gorgonen der Mode und der Konvention tapfer und anmutig unterwerfen wird.

Wenn du deinen eigenen Teil gewählt hast, halte dich daran und versuche, nicht schwach zu sein und dich mit der Welt zu versöhnen. Das Heroische kann nicht das Gemeine oder das Gemeine nicht das Heroische sein. Gratuliere dir, wenn du etwas Seltsames und Extravagantes getan und die Monotonie eines anständigen Zeitalters gebrochen hast.

Und schließlich, lasst uns nie vergessen, dass Kunst das Einzige ist, dem der Tod nichts anhaben kann. Das kleine Haus in Concord mag trostlos sein, aber die Weisheit des Platon von Neuengland wird nicht zum Schweigen gebracht, noch wird sich der Glanz dieses attischen Genies verdunkeln. Die Lippen von Longfellow sind Musik für uns, obwohl sein Staub längst zu den Blumen wurde, die er liebte: Und so, wie es bei den größeren Künstlern, Poeten und Philosophen und Singvögeln ist, so geschehe es auch mit euch.

Vortrag vor Kunststudenten

(Gehalten vor den Kunststudenten der Royal Academy in ihrem Club am Golden Square, Westminster, 30. Juni 1883. Der Text stammt aus dem Originalmanuskript.)

In dem Vortrag, den ich heute die Ehre habe halten zu können, beabsichtige ich keine abstrakte Definition von Schönheit anzustreben. Denn wir, die wir in der Kunst arbeiten, können keine Theorie der Schönheit als Ersatz für die Schönheit selbst akzeptieren. Im Gegenteil, indem wir nicht das Verlangen haben, sie in einer dem Intellekt ansprechenden Formel zu isolieren, versuchen wir vielmehr, sie in einer Form zu materialisieren, die der Seele durch die Sinne Freude schenkt. Wir wollen sie erschaffen, nicht definieren. Die Definition sollte der Arbeit folgen. Die Arbeit sollte sich jedoch nicht an die Definition anpassen.

Nichts ist für den jungen Künstler gefährlicher als irgendeine Konzeption von idealer Schönheit: Er wird von ihr entweder in die schwache Hübschheit oder in die leblose Abstraktion geführt. Wenn man sich überhaupt an einem Ideal orientiert, darf man es nicht seiner Vitalität entkleiden. Man muss es im Leben finden und in der Kunst neu erschaffen.

Während ich einerseits also keine Philosophie der Schönheit vorstellen möchte – denn was ich heute Abend untersuchen möchte, ist, wie wir Kunst erschaffen können, und nicht, wie man darüber sprechen sollte – so möchte ich mich andererseits auch nicht mit der Geschichte englischer Kunst auseinandersetzen.

Ein solcher Ausdruck wie die englische Kunst ist zunächst einmal auch bedeutungslos. Man könnte genauso gut von englischer Mathematik sprechen. Kunst ist die Wissenschaft der Schönheit, und Mathematik die Wissenschaft der Wahrheit. Es gibt von beidem keine nationale Schule. Tatsächlich ist eine nationale Schule lediglich eine Provinzschule. Es gibt noch nicht mal eine Kunstschule. Es gibt nur Künstler, das ist alles.

Und was Kunstgeschichte betrifft, so ist sie ziemlich wertlos, es sei denn, man strebt die aufdringliche Bedeutungslosigkeit einer Kunstprofessur an. Es wird Ihnen nicht nützen, die Geburtszeit von Perugino oder den Geburtsort von Salvator Rosa zu kennen. Alles, was man über Kunst lernen sollte, ist, ein gutes Bild von einem schlechten unterscheiden zu können, wenn man es denn vor sich hat. Was das Geburtsdatum des Künstlers anbetrifft, so sehen alle guten Werk stets aktuell aus: Eine griechische Skulptur, ein Porträt von Velasquez – sie sind immer modern, immer aktuell. Was die Nationalität des Künstlers betrifft, so ist Kunst nicht national, sondern universal. Und was die Archäologie betrifft, so vermeide man sie ganz: Archäologie ist lediglich die Wissenschaft, Ausreden für schlechte Kunst zu finden. Sie ist der Fels, auf dem viele junge Künstler scheitern und Schiffbruch erleiden. Es ist der Abgrund, aus dem kein Künstler, ob alt oder jung, je zurückkehrt. Oder, wenn er doch zurückkehrt, so ist er doch derart mit dem Staub der Epochen und dem Mehltau der Zeit bedeckt, dass er als Künstler völlig unkenntlich ist und sich für den Rest seiner Tage unter der Kappe eines Professors verstecken muss, oder als bloßer Illustrator der antiken Geschichte. Wie wertlos die Archäologie in der Kunst ist, kann man genau daran einschätzen, dass sie so beliebt ist. Popularität ist die Lorbeerkrone, die die Welt aufs Haupt der schlechten Kunst setzt. Was auch immer beliebt ist, taugt in Wirklichkeit nichts.

Da ich also nicht über die Philosophie des Schönen oder die Geschichte der Kunst reden werde, fragen Sie sich sicherlich, worüber ich sprechen werde. Das Thema meines Vortrags heute Abend ist, was einen Künstler ausmacht und was der Künstler genau tut; was sind die Beziehungen des Künstlers zu seiner Umgebung, was ist die Ausbildung, die der Künstler bekommen sollte, und was ist die Qualität eines guten Kunstwerkes?

Was nun die Beziehungen des Künstlers zu seiner Umgebung angeht, so meine ich damit das Zeitalter und das Land, in dem er geboren ist. Alle gute Kunst hat, wie ich schon sagte, nichts mit irgendeinem bestimmten Jahrhundert zu tun; und diese Universalität bestimmt die Qualität des Kunstwerks. Die Bedingungen, die diese Qualität produzieren, sind jedoch unterschiedlich. Und was man tun sollte, ist, seine eigene Epoche vollständig anzuerkennen, um sich ebenso vollständig davon abstrahieren zu können. Das heißt nicht nur, sich daran zu erinnern, dass, wenn man ein Künstler ist, man eben nicht nur das Sprachrohr eines Jahrhunderts ist, sondern ein Meister der Ewigkeit. Und das heißt auch, dass diejenigen, die einem anraten, dass die eigene Kunst das neunzehnte Jahrhundert repräsentieren sollte, Ihnen tatsächlich raten, eine Kunst zu erschaffen, die die eigenen Kinder, wenn sie sie dann später betrachten, für altmodisch halten. Aber Sie werden einwenden, dass dies ein unkünstlerisches Zeitalter ist und wir ein unkünstlerisches Volk, und dass der Künstler sehr unter unserem neunzehnten Jahrhundert leidet.

Natürlich tut er das. Ausgerechnet ich werde das nicht leugnen. Aber man erinnere sich daran, dass es seit Beginn der Welt nie ein besonders künstlerisches Zeitalter oder ein künstlerisches Volk gegeben hat. Der Künstler war und ist immer eine exquisite Ausnahme. Es gibt kein goldenes Zeitalter der Kunst; nur Künstler, die produziert haben, was goldener ist als Gold.

Und was, werden Sie einwenden, war mit den Griechen? War das nicht ein künstlerisches Volk?

Nun, die Griechen sicherlich nicht; aber vielleicht meinen Sie ja die Athener, die Bürger einer der tausend Städte.

Glauben Sie wirklich, dass die Griechen ein künstlerisches Volk waren? Man betrachte sie nur zur Zeit ihrer höchsten künstlerischen Entwicklung, dem letzten Teil des fünften Jahrhunderts vor Christus, als sie die größten Dichter und die größten Künstler der antiken Welt hervorgebracht hatten, als der Parthenon auf Bitten des Phidias in Lieblichkeit entstand, als der Philosoph im Schatten des bemalten Portikus von der Weisheit erzählte und als die Tragödie mit der Perfektion von Prunk und Pathos über den Marmor der Bühne fegte. Waren die Griechen deshalb ein künstlerisches Volk? Nicht im Geringsten! Denn was ist ein künstlerisches Volk, wenn nicht ein Volk, das seine Künstler liebt und ihre Kunst versteht? Die Athener vermochten beides nicht zu tun.

Wie haben sie Phidias behandelt? Phidias verdanken wir eine große Ära, nicht nur der griechischen, sondern aller Kunst – ich meine die Einführung des lebendigen Modells.

Und was würden Sie sagen, wenn alle die englischen Bischöfe, die vom englischen Volk unterstützt wurden, eines Tages von der Exeter Hall zur Royal Academy kämen und Sir Frederick Leighton in einem Gefängnistransporter nach Newgate abtransportierten, mit der Begründung, dass er euch erlaubt hätte, für die Entwürfe heiliger Bilder lebendige Modelle zu verwenden?

Würden Sie nicht gegen die Barbarei und den Puritanismus einer solchen Idee aufschreien? Würden Sie ihnen nicht zu erklären suchen, dass der schlechteste Weg, Gott zu ehren, der ist, den Menschen zu entehren, der nach seinem Ebenbild erschaffen wurde und der das Werk Seiner Hände ist; und dass, wenn man Christus malen will, man den Christus-ähnlichsten Menschen finden muss, und wenn man die Madonna malen will, daher das reinste Mädchen nehmen muss, das man kennt?

Würden Sie nicht auch Newgate notfalls stürmen und niederbrennen, und sagen, dass so etwas ohne Parallele in der Geschichte sei?

Ohne Parallele? Nun, genau das haben die Athener getan.

In dem Britischen Museum, wo der Marmor des Parthenon liegt, sieht man ein Marmorschild an der Wand hängen. Darauf sind zwei Figuren verewigt: die eines Mannes, dessen Gesicht halb verborgen ist, und die eines anderen Mannes, der die göttlichen Zügen des Perikles trägt. Dafür, dass Phidias dies entworfen hatte, dass er das Bild des großen Staatsmannes, der Athen damals beherrscht hatte, aus der heiligen griechischen Geschichte entwendet und in einem Basrelief verewigt hatte, wurde er ins Gefängnis geworfen. Dort starb er in Athen, er, der größte Künstler der alten Welt.

Sie mögen denken, dass dies ein Ausnahmefall war. Das Kennzeichen eines Zeitalters der Philister ist der Schrei der Unmoral gegen die Kunst, und dieser Aufschrei wurde vom athenischen Volk gegen jeden großen Dichter und Denker ihrer Zeit erhoben – Aischylos, Euripides und Sokrates. Dasselbe geschah in Florenz im dreizehnten Jahrhundert. Gutes Handwerk ist den Zünften zu verdanken, nicht den Menschen. In dem Moment, in dem die Zünfte ihre Macht verloren und die Leute hereinstürzten, starben die Schönheit und die Ehrlichkeit der Arbeit.

Man spreche niemals von einem künstlerischen Volk; so etwas hat es noch nie gegeben.

Aber vielleicht wollen Sie mir sagen, dass die äußere Schönheit der Welt fast vollständig verschwunden ist; dass der Künstler nicht mehr inmitten einer lieblichen Umgebung verweilt, die in der Vergangenheit unser natürliches Erbe war; ja, dass Kunst in unser unschönen Stadt sehr schwierig zu verwirklichen ist, hier, wo man, wenn man morgens zur Arbeit geht oder von dort am Abend zurückkehrt, eine Reihe von Straßen durchqueren muss, die über die dümmste und närrischste Architektur verfügen, die die Welt je gesehen hat. Eine Architektur, in der jede schöne griechische Form und jede schöne gotische Form entweiht und geschändet wurde, und auf diese Weise drei Viertel der Londoner Häuser darauf reduziert, quadratische Kästen mit gemeinsten Proportionen zu sein: hager, schmutzig, arm und protzig. Die Türen haben stets die falsche Farbe und die Fenster die falsche Größe. Und wo man, wenn man vom Anblick der Häuser ermüdet ist, die Straße selbst betrachten muss und man nichts anderes sieht außer Zylindern, Männern mit Kundenstoppern, zinnoberroten Briefkästen und smaragdgrünen Omnibussen, die einen zu überfahren drohen.

Und ist es nicht schwierig, in solchen Umgebungen Kunst zu machen? Natürlich ist es schwierig. Aber Kunst war nie leicht. Sie selbst würden nicht wünschen, dass Kunst leicht sei. Und außerdem ist nichts wert, getan zu werden, außer die Welt sagt einem, es sei unmöglich.

Trotzdem wollen Sie gewiss nicht, dass man Ihnen mit einem Paradoxon antwortet. Was sind die Beziehungen des Künstlers zur Außenwelt, und was sind die Resultate des Verlusts der schönen Umgebung: Dies sind die wichtigsten Fragen der modernen Kunst. Es gibt keinen Punkt, auf dem Mr. Ruskin so beharrt wie dem, dass die Dekadenz der Kunst aus der Dekadenz der schönen Dingen entstanden ist; und wenn der Künstler seine Augen nicht mit Schönheit nähren kann, so verliert auch seine Arbeit an Schönheit.

Ich erinnere mich, dass er uns in einem seiner Vorträge, nachdem er die Schmutzigkeit einer typischen großen englischen Stadt beschrieben hat, ein Bild davon gezeichnet hatte, wie die künstlerischen Umgebungen vor langer Zeit aussahen.

Denken Sie, so sagte er – und zwar in Worten vollkommener und malerischer Bilder, deren Schönheit ich nur schwach wiederholen kann –, denken Sie an die Szenerie, die sich einem Designer der gotischen Schule von Pisa bei einem Nachmittagsspaziergang bot – sei es Nino Pisano oder irgendeiner seiner Männer:[58]

Auf jeder Seite eines hellen Flusses sah er eine Reihe heller Paläste, gewölbt und mit Säulen versehen, mit tiefrotem Porphyr und mit Serpentin eingelegt; entlang der Kais und vor ihren Toren ritten Soldatentruppen, edel in Gesicht und Gestalt, blendend in Wappen und Schild; Pferd und Mensch ein Labyrinth von malerischer Farbe und glänzendem Licht – die violetten und silbernen und scharlachroten Fransen, die über die starken Glieder strömen wie Meereswellen über Felsen beim Sonnenuntergang. Zu beiden Seiten des Flusses öffneten sich Gärten, Höfe und Klöster; lange Reihen von weißen Säulen unter Weinranken; Springbrunnen zwischen Knospen von Granatapfel- und Orangenbäumen: und immer noch entlang der Gartenwege und durch das Karmesin der Granatapfelschatten, die sich langsam bewegten, erkennt man eine Gruppe der schönsten Frauen, die Italien jemals gesehen hat – am schönsten, weil so rein und nachdenklich; in hohem Wissen ausgebildet wie in höflicher Kunst – im Tanz, im Gesang, im süßen Witz, im erhabenen Verständnis und Mut, im Erhabensten liebenswert, gleichermaßen fähig, die Seelen von Männern anzufeuern, zu verzaubern oder zu retten. Doch jenseits dieser Szenerie des vollkommenen menschlichen Lebens erhoben sich Kuppel und Glockenturm, brennend mit weißem Alabaster und Gold. Jenseits der Kuppel und des Glockenturms lagen die Abhänge der mächtigen und uralten Olivenhügel; weit im Norden, über einem purpurnen Meer feierlichen Apennins sandten die klaren, scharf gespaltenen Berge von Carrara ihre standhaften Flammen des Marmorgipfels in einen bernsteinfarbenen Himmel. Das große Meer selbst glühte von der Weite des Lichtes, das sich von ihren Füßen zu den Inseln von Gorgonien erstreckte. Und über alldem, immer gegenwärtig, nahe oder fern – betrachtet durch die Blätter des Weinstocks – lag dieser ungestörte und heilige Himmel, der allen Menschen in jenen Tagen des unschul-

58 The two paths, 1859, Vorlesung III. Seite 123.

digen Glaubens die Wohnstatt des Geistes war, so wie die Erde die Bleibe des Menschen. Und dieser Himmel öffnete durch seine Wolkentore und Schleier aus Tau die ewige Welt – ein Himmel, in dem jede Wolke, die vorüberzog, buchstäblich der Wagen eines Engels war und jeder Strahl seiner Abend- und Morgensonne vom Throne Gottes strömte.

Was für einen Einfluss hat dies auf eine Schule der Gestaltung?

Schauen Sie sich die deprimierende, monotone Erscheinung jeder modernen Stadt an, die düstere Kleidung von Männern und Frauen, die sinnlose und karge Architektur, die farblose und schreckliche Umgebung. Ohne ein schönes Nationalleben wird nicht nur die Bildhauerei, sondern es werden alle Künste sterben.

Was nun das religiöse Gefühl am Ende dieser Passage angeht, so glaube ich nicht, dass ich darüber sprechen muss. Religion entspringt religiöser Empfindung wie Kunst aus künstlerischer Empfindung. Man bekommt nie das eine aus dem anderen. Wenn man nicht die richtige Wurzel hat, wird man auch nicht die richtige Blume bekommen. Und wenn jemand in einer Wolke den Streitwagen eines Engels sieht, wird er sie wahrscheinlich nicht wie eine Wolke malen.

Doch was die grundsätzliche Idee dieses wunderbaren Stücks Prosa angeht: Stimmt es nicht, dass für den Künstler eine schöne Umgebung notwendig ist? Ich glaube nicht. Für mich ist tatsächlich der unkünstlerischste Aspekt unserer Zeit nicht die Gleichgültigkeit des Publikums gegenüber schönen Dingen, sondern die Gleichgültigkeit des Künstlers gegenüber den Dingen, die man hässlich nennt. Denn für den echten Künstler ist nichts an sich schön oder hässlich. Mit den Tatsachen des Gegenstandes hat er nichts zu tun, sondern nur mit seiner Erscheinung, und Erscheinung ist eine Frage von Licht und Schatten, von Raum, Position und von Wert.

Die Erscheinung ist in der Tat nur eine Frage der Wirkung, und man muss sich mit den Wirkungen der Natur befassen und nicht mit den wirklichen Bedingungen des Gegenstandes. Was man als Maler malen muss, sind nicht Dinge, wie sie sind, sondern die Dinge, so wie sie zu sein scheinen; nicht die Dinge, wie sie sind, sondern wie sie nicht sind.

Kein Objekt ist so hässlich, dass es nicht unter bestimmten Bedingungen von Licht und Schatten oder in der Nähe von anderen Dingen schön aussehen kann. Kein Objekt ist so schön, dass es nicht unter bestimmten Bedingungen auch hässlich aussieht. Ich glaube, dass innerhalb von 24 Stunden alles, was schön ist, hässlich aussehen und was hässlich ist, schön aussehen kann.

Der alltägliche Charakter unserer englischen Malerei basiert, so scheint mir, auf der Tatsache, dass so viele unserer jungen Künstler nur auf das schauen, was wir ‚vorgefertigte Schönheit' nennen können, während man doch als Künstler existiert, um sie mit seiner Kunst zu erschaffen, und nicht, um sie zu kopieren.

Was würden Sie von einem Dramatiker sagen, der nichts als tugendhaften Menschen als Charaktere in seinem Stück auftreten lässt? Würden Sie nicht auch denken, dass er die Hälfte des Lebens unterschlägt? Ein junger Künstler, der nichts als schöne Dinge malt, unterschlägt ebenfalls die Hälfte der Welt.

Warten Sie nicht, bis das Leben malerisch erscheint, sondern versuchen Sie, das Leben unter malerischen Bedingungen zu betrachten. Diese Bedingungen kann man in seinem Studio selbst erschaffen, denn es sind lediglich Lichtbedingungen. In der Natur muss man auf die richtigen Bedingungen warten, auf sie achten, sie auswählen; und wenn man wartet, werden sie früher oder später auftauchen.

Sie können sogar nachts in der Gower Street einen Briefkasten entdecken, der malerisch aussieht, oder am Themse-Ufer einen malerischen

Polizisten ausfindig machen. Sogar Venedig ist nicht immer schön, auch Frankreich nicht.

Es ist eine gute Regel in der Kunst, zu malen, was man sieht; aber zu erkennen, was es wert ist, gemalt zu werden, ist besser. Man betrachte das Leben unter den Bedingungen des Malerischen. Es ist besser, in einer Stadt mit wechselhaftem Wetter als in einer stets schönen Stadt zu leben.

Nachdem wir nun gesehen haben, was den Künstler ausmacht und was der Künstler tut, fragen wir: Wer ist der Künstler? Es gibt so einen Mann, der unter uns lebt und der all die Qualitäten der edelsten Kunst in sich vereinigt; dessen Werke für alle Zeiten Freude hervorrufen werden und der selbst ein Meister aller Zeiten ist. Dieser Mann ist Mr. Whistler.

Aber Sie mögen einwenden, moderne Kleidung sei hässlich. Wenn man keinen schwarzen Stoff malen kann, so kann man auch kein Seidenwams malen. Hässliche Kleidung ist besser für Kunst – es ist eine Tatsache der Vorstellung und nicht des Objektes.

Was ist ein Bild? In erster Linie ist ein Bild eine schön gefärbte Oberfläche mit genauso wenig spiritueller Botschaft oder Bedeutung wie ein exquisites Fragment aus venezianischem Glas oder einer blaue Kachel aus der Wand von Damaskus. Es ist in erster Linie eine rein dekorative Sache, die bei der Betrachtung Freude erzeugt.

Alle archäologischen Bilder, wegen denen man sagt: ‚Wie faszinierend!', alle sentimentalen Bilder, deretwegen man sagt: ‚Wie traurig!', alle historischen Bilder, deretwegen man sagt ‚Wie interessant!', alle Bilder, die in einem nicht sofort eine künstlerische Freude auslösen und deretwegen man sagt ‚Wie schön!': Dies sind schlechte Bilder.

Wir wissen nie, was ein Künstler tun wird. Natürlich nicht. Der Künstler ist kein Spezialist. Alle Unterteilungen wie Tiermaler, Landschaftsmaler, Maler schottischer Rinder im englischen Nebel, Maler englischer Rinder im schottischen Nebel, Rennpferdemaler, Bullterriermaler und so weiter sind seichte Unterscheidungen. Wenn jemand ein wirklicher Künstler ist, kann er alles malen.

Das Ziel der Kunst ist es, die göttlichsten und entferntesten Akkorde zu erregen, die die Musik in unsere Seele bringen kann; und eine Farbe ist wie der Ton an sich eine mystische Präsenz.

Plädiere ich daher für bloße Technik? Nein. Solange es irgendwelche Anzeichen von Technik gibt, ist das Bild noch unvollendet. Wann ist es fertig? Ein Bild ist dann vollendet, wenn alle Spuren der Arbeit und der Mittel, durch die das Ergebnis erreicht wurde, verschwunden sind.

Bei den Handwerkern – dem Weber, dem Töpfer, dem Schmied – findet man stets die Spuren ihrer Hände. Aber so verhält es sich nicht mit dem Maler oder mit dem Künstler.

Die Kunst sollte nichts außer ihrer Schönheit übrig lassen, keine Technik außer der, die man nicht mehr beobachten kann. Man sollte nicht von einem Bild sagen können, dass es ‚gut gemalt' ist, sondern dass es ‚nicht gemalt' ist.

Was ist der Unterschied zwischen absolut dekorativer Kunst und einem Gemälde? Die dekorative Kunst betont ihr Material; imaginative Kunst vernichtet sie. Wandteppiche zeigen ihre Fäden als Teil ihrer Schönheit, ein Bild jedoch überdeckt seine Leinwand. Porzellan betont seine Glasur; Wasserfarben verwerfen das Papier.

Ein Bild verfügt über keine Bedeutung außer seiner Schönheit, hat keine Botschaft außer seiner Freude. Das ist die erste Wahrheit der Kunst, die man nie aus den Augen verlieren darf. Ein Bild ist eine rein dekorative Angelegenheit.

Londons Modelle

(English Illustrated Magazine, Januar 1889.)

Professionelle Modelle sind eine Erfindung der Moderne. Den Griechen waren sie zum Beispiel nahezu unbekannt. Mr. Mahaffy erzählt uns, so viel steht fest, dass Perikles den edlen Damen der athenischen Gesellschaft Pfauen zu zeigen pflegte, um sie dazu zu verleiten, für seinen Freund Phidias zu sitzen. Und wir wissen, dass Polygnotos in das Bild der trojanischen Frauen das Gesicht Elpinikes einbrachte, der gefeierten Schwester des großen konservativen Führers dieser Tage. Aber diese *großen Damen* fallen eindeutig nicht in unsere Kategorie. Was die alten Meister angeht, so haben sie zweifellos von ihren Schülern und Lehrlingen fortwährend Studien angefertigt, und selbst ihre religiösen Bilder sind voll von den Porträts ihrer Freunde und Verwandten. Aber sie scheinen nicht den unschätzbaren Vorteil von jenen Menschen gehabt zu haben, deren einziger Beruf darin besteht, zu posieren. Tatsächlich ist das Modell in unserem Sinne das direkte Resultat akademischer Schulen.

Jedes Land, außer Amerika, hat jetzt seine eigenen Modelle. In New York und sogar in Boston ist ein gutes Modell eine so große Seltenheit, dass die meisten Künstler sich darauf beschränken, die Niagarafälle zu malen. In Europa ist es jedoch anders. Hier gibt es viele Modelle jeder Nationalität. Die italienischen Modelle sind die besten. Die natürliche Anmut ihrer Haltung sowie ihre wunderbare malerische Färbung machen sie zu einem mühelosen Objekt für den Pinsel des Malers. Die französischen Modelle, obwohl nicht so schön wie die italienischen, verfügen über eine Schnelligkeit der intellektuellen Sympathie, also der

Fähigkeit, den Künstler zu verstehen; dies ist ziemlich bemerkenswert. Sie beherrschen auch großartig die verschiedenen Gesichtsausdrücke und sind besonders dramatisch und können zudem den Jargon des Ateliers ebenso geschickt schwatzen wie die Kritik des *Gil Blas*. Die englischen Modelle bilden eine Klasse für sich. Sie sind nicht so malerisch wie die italienischen, noch so schlau wie die französischen, und sie haben sozusagen keine Tradition. Hin und wieder klopft ein alter Veteran an der Studiotür und schlägt vor, als Ajax oder als König Lear zu sitzen. Einer von ihnen hatte sich vor einiger Zeit an einen populären Maler gewandt, der im Augenblick seine Dienste verlangte. Dieser engagierte ihn und sagte, er solle doch in der Gebetshaltung niederknien. ‚Soll das eher in biblischer oder shakespeare'ischer Form geschehn, Sir?', fragte der Veteran. ‚Nun, in shakespeare'ischer Form!', antwortete der Künstler und fragte sich, mit welcher subtilen Nuance das Modell den Unterschied wohl vermitteln würde. ‚In Ordnung, Sir!', sagte der Professor des Posierens, kniete sich feierlich nieder und fing an, mit seinem linken Auge zu zwinkern! Diese Klasse von Modellen stirbt jedoch aus. In der Regel ist das Modell von heute ein hübsches Mädchen von etwa zwölf bis fünfundzwanzig Jahren, das nichts über Kunst weiß, sich noch weniger darum kümmert und nur darauf aus ist, ohne viel Mühe sieben bis acht Schillinge pro Tag zu verdienen. Englische Modelle betrachten selten ein Bild und wagen nie irgendwelche ästhetischen Theorien. In der Tat verkörpern sie ganz und gar Mr. Whistlers Idee von der Funktion eines Kunstkritikers, denn sie geben überhaupt keine Kritik ab. Sie akzeptieren alle Kunstschulen mit der großen Gleichgültigkeit eines Auktionators und sitzen für einen fantastischen jungen Impressionisten ebenso bereitwillig wie für einen gelehrten und mühevollen Akademiker. Sie sind weder für die Whistlerianer noch gegen sie; die Streitigkeiten zwischen der Schule der Tatsachen und der Schule der Wirkungen berührt sie nicht; ‚idealistisch' und ‚naturalistisch' sind Worte, die ihren Ohren keinen Sinn geben; sie wollen nur, dass das Studio warm ist und das Mittagessen heiß, denn alle charmanten Künstler geben ihren Modellen Mittagessen.

Was ihnen aufgetragen wird, ist ihnen gleichgültig. Am Montag werden sie die Lumpen eines Bettelmännchens für Mr. Pumper tragen, dessen erbärmliche Bilder über das moderne Leben das Publikum zu Tränen rührt, und am Dienstag werden sie in einem Rock für Mr. Phoebus posieren, der glaubt, das alle wirklichen künstlerischen Themen vor der Zeit Jesu Christi zu finden sind. Sie ziehen fröhlich durch alle Jahrhunderte und durch alle Kostüme und sind, wie Schauspieler, nur dann interessant, wenn sie nicht sie selbst sind. Sie sind sehr gutmütig und stets zuvorkommend. ‚Wofür sitzen Sie?', fragte ein junger Künstler sein Modell, das ihm seine Karte geschickt hatte (alle Modelle haben übrigens Karten und eine kleine schwarze Tasche). ‚Oh, für alles, was Sie wollen, Sir!', sagte das Mädchen, ‚... auch Landschaften, wenn notwendig!'

Intellektuell, so muss es wohl anerkannt werden, sind sie Philister, aber physisch sind sie perfekt – zumindest einige sind es. Obwohl niemand von ihnen griechisch sprechen kann, können viele griechisch aussehen, was für einen Maler des 19. Jahrhunderts natürlich von großer Bedeutung ist. Wenn es ihnen erlaubt wird, schwatzen sie zwar viel, aber sie sagen nichts. Ihre Beobachtungen sind die einzigen Banalitäten, die in der *Bohemia* gehört werden. Obwohl sie den Künstler nicht als Künstler wertschätzen können, so sind sie durchaus bereit, den Künstler als Mann wertzuschätzen. Sie sind sehr empfänglich gegenüber Freundlichkeit, Respekt und Großzügigkeit. Ein schönes Modell, das zwei Jahre lang für einen unsere vornehmsten englischen Maler gesessen hatte, verlobte sich mit einem Straßenverkäufer von Eis.

Bei ihrer Hochzeit schickte ihr der Maler ein hübsches Hochzeitsgeschenk und erhielt dafür einen schönen Dankesbrief mit folgendem bemerkenswerten Nachwort: ‚Iss niemals das grüne Eis!'

Wenn sie müde sind, erlaubt ihnen ein weiser Künstler eine Pause. Dann sitzen sie auf einem Stuhl und lesen Groschenromane, bis sie aus dieser Tragödie der Literatur erweckt werden, um ihren Platz in der Tragödie der Kunst wieder einzunehmen. Einige von ihnen rauchen Zigaretten.

Dies wird jedoch von den anderen Modellen als ein Mangel der Ernsthaftigkeit angesehen und wird in der Regel nicht geschätzt. Sie werden ganz- und halbtags engagiert. Der Tarif ist ein Schilling pro Stunde, zu dem große Künstler gewöhnlich den Omnibus-Tarif hinzufügen. Die zwei besten Dinge an ihnen sind ihre außergewöhnliche Schönheit und ihre extreme Anständigkeit. Sie benehmen sich sehr gut, besonders diejenigen, die wegen der Figur sitzen, eine seltsame Tatsache, wenn man die menschliche Natur betrachtet. Sie finden normalerweise einen guten Ehepartner und manchmal heiraten sie den Künstler. Für einen Künstler ist es ebenso verhängnisvoll, sein Modell zu heiraten, wie für ein gutes Gericht, seinen Koch zu heiraten: Der eine bekommt keine Sitzungen, und der andere bekommt kein Abendessen.

Im Großen und Ganzen sind die englischen weiblichen Modelle sehr naiv, sehr natürlich und sehr gut gelaunt. Die Tugenden, die der Künstler an ihnen am meisten schätzt, sind ihre Schönheit und Pünktlichkeit. Jedes vernünftige Modell hat ein Tagebuch seiner Verpflichtungen und kleidet sich ordentlich. Die schlechte Jahreszeit ist für sie natürlich der Sommer, wenn die Künstler nicht in der Stadt sind. In den letzten Jahren haben jedoch einige Künstler ihre Modelle dazu gebucht, ihnen zu folgen, und die Frau eines bekannteren charmanten Malers hatte oft drei oder vier Modelle unter ihrer Obhut auf dem Land gehabt, sodass die Arbeit ihres Ehemanns und seiner Freunde nicht unterbrochen werden musste. In Frankreich ziehen die Modelle *en masse* in die kleinen Seehafendörfer oder Walddörfer, wo sich die Maler versammeln. Die englischen Modelle warten in der Regel jedoch geduldig in London, bis die Künstler zurückkommen. Fast alle leben bei ihren Eltern und helfen ihnen, das Haus zu führen. Sie haben fast alle Voraussetzungen, in der Kunst verewigt zu werden, außer, was schöne Hände angeht. Die Hände des englischen Modells sind fast immer grob und rot.

Was die männlichen Modelle betrifft, so gibt es die Veteranen, wie wir oben schon erwähnt haben. So einer verfügt über die Tradition des großen Stils und verschwindet ebenso schnell wie die Schule, die er repräsentiert. Ein alter Mann, der von Füssli spricht, ist natürlich unerträglich, und außerdem sind Patriarchen keine modischen Themen mehr. Dann gibt es das wahre Modell der Akademie. Er ist normalerweise ein Mann von dreißig, selten gut aussehend, aber ein Wunder an Muskeln. Tatsächlich ist er die Apotheose der Anatomie und ist sich seiner eigenen Pracht so sehr bewusst, dass er von seiner Tibia und seinem Thorax auf eine Weise spricht, als ob niemand sonst so etwas hätte. Dann kommen die orientalischen Modelle. Das Angebot ist begrenzt, aber in London gibt es immer ein Dutzend von ihnen. Sie sind sehr begehrt, da sie stundenlang unbeweglich bleiben können und in der Regel schöne Kostüme besitzen. Sie haben jedoch eine sehr schlechte Meinung von der englischen Kunst. Als Nächstes haben wir den italienischen Jugendlichen, der speziell hierhergekommen ist, um ein Modell zu werden oder weil seine Stimme nicht mehr in Ordnung ist. Er ist oft sehr charmant, hat große melancholische Augen, forsche Haare und eine schlanke braune Figur. Es stimmt, er isst Knoblauch, aber dann kann er wie ein Faun und Leopard stehen, daher sei ihm vergeben. Er gibt stets Komplimente, und es ist bekannt, dass er auch für unsere größten Künstler freundliche Worte hat. Was den englischen Jungen desselben Alters angeht, so sitzt dieser überhaupt nicht. Offenbar betrachtet er die Karriere eines Modells nicht als ernsthaften Beruf. Jedenfalls bekommt man ihn, wenn überhaupt, nur selten. Englische Jungs sind schwer zu finden. Manchmal wird ein Ex-Modell, das einen Sohn hat, sein Haar drapieren und sein Gesicht waschen und ihn ins Studio bringen. Die junge Schule mag ihn nicht, aber die ältere Schule tut es, und wenn er an den Wänden der Royal Academy erscheint, heißt er dann *The Infant Samuel*. Gelegentlich findet ein Künstler auch ein paar Straßenjungen in der Gosse und bittet sie, in sein Studio zu kommen. Das erste Mal erscheinen sie immer, aber danach halten sie ihre Termine nicht ein. Sie mögen es nicht stillzusitzen und haben einen starken und vielleicht auch natürlichen Einwand dagegen, pathetisch auszusehen. Außerdem haben sie immer den Eindruck, dass sich der Künstler lustig über sie macht. Es ist eine traurige Tatsache, aber es besteht kein Zweifel daran, dass sich die Armen ihrer eigenen Malerhaftigkeit vollkommen unbewusst sind. Diejenigen unter ihnen, die dazu gebracht werden können, als Modell zu sitzen, tun dies mit der Vorstellung, dass der Künstler nichts als ein wohlwollender Philanthrop ist, der sich eine exzentrische Methode ausgesucht hat, Almosen an die Unwürdigen zu verteilen. Vielleicht wird die Schulbehörde den Londoner Straßenjungs irgendwann ihren eigenen künstlerischen Wert schon nahelegen und sie werden dann bessere Modelle sein, als sie es jetzt sind. Ein bemerkenswertes Privileg liegt bei den Modellen der Akademie, eine Goldmünze von einem neugewählten Mitglied erpressen zu können. Sie warten im Burlington House, bis die Ankündigung gemacht wird, und rennen dann zum Haus des unglücklichen Künstlers. Derjenige, der zuerst ankommt, erhält dann das Geld. Die langen Entfernungen, die sie in letzter Zeit rennen mussten, haben sie schon sehr gestört, und sie betrachten mit Missfallen die Wahl von Künstlern, die in Hampstead oder im Bedford Park wohnen, weil es als Ehrensache gilt, nicht die U-Bahn, Omnibusse oder künstliche Fortbewegungsmittel zu benutzen. Das Rennen ist für die Schnellen.

Neben den professionellen Studio-Poseuren gibt es Poseure von bestimmten Marken, die Nachmittagstee-Poseure, die Poseure in der Politik und die Zirkus-Poseure. Alle vier Klassen sind entzückend, doch nur die letzte Klasse ist wirklich dekorativ. Akrobaten und Turner können dem jungen Maler unendliche Suggestionen geben, denn sie bringen mit ihrer Kunst ein Element der Bewegungsschnelligkeit und des ständigen Wandels, das dem Studiomodell zwangsläufig fehlt. Was bei diesen *Sklaven der Manege* interessant ist, ist, dass Schönheit bei ihnen nicht nur ein unbewusstes Ergebnis ist und auch kein bewusstes Ziel ist, sondern das Ergebnis der mathematischen Berechnung von Kurven und Distanzen, der absoluten Präzision des Auges, der wissenschaftlichen Kenntnis des Gleichgewichts der Kräfte und des perfekten körperlichen Trainings. Ein guter Akrobat ist stets anmutig, obwohl Anmut niemals sein Ziel ist; er ist anmutig, weil er tut, was er zu tun hat, und zwar in der besten Weise, in der es getan werden kann – er ist anmutig, weil er natürlich ist. Wenn ein Grieche der alten Zeit zum Leben erwachen würde, was in Anbetracht der wahrscheinlichen Härte seiner Kritik wohl schon unseren Eigendünkel herausfordern würde, so würde er weit häufiger im Zirkus als im Theater angetroffen werden. Ein guter Zirkus ist eine Oase des Hellenismus in einer Welt, die zu viel liest, um weise zu sein, und zu viel denkt, um wirklich schön zu sein. Gäbe es nicht den Laufplatz in Eton, den *Towing Path* in Oxford, die Schwimmbäder in der Themse und die jährlichen Zirkusse, würde die Menschheit die Perfektion ihrer eigenen Form vergessen und zu einer Rasse von kurzsichtigen und preziösen Professoren degenerieren. Nicht dass sich die Zirkus-Besitzer nicht ihrer hohen Mission bewusst wären. Langweilen sie uns nicht mit der *haute école* und ermüden uns mit shakespeare'ischen Clowns? Zumindest geben sie uns Akrobaten, und der Akrobat ist ein Künstler. Die bloße Tatsache, dass er nie mit dem Publikum spricht, zeigt uns, wie gut er die bedeutende Wahrheit schätzt, dass das Ziel der Kunst nicht darin besteht, die Persönlichkeit zu offenbaren, sondern zu gefallen. Der Clown mag lärmend sein, aber der Akrobat ist immer schön. Er ist eine interessante Kombination des Geistes der griechischen Skulptur mit den Pailletten des modernen Kostümiers. Er hat sogar seine Nische in den Romanen unserer Zeit, und wenn *Manette Salomon* die Demaskierung des Modells ist, ist *Les Frères Zemganno* die Apotheose des Akrobaten.

Was den Einfluss des gewöhnlichen Modells auf unsere englische Schule der Malerei betrifft, kann man nicht sagen, dass es insgesamt ein guter ist. Es ist natürlich ein Vorteil für den jungen Künstler, der in seinem Atelier sitzt, ‚eine kleine Ecke des Lebens', wie die Franzosen sagen, sich von störender Umgebung zu isolieren und sie unter bestimmten Licht- und Schatteneffekten zu studieren. Aber gerade diese Isolierung führt oft zu Eigenheiten und raubt dem Maler jene breite Akzeptanz der allgemeinen Tatsachen des Lebens, die das Wesen der Kunst sind. Modell-Malerei ist, mit einem Wort, während es die Bedingung der Kunst sein kann, so doch keineswegs ihr Ziel.

Es ist einfach Übung, nicht Perfektion. Sein Gebrauch trainiert das Auge und die Hand des Malers, sein Missbrauch erzeugt in seinem Werk die Wirkung von bloßem Posieren und Hübschheit. Es ist das Geheimnis des Großteils der Künstlichkeit in der modernen Kunst, dieses ständige Posieren von hübschen Menschen, und wenn Kunst künstlich wird, wird sie eintönig. Außerhalb der kleinen Welt des Ateliers mit seinen Tüchern und seinem *bric-à-brac* liegt die Welt des Lebens mit ihrer unendlichen, ja shakespeare'ischen Vielfalt. Wir müssen jedoch zwischen den zwei Arten von Modellen unterscheiden, nämlich denen, die für die Figur sitzen, und denen, die für das Kostüm sitzen. Das Studium des Ersten ist immer ausgezeichnet, aber das Kostüm-Modell wird in modernen Bildern ziemlich ermüdend. Es ist wirklich nutzlos, ein Londoner Mädchen in griechische Tücher zu kleiden und sie dann als Göttin zu malen. Die Robe kann schon eine Robe aus Athen sein, aber das Gesicht bleibt normalerweise das Gesicht aus Brompton. Hin und wieder trifft man auf ein Modell, dessen Gesicht ein exquisiter Anachronismus ist und das in der Kleidung eines jeden Jahrhunderts, außer in seinem eigenen, schön und natürlich aussieht. Dies ist jedoch eher selten der Fall. In der Regel sind Modelle absolut *de notre siècle* und sollten als solche gemalt werden. Leider sind sie es nicht, und als Konsequenz werden uns jedes Jahr eine Reihe von Szenen aus Maskenbällen vorgestellt, die historische Bilder genannt werden, aber kaum mehr als mittelmäßige Darstellungen moderner Maskeraden sind. In Frankreich sind sie weiser. Der französische Maler benutzt das Modell einfach zum Studieren; für das fertige Bild wendet er sich direkt ans Leben.

Allerdings dürfen wir die Modelle nicht für die Unzulänglichkeiten der Künstler verantwortlich machen. Die englischen Modelle sind eine wohlerzogene und hart arbeitende Klasse, und wenn sie mehr an dem Künstler als an der Kunst interessiert sind, so befindet sich eben auch ein großer Teil der Öffentlichkeit in derselben Haltung, und die meisten unserer modernen Ausstellungen scheinen diese Wahl zu rechtfertigen.

Am Grab von Keats

(Irish Monthly, Juli 1877)

Betritt man Rom von der Via Ostiensis durch die Porta San Paolo, fällt unser Blick zuallererst, gleich zur Linken, auf eine Pyramide aus Marmor.

Es gibt zahlreiche ägyptische Obelisken in Rom – hohe, schlangenartige Spitzen aus rotem Sandstein, besprenkelt mit fremdartigen Zeichen, die uns an die Feuersäulen erinnern, die den Kindern Israels den Weg aus dem Land der Pharaonen durch die Wüste geleuchtet haben. Es ist jedoch weitaus wunderbarer, jene schlanke, keilförmige Pyramide in ihrer italienischen Stadt zu betrachten, wie sie völlig unberührt zwischen den Ruinen und Überresten der Vergangenheit steht und dabei älter wirkt als die Ewige Stadt selbst – wie schreckliche, zu Stein gewordene Ungerührtheit. Deshalb dachte man im Mittelalter, so altertümlich und mysteriös es klingen mag, dass es das Grab von Remus sei, der bei der Gründung der Stadt von seinem eigenen Bruder erschlagen wurde. Heute haben wir jedoch, ob zum Glück oder zum Unglück, mehr eindeutige Informationen darüber und wissen, dass es die Grabstätte von Caius Cestius ist, einem eher unbedeutenden römischen Ehrenmann, der ungefähr im Jahr dreißig vor Christi Geburt gestorben sein soll.

Doch obwohl dieser Tote, der einsam dort drinnen liegt, uns nicht viel bedeuten mag – die Welt kennt ihn sowieso nur wegen seines Grabes – wird diese Pyramide englischsprachigen Menschen immer teuer und lieb sein, denn wenn es Abend wird, fällt ihr Schatten auf das Grab von jemandem, der gemeinsam mit Spenser, mit Shakespeare, mit Byron, mit Shelley und mit Elizabeth Barrett Browning die großartige Prozession der lieblichsten Poeten Englands anführt.

Denn am Fuße der Pyramide erstreckt sich eine sonnige Wiese, der Alte Protestantenfriedhof, auf dem ein einfaches Grab steht, dessen Stein diese Inschrift trägt:

In diesem Grab liegt alles Vergängliche eines jungen, englischen Dichters, der zutiefst verbittert auf seinem Sterbebett verfügte, dass diese Worte auf seinen Grabstein gemeißelt werden sollen: HIER LIEGT EINER, DESSEN NAME INS WASSER GESCHRIEBEN WAR. 24. Februar 1821.

Der Name des jungen, englischen Dichters war John Keats.

Lord Houghton bezeichnet diesen Friedhof als »einen der schönsten Flecken auf Erden, auf dem sowohl das Auge als auch das Herz eines jeden Ruhe findet«, und Shelley spricht davon, dass man sich dort gezwungenermaßen »in den Tod verliebt und zu der Überzeugung gelangt, dass man nur an solch einem lieblichen Ort begraben sein sollte«. Und in der Tat, als ich sah, wie die Veilchen, die Gänseblümchen und die Mohnblumen das Grab überwucherten, habe ich mich daran erinnert, dass der tote Dichter einst seinem Freund erzählte, dass er »die tiefste Freude in seinem Leben empfunden habe, als er das Wachstum der Blumen beobachtete«, und wie er ein anderes Mal, nachdem er eine Weile ganz still gelegen hatte, in der merkwürdigen Vorahnung eines frühen Todes, murmelte: »Ich spüre die Blumen über mir wachsen.« Aber dieser verwitterte Stein und die Wildblumen sind nichts weiter als armselige Andenken[1] an einen so großar-

1 Wohlmeinende Menschen haben ehrfürchtiger Weise eine Marmorplatte an der Friedhofsmauer angebracht mit einem Medaillon-Profil von Keats und ein paar unbedeutenden Gedichtzeilen. Das Gesicht ist hässlich und im Profil fast beilförmig mit vollen,

tigen Dichter wie Keats – vor allem in einer Stadt wie Rom, die ihren Toten so viel Ehre erweist. Wo Päpste, Herrscher, Heilige und Kardinäle in einem »Schoß aus Porphyr« verborgen liegen oder gebettet in Jaspis, Chalzedon oder Malachit voller funkelnder Edelsteine und Edelmetalle. Da jene Stätte so nobel ist und eines noblen Denkmals würdig, ragt im Hintergrund die graue Pyramide auf, ein Symbol für das Alter unserer Erde, voller Erinnerungen an Sphinxen, Lotusblätter und die Herrlichkeiten des alten Nils. Im Vordergrund erhebt sich der Monte Testaccio, der, so sagt man, aus den Scherben zerbrochener Gefäße entstanden ist, in denen alle Völker aus Ost und West ihren Tribut nach Rom geschickt haben. Ein bisschen weiter entfernt, entlang des Abhangs der Aurelischen Mauer, erheben sich einige hohe, ausgemergelte Zypressen wie heruntergebrannte Grabfackeln, die den Ort kennzeichnen, wo Shelleys Herz (dieses »Herz aller Herzen«!) in der Erde ruht. Und – darüber hinaus beschreiten wir sehr römischen Boden!

Als ich am ärmlichen Grab dieses göttlichen Jungen stand, habe ich seiner als einem Priester der Schönheit gedacht, der vor seiner Zeit dahingerafft wurde, und das Bild von Guido Renis Heiligem Sebastian schob sich vor meine Augen, so wie ich ihn in Genua gesehen hatte: ein hübscher, gebräunter Junge mit krausem, vollem Haar und roten Lippen, von seinen grausamen Feinden an einen Baum gebunden, und obwohl er von Pfeilen durchbohrt ist, erhebt er seinen Blick mit göttlicher Leidenschaft zur Ewigen Schönheit des sich öffnenden

---

sinnlichen Lippen und sieht dem Dichter, der so schön anzusehen war, überhaupt nicht ähnlich. »Sein Gesichtsausdruck«, sagte eine Dame, die ihn bei einem von Hazlitts Vorträgen gesehen hatte, »bleibt mir mit seiner einzigartigen Schönheit und Klarheit immer in Erinnerung. Er wirkte, als ob er gerade einen herrlichen Anblick genießt.« Und das ist auch der Gedanke, mit dem Severn ihn beschreibt. Selbst Haydons grobe Tusche-Skizze von ihm ist besser als diese »marmorne Verunglimpfung«, von der ich hoffe, dass sie bald entfernt wird. Ich glaube, die beste Lösung, den Dichter abzubilden, wäre eine farbige Büste wie die des jungen Rajas von Kolhapur in Florenz, die ein wunderschönes, naturgetreues Kunstwerk ist.

Himmelstors. Und so kam es, dass meine Gedanken wie von selbst ein Gedicht formten:

Von seinem Schmerz frei und der falschen Welt,
Ruht er, der jüngste Märtyrer, entrafft
In erster Lebens-, erster Liebeskraft,
Schön wie Sebastian und so früh gefällt,

Hier endlich unter Gottes blauem Zelt.
Wohl schatten nicht Zypressen ihm noch Eiben,
Doch holde Veilchen voll Tautränen treiben
Ein immerblühend Band, das treu ihn hält.

Ein stolzer Herz wohl brach der Kummer kaum,
Kaum süßre Lippen kannte Mytilene;
O Englands Dichter-Maler du! man schrieb

In Wasser deinen Namen – und er blieb:
Und grün hält dein Gedächtnis unsre Träne,
Wie Isabella einst Basilios Baum.

L'Envoi

Eine Einführung in Rose Leaf and Apple Leaf von Rennell Rodd, veröffentlicht von J.M. Stoddart and Co. in Philadephia 1882.

Unter den vielen jungen Männern in England, die gemeinsam mit mir anstreben, die englische Renaissance fortzuführen und zu vervollkommnen – Gautier hätte uns als jeunes guerriers du drapeau romantique bezeichnet –, gibt es keinen, dessen Liebe zur Kunst makelloser und leidenschaftlicher ist, dessen künstlerischer Sinn für Schönheit subtiler und erlesener ist – wirklich keinen, der mir teurer ist als der junge Dichter, dessen Verse ich nach Amerika mitgebracht habe. Verse voll süßer Trauer und doch so voller Freude, denn der heiterste Dichter ist nicht derjenige, der auf den trostlosen Landstraßen dieser Welt den unfruchtbaren Samen des Gelächters sät, sondern derjenige, der seine Trauer am besten in Melodien umsetzen kann – das ist die eigentliche Bedeutung der Freude an der Kunst. Dieses – nicht in Worte zu fassende – Element des Kunstvergnügens, das zum Beispiel in der Lyrik durch das »sinnliche Leben der Verse«, wie Keats es nennt, entsteht, jenes Element des Gesangs, das uns in seiner wunderbaren Bewegtheit so viel Genuss bereitet, dessen Ursprung oft in bloßen musikalischen Impulsen liegt und welches man in der Malerei niemals im Motiv findet, sondern nur im malerischen Charme – im Farbschema, in der Symphonie des Lichtes und in der befriedigenden Schönheit der Linien, was bedeutet, dass die vollendeten Ausdrucksformen unserer Kunstbewegung in der Malerei nicht von den vergeistigten Visionen der Präraffaeliten herrühren – trotz ihrer Wunderwerke griechischer Legenden und ihrem Mysterium des italienischen Gesangs, sondern von den Werken von Männern wie Whistler und Albert Moore, die Linienführung und Farbgebung auf das vollkommene Niveau von Poesie und Musik erhoben haben. Denn die Qualität ihrer exquisiten Bilder entspringt dem bloßen erfinderischen und kreativen Umgang mit Linie und Farbe, der besonderen Form und Wahl der Technik, die unabhängig ist von literarischer Reminiszenz und jeglichem metaphysischem Gedankengut und deshalb für sich allein den ästhetischen Sinn gänzlich befriedigt und, wie die Griechen sagen würden, Selbstzweck ist. Ihre Werke wirken auf uns wie Musik, denn in der Musikkunst sind Form und Materie immer eins – eine Kunst, bei der das Motiv und die Ausdrucksform nicht getrennt werden können, eine Kunst, die unser künstlerisches Ideal am vollkommensten verwirklicht und nach deren Vorbild alle anderen Künste streben.

Jener gewachsene Sinn für den Wert vollkommener Befriedigung aus wunderbarer Kunstfertigkeit, die Anerkennung der grundlegenden Bedeutung des sinnlichen Elements in der Kunst, diese Liebe zur Kunst um der Kunst willen, sind die Punkte, an denen wir, die jüngere Schule, uns von den Lehren Ruskins verabschiedet haben – wir haben uns endgültig entschieden, einen anderen Weg zu gehen.

Er wird selbstverständlich für uns immer der Meister der Wissenschaft nobler Lebensart und der Weise aller geistigen Dinge bleiben, denn er war derjenige, der uns in Oxford mit seiner magischen Persönlichkeit und seinen melodiösen Worten Enthusiasmus für die Schönheit gelehrt hat, das Geheimnis der griechischen Antike. Er hat uns jenes schöpferische Verlangen gelehrt, welches das Geheimnis des Lebens ist. Er war es, der wenigstens ein paar von uns mit hehrem und leidenschaftlichem Ehrgeiz beflügelte, um hinauszugehen und den Völkern eine Botschaft zu überbringen und der Welt eine Mission zu verkünden. Doch aufgrund seiner Kunstkritiken, seiner Beurteilung des heiteren Elements in der Kunst und seiner ganzen Herangehensweise an Kunst gehen wir unseren eigenen Weg, denn der Grundpfeiler seiner ästhetischen Ordnung wird immer ethisch bleiben. Er wird ein Bild immer danach beurteilen, wie viele edle, moralische Ideen sich darin ausdrücken, aber für uns sind die Kanäle, durch die edle Malkunst die Seele berühren kann und es auch wirklich tut, nicht die Wahrheiten des Lebens oder Philosophien. Er sieht die Perfektionierung der Technik nur als ein Zeichen für Überheblichkeit, mangelhaftes Können hält er für das Resultat einer zu ausufernden Fantasie, die innerhalb der vorgegebenen Grenzen der Form nicht ihren vollständigen Ausdruck findet, oder einer Liebe, die so banal ist, dass sich ihre Geschichte nicht ohne Stottern erzählen lässt. Aber wir setzen die Regeln der Kunst nicht mit den Regeln der Moral gleich. In einem einigermaßen ethisch vertretbaren System wird der gute Wille ganz sicher Anerkennung erhalten, aber diejenigen, die das erlauchte Haus der Schönheit betreten wollen, wird man nicht fragen, was sie jemals vorhatten zu tun, sondern, was sie getan haben. Ihre ergreifenden Absichten interessieren uns nicht, nur ihre in die Tat umgesetzten Schöpfungen. Pour moi je préfère les poètes qui font des vers, les médecins qui sachent guérir, les peintre qui sachent peindre.

Wir sollten bei der Betrachtung von Kunst nicht darüber fantasieren, was sie bedeuten könnte, sondern sie um ihrer selbst willen lieben. Tatsächlich ist das Übersinnliche der Feind des Kunstgeistes. Asiens metaphysischer Geist mag sich seine monströsen und vielbrüstigen Götterbilder schaffen, aber für den griechischen, reinen Künstler ist jenes Werk mit spirituellem Leben erfüllt, das auch mit den vollkommenen Realitäten des physischen Daseins in Einklang steht. Ganz grundsätzlich hat zum Beispiel auch ein Gemälde nicht mehr spirituelle Aussage oder Bedeutung als eine blaue Kachel aus der Mauer von Damaskus oder eine japanische Hizen-Vase. Es ist eine wunderschön gefärbte Oberfläche, mehr nicht, und wir werden auch ohne Interpretationen, die man dem Philosophischen entwendet hat, berührt, auch ohne aus der Literatur gestohlenes Pathos und ohne abgekupferte Gefühlsäußerungen eines Dichters, sondern durch seine ureigene, unbeschreibliche, künstlerische Essenz, durch seine eigene Wahrheit, die wir Stil nennen, und durch seine Größenverhältnisse, die die Malkunst ausmachen, durch die gesamte Qualität der Technik, durch die arabeske Gestaltung und durch den Farbenreichtum. All das reicht aus, um an den göttlichsten und entferntesten Saiten in unserer Seele Musik anzustimmen, und schon die Farbe an sich verleiht den Dingen natürlich mystische Wirkung und der Farbton ist eine Art Gefühl.

Genau um diese neuen Ansätze der jüngeren Schule geht es auch hauptsächlich in den Gedichten von Rennell Rodd, denn obwohl sein Werk vieles beinhaltet, was den Intellekt ansprechen mag, vieles, was Emotionen und rhythmische Akkorde von süßer und klarer Empfindung hervorruft – denn für diejenigen, die Kunst um ihrer selbst willen lieben, ist alles anderen sowieso überflüssig –, ist die Wirkung, die es in erster Linie erzeugen will, doch nur rein künstlerischer Art. Wie das Gedicht ‚Das Grab des Meereskönigs' mit all seiner majestätischen Melodie und einer so kraftvollen Klangfarbe wie der des Meeres, an dessen kiefernbewachsenem Strand es so nobel erdacht und ebenso nobel formuliert wurde. Oder das darauffolgende kleine Gedicht, dessen raffinierte Arbeit mit solch einem kunstvollen Sinn zur Beschränkung erdacht wurde, dass man es mit der raren Kunst eines Ziseleurs vergleichen möchte, die auch sein Motiv ist. Oder ‚In der Kirche' blasse Blüte einer dieser unübertrefflichen Augenblicke, in denen alles außer dem Augenblick selbst so sonderbar wirklich erscheint, wenn Erinnerungen vergessener Tage zärtlich berührt werden und der vertraute Ort sich plötzlich mit Leidenschaft und Feierlichkeit erfüllt, geweckt von der Vorstellung der unsterblichen Schönheit der ausgestorbenen Götter. Oder die Szene in der Kathedrale von Chartres, in der düstere Stille unter dem Kirchengewölbe brütet, schweigende Menschen im Staub des verwahrlosten Steinbodens knien, und plötzlich, als der junge Priester den Leib Christi in einem kristallenen Stern hochhält, scharlachrotes Licht durch die bemalten Fenster bricht und auf den geschmiedeten Chorgraben trifft und unerwartete Klänge mächtiger Orgelmusik sich vom Chor bis zum Altar und von Säule zu Säule ausbreiten und über allem die klare, frohe Stimme eines singenden Knaben, die uns zuckersüß erscheint und doch genau den richtigen, künstlerischen Ton anschlägt, um unsere Gefühle anzusprechen. Oder ‚At Lanuvium' durch dessen musikalische Zeilen man glaubt, wieder das Summen der Mantuaner Bienen zu hören, die von ihren grünen Tälern und Bächen aus dem Hinterland ausschwärmen, um den süßen, bernsteinfarbenen Honig zu sammeln, den die Blumen am Meer bergen. Oder ‚Im Kolosseum' das einem solch eine artistische Freude bereitet, als ob man einem Handwerker bei der Arbeit zusieht, einem Goldschmied, wie er aus dem Gold so dünne Bleche hämmert, dass sie so zart werden wie die Blütenblätter eine gelben Rose, oder wie er es in lange Drähte zieht, die aussehen wie ineinander verschlungene Sonnenstrahlen – nur alleine die Bearbeitung ist schon so vollkommen und edel. Oder die kleinen, lyrischen Interludien, die hier und da wie der Gesang einer Drossel hervortönen und so flink und verlässlich sind wie der Flügelschlag eines Vogels, so leicht und leuchtend wie Apfelblüten, die nach einem Frühlingsschauer langsam in das Gras des Obstgartens rieseln und umso lieblicher aussehen, wenn die Regentränen auf ihrer zarten, rosaschimmernden Äderung liegen. Oder die Sonette – Rodd gehört zu denjenigen, qui sonnent le sonnet, wie die Ronsardisten zu sagen pflegten – zum Beispiel ‚Auf den Grenzhügeln' mit diesem feurigen Wunder an Fantasie und der seltsamen Schönheit seiner achten Zeile, oder jenes, das von der Trauer des großen Königs um das tote, kleine Kind erzählt – nun, all diese Gedichte wollen, wie ich schon sagte, eine rein artistische Wirkung erzielen und besitzen die seltene und auserlesene Qualität, die solch ein Werk auszeichnet. Und ich empfinde es als größte Stärke unserer ästhetischen Bewegung, jegliche emotionalen und geistigen Motive einem lebendig aufklärenden, poetischen Grundsatz vollkommen unterzuordnen.

Aber es reicht nicht, dass ein Kunstwerk den ästhetischen Ansprüchen seiner Zeit genügt: es sollte, um uns bleibende Freude zu bereiten, den Eindruck ausgeprägter Individualität erwecken. Jedes Kunstwerk des neunzehnten Jahrhunderts muss auf zwei Säulen ruhen – Persönlichkeit und Perfektion. Und betrachtet man nun in diesem kleinen Gedichtband die früheren, einfacheren Werken getrennt von den späteren, kraftvolleren Werken, die eine größere technische Stärke und mehr artistische Vorstellungskraft besitzen, könnte man jene voneinander abgekoppelten Gedichte, diese einzelnen, losen Fäden, zu einem leuchtend bunten Strang des Lebens verweben. Am Anfang steht die pure Freude eines Knaben an der Jugend, mit all seiner unbedarften Lust an Feldern und Blumen, an der Sonne und dem Gesang, und dann, am Schluss, die Bitterkeit der plötzlichen Trauer über das Ende einer dieser kurzen und wundervollen Jugendfreundschaften mit all ihren unerfüllten Sehnsüchten und unbeantworteten Fragen, mit denen wir, nutzloserweise, das marmorne Antlitz des Todes quälen. Der artistische Kontrast zwischen der unzufriedenstellenden Unvollkommenheit des Geistes und der absoluten Vollkommenheit der Form, die ihn ausdrückt, bildet das Hauptelement des ästhetischen Zaubers dieser besonderen Gedichte. Und dann – die Geburt der Liebe und all die Verwunderung, Angst und die gefährliche Lust, wenn die Flügel der Liebe zum ersten Mal die knabenhafte Stirn berühren. Und die Liebeslieder, voller Anmut und Zartheit, wie kurze musikalische Schwalbenflüge voll von jenem Duft und jener Freiheit, dass man sie im Freien oder auf dem Wasser singen möchte. Und dann kommt der Herbst mit seinen verstummten Wäldern, seinem modrig riechenden Verfall und seiner vergangenen Schönheit – die Liebe liegt tot darnieder und mit ihr der Kummer darüber.

An dieser Stelle könnte man aufhören, denn von einem jungen Dichter kann man nicht noch tiefer gehende Klänge des Lebens verlangen als jene, die Liebe und Freundschaft unvergänglich für uns machen. Die besten Gedichte dieses Bands sind eindeutig aus einer späteren Zeit, einer Zeit, in der echte Erfahrungen vertieft und zu einer Form zusammengefügt werden, die völlig abwegig und fern von jenen echten Erfahrungen zu sein scheint, eine Zeit, in der der einfache Ausdruck von Freude und Schmerz nicht länger genügt, sondern eher in der Erhabenheit des rhythmischen Versmaßes lebt und in der Musik und den Farben seiner Wortverkettungen als in irgendeiner direkten Aussage – man könnte sagen, er lebt mehr in der Vollkommenheit der Form als im Pathos der Gefühle. Und trotzdem gelingt es uns, nachdem die Musik der Liebe abgebrochen ist und die Liebe in den Herbstwäldern begraben wurde, jenes Umherwandern unter Fremden und in unbekannten Ländern zu erspüren, mit dem wir so herzergreifend versuchen die Verletzungen unseres Lebens zu heilen. Ebenso erspürbar ist jene reine und leidenschaftliche

Hingabe an die Kunst, die uns überkommt, wenn die raue Wirklichkeit des Lebens uns zu unvermittelt verletzt hat und Missmut oder Schmerz uns die Jugend verderben, wobei ich glaube, dass diese Hingabe uns genauso oft aus purer Lebensfreude überkommt.

Und jene seltsam intensive Vorstellungskraft, die in Augenblicken überwältigender Traurigkeit und unbändiger Verzweiflung künstlerische Dinge in unserem Gedächtnis intensiv und real aufleben lässt, eingefangen aus jenem Leben, das sie uns vergessen helfen – ein altes, verwittertes Grab in Flandern mit einer merkwürdigen Inschrift, bei der man sich fragt, ob Leidenschaft vielleicht doch den Tod überdauern kann. Eine Halskette aus blauen und bernsteinfarbenen Perlen und ein zerbrochener Spiegel, die man im Grab eines Mädchens in Rom fand, das Abbild eines Knaben aus Marmor, der wie Eros gekleidet ist und die pathetische Tradition eines großen Königs besitzt und dessen Trauer wie ein purpurner Schatten über ihm schwebt – über alldem ruht der müde Geist mit jener besonders gelassenen Freude, die aufkommt, wenn man etwas gefunden hat, das die Jahrhunderte überdauern wird und dem die Welt nichts anhaben kann. Dazu gehört auch jene Sehnsucht nach griechischen Werken, die oft als künstlerisches Mittel angewandt wird, das Verlangen nach Vollkommenheit auszudrücken, und dieses Herbeisehnen alter, vergangener Tage, was so modern, so unvollkommen und so rührend ist, dass es wie eine umgedrehte Fackel der Hoffnung wirkt, die genau jene Hand verbrennt, die sie leiten sollte, und für viele Dinge braucht es ein bisschen Traurigkeit und eine große Liebe für das Ganze. Und schließlich im Kiefernwald am Meer, noch einmal der schnelle, lebendige Pulsschlag fröhlicher Jugend, der aus jeder Zeile springt und lacht, die ehrliche und furchtlose Freiheit von Wind und Wellen, die die niedergebrannte Asche des Lebens neu entfacht und den Gesang der vor Schmerz verstummten Lippen wiedererweckt – wie deutlich man alles zu sehen scheint, die lange Kiefernkolonnade, durch die das Meer und der Himmel ab und zu wie ein Silberstreif blitzen, die Lichtung tief im grünen Herzen des Waldes mit dem kleinen, moosbewachsenen Altar und dem alten italienischen Gott, und überall Blumen, an den schattigeren Plätzen wachsen Alpenveilchen, und die Sterne der weißen Narzissen liegen wie Schneeflocken im Gras, wo die flinke Eidechse mit wachsamen Augen an einem Stein verharrt und die Schlange faul zusammengerollt in der Sonne auf dem heißen Sand liegt, und über ihr schweben Spinnweben an den Ästen wie dünne, zitternde Goldfäden – die Szene passt perfekt zum Motiv, denn nur hier, wenn überhaupt, kann sich die wahre Freude des Lebens am Jungsein offenbaren. Eine Freude, die nicht durch die Ablehnung von Leidenschaft entsteht, sondern durch ein Hineinvertiefen. Sie ist der heiteren Gelassenheit auf den Gesichtern griechischer Statuen ähnlich, der Verzweiflung und Trauer nichts anhaben können, sondern sie nur noch verstärken.

Ungefähr auf diese Weise könnten wir jene losen, verstreuten Blütenblätter der Poesie zur vollkommenen Rose des Lebens zusammentragen – und vielleicht trotzdem dabei die wahre Qualität der Gedichte übersehen. Unser wirkliches Leben ist oft gar nicht das Leben, das wir führen, und wunderbare Gedichte können, wie herrliche Seidenfäden, in viele Muster verwoben werden und sich für viele Entwürfe eignen – alle wunderschön und alle anders. Und genauso ist die romantische Lyrik im Wesentlichen die Dichtung der Impressionen, wie in der neuesten Schule der Malerei von Whistler und Albert Moore mit ihrer Auswahl an Situationen, die kein Thema vorschreiben, ihrer Art, sich lieber mit den Besonderheiten des Lebens zu beschäftigen anstatt mit Stereotypen, mit ihrer knappen Intensität, die man als strahlend bunte Augenblicke der Flüchtigkeit bezeichnen könnte – es sind tatsächlich die kurzen Momente des Lebens und die vergänglichen Einblicke in die Natur, die uns Dichtung und Malerei heute versuchen zu vermitteln. Ehrlichkeit und Treue besitzt ein Künstler natürlich immer, aber Ehrlichkeit in der Kunst ist nichts anderes als die plastische Vollkommenheit in der Ausführung, ohne die ein Gedicht oder ein Gemälde, egal, wie edel die Gesinnung oder wie menschlich ihr Ursprung sein mag, nur verschwendete – unechte – Arbeit ist. Und die Treue eines Künstlers kann sich nicht nach festen Regeln oder einer bestimmten Ordnung im Leben richten, sondern nur nach jenem Grundsatz der Schönheit, durch den die unbeständigen Schatten seines Lebens in ihrem flüchtigsten Augenblick festgehalten und verewigt werden. Er wird zum Beispiel bei intellektuellen Themen nicht stillschweigend unserer heutigen oberflächlichen Orthodoxie zustimmen, die so vernünftig und künstlerisch, doch so uninteressant ist, noch wird er sich nach dem leidenschaftlichen Glauben antiker Zeiten sehnen, der die Sicht zwar schärfte und sie gleichzeitig aber einschränkte. Ebenso wenig wird er zulassen, dass seine friedliche Kultur durch den verzweifelten Misston des Bedenkens oder durch die Traurigkeit einer unfruchtbaren Skepsis gestört wird, denn das gefährliche Tal, in dem nichtsahnende Armeen nachts aufeinanderprallen, ist kein angemessener Ruheplatz für diejenige, der die Götter weites Hochland, heitere Anhöhen und den sonnenhellen Himmel vermacht haben – er wird vielmehr stets neue Glaubensauffassungen neugierig ausprobieren, er wird seiner Charakteristik einen Hauch jener Gefühle verleihen, wie sie sich immer noch um manchen wunderbaren Glauben ranken, und er wird nach der Erfahrung an sich suchen und nicht nach den Früchten der Erfahrung, und wenn er dieses Geheimnis gelüftet hat, wird er vieles, was ihm einst sehr teuer war, ohne Bedauern hinter sich lassen. »Ich bin immer unaufrichtig«, sagte Emerson einmal, »weil ich weiß, dass es noch andere Empfindungen gibt.« »Les émotions«, schrieb Théophile Gautier in einer Kritik über Arsène Houssaye, »les émotions ne se ressemblent pas, mais être ému – voilà l'important.«

Dies ist das Geheimnis der Kunst der modernen, romantischen Schule, und es eröffnet uns den richtigen Einstieg, um sie zu verstehen, aber die wahre Qualität der Werke, wie jene von Rodd, die rein künstlerische Wirkung erzielen möchten, können nicht im Sinne einer vernünftigen Kritik beschrieben werden – sie sind auf diese Weise nicht erklärbar. Man kann sie vielleicht am besten vermitteln, indem man sich auf andere Kunstformen bezieht, und tatsächlich sind einige dieser Gedichte so schillernd und erlesen wie eine wunderschöne Scherbe aus venezianischem Glas, andere sind so feinsinnig in ihrer vollkommenen Ausführung und so einmalig durch ihre natürlichen Motive wie eine Radierung von Whistler oder wie eine dieser hübschen, kleinen griechischen Figuren, die in den Olivenhainen rund um Tanagra noch zu finden sind, mit ihrer matten Vergoldung und dem verblassenden Purpur, das sich noch nicht ganz aus den Haaren, den Lippen und dem Gewand verflüchtigt hat. Viele andere Gedichte muten wie eine von Corots Dämmerungen an, die sich gerade in Musik verwandelt, aber nicht nur durch die sichtbaren Farben, sondern auch durch die Stimmung – die Farbe der Dichtung – kann eine Art Klang erzeugt werden.

Aber ich glaube, von allem, was ich jemals gesehen habe, kann man die Qualität der Arbeit dieses jungen Dichters am besten mit der Landschaft an der Loire vergleichen. Wir waren einmal gemeinsam dort, er und ich, in Amboise, in diesem kleinen Dorf mit seinen grauen Schieferdächern, den steilen Straßen und dem kargen, finsteren Stadttor, wo die einfachen Häuschen wie weiße Tauben in den dunklen Felsspalten der großartigen Festung nisten und die vornehmen Renaissancehäuser still für sich stehen – mittlerweile in einem sehr verwahrlosten Zustand, aber immer noch umgibt eine gewisse Erinnerung an vergangene Zeiten ihre grazil gedrehten Säulen und ihre gemeißelten Eingangsportale mit den bizarren Tieren, den lachenden Masken und den kuriosen Wappenabbildungen, und alles erinnert an ein Volk, welches das wirkliche Leben erst annehmen konnte, nachdem es eine Fantasie daraus gemacht hatte. Nachmittags waren wir immer oberhalb des Dorfes, jenseits der Flussbiegung und zeichneten Skizzen von einem der großen Lastkähne, die im Herbst den Wein und im Winter das Holz in Richtung Meeresmündung bringen, oder lagen im hohen Gras und machten Pläne pour la gloire, et pour ennuyer les philistins oder wanderten die niedrig mit Schilfgras bewachsenen Ufer entlang, während »wir uns beim Rohrspiel im fröhlichen Wettkampf maßen« wie die Gefährten in den alten Tagen Siziliens. Es war ein gewöhnlicher Landstrich, weitläufig und außerdem kahl, vor allem, wenn man es mit Italien verglich, wie dort die Oleander die Berghänge um Genua in Scharlachrot kleiden und wie die Alpenveilchen jedes Tal von Florenz bis nach Rom mit ihrem Purpur überziehen, dann gab es dort wirklich wenig Schönes, nur lange, staubig helle Straßen und gerade Reihen steifer Pappeln, aber ab und zu verlieh ein kleiner, durchbrechender Lichtstrahl einem grauen Feld oder einer friedlichen Scheune etwas untypisch Geheimnisvolles und Rätselhaftes, verklärte für einen köstlichen Moment den Blick auf die Bauern, die gerade den Weinberg heruntergingen, oder auf den Schäfer, der auf dem Hügel wachte, er verlieh den Weiden einen Silberglanz und überzog den Fluss mit Gold – und das Wunderbare dieser Wirkung mit so außergewöhnlich einfachen Mitteln erschien mir immer ein wenig vergleichbar mit der Aussagekraft dieser Verse, den Versen meines Freundes.

Amerikanische Impressionen

Ich fürchte, ich kann Amerika alles in allem nicht als ein Elysium beschreiben – vielleicht nur aus dem einfachen Grund, weil ich zu wenig über das Land weiß. Ich kenne weder seinen Breiten- noch Längengrad, ich kann den Wert seiner Handelsware nicht einschätzen, und ich bin mit seiner Politik nicht besonders vertraut. Dies sind Dinge, die Sie vielleicht gar nicht interessieren werden und mich interessieren sie ganz gewiss nicht.

Als ich in Amerika an Land ging, fiel mir zuallererst auf, dass die Amerikaner nicht die am besten gekleideten Menschen auf der Welt sein mögen, aber sie sind die am bequemsten gekleideten. Man sieht Männer mit furchtbaren Zylinderhüten, aber sehr wenige Männer ohne Hut. Sie tragen diesen entsetzlichen Schwalbenschwanzfrack, aber ganz ohne Mantel sieht man nur wenige. Die Leute strahlen mit ihrem äußeren Erscheinungsbild eine gewisse Behaglichkeit aus, was in deutlichem Gegensatz zu dem steht, was einem hierzulande begegnet, wo man viel zu oft Leute sieht, die enge Tuchfühlung mit Lumpen haben.

Weiterhin ist besonders bemerkenswert, dass scheinbar jeder in Eile ist, um einen Zug zu erreichen. Dies ist ein Zustand, der der Dichtkunst oder der Romantik nicht zuträglich ist. Hätten Romeo oder Julia in ständiger Angst gelebt, einen Zug zu verpassen, oder wären sie gedanklich ständig mit der Frage der Rückfahrkarten beschäftigt gewesen, hätte uns Shakespeare diese großartigen Balkonszenen nicht schenken können, die so voller Poesie und Pathos sind.

Amerika ist das lauteste Land, das es gibt. Morgens wird man nicht vom Gesang der Nachtigall geweckt, sondern durch eine Dampfpfeife. Es ist verwunderlich, dass die Amerikaner diesen unerträglichen Lärm mit ihrem gesunden, pragmatischen Verstand nicht einschränken. Jegliche Kunst hängt von ausgesuchtem Feingefühl ab, und solch eine permanente Unruhe muss sich letzten Endes zerstörerisch auf die Musikalität auswirken.

Die amerikanischen Städte bieten nicht so viel Schönheit wie Oxford, Cambridge oder Winchester, wo es herrliche Andenken an wunderbare Zeitalter gibt. Aber trotzdem gibt es dort ab und zu einiges an Schönem zu sehen, aber nur dort, wo der Amerikaner nicht selbst versucht hat, es zu erschaffen. Überall dort, wo die Amerikaner den Versuch unternommen haben, Schönheit zu erschaffen, haben sie eklatant versagt. Ein bemerkenswerter Zug der Amerikaner ist die Art und Weise, wie sie die Wissenschaft in das moderne Leben übernommen haben.

Dies zeigt sich schon auf dem kürzesten Bummel durch New York. In England wird ein Erfinder schon fast als Verrückter angesehen, und in zu vielen Fällen endet der Erfindergeist in Enttäuschung und Armut. In Amerika ehrt man den Erfinder, er bekommt Hilfe, und so ist es dort der kürzeste Weg zum Wohlstand, seine Erfindungsgabe anzuwenden und die Wissenschaft für Menschengemachtes zu nutzen. Es gibt kein anderes Land auf der Welt, wo Maschinen so schön sind wie in Amerika.

Ich wollte immer daran glauben, dass Kraft und Schönheit auf einer Linie liegen. Dieser Wunsch hat sich erfüllt, als ich amerikanische Maschinen betrachten konnte. Erst nachdem ich die Wasserwerke von Chicago besichtigt hatte, erkannte ich das Wunder der Maschinen. Das Auf und Ab der Stahlstangen und die symmetrische Bewegung der großen Räder bilden das wunderbarste rhythmische Ding, das ich je gesehen habe.[2]

---

2 In einem Gedicht, das am 15. Februar 1882 in einer amerikanischen Zeitschrift veröffentlicht wurde, schrieb Wilde: »Und im pochenden Maschinenraum steigen die langen, glänzenden Stahlstangen auf.«

Man ist beeindruckt, wenn auch nicht unbedingt positiv, dass alles so übertrieben groß ist in Amerika. Das Land versucht scheinbar durch seine beeindruckende Größe unseren Glauben an seine Macht zu erzwingen.

Von Niagara war ich enttäuscht – die meisten Leute werden wohl von Niagara enttäuscht sein. Jede amerikanische Braut wird dorthin geschleppt, und der Anblick dieses gewaltigen Wasserfalls muss eine der ersten Enttäuschungen, wenn nicht sogar die bitterste im amerikanischen Eheleben sein. Man sieht den Wasserfall unter sehr ungünstigen Bedingungen, er ist sehr weit weg, und der Aussichtspunkt gibt die Pracht des Wassers nicht preis. Um sie wirklich zu erfassen, muss man den Wasserfall unten an seinem Fuß erlebt haben, und dazu ist es unerlässlich, sich eine gelbe Ölhaut überzuziehen, die so hässlich ist wie ein Mackintosh-Mantel, – ich hoffe, niemand von Ihnen kommt jemals auf die Idee, so etwas zu tragen. Trotzdem ist es tröstlich zu wissen, dass eine Künstlerin wie Madame Bernhardt nicht nur diese gelbe, hässliche Kluft getragen hat, sondern sie sich sogar darin hat fotografieren lassen.

Der schönste Teil Amerikas ist wohl der Westen, den man jedoch nur erreicht, wenn man eine sechstägige Zugfahrt auf sich nimmt, bei der man ununterbrochen dahinrast, angehängt an den hässlichen Blechkessel einer Dampflokomotive. Etwas Trost fand ich auf dieser Reise darin, dass die Jungs, die regelrecht in die Abteile einfallen und alles verkaufen, was essbar ist – oder was man vielleicht besser nicht essen sollte –, Ausgaben meiner Gedichte verkauft haben, ganz miserabel auf einer Art grauem Löschpapier gedruckt, zum Spottpreis von zehn Cent.[3] Ich habe die Jungs zur Seite genommen und ihnen erklärt, dass Dichter, obwohl sie gerne berühmt sein möchten, auch den Wunsch haben, bezahlt zu

3 Gedichte von Oscar Wilde. Ebenso sein Vortrag zur englischen Renaissance. The Seaside Library, Band 58. Nr. 1183, Seite 4–32, 19. Januar 1882. Herausgeber: George Munro, New York. Eine Kopie dieser Ausgabe wurde in New York letztes Jahr für acht Dollar versteigert.

werden, und dass der Verkauf meiner Gedichte, ohne mich am Profit teilhaben zu lassen, der Dichtung einen Schlag versetzt, der auf zukünftige Poeten eine verheerende Wirkung haben muss. Sie gaben mir alle die einhellige Antwort, dass es ihnen reicht, wenn sie für sich selbst Profit aus dem Geschäft ziehen, und dass alles andere sie nicht interessiert.

Es ist ein weitverbreiteter Aberglaube, dass in Amerika ein Besucher immer mit »Fremder« angeredet wird. Ich bin kein einziges Mal mit »Fremder« angesprochen worden. Als ich nach Texas kam, nannte man mich »Hauptmann«, als ich mich der Landesmitte näherte, wurde ich mit »Oberst« angesprochen und als ich an den Grenzen Mexikos ankam mit »General«. Trotz allem ist die alte, englische Anrede »Sir« am gebräuchlichsten.

Es lohnt sich vielleicht zu erwähnen, dass das, was viele Leute als Amerikanismen bezeichnen, tatsächlich alte englische Ausdrücke sind, die in unseren Kolonien erhalten geblieben sind, während sie in unserem Land verloren gingen. Viele Leute glauben, dass die weitverbreitete Redewendung »Ich schätze« rein amerikanisch ist, doch sie wurde schon von John Locke in seiner Erkenntnistheorie ganz im Sinne unseres heutigen »Ich glaube« verwendet.[4]

Das althergebrachte englische Leben existiert tatsächlich in den Kolonien und nicht im Mutterland. Wenn man wirklich verstehen will, was englischer Puritanismus bedeutet – nicht unbedingt im schlimmsten Fall (dann ist es wirklich schlimm), aber im besten Fall, der immer noch schlimm genug ist –, wird einem, glaube ich, in England nicht allzu viel davon begegnen, dafür umso eher in der Gegend von Boston und Massachusetts. Wir haben uns des Puritanismus entledigt und Amerika hält noch daran fest, doch es wird sich hoffentlich als kurzlebige Absonderlichkeit herausstellen.

4 Nachzulesen in ‚Eine Abhandlung über den menschlichen Verstand', Buch IV, Kapitel 12, § 10.

San Francisco ist eine wirklich schöne Stadt. Chinatown, ein von chinesischen Arbeitern bevölkertes Viertel, ist die künstlerischste Stadt, in der ich jemals war. Die Leute dort – fremdartige, melancholische Wesen aus dem Osten, welche die meisten von uns als gewöhnlich bezeichnen würden, und sie sind tatsächlich sehr arm – haben beschlossen, dass sie nichts in ihrer Umgebung dulden wollen, was keine Schönheit besitzt. In dem chinesischen Restaurant, in dem die Eisenbahnarbeiter sich zum Abendessen treffen, sah ich sie Tee aus Porzellantassen trinken, deren Porzellan so fein war wie die Blütenblätter einer Rose, wohingegen mir in diesen pompösen Hotels eine Delfter Keramiktasse vorgesetzt wurde, die vier Zentimeter dick war. Als man mir die chinesische Rechnung brachte, bestand sie aus Reispapier und die Beträge waren ganz fantastisch mit Tusche geschrieben, als ob ein Künstler kleine Vögelchen in einen Fächer radiert hätte.

Salt Lake City besitzt nur zwei nennenswerte Gebäude, wovon das Mormonen-Tabernakel, das die Form einer Suppenterrine besitzt, an erster Stelle steht. Es ist von dem einzigen einheimischen Künstler ausgestaltet worden. Er hat religiöse Motive in der naiven Art der frühen florentinischen Maler behandelt, indem er bei seiner Darstellung Menschen von heute in ihrer modernen Kleidung Seite an Seite mit Figuren aus der biblischen Geschichte stellt, die irgendwelche romantischen Kostüme tragen.

Das zweitwichtigste Gebäude wird Amelia Palast genannt, zu Ehren einer der Witwen von Brigham Young. Als dieser gestorben war, stellte der heutige Präsident der Mormonen sich im Tabernakel hin und verkündete, dass ihm offenbart wurde, dass er den Amelia Palast bekommen solle und dass es in dieser Sache keine weiteren Offenbarungen mehr zu geben habe!

Von Salt Lake City aus fährt man über die weiten Ebenen Colorados hinauf in die Rocky Mountains, und ganz oben befindet sich Leadville, die reichste Stadt der Welt. Außerdem hat sie den Ruf, die brutalste Stadt zu sein, in der jeder einen Revolver trägt. Man machte mir deutlich, dass, wenn ich dorthin fahre, man mit Sicherheit entweder mich oder meinen Tourneeveranstalter erschießen würde. Daraufhin schrieb ich ihnen, dass es nichts gibt, was sie meinem Tourneeveranstalter antun könnten, was mich einschüchtern könnte. Es sind Bergleute, das heißt, diese Männer arbeiten mit Metall, und deshalb hielt ich dort einen Vortrag über die Ethik in der Kunst. Ich las ihnen einzelne Passagen aus der Autobiografie von Benvenuto Cellini vor und sie schienen ganz begeistert zu sein. Ich wurde sogar von meinen Zuhörern dafür gerügt, dass ich ihn nicht mitgebracht hatte. Ich erklärte ihnen, dass er schon ein Weilchen tot ist, was die Nachfrage auslöste: »Wer hat ihn erschossen?« Danach nahmen sie mich in einen Tanzsaal mit, einen sogenannten Saloon, wo ich die einzig vernünftige Anwendung der Kunstkritik las, die mir je untergekommen ist. Über dem Klavier hing ein gedruckter Hinweis:

Bitte erschießen Sie den Klavierspieler nicht. Er gibt sein Bestes.

An diesem Ort ist die Sterblichkeitsrate bei Klavierspielern phänomenal hoch. Danach luden sie mich zum Abendessen ein, und ich wurde in einem klapprigen Korb in ein Bergwerk heruntergelassen, welcher es einem unmöglich machte, elegant auszusehen. Als wir im Innersten des Berges angekommen waren, bekam ich mein Abendessen – zum ersten Gang gab es Whisky, zum zweiten gab es Whisky und zum dritten gab es Whisky.

Danach begab ich mich zum Theater, um einen Vortrag zu halten, und man teilte mir mit, man habe noch kurz vor meiner Ankunft dort zwei Männer wegen Mordes gefasst, sie um acht Uhr abends in diesem Theater auf die Bühne gebracht und sie an Ort und Stelle vor großem Publikum verurteilt und hingerichtet. Trotz allem fand ich diese Bergarbeiter ganz reizend und keineswegs brutal.

Bei den etwas älteren Bewohnern des Südens stellte ich die melancholische Neigung fest, alle wichtigen Ereignisse auf den Bürgerkrieg zu beziehen. Ich bemerkte einmal zu einem Herrn neben mir: »Wie wunderschön der Mond heute Nacht aussieht.« Er antwortete mir: »Ja, aber Sie hätten ihn vor dem Krieg sehen sollen.«

Die Leute westlich der Rocky Mountains haben offensichtlich fast gar keine Ahnung von Kunst, denn ein Kunstmäzen und ehemaliger Bergarbeiter hatte tatsächlich die Eisenbahngesellschaft auf Schadenersatz verklagt, weil der Gipsabdruck der Venus von Milo, die er aus Paris importiert hatte, ohne Arme geliefert worden war. Und das Überraschendste an der Geschichte ist, dass er sowohl Recht als auch Schadenersatz bekam.

Pennsylvania hat mich mit seinen felsigen Schluchten und seiner Waldlandschaft an die Schweiz erinnert und die Grassteppe der sogenannten Prärie an ein Blatt Löschpapier.

Die Spanier und Franzosen haben ihr Andenken in Form wunderschöner Namen hinterlassen. Alle Städte mit schönen Namen gehen auf die Spanier oder die Franzosen zurück. Die englische Bevölkerung gibt ihren Orten unfassbar hässliche Namen. Ein Ort hatte solch einen hässlichen Namen, dass ich mich geweigert habe, dort zu sprechen. Er nannte sich Grillendorf [Grigsville]. Mal angenommen, ich hätte dort eine Kunstschule gegründet – womöglich mit dem Namen »Frühes Grillendorf«. Können Sie sich eine Kunstschule vorstellen, die »Grillendorfer Renaissance« lehrt?

Vom amerikanischen Slang habe ich nicht allzu viel mitbekommen, außer als eine junge Dame, die sich nach einem Nachmittagstanz umgezogen hatte, wirklich sagte, dass »nach dem Hackenschwung ihre Tagesklamotten Schichtwechsel gehabt hätten«.

Die amerikanischen jungen Männer sind entweder blass und altklug oder farblos und hochnäsig, aber die Mädchen sind hübsch und bezaubernd – wie kleine Oasen süßer Unvernunft in einer riesigen Wüste pragmatischen Denkens.

Jedes amerikanische Mädchen hat Anspruch auf zwölf junge Verehrer, die ihm ergeben wie Sklaven sind und die es mit reizender Nonchalance in Schach hält.

Die Männer gehen völlig in ihren Geschäften auf und behaupten von sich, dass ihr Hirn sogar noch vor der Stirn sitzt. Außerdem sind sie äußerst empfänglich für neue Ideen. Sie wurden praktisch erzogen. Bei uns gründet sich die Erziehung der Kinder ausschließlich auf Büchern, aber wir müssen Kindern zuerst ein Bewusstsein vermitteln, bevor wir dieses Bewusstsein schulen können. Kinder haben eine natürliche Abneigung gegen Bücher, deshalb sollte ein Handwerk die Grundlage jeder Erziehung sein. Man müsste den Jungen und Mädchen beibringen, wie sie mit der Arbeit ihrer eigenen Hände etwas erschaffen können, und sie würden sich bestimmt weitaus weniger zerstörerisch oder mutwillig verhalten.

Wenn man nach Amerika reist, lernt man, dass Armut keine notwendige Begleiterscheinung der Zivilisation ist. Es ist auf jeden Fall ein Land, in dem es keinen Prunk, keinen Pomp und keine prachtvollen Zeremonien gibt. Ich sah genau zwei Paraden – bei der einen wurde die Feuerwehr von der Polizei angeführt und bei der anderen führte die Feuerwehr die Polizei an.

Jeder Mann darf ab dem Alter von einundzwanzig Jahren wählen und erwirbt sich auf diese Weise sofort politische Reife. Die Amerikaner sind das politisch gebildetste Volk auf der Welt. Es kann durchaus ab und an der Mühe wert sein, in ein Land zu reisen, das uns sowohl die Schönheit des Wortes Freiheit lehrt als auch den Wert dessen, was sich Freiheit nennt.

Mr. Whistlers Zehn-Uhr-Vortrag

(Pall Mall Gazette, 21. Februar 1885)

Gestern Abend in der Prince's Hall hatte Mr. Whistler seinen ersten öffentlichen Auftritt als Redner in Sachen Kunst, und er sprach über eine Stunde mit wirklich fabelhafter Eloquenz über die völlige Nutzlosigkeit von Vorträgen dieser Art. Mr. Whistler begann seinen Vortrag mit einer sehr hübschen Arie auf die prähistorische Geschichte, in der er schilderte, wie früher Jäger und Krieger auszogen, um zu jagen und zu plündern, während der Künstler zu Hause saß und für sie Becher und Schüsseln fertigte. Am Anfang waren es nur primitive Nachahmungen der Natur, wie zum Beispiel die Kürbisflasche, bis sich der Sinn für Schönheit und Form entwickelt hatte, und die erste Vase in vollkommenster Proportion hergestellt war. Danach sei eine höhere Kulturstufe entstanden, mit Architektur und Armsesseln, in der man die nützlichen Dinge des Lebens durch erlesene Entwürfe und elegante Jacquard-Stoffe verschönert habe, und der Jäger und der Krieger seien auf ihrer Couch gelegen, wenn sie müde waren, und wenn sie Durst hatten, tranken sie aus ihrer Trinkschale, und es sei ihnen völlig egal gewesen, ob sie der vollkommenen Proportion der Couch oder der wunderbaren Verzierung der Schale einmal verlustig gehen könnten. Genau diese Einstellung des primitiven, kannibalischen Banausen bestimmte den Inhalt des Vortrags und entsprach auch der Einstellung zur Kunst, um die Mr. Whistler seine Zuhörer dringend ersuchte.

Zweifellos in Erinnerung an viele reizende Einladungen zu wunderbaren Privatausstellungen schien diese elegante Gesellschaft irgendwie entgeistert zu sein und keineswegs erfreut, als man ihr erzählte, dass unter kultivierten Menschen auch nur der geringste Ansatz von Freude an schönen Dingen eine schwerwiegende Ungehörigkeit gegenüber den Malern darstellt. Aber Mr. Whistler war unermüdlich und erklärte dem Publikum mit bezaubernder Leichtigkeit und in sehr ansprechender Weise, dass die Hässlichkeit die einzige Sache sei, die es zu kultivieren gelte und dass es unser permanenter Unverstand sei, auf dem alle Hoffnungen für die Zukunft der Kunst ruhen.

Die Szene war in jeglicher Hinsicht köstlich. Wie er dort stand – ein Miniatur-Mephisto, der die Mehrheit verspottete! Er wirkte wie ein glänzender Chirurg, der eine Vorlesung vor einer Gruppe von Versuchspersonen hält, die alle unwiderruflich für eine Obduktion vorgesehen sind und denen er allen Ernstes versichert, wie wertvoll ihre Krankheiten für die Wissenschaft sind und wie absolut uninteressant gerade bei ihnen nur der leiseste Anflug von Besserung wäre. Aus Fairness gegenüber dem Publikum muss ich jedoch hinzufügen, dass alle außerordentlich erleichtert schienen, die schreckliche Verantwortung loszuwerden, einfach alles bewundern zu müssen, und ihre Begeisterung hätte nicht größer sein können, als Mr. Whistler ihnen erklärte, dass es trotzdem möglich sei – egal, wie geschmacklos ihre Kleidung oder wie abscheulich ihre Wohnungseinrichtung – dass ein großer Maler, sofern es so etwas gibt, in der Lage ist, sie im Dämmerlicht mit halb geschlossenen Augen unter wirklich malerischen Bedingungen zu betrachten und ein Bild zu erschaffen, bei dem sie nicht den Versuch unternehmen sollten, es zu verstehen noch sich daran zu erfreuen. Dann feuerte er noch einige bissige und geistreiche Spitzen mit der Schnelligkeit und Brillanz eines Feuerwerks ab: zuerst gegen die Archäologen, die ihr Leben nur damit verbringen, die Geburtsstätten von unbedeutenden Leuten nachzuweisen, und den Wert eines Kunstwerks alleine anhand seiner Epoche oder dem Grad seines Verfalls bestimmen, dann gegen die Kunstkritiker, die ein Gemälde immer so behandeln, als wäre es ein Roman, bei dem sie versuchen, eine Handlung auszumachen, gegen Dilettanten im Allgemeinen und gegen Amateure im Besonderen und in verstärktem Maß ging es gegen (Oh mea culpa!)Reformer in Sachen Mode: »War es nicht Velasquez, der Reifröcke gemalt hat? Was wollen Sie mehr?«

Nachdem er auf diese Weise die Menschheit völlig niedergemacht hatte, wandte Mr. Whistler sich der Natur zu und schaffte es innerhalb weniger Augenblicke, ihr die Schuld für den Crystal Palace, für gesetzliche Feiertage und für eine generelle Überflutung von Nebensächlichkeiten, sowohl in Omnibussen als auch in Landschaften, zuzuweisen. Und dann sprach er in einer einzigartig schönen Passage, die einer Textstelle in Corots Briefen ähnelte, von dem künstlerischen Wert des schummrigen Morgen- und Abendlichtes, in dem sich die armseligen Tatsachen des Lebens in erlesenen und flüchtigen Effekten verlieren, in dem sich gewöhnliche Dinge des Lebens geheimnisvoll mit Schönheit verklären, in dem Lagerhäuser zu Palästen werden und hoch aufragende Fabrikschornsteine wie in silbriges Licht getauchte Kampanile erscheinen.

Schließlich, nachdem Mr. Whistler entschieden gegen Nichtmaler, welche die Malerei beurteilen, protestiert hatte und nach einem pathetischen Appell an das Publikum, es möge sich nicht von der Ästhetischen Bewegung dazu verleiten lassen, sich mit schönen Dingen zu umgeben, schloss er seinen Vortrag mit einer hübschen Passage über den Fujiyama auf einem Fächer und verneigte sich vor einem Publikum, das er vollständig in den Bann seines scharfsinnigen Verstandes, seiner geistreichen Paradoxe und seiner bisweilen echten Redegewandtheit gezogen hatte. Natürlich bin ich hinsichtlich des Wertes einer schönen Umgebung völlig anderer Meinung als Mr. Whistler. Man kann einen Künstler nicht als feststehende Tatsache betrachten. Er ist das Ergebnis eines gewissen Milieus und einer gewissen Entourage und könnte aus keiner Nation geboren werden, der es an jeglichem Gefühl für Schönheit mangelt, genauso wenig, wie Feigen auf Dornbüschen wachsen oder Disteln Rosenblüten tragen. Dass ein Künstler das Schöne im Hässlichen finden kann, le beau dans l'horrible, kursiert gerade als allgemeine Weisheit an allen Schulen und ist abgedroschener Atelierjargon, aber ich lehne es strikt ab, dass reizende Menschen dazu verdammt werden, in ihren Wohnungen purpurrote Ottomanen und preußisch-blaue Vorhänge zu ertragen, nur damit vielleicht irgendein Maler das Lichtspiel auf dem einen und die wertvollen Eigenschaften des anderen studieren kann. Noch stimme ich der These zu, dass nur ein Maler die Malerei beurteilen kann. Ich behaupte, nur ein Künstler kann Kunst beurteilen – das macht einen gewaltigen Unterschied. Solange ein Maler nichts weiter als ein Maler ist, sollte er nur über Terpentin und über Leinöl reden dürfen und ansonsten sollte er dazu verdonnert werden, den Mund zu halten. Erst wenn er zum Künstler wird, offenbaren sich ihm die geheimen Gesetze der künstlerischen Gestaltung, denn es gibt nicht mehrere Künste, sondern nur eine Kunst. Egal, ob es ein Gedicht, ein Gemälde, der Parthenon, ein Sonett oder eine Statue ist, in ihrem Wesenskern sind sie alle gleich, und wer eines davon kennt, kennt sie alle. Doch der Dichter ist der erhabenste Künstler, denn er ist der Meister von Farbe und Form und dazu ein wahrer Musiker, und er ist der Gebieter über alles Leben und jegliche Kunst, und somit ist der Dichter vor allen anderen mit jenen Geheimnissen vertraut: Edgar Allan Poe und Baudelaire waren es, Benjamin West und Paul Delaroche waren es nicht. Dennoch könnte ich die Vorträge anderer nicht genießen, wenn es nicht Punkte gäbe, in denen ich anderer Meinung bin als der Redner, und Mr. Whistlers Vortrag gestern Abend war, wie alles von ihm, ein Meisterstück. Er wird nicht nur wegen der intelligenten Satire und den amüsanten Scherzen in Erinnerung bleiben, sondern aufgrund der reinen und vollendeten Schönheit vieler Passagen – Passagen, die mit einer Ernsthaftigkeit vorgetragen wurden, die scheinbar diejenigen erstaunte, die in Mr. Whistler bisher nur den Meister der Persiflage gesehen hatten und ihn nicht, wie unsereins, auch als Meister der Malerei kennen. Denn ich bin davon überzeugt, dass er tatsächlich einer der größten Meister der Malkunst ist. Und ich darf hinzufügen, dass Mr. Whistler in diesem Punkt völlig mit mir übereinstimmt.

Die Beziehung zwischen Kleidung und Kunst

Ein Kommentar in Schwarz und Weiß zu Mr. Whistlers Vortrag

(Pall Mall Gazette, 28. Februar 1885)

»Wie können Sie nur diese hässlichen Dreispitzhüte malen?«, wurde Sir Joshua Reynolds einmal von einem rücksichtslosen Kunstkritiker gefragt. »Ich sehe Licht und Schatten in ihnen«, antwortete der Künstler. »Les grands coloristes«, sagt Baudelaire in einem bezaubernden Artikel über den künstlerischen Wert des Gehrocks, »les grands coloristes savent faire de la couleur avec un habit noir, une cravate blanche, et un fond gris.«

»Kunst sucht und findet das Schöne zu allen Zeiten, so wie ihr Hohepriester Rembrandt, als er die malerische Erhabenheit des Amsterdamer Judenviertels erblickte und sich nicht darüber beklagte, dass seine Bewohner keine Griechen seien.« So lauteten die schönen und einfachen Worte von Mr. Whistler in einer der wertvollsten Passagen seines Vortrags. Am wertvollsten ist sie tatsächlich für den Maler, denn der gewöhnliche englische Maler sollte schleunigst daran erinnert werden, dass der wahre Künstler nicht darauf wartet, dass das Leben sich für ihn von seiner malerischen Seite zeigt, sondern er betrachtet das Leben immer unter malerischen Bedingungen, nämlich unter Bedingungen, die zugleich neu und reizvoll sind. Aber zwischen der Einstellung des Malers zu seinem Publikum und der Einstellung der Leute zur Kunst liegen Welten. Es stimmt, dass unter besonderen Verhältnissen von Licht und Schatten das eigentlich Hässliche tatsächlich schön wird, und das ist in der Tat die echte modernité der Kunst, aber genau jener Verhältnisse können wir uns niemals ganz sicher sein, etwa wenn wir den Piccadilly in der grellen Geschmacklosigkeit der Mittagszeit entlangschlendern oder bei einem langweiligen Sonnenuntergang im Park verweilen. Könnten wir unser chiaroscuro wie einen Schirm mit uns herumtragen, wäre alles gut, aber da dies nicht möglich ist, glaube ich kaum, dass gut aussehende, nette Leute an einem Bekleidungsstil festhalten, der so hässlich wie nutzlos und so unbedeutend wie abscheulich ist, selbst wenn ein solcher Meister wie Mr. Whistler diese Kleidung möglicherweise zu einer Symphonie vergeistigen oder mit einem Nebelschleier veredeln könnte. Denn die Kunst ist für das Leben gemacht, und nicht das Leben für die Kunst.

Ich bin mir auch nicht ganz sicher, ob Mr. Whistler immer jenem Dogma treu geblieben ist, welches er scheinbar selbst aufgestellt hat, nämlich dass ein Maler nur die Kleidung seiner Zeit und seiner tatsächlichen Umgebung malen soll. Es liegt mir fern, einem Schmetterling die schwere Verantwortung seiner Vergangenheit aufzubürden, denn ich war immer der Meinung, dass Beständigkeit die letzte Zuflucht der Fantasielosen ist. Aber haben wir nicht alle schon einmal ein Bild aus seiner Hand gesehen und es meistens bewundert – wie die zarten, englischen Mädchen, die in ihren fantastischen, japanischen Kleidern am opal-schimmernden Meer entlangschlendern? Waren in der Tite Street nicht alle völlig aus dem Häuschen über die Nachricht, dass die Chelsea-Modelle für den Meister im Peplos, dem ärmellosen alt-griechischen Gewand, für Pastellbilder posiert haben?

Alles, was aus Mr. Whistlers Pinsel kommt, ist so perfekt in seiner Schönheit, dass es nicht durch irgendein intellektuelles Kunstdogma, und sei es sein eigenes, steht oder fällt, denn Schönheit legitimiert sich durch all ihre Kinder und hat keine Erklärung nötig. Allerdings ist es unmöglich, sich auch nur eine der modernen Londoner Gemäldesammlungen anzusehen, von Burlington House bis zur Grosvenor Gallery, ohne das Gefühl zu bekommen, dass die Malerei durch professionelle Modelle ruiniert wird und sich auf den bloßen Zustand der Pose und des Pastiche reduziert.

Sind wir seiner nicht überdrüssig, dieses ehrenwerten Schwindlers von den Stufen der Piazza di Spagna, der in seinen freien Augenblicken, die ihm seine unvermeidliche Drehorgel lässt, eine Runde durch die Ateliers dreht und im Holland Park bereits erwartet wird? Erkennen wir ihn nicht sofort, wenn er mit der fröhlichen insouciance seines Landes wieder auf den Wänden unserer Sommerausstellungen auftaucht und alles darstellt, was er nicht ist und nichts von dem darstellt, was er ist, indem er uns hier als Patriarch von Kanaan anstarrt und uns woanders als abruzzischer Bandit entgegenlacht? Er ist beliebt, dieser arme, rastlose Professor der Pose, und zwar bei all jenen, die ihre Freude daran haben, posthum das Portrait des letzten Philanthropen zu malen, der es zu Lebzeiten versäumt hat, sich fotografieren zu lassen – trotz seiner Beliebtheit verkörpert er die Anzeichen von Dekadenz, ist das Symbol des Verfalls.

Denn Kostüme sind wie Karikaturen. Kunst hat nichts mit einem Kostümball zu tun. Wer gut angezogen ist, braucht sich nicht zu verkleiden. Wenn also unser nationaler Kleidungsstil farbenfroh und in seiner Machart einfach und ehrlich wäre, dann würde Kleidung jene Schönheit ausdrücken, die sie verhüllt und jene schnelle Beweglichkeit, die sie nicht einschränken soll, die Linienführung des Schnitts würde bereits an den Schultern beginnen, anstatt sich ab der Taille aufzubauschen, und das umgedrehte Weinglas wäre nicht mehr die Idealform in der Mode. Wenn wir all das umsetzen würden, was irgendwann der Fall sein wird, dann wäre die Malerei nicht länger eine künstliche Reaktion auf die Hässlichkeit des Lebens, sondern wäre, so wie es sich gehört, der natürliche Ausdruck der Schönheit des Lebens. Nicht nur die Malerei, sondern auch alle anderen Kunstrichtungen würden von meinen vorgeschlagenen Veränderungen profitieren. Profitieren insofern, als der

Künstler von einer Atmosphäre vermehrter Schönheit umgeben wäre, in der er aufwachsen würde. Denn Kunst wird nicht an Akademien gelehrt. Es geht um das, was wir uns ansehen und nicht um das, was wir uns anhören – das macht den Künstler aus. Die Straße wäre die wahre Schule. Es gibt zum Beispiel in der Kleidung der Griechen keine einzige zarte Linie oder wunderbare Ausgewogenheit, die sich nicht in erlesener Form in der Architektur wiederfindet. Ein Volk, das sich mit Ofenrohrzylindern und Turnüren herausputzt, war vielleicht in der Lage, das Pantechnichon-Gebäude zu errichten, aber zu einem Parthenon wäre es niemals fähig. Und eines muss schließlich noch gesagt werden: Es stimmt, dass Kunst keinen anderen Anspruch haben kann, als die eigene Vervollkommnung, und es mag schon sein, dass der Künstler, der nur betrachten und schaffen will, so weise sein sollte, sich nicht mit anderen Dingen zu beschäftigen. Trotzdem ist Weisheit nicht immer ihr letzter Schluss. Es gibt Zeiten, da rutscht sie auf ein durchschnittliches Niveau ab, und durch die leidenschaftliche Verrücktheit jener – und davon gibt es genug –, die sich wünschen, dass Schönheit nicht länger nur im bric-á-brac eines Sammlers oder in einem staubigen Museum eingeschlossen wird, sondern, wie es sich gehört, das natürliche und nationale Erbe aller sein sollte – durch genau diese noble Unweisheit könnten dem Leben ungeahnte neue Reize verliehen werden, und wer weiß, welch vollkommener Künstler aus den exquisiten Bedingungen geboren werden würde. Le milieu se renouvelant, l'art se renouvelle.

Indessen betonte Mr. Whistler von seinem leidenschaftslosen Podest herab, dass die Stärke des Malers aus seiner Vorstellungskraft kommt und nicht aus der Geschicklichkeit seiner Hand und hat damit eine Wahrheit ausgesprochen, die gesagt werden musste und die ihre Wirkung gar nicht verfehlen kann, da sie vom Herrn über Form und Farbe kommt. Sein Vortrag, so fragwürdig er für die Leute gewesen sein mag, wird jedoch von nun an für immer die Bibel des Malers sein, das Meisterstück aller Meisterstücke und der Gesang aller Gesänge. Es war in der Tat die Lobrede eines Kunstbanausen, aber wie mir scheint, wurde Caliban von Ariel nur im Scherz gepriesen. Und so hat er auf diese Weise den Kritikern die Aschermittwochspredigt gehalten, für die wir ihm alle dankbar sein sollten, allen voran die Kritiker selbst, zumindest die meisten von ihnen, denn er hat sie vor einer unvermeidlich öden Existenz bewahrt. Wenn man Mr. Whistler wirklich nur als Redner betrachtet, scheint er mir fast einzigartig zu sein. Unter all unseren Vortragsrednern kenne ich tatsächlich nur wenige, die so treffend wie er die fröhliche Boshaftigkeit von Puck mit dem großen Auftreten eines unbedeutenden Propheten vereinbaren können.

Die Amerikanische Invasion

(Court and Society Review, 23. März 1887)

Eine schreckliche Gefahr schwebt über den Amerikanern in London. Ihre Zukunft und ihr Ansehen hängt diese Saison vollkommen von dem Erfolg Buffalo Bills und Mrs. Brown-Potters ab. Ersterer hat mit Sicherheit Zugkraft, denn Engländer sind weitaus mehr am amerikanischen Barbarentum als an der amerikanischen Kultur interessiert. Sobald sie Sandy Hook einmal zu Gesicht bekommen haben, kümmern sie sich um ihre Gewehre und die Munition, und nachdem sie das erste Mal bei Delmonico's gegessen haben, brechen sie auf nach Colorado oder Kalifornien, nach Montana oder zum Yellow Stone Park. Die Rocky Mountains reizen sie mehr als in Saus und Braus lebende Millionäre. Sie sind bekannt dafür, dass sie Büffel der Stadt Boston vorziehen. Warum auch nicht? Die amerikanischen Städte sind unsäglich öde. Die Bostoner nehmen das Studieren allzu ernst. Für sie ist Kultur eher eine Errungenschaft als eine Atmosphäre und ihr »Hub«, so nennen sie die Stadt, ist das Paradies der Snobs. Chicago ist wie ein riesengroßes Kaufhaus mit viel Gewühl und vielen Langweilern. Das politische Leben Washingtons ähnelt dem politischen Geschehen bei einer Gemeinderatsversammlung in einer Vorstadt. Baltimore ist für eine Woche ganz amüsant, aber Philadelphia ist entsetzlich provinziell, und obwohl man in New York gut essen kann, kann man noch lange nicht dort leben. Dann schon lieber der ferne Westen mit seinen Grizzlybären und den wilden Cowboys, mit seinem ungebundenen Leben im Freien und den ungezwungenen Manieren, mit seiner endlosen Prärie und mit seiner grenzenlosen Verlogenheit! All das wird Buffalo Bill nach London bringen, und es besteht kein Zweifel, dass London seine Vorstellungen zu würdigen wissen wird.

Was Mrs. Brown-Potter betrifft – seit in England die Schauspielkunst nicht mehr länger als wesentlicher Bestandteil für den Bühnenerfolg gesehen wird, gibt es wirklich keinen Grund, warum die hübsche Dame mit den strahlenden Augen, die uns alle vergangenen Juni mit ihrem fröhlichen Lachen und ihrer unbekümmerten Art bezaubert hat, nicht – um sich ihrer Ausdrucksweise zu bedienen – mit einem großen Paukenschlag die Stadt unsicher machen sollte. Wir hoffen inständig, dass sie es tun wird, denn im Großen und Ganzen hat die amerikanische Invasion der englischen Gesellschaft sehr gutgetan. Amerikanische Frauen sind aufgeweckt, klug und wunderbar weltoffen. Ihre patriotischen Gefühle beschränken sich auf ihre Bewunderung für Niagara und auf ihr Bedauern über das Hochbahnsystem, und, im Gegensatz zu den Männern, langweilen sie uns nie mit der Schlacht von Bunker Hill. Sie besorgen sich ihre Kleider in Paris und ihre Manieren in Piccadilly und beides steht ihnen ganz bezaubernd. Sie sind auf drollige Weise vorlaut, entzückend arrogant und haben ein angeborenes Durchsetzungsvermögen. Sie bestehen darauf, dass man ihnen Komplimente macht und sie haben es schon fast geschafft, den englischen Männern Redegewandtheit beizubringen. Sie hegen eine glühende Bewunderung für unsere Aristokratie, sie vergöttern Titel und werden damit zum permanenten Affront gegen die republikanischen Grundsätze. Sie sind Meisterinnen in der Kunst, Männer zu unterhalten, sowohl aufgrund ihres Wesens als auch aufgrund ihrer Bildung, und schaffen es tatsächlich, eine Geschichte zu erzählen, ohne die Pointe zu vergessen – eine Fähigkeit, die bei Frauen anderer Länder äußerst selten ist. Zwar mangelt es ihnen an einer gewissen Ruhe, und wenn sie in Liverpool an Land kommen, klingen ihre Stimmen irgendwie unangenehm schrill, aber nach einer gewissen Zeit verliebt man sich in diese hübschen Wirbelwinde in Petticoats, die so unbekümmert durch die Gesellschaft fegen und so beunruhigend auf Herzoginnen wirken, die Töchter haben. Ihre übertrieben drollige Gestik und die Art, wie sie keck den Kopf zurückwerfen, hat etwas Faszinierendes. In ihren Augen liegt weder Magie noch etwas Geheimnisvolles, sondern die Herausforderung zum Kampf, und wenn wir uns darauf einlassen, haben wir schon verloren. Ihr Mund scheint zum Lachen gemacht zu sein, und trotzdem verziehen sie ihr Gesicht niemals zu einer Grimasse. Was ihre Stimme angeht, passen sie sich schnell an. Manchen sagt man nach, dass sie sich innerhalb von zwei Saisons eine neumodisch gedehnte Sprechweise angeeignet hätten, und wenn sie erst einmal am Hof vorgestellt worden sind, rollen sie ihr »R« danach alle so energisch wie ein junger Stallmeister oder wie eine betagte Hofdame. Dennoch werden sie ihren Akzent niemals ganz verlieren, er linst hier und da immer wieder hervor, und wenn sie miteinander plaudern, klingt es wie eine Schar von Pfauen. Nichts ist amüsanter, als zwei junge Amerikanerinnen zu beobachten, wie sie sich bei einer Gesellschaft oder beim Ausritt in der Row begrüßen. Mit ihren ununterbrochen schrillen Aufschreien des Erstaunens und ihren kurzen, seltsamen Ausrufen sind sie wie die Kinder. Ihre Unterhaltung hört sich wie eine Reihe explodierender Knallfrösche an, und sie sprechen ungemein zusammenhanglos in einer ganz einfachen, emotionalen Sprache. Nach fünf Minuten sind sie wunderhübsch außer Atem und sehen sich gegenseitig halb amüsiert, halb hingerissen an. Wenn ein schwerfälliger junger Engländer das Glück haben sollte, ihnen vorgestellt zu werden, ist er erstaunt über ihre außergewöhnliche Lebhaftigkeit, über ihre elektrisierende Schlagfertigkeit und über ihren unerschöpflichen Vorrat an seltsamen Modewörtern. Er wird sie niemals wirklich verstehen können, denn ihre Gedanken flattern mit der süßen Unbedarftheit von Schmetterlingen umher, aber er freut sich und amüsiert sich und fühlt sich wie in einer Vogelvoliere. Alles in allem haben amerikanische Mädchen einen wunderbaren Charme, und das größte Geheimnis ihres Charmes besteht vielleicht darin, dass sie niemals ernsthafte Unterhaltungen führen, außer wenn es ums Vergnügen geht. Allerdings besitzen sie einen gravierenden Fehler – ihre Mütter. So langweilig unsere alten Pilgerväter auch gewesen sein mögen, die vor mehr als zwei Jahrhunderten unsere Küste verließen, um ein neues England in Übersee zu gründen, aber die Pilgermütter, die nun im neunzehnten Jahrhundert zu uns zurückkehren, sind noch langweiliger.

Es gibt hier und da natürlich Ausnahmen, aber ihre Gattung an sich ist entweder dumm, schlecht gekleidet oder übellaunig. Es ist nur gerecht, der heranwachsenden Generation Amerikas gegenüber festzustellen, dass sie dafür keine Schuld trägt. Sie haben wirklich keinerlei Mühen gescheut, ihre Eltern ordentlich zu erziehen und ihnen zu einer angemessenen, wenn auch etwas späten, Bildung zu verhelfen. Schon vom frühesten Kindesalter an verbringen amerikanische Kinder ihre meiste Zeit damit, die Fehler ihrer Väter und Mütter zu korrigieren, und jeder, der jemals die Gelegenheit hatte, eine amerikanische Familie auf Deck eines Atlantikdampfers oder in der vornehmen Abgeschiedenheit einer New Yorker Pension zu beobachten, wird nicht umhin kommen, von dieser Besonderheit ihrer Kultur beeindruckt zu sein. In Amerika sind die Jungen jederzeit bereit, die Älteren am vollen Erfahrungsschatz ihrer Unerfahrenheit teilhaben zu lassen. Ein nur zehn- oder elfjähriger Junge wird seinen Vater bestimmt, aber freundlich auf dessen Verhaltens- oder Charakterschwächen hinweisen, er wird niemals müde werden, ihn vor Verschwendungssucht, Müßiggang, spätem Zubettgehen, Unpünktlichkeit und anderen Versuchungen, denen die Älteren ganz besonders ausgesetzt sind, zu warnen, und sollte er den Eindruck bekommen, dass sein Vater die Unterhaltung beim Essen zu sehr dominiert, wird er ihn über den Tisch hinweg an das neue Motto der Kinder erinnern: »Eltern sollte man sehen, aber nicht hören.« Ebenso wenig lässt sich das kleine amerikanische Mädchen durch irgendeine falsch verstandene Vorstellung von Zuneigung davon abhalten, ihre Mutter, wann immer es nötig ist, zu tadeln. Sie spürt, dass ein öffentlicher Tadel weitaus wirksamer ist, als wenn sie es ihr im stillen Kinderzimmer zuflüstert, und lenkt damit tatsächlich oft die Aufmerksamkeit Wildfremder auf die ganze Schlampigkeit ihrer Mutter, auf ihren Mangel an intellektuellem Bostoner Unterhaltungsstil, auf ihre übertriebene Liebe für Eiswasser und grünen Mais, auf ihren Geiz in puncto Süßigkeiten, auf ihre Ahnungslosigkeit gegenüber den Gepflogenheiten der besten Gesellschaft Baltimores und auf ihre Krankheiten und Ähnliches.

Man kann tatsächlich feststellen, dass es kein amerikanisches Kind gibt, das die Augen vor den Unzulänglichkeiten seiner Eltern jemals verschließen würde, egal, wie sehr es sie lieben mag.

Doch irgendwie hat dieses Bildungssystem nicht den Erfolg gezeigt, den es verdient hätte. In vielen Fällen mussten die Kinder zweifellos mit schlechten Grundvoraussetzungen klarkommen, die eine wirkliche Entwicklung unmöglich machten, aber eines steht fest, die amerikanische Mutter ist eine Langweilerin. Der amerikanische Vater ist schon besser, denn er lässt sich nie in London blicken und kommuniziert einmal im Monat mit seiner Familie über ein verschlüsseltes Telegramm. Die Mutter aber haben wir ständig um uns, und da es ihr an der schnellen Anpassungsfähigkeit der jüngeren Generation fehlt, bleibt sie bis zuletzt uninteressant und provinziell. Doch das amerikanische Mädchen ist trotz ihrer Gegenwart jederzeit willkommen. Es heitert unsere öden Abendgesellschaften auf und sorgt dafür, dass das Leben für eine Saison vergnüglicher verstreicht. Beim Wettbewerb um die Adelskronen trägt sie oft den Sieg davon, aber sobald sie gewonnen hat, verzeiht sie ihren englischen Rivalinnen großzügig alles, sogar deren Schönheit.

Das warnende Beispiel ihrer Mutter vor Augen, demzufolge amerikanische Frauen nicht auf würdevolle Weise altern, versucht sie gar nicht erst zu altern, was ihr oft gelingt. Sie hat sehr feine Füße und Hände und ist immer bien chaussée et bien gantée und kann sich glänzend über jedes Thema unterhalten, vorausgesetzt, sie hat keine Ahnung davon.

Ihr Sinn für Humor bewahrt sie vor der Tragödie einer grande passion und da ihre Liebe weder Romantik noch Unterwürfigkeit kennt, gibt sie eine ausgezeichnete Ehefrau ab. Wie sich ihr Einfluss letztlich auf das englische Leben auswirken wird, ist heute schwierig abzuschätzen, aber es kann kein Zweifel darüber bestehen, dass es unter allen Einflussfaktoren, die zur gesellschaftlichen Umwälzung Londons beigetragen haben, zwar ein paar bedeutsamere gibt, aber keiner ist so erfreulich wie die amerikanische Invasion.

Englische Dichterinnen

(Queen, 8. Dezember 1888)

England hat der Welt eine große Dichterin geschenkt – Elizabeth Barrett Browning. Mr. Swinburne würde Miss Christina Rossetti mit ihr auf eine Stufe stellen, deren Neujahrshymne er als eines der edelsten, sakralen Gedichte unserer Sprache beschreibt, an das nichts heranreicht, was es auf den zweiten Platz verweisen könnte. »Es ist eine Hymne«, beschreibt er uns, »wie vom Feuer berührt und wie im Sonnenlicht gebadet, wie eingestimmt auf die Akkorde und Kadenzen der Musik der Meeresfluten jenseits der Klänge von Harfe und Orgel, wie der starke Widerhall der ruhigen, wohltönenden Gezeiten.« So sehr ich Miss Rossettis Werk bewundere, ihre subtile Wortwahl, ihre reiche Bildersprache und ihre künstlerische Naivität, in der eigentümliche Noten von Fremdartigkeit und Schlichtheit auf fantastische Weise miteinander verschmelzen, komme ich nicht umhin zu glauben, dass Mr. Swinburne sie mit seiner edlen und ehrlichen Ergebenheit auf ein zu hohes Podest stellt. Für mich ist sie ganz einfach eine sehr erfreuliche Künstlerin der Dichtkunst. Da uns dergleichen tatsächlich so selten begegnet, müssen wir es einfach lieben, aber es ist nicht alles. Weit darüber hinaus existieren bedeutendere, leuchtende Höhepunkte in der Poesie, stärkere Visionen und weitere Räume, eine Musik, die plötzlich leidenschaftlicher wird und tiefer geht, eine schöpferische Kraft, die aus dem Geist geboren wurde, eine beschwingte Verzückung, die aus der Seele geboren wurde, eine Kraft und Leidenschaftlichkeit alleine im Ausdruck, der das Wundervolle eines Propheten hat und rein gar nichts von der Hingabe eines Priesters.

Mrs. Browning ist unerreichbar für jede Frau, die jemals nach der Ära der großen äolischen Dichterin eine Leier gezupft oder auf einer Rohrflöte gespielt hat. Aber Sappho, die der antiken Welt wie eine Feuersäule erschien, ist für uns nur noch der Schatten jener Säule. Von ihren Gedichten, die zusammen mit anderen äußerst wertvollen Werken von byzantinischen Herrschern und römischen Päpsten verbrannt wurden, blieben nur wenige Fragmente übrig. Möglicherweise vermodern noch andere in der streng riechenden Dunkelheit eines ägyptischen Grabes, umklammert von der verdorrten Hand eines vor langer Zeit gestorbenen Liebenden. In Athos grübeln vielleicht jetzt noch einige griechische Mönche über einem alten Papyrus, in dessen schwer leserlichen Zeichen sich Lyrik oder eine Ode von ihr verbergen, welche die Griechen nur »die Dichterin« nannten, genauso wie sie Homer als »den Dichter« bezeichneten. Sie war für sie die zehnte Muse, die Blume der Grazien, ein Kind von Eros und der ganze Stolz Griechenlands – Sappho mit der lieblichen Stimme, den strahlend schönen Augen und den dunkelbraun-hyazinthenen Haaren. Aber das Werk dieser fabelhaften Sängerin von Lesbos ist praktisch völlig verloren gegangen.

Uns sind sozusagen nur ein paar Rosenblätter aus ihrem Garten geblieben, mehr nicht. Heutzutage überdauert die Literatur Marmor und Bronze, aber damals war es nicht so, trotz der noblen Wichtigtuerei römischer Dichter. Zerbrechliche griechische Tonvasen bewahren noch die Bilder Sapphos für uns, feinst in Schwarz, Rot und Weiß gemalt, doch von ihrem Gesang erahnen wir nur das Echo eines Echos.

Von allen Frauen in der Geschichte ist Mrs. Browning die einzige, die man in einen möglichen oder entfernten Zusammenhang mit Sappho stellen könnte.

Sappho war zweifellos die weitaus makellosere und perfektere Künstlerin. Sie hat die ganze antike Welt stärker bewegt, als es Mrs. Browning jemals in unserem modernen Zeitalter gelungen ist. Niemals wurde die Liebe so besungen. Selbst in den wenigen Zeilen, die uns erhalten geblieben sind, scheint eine sengende und brennende Leidenschaft zu lodern. Aber so ungerecht die Zeit mit ihr umgegangen sein mag, indem sie sie mit dem nutzlosen Lorbeerkranz des Ruhmes krönte, in den der Mohn des dumpfen Vergessenwerdens eingeflochten war, sollten wir uns von der bloßen Erinnerung an eine Dichterin verabschieden und uns einer Dichterin zuwenden, deren Poesie immer noch zum unvergänglichen Ruhm in unserer Literatur zählt, einer Dichterin, die das Weinen der Kinder im dunklen Bergwerk und in der überfüllten Fabrikhalle nicht überhörte und England wegen seiner Kleinsten zu Tränen rührte, einer Dichterin, die in den Sonetten aus dem – angeblich – Portugiesischen sowohl das spirituelle Mysterium der Liebe besang als auch die geistigen Fähigkeiten, die die Liebe der Seele verleiht. Sie glaubte an das Gute, begeisterte sich für das Große und empfand Mitleid für alle Leidenden, und sie schrieb die Vision der Dichter, Casa Guidi-Fenster und Aurora Leigh.

So hat einmal jemand, dem ich meine Liebe zur Poesie mindestens genauso zu verdanken habe wie meine Vaterlandsliebe, über sie gesagt:

Immer noch in unseren Ohren
das klare »Excelsior« von den Lippen einer Frau
ertönt es über die Apenninen, obwohl die Stirn der Frau
im Tode blass und kalt darniederliegt
in all dem mächtigen Marmor, tot in Florenz.
Denn da große Lieder die Herzen der Menschen erregen,
ihre vollen Schwingungen in der Welt verbreiten
in immer größer ziehenden Kreisen, bis sie erreichen
den Thron von Gott, und das Lied wird zum Gebet,
und das Gebet bringt die befreiende Kraft.
Und beflügelt die Nationen zu Heldentaten,
sie lebt – die Poetin großer Seele, und sah
Italiens Morgendämmerung der Freiheit
aus den Fenstern der Casa Guidi, und gab der ganzen Menschheit
in Hymnen des Sonnenaufgangs den Ruhm zurück.

So lebt sie natürlich nicht nur im Herzen von Shakespeares England weiter, sondern auch im Herzen von Dantes Italien. Der griechischen Literatur verdankte sie ihr wissenschaftliches Denken, aber das moderne Italien erweckte ihre menschliche Leidenschaft für Freiheit. Als sie damals die Alpen überquerte, wurde sie mit einer neuen Leidenschaftlichkeit erfüllt und aus diesem zarten, redegewandten Mund, den wir von ihren Portraits kennen, bahnte sich solch ein edler und majestätischer Ausbruch des lyrischen Gesangs seinen Weg, wie er für mehr als zweitausend Jahre aus dem Mund einer Frau nicht mehr gehört worden war. Es ist ein schönes Gefühl, zu glauben, dass eine englische Dichterin bis zu einem gewissen Grad echten Einfluss auf das Zustandekommen der Einigkeit Italiens, die Dantes Traum war, hatte, und auch wenn Florenz seinen größten Dichter in die Verbannung getrieben hatte, so hat es doch zumindest jene Dichterin innerhalb seiner Mauern willkommen geheißen, die später von England geschickt worden war.

Wenn jemand fragen würde, welches die hervorstechenden Qualitäten von Mrs. Brownings Werk sind, würde man, so wie Mr. Swinburne es bezüglich Byrons Werk getan hat, antworten: ihre Aufrichtigkeit und ihre Kraft. Natürlich beinhaltet es auch Fehler. »Sie würde Mond auf Tisch reimen«, sagte man ihr scherzhaft nach, und es finden sich ganz gewiss keine ungeheuerlicheren Reime in der Literatur wie ein paar, die uns in Mrs. Brownings Gedichten begegnen, aber ihre Ungeschliffenheit war niemals das Ergebnis von Achtlosigkeit. Es war alles wohldurchdacht, was sie in ihren Briefen an Mr. Horne deutlich bestätigt. Sie weigerte sich ihre Muse zu schönen. Sie verabscheute oberflächliche Glattheit und künstlichen Schliff. In ihrer absoluten Ablehnung der Kunst war sie eine Künstlerin. Sie wollte eine besondere Wirkung mit besonderen Mitteln erzielen, und das ist ihr gelungen. Und ihre Gleichgültigkeit gegenüber der völligen Assonanz der Reime verleiht ihren Versen oft eine großartige Vielfalt und fügt dem Ganzen ein vergnügliches Überraschungselement hinzu.

In der Philosophie war sie Platonikerin und in der Politik eine Opportunistin, die sich nie irgendeiner Partei anschloss. Sie liebte die Menschen, wenn sie sich königlich benahmen, und die Könige, wenn sie sich von ihrer menschlichen Seite zeigten. Von dem wahren Wert und Motiv der Dichtung hatte sie eine übertrieben hohe Vorstellung. »Dichtung«, sagt sie im Vorwort zu einem ihrer Bände, »ist für mich eine ebenso ernste Angelegenheit wie das Leben selbst, und das Leben hat sich als sehr ernstzunehmende Angelegenheit erwiesen. Auch für mich war nicht immer alles ein vergnügliches Spiel, und ich habe niemals den Fehler gemacht, die Freude als Zweck der Dichtung zu sehen, noch die Muse für die Stunde des Poeten zu halten. Ich habe bisher mein persönliches Wesen in mein Werk miteinbezogen und nicht nur mit Hand und Verstand gearbeitet, sondern mit dem vollständigsten Ausdruck meines Wesens, den ich erreichen konnte.«

Zweifelsohne ist es ihr vollständigster Ausdruck, und durch ihn erreicht ihr Werk seine absolute Vollendung. »Der Poet«, sagte sie ein andermal, »ist gleichzeitig reicher und ärmer geworden, als er es einmal war. Er trägt ein feineres Tuch, aber er verkündet keine Orakel mehr.« Diese Worte vermitteln uns die Grundidee ihrer Auffassung über den Auftrag eines Dichters. Er sollte in göttlichen Orakeln sprechen und gleichzeitig beseelter Prophet und heiliger Priester sein, und ich glaube, als solchen dürfen wir sie, ohne zu übertreiben, auch begreifen. Sie war eine Sibylle, die der Welt eine Botschaft überbrachte, manchmal mit stammelnder Zunge, mindestens einmal völlig verblendet, doch immer mit dem wahren Feuer und der Inbrunst erhabenen, unerschütterlichen Glaubens, stets mit der großartigen Begeisterung eines spirituellen Charakters und mit dem ganzen Überschwang einer leidenschaftlich bewegten Seele. Beim Lesen ihrer besten Gedichte spüren wir, dass Pythia noch nicht tot ist, obwohl Apollons Heiligtum leer steht, der bronzene Dreifuß umgeworfen und das Tal von Delphi verlassen ist. Sie hat tatsächlich noch in unserem Zeitalter für uns gesungen, und dieses Land hat sie zu neuem Leben erweckt. Mrs. Browning ist in der Tat die weiseste der Sybillen, weiser noch als die gewaltige Figur, die Michelangelo an die Decke der Sixtinischen Kapelle in Rom gemalt hat, welche über den Mysterien-Schriften grübelt und versucht, die Geheimnisse des Schicksals zu enträtseln, denn sie hat begriffen, dass Erkenntnis Macht bedeutet, aber zur Erkenntnis auch das Leiden gehört.

Ihrem Einfluss, der fast so groß ist, wie jener der höheren Schulbildung der Frauen, würde ich gerne das wirklich bemerkenswerte Wiedererwachen der Frauenlyrik zuschreiben, welche die zweite Hälfte unseres Jahrhunderts in England charakterisiert. Kein Land hatte jemals so viele Dichterinnen auf einmal. Wenn man an die Griechen denkt, die tatsächlich nur neun Musen hatten, dann neigt man manchmal zu der Annahme, dass wir zu viele haben. Aber trotzdem sind die Werke der Frauen im Bereich der Dichtkunst von wirklich hoher Qualität. Wir haben in England schon immer dazu geneigt, den Wert der Tradition in der Literatur unterzubewerten. In unserem Eifer, eine neue Stimme und eine frischere Form von Musik zu finden, haben wir vergessen, wie wunderbar sich ein Echo anhören kann. Wir schauen immer zuerst auf Individualität und Persönlichkeit, und das sind tatsächlich die Haupteigenschaften der Meisterwerke unserer Literatur, sowohl in der Prosa als auch in der Poesie, aber eine bewusste Weiterbildung und das Studium der großen Vorbilder kann, wenn es mit künstlerischem Temperament und einer natürlichen Empfänglichkeit für erlesene Eindrücke Hand in Hand geht, viel Bewunderns- und Lobenswertes hervorbringen. Es wäre völlig unmöglich, sämtliche Frauen aufzuzählen, die sich seit den Tagen von Mrs. Browning an der Laute und der Leier versucht haben. Mrs. Pfeiffer, Mrs. Hamilton King, Mrs. Augusta Webster, Graham Tomson, Miss Mary Robinson, Jean Ingelow, Miss May Kendall, Miss Nesbit, Miss May Probyn, Mrs. Craik, Mrs. Meynell, Miss Chapman und viele andere haben wirklich gute, dichterische Arbeit geleistet, entweder mit nachdenklich intellektuellen Versen in dem feierlichen Dorian Modus oder in der leichten und eleganten Form des alten französischen Liedes oder so romantisch wie eine altehrwürdige Ballade oder mit einem, wie Rossetti es nannte, »Denkmal des Augenblicks«, dem durchdringenden und kraftvollen Sonett. Hin und wieder würde man sich fast wünschen, dass die lebendige, künstlerische Gabe, die Frauen unzweifelhaft besitzen, sich mehr in Richtung Prosa entwickeln würde und etwas weniger in Richtung Lyrik. Die Poesie ist unseren Höchststimmungen vorbehalten, wenn wir nach dem Göttlichen streben, und deshalb sollten wir uns nur mit dem Allerfeinsten unserer Dichtung zufriedengeben, aber Prosa gehört zum Leben wie unser tägliches Brot, und der Mangel an guter Prosa ist einer der größten Schandflecken unserer Kultur. Französische Prosa kann man immer lesen, selbst wenn sie von den mittelmäßigsten Schriftstellern stammt, aber englische Prosa ist einfach abscheulich. Wir haben ein paar sehr wenige Meister wie zum Beispiel Carlyle, den man nicht versuchen sollte nachzuahmen, wir haben Mr. Pater, der aufgrund seiner raffinierten, vollendeten Form unnachahmlich ist, und Mr. Froude, der durchaus brauchbar ist. Wir haben Matthew Arnold als ein Musterbeispiel und Mr. George Meredith, vor dem gewarnt werden muss, und Mr. Lang, den göttlichen Dilettanten, Mr. Stevenson, den humanistischen Künstler, und wir haben Mr. Ruskin, dessen Rhythmik, Klangfarbe, geschliffene Rhetorik und wunderbare Sprachmusikalität völlig unerreichbar sind. Aber die sonst übliche Prosa, die man in Zeitschriften und in Tageszeitungen liest, ist schrecklich geistlos und schwerfällig, ohne Tempo und im Ausdruck ungehobelt oder übertrieben. Möglicherweise kommt der Tag, an dem sich unserer Literatinnen deutlich mehr der Prosa widmen.

Ihre Leichtigkeit, ihr exquisites Gehör und ihr Feingefühl für Balance und Proportion wären uns sicherlich von nicht unerheblichem Nutzen. Ich kann mir gut vorstellen, dass Frauen frischen Wind in unsere Literatur bringen würden.

Allerdings sind wir heute hier, um uns mit der Frau als Dichterin zu beschäftigen, und es ist interessant festzustellen, dass Mrs. Brownings Einfluss zweifellos in großem Maße zu der Entwicklung jener neuen Poesiebewegung, wenn ich sie einmal so nennen darf, beigetragen hat. Und dennoch gab es scheinbar während der letzten drei Jahrhunderte keinen Zeitraum, in dem die Frauen dieses Königreichs nicht die Kunst oder zumindest den Brauch des Gedichtschreibens gepflegt hätten.

Ich kann nicht sagen, wer die erste englische Dichterin war. Ich glaube, es war die Äbtissin Juliana Berners, die im fünfzehnten Jahrhundert gelebt hat, aber ich bin mir sicher, Mr. Freeman wäre sofort in der Lage, eine wundervolle angelsächsische oder normannische Dichterin hervorzuzaubern, deren Werk man nur mithilfe eines Wörterbuchs lesen kann und das selbst dann völlig unverständlich bleibt. Ich für meinen Teil bin mit der Äbtissin Juliana ganz zufrieden, die voller Begeisterung über die Falknerei schrieb. Nach ihr würde ich gleich Anne Askew nennen, die im Kerker am Vorabend ihres Märtyrertodes auf dem Scheiterhaufen eine Ballade schrieb, die auf jeden Fall von ergreifend historischer Bedeutung ist. Königin Elizabeths »allerholdestes Sinngedicht« auf Mary Stuart wird von Puttenham, einem zeitgenössischen Kritiker, als Beispiel für »Exargasia oder das Prächtige in der Literatur« hochgelobt, was in gewisser Weise eine sehr passende Bezeichnung für die Gedichte einer so großen Königin ist. Der Begriff »die Tochter des Streits«, mit dem sie die unglückselige schottische Königin bezeichnet, ist natürlich längst in die Literatur eingegangen. Auch die Gräfin von Pembroke, Sir Philip Sidney's Schwester, war zu ihrer Zeit eine sehr verehrte Dichterin.

Im Jahre 1613 veröffentlichte die »gelehrte, tugendhafte und wahrhaft noble Dame« Elizabeth Carew die Tragödie Marian, die schöne Königin des Judentums und ein paar Jahre später verfasste die »edle Lady Diana Primrose« »Eine Kette von Perlen«, eine Lobschrift über den »einzigartigen Reiz« der Feenwelt Gloriana. Außerdem sollten noch erwähnt werden: Mary Morpeth, die Freundin und Bewunderin von Drummond of Hawthornden, ebenso Lady Mary Wroth, welcher Ben Jonson seinen Alchimist gewidmet hat, und Prinzessin Elizabeth, die Schwester von Karl dem Ersten, sollte auch nicht unerwähnt bleiben.

Nach der Stuart-Restauration widmeten sich die Frauen mit noch größerem Eifer dem Literaturstudium und der Dichterpraxis. Margaret, die Herzogin von Newcastle, war eine wahre Literatin, und einige ihrer Verse sind von außerordentlicher Schönheit und Anmut. Mrs. Aphra Behn war die erste Engländerin, die Literatur zu ihrem Beruf machte. Mrs. Katharine Philips hat laut Mr. Gosse die Sentimentalität erfunden, und so wie sie von Dryden gerühmt und von Cowley betrauert wurde, können wir nur hoffen, dass ihr vergeben wurde. Keats stieß in Oxford auf ihre Gedichte, in der Zeit, als er Endymion schrieb, und fand in einem Gedicht »eine äußert ausschweifende Fantasie im Stil von Fletcher«, aber ich fürchte, die sogenannte »Unvergleichliche Orinda« wird heute nicht mehr gelesen. Über Lady Winchelseas Nächtliche Träumerei sagte Wordsworth, dass es, mit Ausnahme von Popes Wald von Windsor, das einzige Gedicht sei, das zeitlich zwischen Miltons Verlorenem Paradies und Thomsons Jahreszeiten liegt und zum ersten Mal ein neues Bild der Natur beinhalte. Weitere bemerkenswerte Vertreterinnen sind Lady Rachel Russell, der man nachsagen könnte, dass sie die Brief-Literatur in England eingeführt hat, Eliza Haywood, die sich durch ihre miserablen Arbeiten unsterblich gemacht hat und in Popes Spottgedicht Dunciade in einer Nische verewigt wurde und die Marquise von Wharton, von deren Gedichten Waller sagte, dass er sie bewundere, aber die herausragendste unter ihnen war natürlich die zuerst genannte, eine Frau von heldenhaftem Schlag mit einer äußerst edlen, natürlichen Würde.

Obwohl man von den Dichterinnen vor Mrs. Brownings Zeit nicht behaupten kann, dass sie irgendein absolut geniales Werk geschaffen hätten, sind sie auf jeden Fall interessante Figuren und faszinierende Studienobjekte. Unter ihnen findet sich Lady Mary Wortley Montague, die alle Launenhaftigkeit einer Kleopatra besaß und deren Briefe herrlich zu lesen sind, Mrs. Centlivre, die eine brillante Komödie geschrieben hat, Lady Anne Barnard, deren »Der alte Robin Grey« von Sir Walter Scott als »so viel wert wie sämtliche Dialoge, die Corydon und Phillis seit den Tagen von Theokrit geführt haben« bezeichnet wurde, und es ist in der Tat ein sehr schönes und bewegendes Gedicht. Dann haben wir Esther Vanhomrigh und Esther Johnson, die im Leben von Reverend Swift zu Vanessa und Stella wurden, Mrs. Thrale, die Freundin des großen Lexikografen, dann die geschätzte Mrs. Barbauld, die hervorragende Mrs. Hannah More, die fleißige Joanna Baillie, die bewundernswerte Mrs. Chapone, deren Ode an die Einsamkeit mich stets mit dem wildesten Verlangen nach Gesellschaft erfüllt und an die man sich zumindest als Förderin jener Einrichtung erinnern wird, in der Becky Sharp zur Schule ging. Dann Miss Anna Seward, die man den »Schwan von Lichfield« nannte, die arme Letitia Elizabeth Landon, bekannt als L.E.L., die Disraeli in einem seiner geistreichen Briefe an seine Schwester als »Personifizierung Bromptons – rosarotes Satinkleid, weiße Satinschuhe, rote Wangen, Stupsnase und eine Frisur à la Sappho« bezeichnete. Mrs. Ratcliffe, die den romantischen Roman bekannt machte und deshalb viel zu verantworten hat, die schöne Herzogin von Devonshire, von der Gibbon sagte, dass ihr »Besseres bestimmt war als Herzogin zu sein« und die beiden wunderbaren Schwestern, Lady Dufferin und Mrs. Norton. Außerdem Mrs. Tighe, deren Psyche Keats mit Vergnügen las, Constantia Grierson, ein fabelhafter Blaustrumpf ihrer Zeit, Mrs. Hemans, die hübsche und zauberhafte »Perdita«, die abwechselnd mit der Poesie und dem Prinzregenten liebäugelte und göttlich im Wintermärchen gespielt hat, wurde von Gifford brutal angegriffen und hat uns ein herzergreifendes kleines Gedicht über das Schneeglöckchen hinterlassen. Und Emily Brontë, deren Gedichte von tragischer Kraft durchdrungen sind und sich oft an der Schwelle zur wahren Größe zu befinden scheinen.

Altmodisches in der Literatur ist nicht so erfreulich wie altmodische Kleidung. Mir gefallen die Kostüme aus der Zeit der gepuderten Perücken besser als die Gedichte aus Popes Zeit. Aber wenn man es geschichtlich betrachtet – und das ist tatsächlich der einzige Standpunkt, von dem aus wir überhaupt ein Werk gerecht beurteilen können, das nicht unbedingt zu den Meisterwerken zählt –, kommen wir nicht umhin festzustellen, dass viele der englischen Dichterinnen, die Mrs. Browning vorangegangen sind, Frauen mit bedeutendem Talent waren, doch da die Mehrheit von ihnen in der Dichtung nur einen Zweig der belles lettres sah, blieb es nicht aus, dass die meisten ihrer Zeitgenossinnen es ihnen gleichtaten. Seit Mrs. Brownings Ära sind unsere Wälder wieder voller Singvögel, und wenn ich es wage, jene Dichterinnen zu bitten, sich mehr der Prosa und weniger dem Gesang zu widmen, dann nicht, weil ich poetische Prosa schätze, sondern weil ich die Prosa des Dichters liebe.

Sätze und Lehren zum Nutzen der Jugend

(Chameleon, Dezember 1894)

Die erste Pflicht im Leben ist es, so künstlich wie möglich zu sein. Welches die zweite Pflicht ist, hat bis jetzt noch niemand herausgefunden.

Boshaftigkeit ist ein Mythos, den anständige Menschen erfunden haben, um die seltsame Anziehungskraft der anderen zu erklären.

Wenn die Armen Profil hätten, gäbe es keine Schwierigkeiten, die Probleme der Armut zu lösen.

Wer zwischen Seele und Körper unterscheidet, besitzt keines von beidem.

Eine wirklich gelungene Knopflochblume ist die einzigartige Verbindung zwischen Kunst und Natur.

Religionen sterben aus, sobald sie sich als wahr erweisen. Die Wissenschaft ist das Verzeichnis ausgestorbener Religionen.

Wohlerzogene Leute widersprechen anderen, weise Leute widersprechen sich selbst.

Nichts von dem, was wirklich passiert, ist von geringster Bedeutung.

Im Stumpfsinn wird Ernsthaftigkeit erwachsen.

Bei allen unwichtigen Angelegenheiten ist Stil und nicht Aufrichtigkeit das Wesentliche. Bei allen wichtigen Angelegenheiten ist Stil und nicht Aufrichtigkeit das Wesentliche.

Wer die Wahrheit sagt, kann sicher sein, dass er früher oder später entlarvt wird.

Vergnügen ist das Einzige, wofür man leben sollte. Nichts ist so vergänglich wie das Glück.

Nur wer seine Rechnungen nicht bezahlt, kann hoffen, bei der Geschäftswelt in Erinnerung zu bleiben.

Es gibt kein geschmackloses Verbrechen, aber jegliche Geschmacklosigkeit ist ein Verbrechen, und geschmacklos sind immer die anderen.

Nur die Oberflächlichen kennen sich selbst.

Zeit ist Geldverschwendung.

Man sollte immer ein wenig unglaubwürdig erscheinen.

Gute Vorsätze haben etwas Verhängnisvolles. Sie werden ausnahmslos zu früh gefasst.

Die einzige Möglichkeit, eine ab und zu übertriebene Kleidung wiedergutzumachen, besteht darin, immer völlig übergebildet zu sein.

Frühreife bedeutet Vollkommenheit.

Eine übermäßige Beschäftigung mit der Frage, welches Benehmen richtig oder falsch ist, verweist auf einen Stillstand in der geistigen Entwicklung.

Ehrgeiz ist die letzte Zuflucht des Scheiterns.

Eine Wahrheit ist keine Wahrheit mehr, wenn mehr als eine Person daran glaubt.

Bei Prüfungen stellen die Dummen Fragen, die von den Weisen nicht beantwortet werden können.

Griechische Gewänder waren im Grunde unkünstlerisch. Nur der Körper sollte den Körper sichtbar machen.

Entweder ist man ein Kunstwerk oder man trägt ein Kunstwerk.

Nur die oberflächlichen Qualitäten überdauern. Die tiefere Natur des Menschen ist schnell entlarvt.

Fleiß ist die Wurzel aller Hässlichkeit.

Jede Zeit belebt die Geschichte durch ihren Anachronismus.

Nur die Götter kosten vom Tod. Apoll ist von uns gegangen, aber Hyazinth, den er angeblich erschlagen haben soll, lebt. Nero und Narziss sind immer bei uns.

Die Alten glauben alles, Leute mittleren Alters misstrauen allem und die Jungen wissen alles.

Die Bedingung für Vollkommenheit ist die Muße, und das Ziel der Vollkommenheit ist die Jugend.

Es gelingt nur den großen Meistern des Stils, düster zu sein.

Es hat etwas Tragisches, dass es heutzutage eine enorme Anzahl junger Männer in England gibt, die mit einem ausgezeichneten Profil ins Leben starten und schließlich in einem sogenannten nützlichen Beruf enden.

Sich selbst zu lieben, ist der Beginn einer lebenslangen Romanze.

Über Kinder in Gefängnissen und andere Grausamkeiten aus dem Gefängnisleben

Anmerkung des Herausgebers

Ein sehr beklagenswerter Umstand für das christliche England hat zu diesem Brief geführt. Martin, ein Gefängnisaufseher in Reading, wurde für schuldig befunden, weil er den Hungrigen Essen gab, die Kranken versorgte und sich freundlich und menschlich verhielt. Das waren seine Straftaten, ganz einfach und inoffiziell ausgedrückt.

Dieses Schreiben richtet sich an alle aufrichtigen Menschen und soll darlegen, dass das Gefängnissystem allem entgegensteht, was man unter freundlich und hilfreich versteht. Es zeigt eine entmenschlichende Entwicklung auf, die nicht nur die Häftlinge betrifft, sondern alle, die damit zu tun haben.

Martin wurde entlassen. Das Ganze passierte letztes Jahr im Mai, und er ist immer noch arbeitslos und lebt in armen Verhältnissen. Gibt es jemand, der ihm helfen kann?

Februar 1898.

Einige Grausamkeiten aus dem Gefängnisleben

An den Herausgeber des Daily Chronicle

Sir, ich habe mit großem Bedauern aus einem Auszug Ihrer Zeitung erfahren, dass im Gefängnis von Reading der Aufseher Martin von der Gefängnisleitung entlassen wurde, weil er einem kleinen, hungrigen Kind ein paar Kekse gegeben hat. Ich selbst sah diese drei Kinder am Montag vor meiner Entlassung. Sie waren gerade erst verurteilt worden und standen aufgereiht in ihrer Gefängniskleidung im Hauptgebäude mit ihren Betttüchern unter dem Arm, bevor sie in die ihnen zugewiesenen Zellen geschickt wurden. Ich ging zufälligerweise gerade einen Zellengang entlang und war auf dem Weg zum Empfangsraum, wo eine Unterredung mit einem Freund stattfinden sollte. Die Kinder waren noch ganz klein und der Jüngste, dem der Aufseher die Kekse gegeben hatte, war so ein winziges, kleines Kerlchen, dass sie offensichtlich nicht in der Lage gewesen waren, entsprechend kleine Kleidung für ihn zu finden. Natürlich habe ich während der zwei Jahre, die ich dort inhaftiert war, viele Kinder im Gefängnis erlebt. Im Gefängnis von Wandsworth gab es immer eine große Zahl an Kindern, aber jenes kleine Kind, das ich am Montagnachmittag, den siebzehnten, in Reading sah, war das winzigste von allen. Ich brauche nicht zu betonen, wie sehr es mich bekümmert hat, diese Kinder in Reading zu sehen, weil ich wusste, welche Behandlung sie erwartete. Die Grausamkeit, der die Kinder in englischen Gefängnissen Tag und Nacht ausgesetzt sind, ist unglaublich und nur denen verständlich, die sie mit eigenen Augen gesehen haben und sich der Brutalität des Systems bewusst sind. Die Leute heutzutage haben keine Ahnung von Brutalität. Für sie ist es eine Art mittelalterlicher Leidenschaft, die sie mit Menschen wie Ezzelino da Romano und anderen in Verbindung bringen, denen das bewusste Zufügen von Schmerzen eine wahnwitzige Freude bereitete. Aber Menschen vom Schlage eines Ezzelino da Romano sind nur die abartige Gattung eines pervertierten Individualismus. Gewöhnliche Grausamkeit ist pure Dummheit. Sie resultiert aus dem gänzlichen Mangel an Fantasie. Sie ist das Ergebnis unserer heutigen stereotypen Systeme mit feststehenden Regeln, Zentralisierung, Bürokratisierung und mit verantwortungslosen Obrigkeiten.

Wann immer von Zentralisierung die Rede ist, ist Dummheit im Spiel, und die Bürokratie ist es, die das moderne Leben unmenschlich macht. Macht wirkt auf jene, die sie ausüben, genauso verheerend wie auf diejenigen, die ihr unterstehen. Die Gefängnisbehörde und das dazugehörige System sind die Hauptursachen für die Grausamkeit, die ein Kind in der Haft erleiden muss. Die Befürworter des Systems haben hervorragende Absichten. Diejenigen, die es ausführen, hegen ebenfalls menschliche Absichten, und die Verantwortung wird auf die Disziplinarstrafordnung abgeschoben. Man geht davon aus, dass alles, was einer Vorschrift entspricht, auch richtig ist.

Der derzeitige Umgang mit den Kindern ist schrecklich, und zuständig sind in erster Linie Leute, die von der besonderen Psychologie der kindlichen Natur keine Ahnung haben. Ein Kind kann es nachvollziehen, wenn ihm von einem Individuum wie einem Elternteil oder einem Vormund eine Strafe auferlegt wird, und es kann sie mit einem gewissen Maß an Duldung ertragen. Was es aber nicht nachvollziehen kann, ist eine von der Gesellschaft auferlegte Strafe. Es kann gar nicht begreifen, was eine Gesellschaft ist. Bei Erwachsenen verhält es sich natürlich umgekehrt. Diejenigen von uns, die sich im Gefängnis befinden oder schon einmal dazu verurteilt waren, sind nicht nur in der Lage, es zu verstehen, sondern sie verstehen wirklich, was es mit dieser Kollektivkraft, genannt Gesellschaft, auf sich hat, und was immer wir von ihren Methoden und Ansprüchen halten mögen, können wir uns dazu zwingen, sie zu akzeptieren. Andererseits wird es kein Erwachsener dulden, dass ihm ein Individuum eine Strafe auferlegt, und es wird auch nicht von ihm erwartet.

Demzufolge wird das Kind, das seinen Eltern von Leuten weggenommen wurde, die es noch nie gesehen hat und von denen es nichts weiß, und das sich alleine in einer einsamen und ungewohnten Zelle wiederfindet, von fremden Gesichtern versorgt wird und von den

Vertretern eines Systems herumkommandiert und bestraft wird, das es nicht begreifen kann, dieses Kind wird sofort zum Opfer jenes einzigen überwältigenden Gefühls, das vom modernen Gefängnisleben hervorgerufen wird – des Gefühls des Grauens. Das Grauen eines Gefängniskindes kennt keine Grenzen. Ich erinnere mich an einen Tag in Reading, als ich zum Hofgang nach draußen ging und in der schwach beleuchteten Zelle gegenüber meiner einen kleinen Jungen sah. Zwei keineswegs unfreundliche Aufseher redeten mit ihm in einem offensichtlich etwas strengeren Ton. Vielleicht gaben sie ihm ein paar nützliche Ratschläge zu seinem Benehmen. Einer der beiden war mit ihm in der Zelle und der andere stand draußen. Das leichenblasse Gesicht des Kindes zeigte blanken Terror. Aus seinen Augen sprach das stumme Flehen eines gejagten Tieres. Am nächsten Morgen während der Frühstückszeit hörte ich ihn weinen und vernahm wie er danach verlangte, herausgelassen zu werden. Er weinte nach seinen Eltern. Ab und zu konnte ich die tiefe Stimme des diensthabenden Aufsehers hören, der ihn warnte, still zu sein. Er war noch nicht einmal verurteilt, welches kleinen Vergehens man auch immer ihn beschuldigt hatte. Er befand sich lediglich in Untersuchungshaft, was ich daran erkennen konnte, dass er seine eigene, recht ordentlich aussehende Kleidung trug. Allerdings hatte er Gefängnissocken und Gefängnisschuhe an, was zeigte, dass er ein sehr armer Junge war, dessen Schuhe, falls er überhaupt welche besessen hatte, in einem äußerst schlechten Zustand gewesen sein mussten. Richter und Justizbeamte, eine in der Regel völlig unwissende Spezies, schicken Kinder des Öfteren für eine Woche in Untersuchungshaft und heben dann irgendeine Strafe, die sie hätten verhängen können, wieder auf. Sie nennen es »ein Kind nicht ins Gefängnis schicken«. Natürlich ist diese Sichtweise unsinnig und für ein kleines Kind, egal, ob es sich in Untersuchungshaft oder in verurteilter Haft befindet, ist es eine Spitzfindigkeit der gesellschaftlichen Ordnung, die es noch nicht verstehen kann. Für das Kind ist es einfach nur grauenvoll, überhaupt dort zu sein, und wenn man es unter dem Aspekt der Menschlichkeit betrachtet, kann man es nur als grauenvoll ansehen, dass es überhaupt dort sein muss.

Jenes Grauen, welches das Kind ergreift und beherrscht, genauso wie es auch Erwachsene ergreift, verstärkt sich natürlich auf unbeschreibliche Weise durch das System der Einzelhaft in unseren Gefängnissen. Jedes Kind ist dreiundzwanzig von vierundzwanzig Stunden eingesperrt. Genau das ist es, was die Sache so furchtbar macht — ein Kind in einer düsteren Zelle dreiundzwanzig von vierundzwanzig Stunden einzuschließen, ist ein Beispiel für die Grausamkeit der Dummheit. Wenn eine Privatperson, wie ein Elternteil oder ein Vormund, einem Kind so etwas antut, wird sie hart bestraft. Die Gesellschaft zur Bekämpfung der Gewalt an Kindern würde sich der Sache sofort annehmen. Dem Schuldigen würde von allen Seiten die allergrößte Abscheu entgegengebracht, egal, wer sich einer solchen Grausamkeit schuldig gemacht hätte. Einem Schuldspruch würde zweifellos eine harte Strafe folgen, aber unsere eigene, heutige Gesellschaft ist noch viel grausamer. Für ein Kind ist es weitaus schlimmer, von einer fremden und abstrakten Macht auf diese Weise behandelt zu werden, von deren Schuldforderungen es noch keine Ahnung hat, als wenn es genauso von seinem Vater, seiner Mutter oder von jemand, den es kennt, behandelt worden wäre. Die unmenschliche Behandlung eines Kindes bleibt immer unmenschlich, egal, wer sie ihm zugefügt, aber eine unmenschliche Behandlung vonseiten der Gesellschaft ist für das Kind weitaus schrecklicher, da sie nicht angezeigt werden kann. Eltern oder einen Vormund kann man beiseiteschieben und das Kind aus dem dunklen, einsamen Zimmer befreien, in das es eingesperrt wurde, aber einem Gefängnisaufseher ist das nicht möglich. Die meisten Aufseher mögen Kinder sehr, aber das System verbietet es ihnen, den Kindern jegliche Hilfestellung zu geben. Sollten sie es trotzdem tun, werden sie, wie Aufseher Martin, entlassen.

Das Zweite, worunter die Kinder im Gefängnis leiden, ist Hunger. Ihr Frühstück um halb acht besteht aus einem Stück in der Regel schlecht gebackenem Gefängnisbrot und einem Napf Wasser. Um zwölf bekommen sie zum Mittagessen einen Topf Brei aus grobem Maismehl, und um halb sechs gibt es zum Abendessen ein Stück trockenes Brot und einen Napf Wasser. Bei ausgewachsenen Männern ruft diese Kost immer irgendwelche Erkrankungen hervor, meistens natürlich Durchfall und die damit einhergehende Schwäche. In einem großen Gefängnis ist es tatsächlich eine Selbstverständlichkeit für die Aufseher, regelmäßig Medikamente mit stopfender Wirkung auszugeben. Bei Kindern ist es normalerweise so, dass sie gar nicht imstande sind, etwas zu essen. Jeder, der sich ein bisschen mit Kindern auskennt, weiß, wie leicht die Verdauung eines Kindes durch einen Tränenausbruch, Ärger und jegliche seelische Belastung durcheinanderkommt. Ein Kind, das den ganzen Tag und vielleicht auch noch die halbe Nacht in einer einsamen, düsteren Zelle geweint hat, weil es vom Grauen verfolgt wird, kann diese derbe, schreckliche Nahrung einfach nicht essen. Im Falle des kleinen Jungen, dem Aufseher Martin die Kekse gab, war es so, dass das Kind am Dienstagmorgen vor Hunger weinte und überhaupt nicht imstande war, sein Frühstück aus Brot und Wasser zu sich zu nehmen. Martin ging weg, nachdem er das Frühstück ausgegeben hatte und kaufte ein paar Kekse für das Kind, anstatt zuzusehen, wie es verhungert. Er hatte damit eine wundervolle Tat vollbracht, was das Kind auch so empfand, denn es erzählte, völlig ahnungslos hinsichtlich einer Gefängnisvorschrift, einem der Oberaufseher, wie nett einer seiner Leute zu ihm gewesen war. Die Folge war natürlich eine Meldung und die Entlassung.

Ich kenne Martin überaus gut, und ich war die letzten sieben Wochen meiner Haft unter seiner Aufsicht. Er war in Reading für Korridor C verantwortlich, wo ich inhaftiert war und ihn deshalb regelmäßig sah. Ich war von seiner außergewöhnlich freundlichen und menschlichen Art, in der er mit mir und den anderen Häftlingen sprach, beeindruckt. Im Gefängnis bedeuten freundliche Worte sehr viel, und ein liebenswürdiges »Guten Morgen« oder »Guten Abend« macht einen so glücklich, wie man es in Einzelhaft nur sein kann. Er war immer einfühlsam und rücksichtsvoll. Zufälligerweise weiß ich noch von einem anderen Fall, in dem er einem Häftling einen großen Gefallen getan hat, und ich habe keinerlei Bedenken, es hier zu erwähnen. Eines der grauenvollsten Dinge im Gefängnis ist der miserable Zustand der hygienischen Einrichtungen. Ein Häftling darf seine Zelle unter keinen Umständen nach halb sechs Uhr abends verlassen. Wenn er unter Durchfall leiden sollte, muss er daher seine Zelle als Latrine benutzen und die Nacht in einer äußerst übelriechenden, ungesunden Atmosphäre verbringen. Ein paar Tage vor meiner Entlassung machten Martin und einer der Oberaufseher ihre Runde um halb acht, um das Hanfwerg und die Werkzeuge von den Häftlingen einzusammeln. Ein Mann, der gerade frisch verurteilt war und aufgrund des Essens, wie es immer der Fall ist, unter heftigem Durchfall litt, bat den Oberaufseher, ihm zu erlauben, seinen Eimer nicht nur wegen des furchtbaren Geruchs in der Zelle zu leeren, sondern auch, weil es ihm möglicherweise nachts wieder schlecht gehen könnte. Der Oberaufseher weigerte sich strikt – es war gegen die Vorschriften. Jener Mann also sollte nun die Nacht unter diesen schauderhaften Bedingungen verbringen, doch bevor der Unglückselige in solch eine widerliche Notlage geraten konnte, sagte Martin, dass er den Eimer des Mannes leeren würde und tat es. Natürlich ist es gegen die Vorschriften, den Eimer eines Häftlings zu leeren, aber Martin vollbrachte an diesem Mann eine Wohltat mit der reinen Menschlichkeit seines Wesens, und der Mann war natürlich außerordentlich dankbar.

In Bezug auf die Kinder wurde in letzter Zeit viel über den schädlichen Einfluss des Gefängnisses auf kleine Kinder diskutiert und geschrieben, und es stimmt alles. Ein Kind wird durch das Gefängnisleben völlig verdorben, aber es ist nicht der schädliche Einfluss der Mitgefangenen, sondern es liegt am gesamten Gefängnissystem – am Direktor, am Gefängniskaplan, an den Aufsehern, an der einsamen Zelle, an der Isolation, am ekelhaften Essen, an den Vorschriften der Gefängnisleitung und an der sogenannten disziplinierten Lebensweise. Man gibt sich größte Mühe, dass keiner der Häftlinge über sechzehn eines der Kinder zu Gesicht bekommt. In der Kapelle sitzen sie hinter einem Vorhang und zum Hofgang schickt man sie in kleine Höfe, in die keine Sonne kommt – manchmal dort, wo Steine geklopft werden oder hinter der Fabrik – nur damit sie den älteren Häftlingen nicht beim Hofgang begegnen. Doch der einzig menschliche Einfluss im Gefängnis kommt von den Häftlingen. Ihre Fröhlichkeit trotz schrecklicher Umstände, ihre Sympathie füreinander, ihre Demut, ihre Liebenswürdigkeit, ihr freundliches Lächeln, mit dem sie sich beim Begegnen grüßen, und die vollständige Fügung in ihre Strafe – all das ist ganz wundervoll, und ich habe so manche nützliche Lektion von ihnen gelernt. Ich will damit nicht sagen, dass die Kinder in der Kapelle nicht hinter einem Vorhang sitzen sollten, oder sich beim Hofgang in einer Ecke im normalen Hof aufhalten sollten, sondern ich will nur darauf hinweisen, dass die Häftlinge nicht verantwortlich sind für den schädlichen Einfluss auf die Kinder, und es auch niemals sein werden, sondern dass es immer am Gefängnissystem selbst liegen wird. Es gibt keinen einzigen Mann im Gefängnis von Reading, der nicht mit Freuden die Strafe der Kinder auf sich genommen hätte. Ich sah sie zum letzten Mal am Dienstag nach ihrer Verurteilung. Ich war um halb elf mit ungefähr zwölf Männern beim Hofgang, als die drei Kinder in Begleitung eines Aufsehers auf dem Weg von dem feucht-kalten, düsteren Hof, wo sie ihren Hofgang verbracht hatten, an uns vorbeigingen. In den Blicken meiner Kameraden sah ich größtes Mitgefühl und Sympathie für die Kinder. Häftlinge sind eine Spezies, die außergewöhnlich freundlich und mitfühlend miteinander umgeht. Leid und geteiltes Leid lässt die Menschen gütig werden, und als ich Tag für Tag den Hof entlangwanderte, verspürte ich mit Freude und Trost, was Carlyle irgendwann »den ruhigen, gleichmäßigen Zauber der menschlichen Gemeinschaft« nannte. Philanthropen und ähnlich Gesinnte sind unter solchen Umständen verloren – es sind nicht die Häftlinge, die einer Reform bedürfen, sondern die Gefängnisse.

Selbstverständlich sollte man Kinder unter vierzehn Jahren überhaupt nicht ins Gefängnis schicken. Es ist schlichtweg absurd, und wie so viele Absurditäten hat es wirklich tragische Konsequenzen. Falls sie jedoch trotzdem ins Gefängnis müssen, sollten sie den Tag in einem Arbeitsraum oder in einem Klassenzimmer unter Aufsicht verbringen dürfen. Nachts sollten sie alle in einem Schlafsaal schlafen, gemeinsam mit einem Aufseher, der auf sie aufpasst. Man sollte ihnen mindestens drei Stunden am Tag erlauben, sich im Hof zu bewegen, denn die düsteren, schlecht belüfteten, übelriechenden Gefängniszellen sind nicht nur besonders grauenvoll für ein Kind, sondern wirklich grauenvoll für jeden. Die Luft im Gefängnis ist immer schlecht. Das Essen für die Kinder sollte aus Tee, Butterbrot und Suppe bestehen, denn die Gefängnissuppe ist sehr gut und gesund. Mit einem Beschluss des Unterhauses wäre innerhalb von einer halben Stunde die Behandlung der Kinder geregelt. Ich hoffe, Sie werden Ihren Einfluss geltend machen, um dies durchzusetzen. Die Art und Weise, wie die Kinder zurzeit behandelt werden, ist wirklich ein Affront gegen die Menschlichkeit und den gesunden Menschenverstand – geboren aus der Dummheit.

Nun möchte ich das Augenmerk noch auf eine andere schreckliche Sache lenken, die in englischen Gefängnissen vor sich geht, genau genommen in allen Gefängnissen weltweit, in denen das System des Sprechverbots und der Einzelhaft angewandt wird. Ich spreche von der großen Anzahl von Menschen, die in Gefangenschaft geisteskrank werden. In Zuchthäusern ist es natürlich nichts Ungewöhnliches, aber auch in einem normalen Gefängnis, wo ich war, kommt es vor.

Vor ungefähr drei Monaten beim Hofgang fiel mir unter den Häftlingen ein junger Mann auf, der einfältig oder schwachsinnig auf mich wirkte. Natürlich hat jedes Gefängnis seine schwachsinnige Klientel, die wieder und wieder kommt und praktisch im Gefängnis lebt. Aber dieser junge Mann wirkte auf mich mit seinem einfältigen Grinsen, seinem idiotischen Gelächter und der sonderbaren Rastlosigkeit seiner ewig zuckenden Hände nicht wie ein gewöhnlicher Schwachsinniger. Aufgrund seines eigenartigen Benehmens fiel er auch allen anderen Häftlingen auf. Ab und zu erschien er nicht zum Hofgang, was bedeutete, dass er mit Isolationshaft bestraft worden war. Schließlich bekam ich mit, dass er unter Beobachtung stand und Tag und Nacht von Aufsehern bewacht wurde. Wenn er dann zum Hofgang erschien, wirkte er immer hysterisch und lief weinend oder lachend umher. In der Kapelle musste er unter direkter Beobachtung bei zwei Aufsehern sitzen, die ihn die ganze Zeit aufmerksam im Auge behielten. Manchmal vergrub er den Kopf in seinen Händen, was ein Verstoß gegen die Kapellenvorschriften ist, und einer der Aufseher drückte ihm den Kopf sofort wieder nach oben, damit er seinen Blick ständig auf den Abendmahltisch richtete. Manchmal weinte er, was nicht störend war, aber sein Gesicht war tränenüberströmt und sein Kehlkopf bebte hysterisch. Manchmal grinste er idiotenhaft vor sich hin und machte Grimassen. Er wurde mehr als einmal aus der Kapelle in seine Zelle geschickt, und natürlich wurde er dauernd bestraft. Da die Bank, auf der ich normalerweise in der Kapelle saß, direkt hinter der Bank stand, an dessen Ende man diesen unglückseligen Mann gesetzt hatte, bot sich mir die umfassende Gelegenheit, ihn zu beobachten. Natürlich sah ich ihn auch laufend bei den Hofgängen, und ich konnte zusehen, wie er langsam wahnsinnig wurde, aber sie behandelten ihn wie einen Simulanten.

An dem Samstag meiner letzten Woche, um ungefähr ein Uhr, war ich in meiner Zelle damit beschäftigt, meine Essnäpfe vom Mittagessen sauber zu machen. Ich wurde plötzlich aufgeschreckt, weil die Gefängnisstille durch ganz entsetzlich aufbegehrende, schrille Aufschreie, die schon eher einem Aufheulen glichen, zerrissen wurde, sodass ich zuerst dachte, ein Tier, wie ein Bulle oder eine Kuh, würde gerade auf sehr ungeschickte Weise ausserhalb der Gefängnismauern geschlachtet. Ich stellte jedoch bald fest, dass das Geheul aus dem Erdgeschoss des Gefängnisses kam, und ich begriff, dass gerade ein bemitleidenswerter Mensch ausgepeitscht wurde. Ich brauche nicht hinzuzufügen, wie grauenvoll und schrecklich ich mich dabei fühlte, und ich fragte mich, wer auf diese abscheuliche Weise bestraft wurde. Plötzlich schwante mir, dass sie vielleicht gerade diesen unglückseligen Geisteskranken auspeitschen. Was ich dabei fühlte, muss nicht erwähnt werden, denn es hat nichts mit dem eigentlichen Problem zu tun.

Am nächsten Tag, am Sonntag, den sechzehnten, sah ich den armen Kerl beim Hofgang. Sein kränklich hässliches Gesicht war fast bis zur Unkenntlichkeit erbärmlich aufgedunsen vor lauter Tränen und Hysterie. Er drehte seine Runden im Innenkreis zusammen mit den Alten, den Bettlern und den Lahmen, sodass ich ihn die ganze Zeit beobachten konnte. Es war mein letzter Sonntag im Gefängnis, ein ganz wunderbarer Tag, der schönste des ganzen Jahres, und dort vorne, im herrlichsten Sonnenschein, bewegte sich jene arme Kreatur, einst als Ebenbild Gottes erschaffen, und grinste wie ein Affe und vollführte mit ihren Händen die fantastischsten Gebärden, als ob sie in der Luft ein unsichtbares Saiteninstrument spielen oder Spielsteine in einem seltsamen Spiel anordnen und austeilen würde. Und während der ganzen Zeit liefen diese hysterischen Tränen, ohne die wir ihn gar nicht kannten, in schmutzigen Rinnsalen auf seinem weißen, geschwollenen Gesicht herunter. Durch die furchtbar bedächtige Anmut seiner Gesten wirkte er wie ein Clown – er war eine lebende Groteske. Er wurde von allen Häftlingen beobachtet und kein einziger lächelte. Jeder wusste, was mit ihm passiert war, und dass er gerade in den Wahnsinn getrieben wurde – wenn er es nicht schon war. Nach einer halben Stunde wurde er von einem Aufseher nach drinnen befohlen und vermutlich bestraft. Auf jeden Fall war er montags nicht beim Hofgang, obwohl ich meine, ihn kurz an der Ecke des Steinhofes gesehen zu haben, wo er unter Bewachung eines Aufsehers seine Runden drehte.

Am Dienstag, meinem letzten Tag im Gefängnis, sah ich ihn beim Hofgang. Es war noch schlimmer mit ihm geworden, und er wurde abermals hineingeschickt. Seitdem habe ich nichts mehr von ihm gehört, außer dass ich von einem Häftling, der mit mir Hofgang hatte, erfuhr, dass man ihm am Samstagnachmittag im Küchengebäude vierundzwanzig Peitschenhiebe verabreicht hatte, welche die inspizierenden Richter aufgrund des Arztberichtes angeordnet hatten. Es war also sein Geheul, was uns alle so entsetzt hatte.

Jener Mann wird zweifellos wahnsinnig. Gefängnisärzte haben keinerlei Ahnung von psychischen Erkrankungen und sind eine ungebildete Spezies. Die Pathologie der Psyche ist ihnen unbekannt, und wenn jemand wahnsinnig wird, behandeln sie ihn als Simulanten. Sie lassen ihn wieder und wieder bestrafen, und sein Zustand verschlimmert sich natürlich. Wenn die üblichen Bestrafungen ausgeschöpft sind, meldet der Arzt den

Fall bei Gericht, und das Ergebnis ist dann eine Auspeitschung. Selbstverständlich wird keine neunschwänzige Katze dafür benutzt, sondern es ist eine sogenannte Züchtigung mit einer Birkenrute, aber man kann sich die Auswirkungen auf diesen unglückseligen Geisteskranken vorstellen.

Seine Nummer ist oder war A. 2. 11. Es gelang mir auch, seinen Namen herauszufinden. Er heißt Prince. Es sollte schnell etwas für ihn getan werden. Er ist Soldat und wurde vom Militärgericht verurteilt. Seine Strafe beträgt sechs Monate und drei verbleiben ihm noch.

Darf ich Sie bitten, Ihren Einfluss geltend zu machen, damit dieser Fall untersucht wird, und dafür zu sorgen, dass der geisteskranke Häftling angemessen behandelt wird?

Die Berichte der ärztlichen Kommission sind völlig unbrauchbar. Man darf ihnen keinen Glauben schenken. Die ärztlichen Inspektoren scheinen den Unterschied zwischen Idiotie und Geisteskrankheit nicht zu kennen, und zwar den Unterschied zwischen dem völligen Fehlen einer Funktion oder eines Organs und der Erkrankung einer Funktion oder eines Organs. Jener Mann, A. 2. 11, ist ohne Zweifel in der Lage, seinen Namen zu sagen, welche Straftat er begangen hat, welches Datum wir haben, an welchen Tagen seine Haftstrafe begonnen hat und wann sie abgesessen sein wird, und er wird einfache, alltägliche Fragen beantworten können, doch es steht außer Zweifel, dass sein Geist erkrankt ist. Im Moment findet ein grauenvolles Duell zwischen ihm und dem Arzt statt – der Arzt kämpft für eine Theorie, und jener Mann kämpft um sein Leben, und mir ist sehr daran gelegen, dass der Mann gewinnt. Aber wir sollten die Untersuchung des Falls den Experten für Gehirnerkrankungen und human eingestellten Leuten überlassen, die noch etwas gesunden Menschenverstand und Mitgefühl besitzen. Es macht keinen Sinn, Gefühlsmenschen mit einzubeziehen. Sie schaden der Sache immer nur. Sie beginnen gleich zu Anfang mit der Schlussfolgerung und am Ende steht, wie auch am Anfang, die Emotion.

Der Fall ist ein besonderes Beispiel für jene Grausamkeit, die untrennbar mit einem stupiden System verknüpft ist, denn der Direktor von Reading ist ein Mann mit freundlich menschlichem Charakter, der von allen Häftlingen sehr gemocht und respektiert wird. Er wurde letzten Juli ernannt, und obwohl er die Vorschriften des Gefängnissystems nicht ändern kann, hat sich der Geist ihrer Anwendung im Gegensatz zu seinen Vorgängern verändert. Er ist sowohl bei den Häftlingen als auch bei den Aufsehern sehr beliebt. Er hat tatsächlich den Umgangston im Gefängnisleben zum Positiven verändert. Andererseits reicht sein Arm im System nicht weit genug, um Vorschriften zu ändern. Ich habe keine Zweifel, dass er täglich vieles erlebt, von dem er weiß, dass es ungerecht, dumm und grausam ist, aber ihm sind die Hände gebunden. Selbstverständlich kenne ich seine wahre Meinung zum Fall A. 2. 11 nicht, noch kenne ich natürlich seine Ansichten über das jetzige System, sondern ich beurteile ihn aufgrund des völligen Wandels, den er im Gefängnis von Reading ausgelöst hat. Unter seinen Vorgängern wurde das System mit der größten Härte und Dummheit angewendet.

Sir, ich verbleibe mit den besten Empfehlungen.

OSCAR WILDE

Frankreich, 27. Mai 1897

Das Bildnis des Herrn W. H.

I.

Ich hatte mit Erskine in einem hübschen kleinen Hause in Birdcage Walk zu Mittag gegessen, und nun saßen wir in dem Bibliothekszimmer bei Kaffee und Zigaretten, als die Frage der literarischen Fälschung aufs Tapet kam. Ich kann mich jetzt nicht erinnern, wie es geschah, dass wir auf dieses einigermaßen seltsame Thema gerieten, aber ich weiß, dass wir lange über Macpherson, Ireland und Chatterton debattierten, und dass, was den Letzteren betrifft, ich bei der Meinung blieb, dass seine sogenannten Fälschungen nichts anderes seien als der Ausdruck eines künstlerischen Wunsches nach vollkommener Darstellung; dass wir kein Recht hätten, den Künstler wegen der Bedingungen, unter denen er uns sein Werk vorführen wolle, zur Rede zu stellen; und dass, da alle Kunst schließlich bis zu einem gewissen Grad eine Tat darstelle, einen Versuch, seine eigene Persönlichkeit gewissermaßen in der Sphäre der Einbildungskraft, außerhalb der Zufälligkeiten, der Hindernisse und der Grenzen des täglichen Lebens zu verkürzen, es eine Vermengung eines ethischen mit einem ästhetischen Problem bedeute, wenn man einen Künstler wegen einer Fälschung zur Rechenschaft ziehe.

Erskine, der bei Weitem älter war als ich und mir mit der heiteren Nachsicht eines Vierzigers zugehört hatte, legte mir plötzlich die Hand auf die Schulter und sagte: »Was würden Sie von einem jungen Manne halten, der bezüglich eines gewissen Kunstwerkes eine besondere Theorie hätte, an seine Theorie glaubte und eine Fälschung beginge, um sie zu beweisen?«

»Das ist etwas ganz anderes«, antwortete ich.

Erskine schwieg einen Augenblick und betrachtete die dünnen, grauen Rauchringel, die von seiner Zigarette aufstiegen. »Allerdings«, sagte er nach einer Pause. »Das ist etwas anderes.«

Es lag etwas im Ton seiner Stimme, vielleicht eine leichte Spur von Bitterkeit, die meine Neugier reizte. »Haben Sie etwa jemanden gekannt, der dies getan hat?« fragte ich.

»Ja«, antwortete er und warf seine Zigarette ins Feuer. »Es war ein guter Freund von mir, Cyril Graham. Er war sehr töricht, sehr herzlos und bezauberte die Menschen. Er hat mir übrigens die einzige Erbschaft hinterlassen, die ich je in meinem Leben erhalten habe.«

»Und was war das?«, rief ich aus.

Erskine stand von seinem Sitze auf, ging zu einem hohen, eingelegten Schranke, der zwischen den beiden Fenstern stand, schloss ihn auf und kam zurück mit einem kleinen Gemälde auf Holz in einem alten und etwas befleckten elisabethanischen Rahmen.

Es war das Porträt eines jungen Mannes in ganzer Figur im Kostüm des ausgehenden 16. Jahrhunderts, an einem Tische stehend, die rechte Hand auf einem offenen Buche. Er schien ungefähr siebzehn Jahre alt und war von ganz außerordentlicher, wenn auch augenscheinlich etwas weibischer Schönheit. Wäre nicht das Kostüm gewesen und das kurzgeschnittene Haar, so hätte man wirklich glauben können, dass dieses Antlitz mit seinen träumenden, nachdenklichen Augen, mit seinen zarten, roten Lippen das Gesicht eines Mädchens sei. In seiner Technik und besonders in der Art, wie die Hände behandelt waren, erinnerte das Bild an die späteren Werke von Francois Clouet. Das schwarzsamtene Wams mit seinen fantastischen Goldspitzen und der pfauenblaue Hintergrund, von dem es sich so angenehm abhob und durch den es eine so leuchtende Farbenwirkung gewann, war ganz in Clouets Stil; und die beiden Masken der Tragödie und der Komödie, die einigermaßen konventionell an dem Marmorsockel hingen, zeigten den harten Ernst der Pinselführung – so verschieden von der leichten Grazie der Italiener – den der große flämische Meister auch am französischen Hofe niemals ganz verloren hat und der an und für sich immer ein charakteristisches Merkmal nordischer Art geblieben ist.

»Das ist ein reizendes Bild!«, rief ich aus. »Aber wer ist dieser wunderbare junge Mann, dessen Schönheit uns die Kunst so glücklich bewahrt hat?«

»Das ist das Bild von W. H.«, sagte Erskine mit einem traurigen Lächeln. Vielleicht war es bloß ein zufälliger Lichteffekt, aber mir kam es vor, als glänzten Tränen in seinen Augen..

»W. H.!«, rief ich aus. »Wer war W. H.?«

»Erinnern Sie sich nicht?«, antwortete er. »Sehen Sie doch das Buch an, auf dem seine Hand ruht.«

»Ich sehe eine Schrift darauf, aber ich kann sie nicht entziffern«, antwortete ich.

»Nehmen Sie dieses Vergrößerungsglas und versuchen Sie zu lesen«, antwortete Erskine, und dasselbe traurige Lächeln spielte um seinen Mund.

Ich nahm das Glas, hob die Lampe etwas näher und begann die schwierige Handschrift zu buchstabieren.

»Dem einzigen Erzeuger der nachfolgenden Sonette ...«

»Großer Gott«, rief ich, »ist das Shakespeares W. H.?«

»Das war Cyril Grahams Meinung«, murmelte Erskine.

»Aber es gleicht doch nicht im geringsten Lord Pembroke«, antwortete ich. »Ich kenne die Penshurst-Bilder sehr gut. Ich habe sie erst vor einigen Wochen gesehen.«

»Glauben Sie also wirklich, dass die Sonette an Lord Pembroke gerichtet sind?«, fragte er.

»Ich bin davon überzeugt«, antwortete ich. »Pembroke, Shakespeare und Mrs. Mary Fitton sind die drei Personen der Sonette. Darüber kann kein Zweifel herrschen.«

»Ich bin ganz Ihrer Meinung«, sagte Erskine. »Aber ich dachte nicht immer so. Ich dachte sogar – ja, ich glaubte wirklich eine Zeit lang an Cyril Graham und seine Theorie.«

»Und worin bestand diese Theorie?«, fragte ich und betrachtete das wundervolle Bild, das bereits begonnen hatte, mich in ganz merkwürdiger Weise zu fesseln.

»Das ist eine lange Geschichte«, sagte Erskine und nahm mir das Bild fort – fast heftig, wie es mir damals vorkam – »eine sehr lange Geschichte, aber wenn es Sie interessiert, so will ich sie Ihnen erzählen.«

»Mich interessiert jede Theorie über die Sonette!«, rief ich aus. »Aber ich glaube nicht, dass ich leicht zu irgendeiner neuen Anschauung bekehrt werden kann. Der Gegenstand hat aufgehört, ein Geheimnis zu sein. Ja, ich wundere mich, dass er jemals ein Geheimnis gewesen ist.«

»Da ich selbst nicht an die Theorie glaube, so werde ich Sie wahrscheinlich nicht bekehren«, sagte Erskine lachend. »Aber vielleicht interessiert Sie die Sache.«

»So erzählen Sie doch«, sagte ich, »wenn die Geschichte nur halb so entzückend ist wie das Bild, so bin ich mehr als zufrieden.«

»Ich muss«, sagte Erskine und zündete sich eine Zigarette an, »meine Geschichte damit beginnen, dass ich Ihnen etwas über Cyril Graham selbst erzähle. Er und ich lebten im selben Hause in Eton. Ich war ein oder zwei Jahre älter als er, aber wir waren dicke Freunde und wir arbeiteten und spielten immer zusammen. Wir spielten natürlich viel mehr als wir arbeiteten, aber ich kann nicht sagen, dass ich dies bedauere. Es ist immer ein Vorzug, nicht eine solide praktische Erziehung genossen zu haben, und was ich auf den Spielgründen in Eton lernte, ist für mich ebenso nützlich gewesen wie irgendetwas, was mir in Cambridge beigebracht wurde. Ich muss Ihnen noch sagen, dass Cyrils Eltern tot waren. Sie ertranken bei einem schrecklichen Jachtunglück bei der Insel Wight. Sein Vater stand in diplomatischen Diensten und hatte die einzige Tochter des alten Lord Crediton geheiratet, der nach dem Tode seiner Eltern Cyrils Vormund wurde. Ich glaube nicht, dass Lord Crediton für Cyril viel Sympathie hatte. Er hat es seiner Tochter nie verziehen, dass sie einen Mann ohne Titel geheiratet hatte. Er war ein sonderbarer alter Aristokrat, der wie ein Obsthöker fluchte und die Manieren eines Bauern hatte. Ich erinnere mich, ihn einmal bei unserer Schulfeier gesehen zu haben. Er brummte mich an, gab mir einen Sovereign und sagte mir, ich soll kein ‚verfluchter Radikaler' werden wie mein Vater. Cyril liebte ihn nicht sehr und war herzlich froh, den größten Teil seiner Ferien bei uns in Schottland verbringen zu dürfen. Eigentlich harmonierten sie überhaupt niemals. Cyril kam er vor wie ein Bär, und er fand Cyril weibisch. Cyril war in der Tat in vielen Dingen weibisch, wenn er auch ein sehr guter Reiter und ein glänzender Fechter war. Er erhielt sogar einen Fechtpreis, bevor er Eton verließ. Aber er hatte sehr lässige Manieren und war nicht wenig eitel auf sein Äußeres, und er hatte eine starke Abneigung gegen Fussball. In Eton liebte er es immer, sich zu kostümieren und Shakespeare zu rezitieren, und als wir Trinity-College bezogen, wurde er sofort Mitglied des Liebhabertheater-Klubs. Ich erinnere mich, dass ich ihn wegen seiner Schauspielerei immer beneidete. Ich war ganz vernarrt in ihn, vielleicht weil wir in einigen Dingen so ganz verschieden waren. Ich war ein ziemlich unbeholfener, schwächlicher Junge mit sehr großen Füssen und mit einem Gesicht voller Sommersprossen. Sommersprossen findet man in schottischen Familien ebenso regelmäßig wie die Gicht in englischen. Cyril pflegte zu sagen, dass er von beiden die Gicht vorziehe. Aber er legte immer einen unsinnig hohen Wert auf die persönliche Erscheinung und hielt einmal einen Vortrag in unserer Diskussionsgesellschaft, um zu beweisen, dass es wertvoller sei, gut auszusehen als gut zu sein. Er war in der Tat von wunderbarer Schönheit. Leute, die ihn nicht mochten, Philister und Professoren und junge Leute, die sich für die theologische Laufbahn vorbereiteten, pflegten zu sagen, er sei bloß hübsch. Aber es lag doch bedeutend mehr in seinem Gesicht als bloße Anmut. Ich glaube, es war das herrlichste Wesen, das ich je gesehen habe, und nichts übertraf die Grazie seiner Bewegungen und den Reiz seiner Manieren. Er bezauberte jeden, der des Bezauberns wert war und überdies noch eine Menge Leute, die es nicht wert waren. Er war oft eigensinnig und unverschämt und ich hielt ihn für schrecklich unaufrichtig. Das schrieb ich hauptsächlich auf die Rechnung seiner unmäßigen Begierde zu gefallen. Armer Cyril! Ich sagte ihm einmal, dass er sich mit sehr billigen Triumphen begnüge, aber er lachte bloß. Er war schrecklich verwöhnt. Ich glaube, alle reizenden Menschen sind verwöhnt, das ist das Geheimnis ihrer Anziehungskraft.

Ich muss Ihnen aber etwas über Cyrils Schauspielkunst sagen. Sie wissen, dass keine Schauspielerinnen im Liebhaber-Theaterklub spielen dürfen. Wenigstens war es so zu meiner Zeit. Ich weiß nicht, wie es jetzt damit steht. Natürlich wurde Cyril immer für die weiblichen Rollen genommen, und als man ‚Wie es euch gefällt' aufführte, spielte er die Rosalinde. Es war eine wunderbare Aufführung. Cyril Graham war wirklich die einzige vollkommene Rosalinde, die ich je gesehen habe. Es wäre unmöglich, Ihnen die Schönheit, die Zartheit, die Durchgeistigung des Ganzen zu beschreiben. Es war ein ungeheurer Erfolg, und das schrecklich kleine Theater war jeden Abend gedrängt voll. Selbst wenn ich das Stück jetzt lese, muss ich an Cyril denken. Als ob es für ihn geschrieben worden wäre! Im nächsten Semester holte er sich einen Grad und kam nach London, um sich für die diplomatische Karriere vorzubereiten. Aber er tat nie etwas. Er verbrachte seine Tage mit dem Lesen der Shakespeareschen Sonette und seine Abende im Theater. Er war natürlich ganz wild darauf, zur Bühne zu gehen. Nur mit grosser Mühe konnten Lord Crediton und ich ihn davon abbringen. Vielleicht lebte er noch, wenn er zur Bühne gegangen wäre. Es ist immer dumm, einen Rat zu geben, aber es ist ganz und gar verderblich, einen guten Rat zu geben. Ich hoffe, Sie werden diesen Unsinn nie begehen. Wenn Sie es tun, so werden Sie es bedauern.

Ich will aber zum Kern meiner Geschichte kommen. Eines Tages erhalte ich einen Brief von Cyril, worin er mich ersucht, abends in seine Wohnung zu kommen. Seine Wohnung in Piccadilly war reizend und hatte den Ausblick auf den Park. Da ich ihn jeden Tag zu besuchen pflegte, so war ich überrascht, dass er sich die Mühe nahm zu schreiben. Natürlich ging ich hin und als ich bei ihm eintraf, fand ich ihn in einem Zustand großer Aufregung. Er sagte mir, dass er endlich das wahre Geheimnis der Shakespeareschen Sonette entdeckt habe; dass alle gelehrten Kritiker bisher eine ganz falsche Fährte verfolgt hätten, und dass er der Erste sei, der, sich bloß auf innerliche Zeugnisse stützend, herausgebracht habe, wer W. H. sei. Er war außer sich vor Freude und wollte lange Zeit mir seine Theorie nicht auseinandersetzen. Endlich brachte er einen Haufen Notizen herbei, nahm sein Exemplar der Sonette vom Kamin, setzte sich nieder und hielt mir einen langen Vortrag über die ganze Sache.

Er wies zunächst darauf hin, dass der junge Mann, an den Shakespeare diese leidenschaftlichen Gedichte gerichtet habe, jemand gewesen sein müsse, der einen wesentlichen Einfluss auf die Entwicklung seiner dramatischen Kunst ausgeübt habe, und dass man dies weder von Lord Pembroke noch von Lord Southampton behaupten könne. Wer immer es aber auch sei, es könne niemand von hoher Geburt gewesen sein, wie dies sehr klar aus dem 25. Sonett vorgehe, worin Shakespeare sich denjenigen, die ‚großer Fürsten Günstlinge' seien, gegenüberstelle. Er sagt dort ganz klar:

‚Lass die, so in der Gunst der Sterne stehn,
Mit Titelprunk sich blähn und lauter Ehre;
Ich, fern von solchem Glanz, will ungesehn
An dem mich freun, was ich zumeist verehre.'

und endet das Sonett, indem er sich zu dem niedern Stande, der ihm so lieb ist, beglückwünscht.

‚Drum glücklich ich! Ich lieb' und bin geliebt,
Wo ich nie wank' und nichts beiseit mich schiebt.'

Cyril erklärte, dass dieses Sonett ganz unverständlich sei, wenn wir annehmen wollten, dass es dem Grafen Pembroke oder dem Grafen Southampton gelte, zwei Männern, die zuhöchst im Range in England standen und mit Recht ‚große Fürsten' genannt werden durften. Und um seine Ansicht zu unterstützen, las er mir das 124. und 125. Sonett vor, worin Shakespeare uns sagt, dass seine Liebe nicht ‚ein Kind der Größe' sei, dass sie nicht ‚leidet an eitlem Prunk', wohl aber gebaut sei ‚fern vom Zufall'. Ich hörte mit großem Interesse zu, denn ich glaube nicht, dass die Bemerkung jemals gemacht worden ist. Was aber folgte, war noch viel seltsamer und schien mir damals vollkommen Pembrokes Ansprüche zu entkräften. Wir wissen von Meres, dass die Sonette vor 1598 geschrieben worden sind, und das 104. Sonett berichtet uns, dass Shakespeares Freundschaft für W. H. bereits drei Jahre dauere. Nun kam Lord Pembroke, der 1580 geboren wurde, nach London nicht vor seinem 18. Jahr, das heißt nicht vor 1598, und Shakespeares Bekanntschaft mit W. H. muss 1594 begonnen haben oder spätestens 1595. Shakespeare kann also Lord Pembroke erst nach der Niederschrift der Sonette kennengelernt haben.

Cyril betonte auch, dass Pembrokes Vater nicht vor 1601 starb, indes aus dem Verse

‚Ihr hattet einen Vater, lasst den Sohn es künden'

hervorgeht, dass der Vater W. H.s im Jahre 1598 tot war. Überdies sei es unsinnig, anzunehmen, dass irgendein Verleger jener Zeit, und die Vorrede ist von der Hand des Verlegers, die Kühnheit gehabt hätte, William Herbert Graf von Pembroke mit Herrn W. H. anzusprechen. Der Fall von Lord Buckhurst, den man einmal Mr. Sackville nenne, sei in Wirklichkeit kein entsprechendes Beispiel, denn Lord Buckhurst sei kein Pair gewesen, sondern bloß der jüngere Sohn eines Pairs und mit einem sogenannten Höflichkeitstitel, und die Stelle in Englands Parnass, wo von ihm gesprochen wird, ist keine formelle und feierliche Widmung, sondern bloß eine zufällige Anspielung. So wurden Lord Pembrokes angebliche Ansprüche von Cyril mit leichter Hand zerstört, und ich saß ganz verwundert da. Mit Lord Southampton hatte Cyril noch weniger Mühe. Southampton wurde in sehr jungen Jahren der Liebhaber von Elisabeth Vernon, sodass er keine Aufforderung, sich zu verheiraten, brauchte; er war nicht schön; er ähnelte nicht seiner Mutter wie W. H.

‚Wie du ein Spiegel deiner Mutter scheinst.
Der ihren holden Mai ihr ruft zurück.'

Und vor allem war sein Vorname Heinrich, indes die Sonette mit den Wortspielen 135 und 143 beweisen, dass der Vorname von Shakespeares Freund derselbe war wie sein eigener, nämlich William.

Was die übrigen Hypothesen unglückseliger Kommentatoren betrifft, dass W. H. ein Druckfehler ist für W. S., was William Shakespeare bedeute, dass ‚Mr. W. H. all' gelesen werden müsste Mr. W. Hall, dass Mr. W. H. Mr. William Hathaway sei, dass nach ‚wünscht' ein Punkt gemacht werden müsse, so dass W. H. als der Schreiber und nicht als der Angesprochene bei der Widmung erscheine – so wurde Cyril in sehr kurzer Zeit damit fertig. Und es ist nicht der Mühe wert, seine Gründe anzuführen, obzwar ich mich erinnere, dass ich hellauf lachte, als er mir, gottlob nicht im Original, einige Auszüge von einem deutschen Kommentator namens Barnstorff vorlas, der darauf bestand, dass Mr. W. H. niemand anders sei, als ‚Mr. William Himself'. Er gab auch keinen Augenblick zu, dass die Sonette etwa nichts anderes wären, als bloße Satiren auf die Dichtungen von Drayton und John Davies von Hereford. Ihm wie auch mir erschienen sie als Gedichte von ernster und tragischer Bedeutung, die Shakespeare der Bitterkeit seines Herzens entrang und mit dem Honig seiner Lippen versüßte. Noch weniger wollte er zugeben, dass sie bloß eine philosophische Allegorie bedeuten sollten und dass in ihnen Shakespeare sich an sein ideales Ich wende oder an das Ideal der Mannhaftigkeit oder den Geist der Schönheit oder die Vernunft oder das göttliche Wort oder an die katholische Kirche. Er fühlte, wie wir tatsächlich alle fühlen müssen, dass die Sonette an ein Individuum gerichtet sind, an einen bestimmten jungen Mann, dessen Persönlichkeit aus irgendeinem Grunde Shakespeares Seele mit schrecklicher Freude und in nicht geringerem Maße mit schrecklicher Verzweiflung erfüllt haben muss.

Nachdem er auf diese Weise gleichsam den Weg freigemacht hatte, bat mich Cyril, alle vorgefassten Ideen, die ich vielleicht über dieses Thema haben könnte, beiseitezulassen und ferner Theorie ein unbefangenes Gehör zu schenken. Das Problem, das er lösen wollte, war folgendes: Wer war der junge Mann aus den Tagen Shakespeares, der, ohne von edler Geburt oder selbst von edler Wesensart zu sein, von ihm in Ausdrücken von so leidenschaftlicher Verehrung angeredet wurde, dass wir uns fast fürchten, an den Schlüssel zu rühren, der das Geheimnis des Dichterherzens öffnet? Wer war der Mann, dessen physische Schönheit so groß war, dass sie der Eckstein von Shakespeares Kunst wurde, die Quelle seiner Begeisterung, die Verkörperung seiner Träume? Ihn bloß als Gegenstand gewisser Liebesgedichte betrachten, heißt die ganze Bedeutung der Gedichte verkennen: denn die Kunst, von der Shakespeare in seinen Sonetten spricht, ist nicht die Kunst der Sonette selbst, die er als etwas Geringes und rein Persönliches betrachtete, sondern es ist die Kunst des Dramatikers, auf die er immer wieder anspielt; und er, von dem Shakespeare sagt:

‚Mir bist du alle Kunst, und meine Roheit
Hebst du so hoch wie der Gelehrten Hoheit?'
er, dem er Unsterblichkeit verspricht
‚Dank meiner Feder lebt von dir die Kunde,
Wo Lebenslust meist lebt, im Menschenmunde?'

war sicherlich niemand anderer, als der jugendliche Schauspieler, für den er Viola und Imogen schuf, Julia und Rosalinde, Portia und Desdemona und selbst Kleopatra. Das war Cyril Grahams Theorie, die, wie Sie sehen, allein aus den Sonetten selbst abgeleitet war und deren Annahme weniger von überzeugenden Beweisen oder äußeren Zeugnissen abhing als von einer Art künstlerischen und geistigen Empfindens, durch das allein, wie er behauptet, die wahre Bedeutung der Gedichte erfasst werden könnte. Ich erinnere mich, wie er mir das schöne Sonett vorlas:

‚Kann meine Muse Stoffs zu wenig haben,
Solang du lebst? Du strömst in mein Gedicht
Dein eignes Thema, lieblich und erhaben;
Dafür genügen Alltagsverse nicht.
O dir allein muss aller Dank verbleiben,
Wenn Lesenswertes du entdeckst in mir;
Wer ist zu stumm, dir ein Gedicht zu schreiben.
Wenn unsre Dichtkunst Licht empfängt von dir!
Die zehnte Muse sei, zehnmal so hehr
Wie jene neun, zu denen Reimer flehen,
Und wer dich anruft, Rhythmen schaffe der
Unsterblich, die in fernster Frist bestehen!'

und dabei betonte, wie vollständig es seine Theorie bestätige. Und so ging er tatsächlich sorgfältig alle Sonette durch und zeigte oder glaubte zu zeigen, dass nach seiner neuen Erklärung der Bedeutung der Gedichte die Dinge, die bisher dunkel oder schlecht oder übertrieben geschienen hatten, nun klar, vernünftig und von hoher künstlerischer Bedeutung wurden und Shakespeares Auffassung von den wahren Beziehungen zwischen der Kunst des Schauspielers und der Kunst des Dramatikers erläuterten.

Es ist natürlich klar, dass in Shakespeares Gesellschaft ein wunderbarer jugendlicher Schauspieler von großer Schönheit gewesen sein muss, dem er die Darstellung seiner edlen Heldinnen anvertraute. Denn Shakespeare war ebenso sehr praktischer Theaterdirektor wie fantasievoller Poet und Cyril Graham hatte in der Tat den Namen des Schauspielers entdeckt. Es war Will oder, wie er ihn zu nennen liebte, Willie Hughes. Den Vornamen fand er selbstverständlich in den Wortspielsonetten 135 und 143. Der Zuname war ihm zufolge verborgen in der siebenten Zeile des 20. Sonetts, wo W. H. beschrieben wird als:

'A man in hue, all Hues in his controlling.'

In der Originalausgabe der Sonette ist »Hues« mit einem großen Anfangsbuchstaben und in Antiqua gedruckt, und wie er annahm, bewies das klar, dass hier ein Wortspiel beabsichtigt war, und seine Ansicht erhielt eine kräftige Unterstützung durch die Sonette, wo merkwürdige Wortspiele mit den Worten ‚use' und ‚usury' gemacht werden. Natürlich war ich gleich bekehrt, und Willie Hughes wurde für mich eine ebenso wirkliche Persönlichkeit wie Shakespeare selbst. Der einzige Einwand, den ich gegen diese Theorie erhob, war, dass der Name Willie Hughes in der Liste der Schauspieler der Shakespeareschen Gesellschaft nicht vorkommt, wie sie in der ersten Folioausgabe abgedruckt ist. Aber Cyril wies darauf hin, dass gerade das Fehlen von Willie Hughes' Namen auf der Liste seine Theorie erst recht unterstütze, denn es werde aus dem Sonett 86 klar, dass Willie Hughes Shakespeares Gesellschaft verlassen hatte, um in einem Konkurrenztheater zu spielen, wahrscheinlich in irgendeinem Stücke von Chapman. Darauf bezieht sich, was in seinem großen Sonett über Chapman Shakespeare zu Willie Hughes sagt:

‚Als deine Gunst begann sein Lied zu feilen,
Da schwand mein Stoff, da lahmten meine Zeilen.'

Der Ausdruck ‚Your countenance filled up his line' bezieht sich offenbar auf die Schönheit des jungen Schauspielers, die Chapmans Versen Leben und Wirklichkeit und neue Reize gab. Und derselbe Gedanke kommt noch einmal vor im 79. Sonett –

‚Als ich allein noch anrief deine Gunst,
Floss meinem Lied allein dein Anmutschatz!
Nun aber welkt die Anmut meiner Kunst,
Die Muse, krank, macht einer andern Platz.'

und in dem unmittelbar vorangehenden Sonett, wo Shakespeare sagt:

‚Dass nun die ganze Zunft, wie ich's begann,
Gedichte ausstreut unter deinem Schutze.'

Das Wortspiel mit den Worten use und Hughes ist natürlich ganz klar und die Phrase ‚Gedichte ausstreut unter deinem Schutze' bedeutet: ‚durch deine Mitwirkung als Schauspieler ihre Stücke vor das Publikum bringt?'

Es war ein wundervoller Abend, und wir saßen fast bis zur Morgendämmerung und lasen die Sonette immer wieder. Nach einiger Zeit begann ich jedoch einzusehen, dass es notwendig sei, ehe die Theorie in vollkommener Form der Welt vorgelegt werden könne, für die Existenz des Schauspielers Willie Hughes einen einwandfreien Beweis zu schaffen. In diesem Falle gäbe es keinen möglichen Zweifel mehr an seiner Identität mit W. H. Misslang dieser Beweis, dann war es freilich nichts mit der Theorie. Ich setzte dies sehr ernsthaft Cyril auseinander, der sich einigermaßen über meine, wie er es nannte, philiströse Anschauung ärgerte und sehr bittere Worte brauchte. Aber ich nahm ihm das Versprechen ab, dass er in seinem eigenen Interesse seine Entdeckung nicht früher veröffentlichen würde, ehe er nicht alles über allen Zweifel erhoben hätte. Und wochenlang durchsuchten wir die Matrikeln in den Kirchen der Stadt, die Alleyn-Mss. in Dulwich, das Record Office, die Akten des Lord Chamberlain, kurz alles, was eine Anspielung auf Willie Hughes hätte enthalten können. Natürlich fanden wir nichts, und mit jedem Tag schien mir die Existenz von Willie Hughes problematischer zu werden. Cyril war in einem schrecklichen Zustande und ging mit der Absicht, mich zu überzeugen, die ganze Frage Tag für Tag durch. Aber ich sah die eine Lücke in der Theorie und ich wollte mich nicht überzeugen lassen, ehe nicht die tatsächliche Existenz von Willie Hughes, dem Schauspielerknaben aus der elisabethanischen Zeit, allen Zweifeln und Spitzfindigkeiten zum Trotz bewiesen wäre.

Eines Tages verließ Cyril die Stadt, um zu seinem Großvater zu gehen, wie ich damals glaubte. Aber ich hörte später von Lord Crediton, dass dies nicht der Fall gewesen war. Und vierzehn Lage später erhielt ich ein in Warwick aufgegebenes Telegramm von ihm, worin er mich bat, bestimmt abends um halb acht Uhr mit ihm zu speisen. Als ich eintrat, sagte er zu mir: ‚Der einzige Apostel, der keinen Beweis verdiente, war der heilige Thomas, und der heilige Thomas war der einzige Apostel, dem er zuteilwurde.' Ich fragte ihn, was er damit meine. Er antwortete, dass er nicht nur imstande gewesen sei, die Existenz eines Schauspielerknaben namens Willie Hughes im 16. Jahrhundert nachzuweisen, sondern auch das unumstößliche Zeugnis erbracht habe, dass dies der W. H. der Sonette sei. Er wollte mir in diesem Augenblicke nichts mehr sagen. Aber nach dem Essen brachte er mir feierlich das Bild herbei, das ich Ihnen gezeigt habe, und erzählte mir, dass er es ganz zufällig entdeckt habe, angenagelt an einen alten Kasten, den er in einem Pächterhause in Warwickshire gekauft habe. Den Kasten selbst, ein sehr feines Stück elisabethanischer Arbeit, hatte er natürlich mitgebracht und in der Mitte des vorderen Faches waren die Anfangsbuchstaben W. H. unzweifelhaft eingeschnitzt. Das Monogramm hatte seine Aufmerksamkeit erregt und er sagte mir, dass der Kasten schon einige Tage in seinem Besitz gewesen sei, ehe er daran gedacht habe, das Innere sorgfältig zu prüfen. Eines Morgens nun sah er, dass die eine Seite des Kastens viel dicker als die andere sei und bei näherer Prüfung entdeckte er an dieser Seite ein eingefügtes und eingerahmtes Holzbild. Er nahm es heraus, und es war das Bild, das nun auf dem Sofa liegt. Es war sehr schmutzig und ganz mit

Schimmel bedeckt. Aber er reinigte es schließlich und sah zu seiner großen Freude, dass das, was er schon so lange gesucht hatte, ihm nun durch bloßen Zufall in die Hände gefallen sei. Da war ein authentisches Porträt von W. H., die Hand auf dem Widmungsblatt der Sonette, und auf dem Rahmen selbst konnte man undeutlich in schwarzen Unzialbuchstaben auf einem verblassten Goldgrund den Namen des jungen Mannes lesen: ‚Master Wil. Hews?'

Was sollte ich nun sagen? Ich dachte keinen Augenblick daran, dass Cyril Graham mir einen Streich spielen wollte oder dass er versuchte, seine Theorie mithilfe einer Fälschung zu beweisen.«

»Aber ist es denn eine Fälschung?«, fragte ich.

»Natürlich«, sagte Erskine. »Es ist eine sehr gute Fälschung, aber darum nicht weniger eine Fälschung. Damals glaubte ich, dass Cyril ganz ruhig über die Sache denke. Aber ich erinnere mich, dass er mir mehr als einmal sagte, er selbst brauche keinen Beweis und dass er an seine Theorie auch ohne Beweis glaube. Ich lachte darüber und sagte ihm, dass ohne Beweis seine Theorie nicht haltbar sei, und ich beglückwünschte ihn in warmen Worten zu seiner wunderbaren Entdeckung. Wir beschlossen dann, dass das Bild gestochen oder faksimiliert werden sollte, um als Titelblatt für Cyrils Ausgabe zu dienen. Und drei Monate lang tat ich nichts anderes, als jedes Gedicht Zeile für Zeile durchzugehen, bis wir jede Schwierigkeit des Textes oder des Sinnes gelöst hatten. Eines unglückseligen Tages war ich in einem Kupferstichladen in Holborn, wo ich oberhalb des Pultes einige wundervolle Zeichnungen in Silberstift hängen sah. Sie gefielen mir so sehr, dass ich sie kaufte, und der Ladenbesitzer, ein Mann namens Rawlings, sagte mir, dass ein junger Maler namens Edward Merton sie gemacht habe, ein sehr geschickter Mensch, aber arm wie eine Kirchenmaus. Einige Tage später suchte ich Merton auf, nachdem ich seine Adresse von dem Kupferstichhändler erfahren hatte, und ich fand einen blassen, interessanten jungen Mann mit einer etwas gewöhnlich aussehenden Frau, seinem Modell, wie ich später erfuhr. Ich sagte ihm, wie sehr ich seine Zeichnungen bewundert hätte, was ihn offenbar sehr freute, und ich bat ihn, mir noch einige von seinen anderen Sachen zu zeigen. Als wir seine Mappe durchblätterten, die ganz voll war mit wirklich entzückenden Sachen – Merton hatte eine sehr zarte und anmutige Stilführung –, entdeckte ich plötzlich eine Zeichnung des Bildes von W. H. Kein Zweifel war möglich. Es war fast wie ein Faksimile. Der einzige Unterschied war der, dass die beiden Masken, Tragödie und Komödie, nicht an der Marmortafel hingen wie auf dem Bilde, sondern auf dem Boden zu den Füßen des jungen Mannes lagen. ‚Wo um Himmels willen haben Sie das her?', sagte ich. Er wurde etwas verlegen und antwortete: ‚Oh, das ist nichts. Ich wusste nicht, dass das in dieser Mappe sei. Es hat gar keinen Wert.' ‚Das ist doch das Ding, das du für Herrn Cyril Graham gemacht hast!', rief seine Frau. ‚Und wenn dieser Herr es zu kaufen wünscht, so lass es ihm doch.' ‚Für Herrn Cyril Graham?', wiederholte ich. ‚Haben Sie das Bildnis des Herrn W. H. gemalt?' ‚Ich verstehe nicht, was Sie meinen', antwortete er und wurde sehr rot. Die ganze Geschichte war furchtbar peinlich. Die Frau verriet alles. Ich gab ihr fünf Pfund, als ich wegging. Ich kann jetzt gar nicht daran denken. Natürlich war ich wütend. Ich ging sofort zu Cyrils Wohnung, wartete dort drei Stunden, bevor er kam, und die schreckliche Lüge starrte mir entgegen; ich sagte ihm, dass ich seine Fälschung entdeckt hätte. Er wurde sehr bleich und erwiderte: ‚Ich tat es einzig und allein Ihretwegen. Sie wollten sich nicht anders überzeugen lassen. Das berührt die Wahrheit der Theorie durchaus nicht.' ‚Die Wahrheit der Theorie?', rief ich aus. ‚Je weniger wir darüber sprechen, desto besser. Sie selbst haben nie daran geglaubt, sonst hätten Sie nicht eine Fälschung begangen, um sie zu beweisen.' Es fielen erregte Worte. Wir stritten heftig. Vielleicht wurde ich ungerecht. Am nächsten Morgen war er tot.«

»Tot?«, rief ich.

»Ja, er erschoss sich mit einem Revolver. Einige Tropfen Blut spritzten auf den Rahmen des Bildes, gerade dort, wo der Name geschrieben steht. Als ich kam – sein Diener hatte sofort nach mir geschickt –, war die Polizei bereits an Ort und Stelle. Er hatte einen Brief für mich hinterlassen, der offenbar in der größten Aufregung und Geistesverwirrung geschrieben war.«

»Was stand darin?«, fragte ich.

»Es stand darin, dass er unbedingt an Willie Hughes glaube und dass die Fälschung des Bildes nur mir zuliebe geschehen sei und nicht im allergeringsten Maße die Richtigkeit der Theorie zweifelhaft mache. Und dass, um mir zu zeigen, wie fest und unerschütterlich sein Glaube in die ganze Sache sei, er sein Leben dem Geheimnis der Sonette zum Opfer bringen wolle. Es war ein törichter, toller Brief. Ich erinnere mich, dass er am Ende sagte, er lege nun die Theorie von Willie Hughes in meine Hände und es sei nun meine Aufgabe, sie der Welt bekannt zu machen und das Geheimnis von Shakespeares Herzen zu enthüllen.«

»Das ist eine sehr tragische Geschichte!«, rief ich aus. »Aber warum haben Sie den Wunsch des Toten nicht erfüllt?«

Erskine zuckte die Schultern. »Weil die Theorie vom Anfang bis zum Ende ein Unsinn ist«, antwortete er.

»Mein lieber Erskine«, sagte ich und stand auf. »Sie haben in der ganzen Sache vollständig unrecht. Die Theorie ist der einzige vollkommene Schlüssel zu Shakespeares Sonetten, der bis heute gefunden worden ist. Jedes Detail stimmt. Ich glaube an Willie Hughes.« »Sagen Sie das nicht«, sagte Erskine sehr ernst. »Ich glaube, diese Idee bringt Unglück mit sich. Und Vernünftiges lässt sich dafür nicht sagen. Ich habe die ganze Sache gründlich untersucht und versichere Ihnen, die Theorie ist durch und durch irrig. Bis zu einem gewissen Punkte mag sie einleuchtend sein. Aber dann ist auch alles aus. Um Gottes willen, mein lieber Freund, nehmen Sie sich nicht der Sache Willie Hughes' an. Ihr Herz wird darüber brechen.«

»Erskine«, antwortete ich, »es ist Ihre Pflicht, die Theorie der Welt vorzulegen. Tun Sie es nicht, so werde ich es tun. Indem Sie die Sache unterdrücken, schädigen Sie das Andenken Cyril Grahams, des letzten und glänzendsten Märtyrers der Literatur. Ich beschwöre Sie, geben Sie ihm, was ihm gebührt. Er starb für diese Sache, lassen Sie ihn nicht umsonst gestorben sein.«

Erskine schaute mich ganz überrascht an. »Das Gefühl für die Sache reißt Sie fort«, sagte er. »Sie vergessen, dass eine Sache nicht notwendigerweise wahr sein muss, weil ein Mann für sie gestorben ist. Ich war Cyril Graham ein treuer Freund. Sein Tod war ein furchtbarer Schlag für mich. Ich habe ihn Jahre lang nicht verwunden. Ich glaube, dass ich ihn überhaupt nicht verwunden habe. Aber Willie Hughes? Was ist uns Willie Hughes? Er hat niemals gelebt. Und der Welt die Sache vorlegen? Die Welt glaubt, dass ein zufällig losgegangener Schuss Cyril Graham getötet hat. Der einzige Beweis seines Selbstmordes war in seinem Briefe an mich enthalten und von diesem Briefe hat die Öffentlichkeit nie etwas gehört. Bis auf den heutigen Tag glaubt Lord Crediton, dass die ganze Sache nur ein unglückseliger Zufall war.«

»Cyril Graham opferte sein Leben einer großen Idee«, antwortete ich. »Und wenn Sie nicht von seinem Märtyrertum berichten wollen, so erzählen Sie wenigstens von seinem Glauben.«

»Sein Glaube«, sagte Erskine, »betraf eine Sache, die falsch war, eine Sache, die ein Unsinn war, eine Sache, die kein Shakespeareforscher nur einen Augenblick ernst nehmen kann. Die Theorie würde ausgelacht werden. Seien Sie kein Narr und folgen Sie nicht einer Spur, die nirgends hinführt. Sie gehen von der Existenz einer Person aus, deren Existenz gerade das ist, was bewiesen werden soll. Überdies weiß jedermann, dass die Sonette an Lord Pembroke gerichtet waren. Die Sache ist ein für allemal entschieden.«

»Die Sache ist nicht entschieden!«, rief ich aus. »Ich will die Theorie dort aufnehmen, wo Cyril Graham sie gelassen hat, und ich werde der Welt beweisen, dass er recht hatte.«

»O Sie Tor!«, sagte Erskine, »gehen Sie nach Hause. Es ist zwei Uhr vorbei. Und denken Sie nicht mehr an Willie Hughes. Es tut mir leid, dass ich Ihnen überhaupt etwas erzählt habe und es täte mir sehr leid, Sie zu einer Sache bekehrt zu haben, die ich selbst nicht glaube.«

»Sie haben mir den Schlüssel gegeben zum größten Geheimnis der modernen Literatur«, antwortete ich. »Und ich werde nicht ruhen noch rasten, bis nicht Sie, bis nicht die ganze Welt erkannt hat, dass Cyril Graham der feinste Shakespeareforscher unserer Tage gewesen ist.«

Als ich durch den St.-James-Park heimging, dämmerte der Morgen gerade über London. Die weißen Schwäne lagen schlafend auf dem glatten Spiegel des Sees und der schlanke Palast erschien purpurn gegen den blassgrünen Himmel. Ich dachte an Cyril Graham und meine Augen füllten sich mit Tränen.

II.

Es war zwölf Uhr vorbei, als ich erwachte. Und die Sonne strömte durch die Vorhänge meines Zimmers in langen, schrägen Strahlen von Goldstaub. Ich sagte meinem Diener, dass ich für niemand zu Hause wäre. Und nachdem ich meine Tasse Schokolade und mein Brötchen genommen, holte ich aus meiner Bücherei mein Exemplar der Shakespeareschen Sonette und begann sie sorgfältig durchzugehen. Jedes Gedicht schien mir Cyril Grahams Theorie zu bekräftigen. Mir war, als läge meine Hand auf Shakespeares Herz und als könnte ich jeden einzelnen Schlag der pulsierenden Leidenschaft zählen. Ich dachte an den wunderbaren jugendlichen Schauspieler und aus jeder Zeile blickte mir sein Gesicht entgegen. Ich erinnere mich, dass mir zwei Sonette besonders auffielen, das 53. und das 67. In dem Ersteren beglückwünscht Shakespeare Willie Hughes zu der Vielseitigkeit seiner Schauspielkunst, zur großen Skala seiner Rollen, einer Skala, die von der Rosalinde zur Julia und von der Beatrice zur Ophelia geht, und sagt zu ihm:

Aus welchen Stoffen schuf dich die Natur,
Dass tausend fremde Schatten dich begleiten?
Ein Schatten folgt uns, jedem einer nur;
Dir folgt der Schatten aller Herrlichkeiten.

Die Verse wären ganz unverständlich, wenn sie nicht an einen Schauspieler gerichtet wären, denn das Wort »Schatten« hatte zu Shakespeares Zeiten eine bühnentechnische Bedeutung. »Das beste dieser Art sind bloß Schatten«, sagt Theseus von den Schauspielern im Sommernachtstraum, und es gibt zahlreiche ähnliche Anspielungen in der damaligen Literatur. Diese Sonette gehörten offenbar zu den Werken, in denen Shakespeare das Wesen der Schauspielerkunst, das merkwürdige und seltene Temperament, das für den Schauspieler notwendig ist, erörtert. »Wie kommt es«, sagt Shakespeare zu Willie Hughes, »dass du so viele Persönlichkeiten in dir hast?« Und dann geht er hin und beweist, dass seine Schönheit derart ist, dass sie jede Form und Art der Fantasie zu verwirklichen scheint, dass sie jeden Traum der Schöpferkraft verkörpert – ein Gedanke, der noch weiter ausgeführt ist in dem nächsten Sonett, wo Shakespeare mit dem schönen Gedanken beginnend:

O wie viel schöner wird die Schönheit doch,
Wenn sie der holde Schmuck der Wahrheit hebt!

uns darauf aufmerksam macht, wie die Wahrheit der Schauspielkunst die Wahrheit der sichtbaren Darstellung auf der Bühne das Wunder der Dichtung erhöht, ihrer Anmut Leben gibt und ihrer idealen Form Wirklichkeit verleiht. Und doch fordert Shakespeare im 67. Sonett Willie Hughes auf, die Bühne zu verlassen mit all ihrer Künstlichkeit, ihrem falschen Spiel des geschminkten Gesichts und unwahren Kostüms, mit ihren unmoralischen Einflüssen und Verlockungen, ihrer Ferne von der wahren Welt der edlen Tat und der aufrichtigen Rede.

O warum lebt er heut in kranker Welt,
Mit seiner Gegenwart das Laster zierend,

Wo Sünde Vorschub nun durch ihn erhält.
Mit seinem Umgang sich herausstaffierend?
Wo falsche Schminke nachäfft seine Wangen
Und seinem Leben stiehlt ihr totes Rot,
Wo dürftige Schönheit, um gleich ihm zu prangen,
Gemalte Rosen sucht in ihrer Not?

Es mag seltsam erscheinen, dass ein so großer Dramatiker wie Shakespeare, der seine eigene Vollendung als Künstler und seine Menschlichkeit als Mann auf dem idealen Boden der Bühnenkunst und des Bühnenspiels wohl kannte, in solchen Ausdrücken vom Theater geschrieben hat. Aber wir müssen daran erinnern, dass in den Sonetten 110 und 111 uns Shakespeare zeigt, wie auch er der Puppenwelt müde war und wie er sich schämte, »ein Narr vor den Leuten« gewesen zu sein. Das 111. Sonett ist besonders bitter:

Schilt auf Fortunen für mein übles Leben,
Die schuldige Göttin, die mich Armen zwingt.
Dass sie zum Leben Bessres nicht gegeben
Als Pöbeldienst, der Pöbelsitten bringt.
Drum trägt mein Nam' ein Brandmal eingebrannt;
Drum geht mein Wesen fast in dem verloren,
Worin es wirkt, wie eines Färbers Hand.
Fühl' Mitleid denn und wünsch' mich neugeboren.

Und so gibt es auch anderwärts viele Andeutungen desselben Gefühls, Stellen, die allen Shakespeareforschern vertraut sind. Etwas machte mir sehr großes Kopfzerbrechen, als ich die Sonette las, und es dauerte Tage, bis ich die richtige Deutung fand, die Cyril Graham selbst verfehlt zu haben scheint. Ich konnte nicht verstehen, wieso es kam, dass Shakespeare einen so großen Wert auf die Verheiratung seines jungen Freundes legte. Er selbst hatte jung geheiratet und das Ergebnis war höchst unglücklich gewesen und es schien nicht wahrscheinlich, dass er von Willie Hughes verlangte, den gleichen Irrtum zu begehen. Der jugendliche Schauspieler, der die Rosalinde spielte, hatte von der Ehe und von den Leidenschaften des wirklichen Lebens nichts zu erwarten. Die früheren Sonette schienen mir durch ihre merkwürdige Aufforderung, Kinder zu zeugen, einen falschen Ton zu haben. Die Erklärung des Geheimnisses kam mir ganz plötzlich und ich fand sie in der merkwürdigen Widmung. Diese Widmung lautet bekanntlich folgendermaßen:

»Dem alleinigen Erzeuger
dieser nachstehenden Sonette
Mr. W. H. wünscht alles Glück
Und jene Unsterblichkeit
verheißen von
unserm ewig lebenden Dichter
der wohlwollende Unternehmer
beim Beginne
T. L.«

Einige Forscher haben angenommen, dass das Wort »Erzeuger« in der Widmung nichts anderes bedeute als den Mann, der die Sonette dem Verleger Thomas Thorpe verschafft habe; aber diese Annahme ist längst aufgegeben und die höchsten Autoritäten sind darüber einig, dass das Wort im Sinne einer Inspiration genommen werden muss; die Metapher ist hier nichts anderes als eine Analogie mit dem physischen Leben. Nun fand ich, dass dieselbe Metapher von Shakespeare in allen Gedichten gebraucht werde und das führte mich auf den richtigen Weg. Schließlich machte ich meine große Entdeckung. Die Ehe, die Shakespeare Willie Hughes vorschlägt, ist die Ehe mit der Muse, ein Ausdruck, der in dieser Form im 82. Sonett vorkommt, wo er tief erbittert über den Abfall des jugendlichen Schauspielers, für den er seine besten Rollen geschrieben hatte und dessen Schönheit ihn im Banne hielt, die Klage mit den Worten beginnt:

»Du bist ja meiner Muse nicht vermählt.«

Die Kinder, die zu erzeugen er ihn beschwört, sind nicht Kinder von Fleisch und Blut, sondern die unsterblichen Kinder unvergänglichen Ruhmes. Der ganze Zyklus der ersten Sonette ist nichts anderes als Shakespeares Bitte an Willie Hughes, auf die Bühne zu gehen und Schauspieler zu werden. »Wie unfruchtbar und nutzlos ist deine Schönheit«, sagt er, »wenn sie nicht genützt wird.«

Wann vierzig Winter erst dein Haupt berennen
Und in der Schönheit Plan Laufgräben ziehn,
Wer wird dein Jugendstaatskleid dann noch kennen,
Und den zerfetzten Rock, wer achtet ihn?
Befragt alsdann: »Wo blieb all deine Zier?
Wo deines Frühlings stolzes Eigentum?«
Zu sagen: »In den hohlen Augen hier«,
Wär' allverzehr'nde Schmach und Bettelruhm.

Du musst irgendwas in der Kunst schaffen; mein Vers »ist dein und von dir geboren«. Hör' nun auf mich und ich will »Rhythmen schaffen, unsterblich, die in fernster Frist bestehen«. Und du wirst mit den Formen deines eigenen Bildes die Fantasiewelt der Bühne bevölkern. Diese Kinder, die du haben wirst, fährt er fort, werden nicht verwelken wie sterbliche Kinder, sondern du wirst in ihnen und in meinen Stücken leben.

»Schaff dir ein andres du zuliebe mir.
Dass Schönheit leb' im dein'gen oder dir.«

Ich sammelte alle Stellen, die diese Auffassung zu bestätigen schienen, und sie machten auf mich einen starken Eindruck und bewiesen mir, wie vollständig Cyril Grahams Theorie in Wahrheit war. Ich sah auch, dass es ganz leicht sei, die Verse, in welchen er von den Sonetten selbst spricht, von jenen abzusondern, in welchen er von seinen großen dramatischen Werken spricht. Das war ein Punkt, der bisher von allen Forschern, bis auf Cyril Graham, übersehen worden war. Und doch war es einer der wichtigsten Punkte in der ganzen Reihe der Gedichte. Shakespeare selbst war seinen Sonetten gegenüber mehr oder weniger gleichgültig. Er wollte seinen Ruhm nicht auf ihnen begründen. Sie bedeuten ihm die leichte Muse, wie er es nennt, und sie waren, wie Meres erzählt, nur bestimmt, unter wenigen, sehr wenigen Freunden von Hand zu Hand zu gehen. Andrerseits war er sich durchaus des hohen künstlerischen Wertes seiner Stücke bewusst und zeigt ein edles Selbstvertrauen auf sein dramatisches Genie. Wenn er zu Willie Hughes sagt:

Nie aber wird dein ewiger Sommer schwinden,
Noch jene Schönheit missen, die du hast;
Nie wird der Tod im Schattenreich dich finden.
Wann dich die Zeit in ew'ge Verse fasst.
Solang noch Menschen atmen, Augen sehn,
Lebt dies und gibt dir Leben und Bestehn.

Der Ausdruck »ew'ge Verse« spielt offenbar auf eines der Stücke an, das er ihm damals schickte, und die letzten zwei Zeilen zeugen für seinen Glauben, dass seine Stücke immer gespielt werden würden. In seiner Anrufung der dramatischen Muse, Sonette 100 und 101, finden wir dasselbe Gefühl.

»Wo bist du, Muse, dass du säumst so lange,
Dem, was dir alle Macht gab, Lob zu weihn?
Verbrauchst du deine Glut in eitlem Sange,
Verdunkelst dich, um Schlechtem Glanz zu leihn?«

ruft er aus und dann beginnt er der Herrin der Tragödie und Komödie wegen ihrer »Vernachlässigung der Wahrheit in den Farben der Schönheit« Vorwürfe zu machen und sagt:

»Schweigst du, weil er des Lob's dich überhebe?
O leere Ausflucht! Deines Amtes ist,
Dass er sein gülden Grabmal überlebe
Und Lob ihm werde bis zur fernsten Frist.

Ans Werk denn, Muse! Wie, das lehr' ich dir.
Dass ihn die späte Zukunft kennt wie wir.«

Vielleicht aber ist das 55. Sonett dasjenige, in dem Shakespeare diesem Gedanken den vollsten Ausdruck gibt. Anzunehmen, dass die »mächtigen Verse« in der zweiten Zeile sich auf das Sonett selbst beziehen, hieße Shakespeares Absicht vollständig missverstehen. Es schien mir, nach dem ganzen Charakter des Sonetts zu schließen, höchstwahrscheinlich, dass ein bestimmtes Stück gemeint sei und dass dieses Stück kein anderes sei als »Romeo und Julia«.

Kein gülden Fürstenbild, kein Marmelstein
Wird diese mächt'gen Verse überleben;
Sie werden dir ein hell'res Denkmal sein
Als Quadern, die vom Schmutz der Zeiten kleben.
Ob Zwietracht stürzt der Häuser fest Gemäuer,
Ob wüster Krieg die Statuen niederrennt,
Kein Schwert des Mars, kein fressend Kriegesfeuer
Tilgt deines Ruhms lebendig Monument.
Trotz Tod und feindlicher Vergessenheit
Sollst du bestehn, soll Raum dein Name finden
Noch in den Augen allerfernster Zeit,
Bis die Geschlechter dieser Welt verschwinden.
Bis am Gerichtstag du dich selbst erhebst.
Wohnst du im Auge Liebender und lebst.

Es ist außerordentlich interessant zu beobachten, wie hier sowie anderwärts Shakespeare Willie Hughes' Unsterblichkeit in einer den Menschen sichtbaren Form verspricht, d. h. im Rahmen des Theaters, in einem Stücke der Schaubühne.

Zwei Wochen arbeitete ich eifrig an den Sonetten, ging kaum aus und nahm keine Einladung an. Jeden Tag glaubte ich etwas Neues zu entdecken und Willie Hughes schien mir im Geist gegenwärtig zu sein, eine alles beherrschende Persönlichkeit. Mir kam vor, als stünde er im Schatten meines Zimmers, so gut hatte Shakespeare ihn gezeichnet mit seinem goldenen Haar, mit seiner zarten, blütengleichen Grazie, seinen verträumten, tief eingesunkenen Augen, seinen feinen beweglichen Lippen und seinen weißen Lilienhänden. Selbst sein Name bezauberte mich. Willie Hughes! Willie Hughes! Wie viel Musik liegt in diesem Namen! Ja, wer anders als er konnte Herr-Herrin von Shakespeares Leidenschaft sein (20/2), der Herr seiner Liebe, dem er untertan war (26/1), der zarte Liebling der Natur (126/9), die Rose der ganzen Welt (Sonett 109/14), der Herold aller Frühlingsreize (Sonett 1/10), gehüllt in das stolze Staatskleid der Jugend (Sonett 2/3), der zarte Knabe, den zu hören süßer Musik gleichkommt (Sonett 8/1) und dessen Schönheit das Kleid von Shakespeares Herzen war (Sonett 22/6), wie der Eckstein seiner dramatischen Kunst. Wie bitter erscheint nun die ganze Tragödie seines Abfalls und seiner Schmach, einer Schmach, die er süß und lieblich machte (Sonett 95/1) durch den bloßen Zauber seiner Persönlichkeit, aber die trotzdem eine Schmach blieb. Da ihm aber Shakespeare vergab, sollten wir ihm nicht auch vergeben? Ich wollte nicht an das Geheimnis seiner Sünde rühren.

Dass er Shakespeares Theater verließ, war eine andere Sache und ich durchforschte sie mit großer Mühe. Schließlich kam ich zu dem Schlusse, dass Cyril Graham sich geirrt hatte, als er annahm, der dramatische Nebenbuhler des 80. Sonetts sei Chapman. Es ist offenbar Marlowe, der hier gemeint ist. Zur Zeit, als die Sonette geschrieben wurden, konnte ein Ausdruck wie »der stolze Vollsegel seines gewaltigen Verses« nicht auf Chapman angewendet werden, wenn er auch auf den Stil seiner späteren Stücke anwendbar gewesen wäre. Nein. Marlowe war offenbar der dramatische Nebenbuhler, von dem Shakespeare in so lobendem Tone sprach. Und jener »gütige, vertraute Geist, der nächtlich mit Klugheit ihn betrügt«, war der Mephistopheles seines Doktor Faustus. Zweifellos war Marlowe bezaubert von der Schönheit und Grazie des jugendlichen Schauspielers und lockte ihn von Blackfriars Theater fort, damit er den Gaveston in seinem Eduard II. spiele. Dass Shakespeare das gesetzliche

Recht hatte, Willie Hughes in seiner eigenen Truppe zurückzuhalten, geht aus dem Sonett 87 hervor, wo er sagt:

»Leb' wohl! Du weißt, dein Wert ist viel zu groß,
Als dass ich dauernd dich besitzen könnte;
Der Freibrief deines Wertes spricht dich los;
Erloschen ist die Pacht, die mir dich gönnte.
Durch deine Schenkung wardst du meine Habe,
Und wie verdient' ich je so reiche Spende?
Der Rechtsgrund fehlt in mir für solche Gabe,
Und folglich ist's mit meinem Recht zu Ende.
Du gabst dich mir, unkundig deines Wertes,
Wohl auch getäuscht in mir, der ihn empfangen.
Nun ist die Schenkung als ein aufgeklärtes
Versehen an dich selbst zurückgegangen.
So hab' ich dich gehabt, wie Träum' entweichen,
Im Schlaf ein König, wachend nichts dergleichen.«

Aber den er nicht durch Liebe halten konnte, wollte er nicht durch Gewalt festhalten. Willie Hughes wurde ein Mitglied von Lord Pembrokes Truppe und vielleicht spielte er im offenen Hofe der Red Bull Tavern die Rolle von König Eduards zartem Liebling. Nach Marlowes Tode scheint er zu Shakespeare zurückgekehrt zu sein, der, was auch seine Mitteilhaber über die Affäre gesagt haben mögen, nicht zögerte, dem jungen Schauspieler die Eigenwilligkeit und den Verrat zu verzeihen.

Wie vortrefflich hat übrigens Shakespeare das Temperament des Schauspielers gezeichnet! Willie Hughes war einer von denen, »die nicht das tun, was sie am meisten zeigen und andere rührend selbst ungerührt bleiben wie Stein«.

Er konnte Liebe spielen, aber er konnte sie nicht fühlen, er konnte Leidenschaft darstellen, ohne sie zu empfinden.

»Bei vielen liest man gleich, was sich begeben
In Launen, Runzeln, finstrem Angesicht.«

Aber mit Willie Hughes stand es nicht so. »Dich aber«, sagt Shakespeare in einem Sonett voll wilder Anbetung,

»Dich aber hat der Himmel so geschaffen,
Dass süße Liebe stets dein Aug' erfüllt,
Und welche Abgründ' auch im Herzen klaffen,
Dein Blick nur Süßigkeit von dort enthüllt.«

In seinem »unbeständigen Geiste«, in seinem »falschen Herzen« war es leicht, die Unaufrichtigkeit und den Verrat zu erkennen, die gewissermaßen unzertrennlich sind von der künstlerischen Natur, ebenso wie die Sehnsucht nach unmittelbarer Anerkennung, die alle Schauspieler kennzeichnet. Und doch war Willie Hughes darin glücklicher als andere Schauspieler, denn er sollte einen Hauch der Unsterblichkeit verspüren. Untrennbar verknüpft mit Shakespeares Stücken war es ihm bestimmt, in ihnen zu leben.

»Dein Name wird fortan unsterblich leben;
Ich, einmal tot, sterb' ab für alle Zeit;
Mir wird die Erd' ein Grab wie andern geben;
Dir ist der Nachwelt Aug' als Gruft geweiht.
Mein feines Lied wird dann dein Grabmal sein,
Und unerschaffne Augen werden's lesen:
Ruhm, der erst sein wird, preist dereinst dein Sein,
Wann alle Atmer dieser Zeit verwesen.«

Dann waren da endlose Anspielungen auf Willie Hughes' Macht über die Zuhörer, die Gaffer, wie Shakespeare sie nennt. Aber vielleicht die vollkommenste Schilderung seiner wunderbaren Beherrschung der dramatischen Kunst steht in der »Klage der Liebenden«, wo Shakespeare von ihm sagt:

Er ist ein Inbegriff von feinen Stoffen,
Die sich in jede Form beliebig fügen;
Bald wild und kühn, bald blass und wie betroffen,
Bald schlau versteckt, bald ungestüm und offen,
Versteht er's stets aufs beste, zu betrügen,
Ihm stehen Schamrot, Ohnmacht, bleicher Schreck
Sogleich zu Diensten, je nach seinem Zweck.
Auf seiner Zunge wachten oder schliefen
Die Gründe zur Entscheidung schwerer Fragen,
Sein Blick durchmaß im Nu des Denkens Tiefen,
Er wusste rasch das rechte Wort zu sagen;
Der Hörer weinte, lachte vor Behagen,
Wie's ihm gefiel, denn seines Geistes Kraft
Beherrschte spielend jede Leidenschaft[1].

Einmal glaubte ich auch, dass ich wirklich Willie Hughes in der Literatur der elisabethanischen Zeit gefunden hätte. In einer wundervollen plastischen Schilderung der letzten Tage des großen Grafen Essex erzählt uns sein Kaplan Thomas Knell, dass der Graf in der Nacht, bevor er starb, »William Hews« rufen ließ, seinen Musiker, damit er auf dem Spinett spiele und singe. »Spiele«, sagte er, »mein Lied, Will Hews, und ich will selbst es singen.« Das tat er denn auch mit großer Freudigkeit, »nicht wie ein klagender Schwan, der niederwärts blickend seinen Tod beklagt, sondern wie eine süße Lerche, die ihre Flügel hebt und die Augen aufschlägt zu Gott, und so schwang er empor zum kristallnen Himmel und erreichte mit nimmermüdem Gesang die blaue Höhe.« Gewiss war der Knabe, der vor dem sterbenden Vater von Sidneys Stella Spinett spielte, kein anderer als Willie Hughes, dem Shakespeare die Sonette widmete und der, wie er selbst sagt, »Musik dem Ohre war«. Aber Lord Essex starb 1576, als Shakespeare erst 12 Jahre alt war. Sein Musiker konnte unmöglich mit dem W. H. der Sonette identisch sein. Vielleicht war Shakespeares junger Freund der Sohn des Spinettspielers.

---

1 Übersetzung von Wilhelm Jordan.

Es war immerhin etwas, entdeckt zu haben, dass William Hews ein elisabethanischer Name war. In der Tat schien der Name Hews mit Musik und Bühne eng verknüpft zu sein. Die erste englische Schauspielerin war die reizende Margaret Hews, die Prinz Rupert so toll liebte. Was ist wahrscheinlicher, als dass zwischen ihr und Lord Essex' Musiker der Schauspielerknabe der Shakespearestücke stand? Aber wo waren die Beweise, die Verbindungsglieder? Ich konnte sie leider nicht finden. Es schien mir, als stünde ich immer an der Schwelle der vollkommenen Aufklärung, aber ich konnte sie niemals wirklich fassen.

Meine Gedanken schweiften bald von Willie Hughes' Leben zu seinem Tode. Ich grübelte oft darüber, wie wohl sein Ende gewesen sein könnte.

Vielleicht war er einer jener englischen Komödianten, die 1604 übers Meer nach Deutschland gingen und vor dem großen Herzog Heinrich Julius von Braunschweig spielten, der selbst ein Dramatiker von nicht geringem Range war, und am Hofe jenes seltsamen Kurfürsten von Brandenburg, der so für Schönheit schwärmte, dass er von einem reisenden griechischen Kaufmann dessen Sohn um sein Gewicht in Bernstein gekauft und zu Ehren seines Sklaven Feste gegeben haben soll, das ganze schreckliche Jahr 1606/07 hindurch, als das Volk vor Hunger auf den Straßen dahinstarb und sieben Monate lang kein Regen fiel. Wir wissen auf jeden Fall, dass Romeo und Julia 1613 in Dresden herauskam, gleichzeitig mit Hamlet und König Lear, und gewiss ward niemand anderem als Willie Hughes im Jahre 1616 die Totenmaske von Shakespeare durch einen Herrn aus dem Gefolge des englischen Botschafters gebracht, ein bleiches Abschiedszeichen des großen Dichters, der ihn so heiß geliebt hatte. Es hätte in der Tat etwas besonders Bestrickendes in dem Gedanken gelegen, dass der jugendliche Schauspieler, dessen Schönheit ein so starkes Lebenselement in dem Realismus und der Romantik von Shakespeares Kunst gewesen war, zuerst den Samen der neuen Kultur nach Deutschland brachte und so in seiner Weise der Vorläufer jener Aufklärung oder Erleichterung des 18. Jahrhunderts war, jener glänzenden Bewegung, die, wenn auch von Lessing und Herder begonnen und von Goethe zur höchsten und vollkommenen Höhe gebracht, in nicht geringem Maße von einem anderen Schauspieler, nämlich Friedrich Schröder, gefördert wurde, der das Volksbewusstsein erweckte und durch die Mittel gespielter Leidenschaften und szenischer Darstellungen die intime und lebendige Verbindung zwischen Literatur und Leben aufzeigte. War dem so – und gewiss sprach nichts unbedingt dagegen, so war es nicht unwahrscheinlich, dass Willie Hughes einer jener englischen Komödianten war (mimae quidam ex Britannia, wie die alte Chronik sie nennt), die in Nürnberg bei einem plötzlichen Volksaufstand erschlagen und dann heimlich in einem kleinen Weinberge außerhalb der Stadt von einigen jungen Leuten begraben wurden, »die Vergnügungen gefunden an ihren Darbietungen und von denen einige Unterricht in den Geheimnissen der neuen Kunst gesucht hatten«. Gewiss konnte für den, von dem Shakespeare gesagt hatte, »du bist meine ganze Kunst«, kein passenderer Begräbnisort gefunden werden, als dieser kleine Weinberg vor den Stadtmauern. Entsprang nicht auch die Tragödie den Leiden des Dionysos? Klang nicht das helle Gelächter der Komödie mit seiner sorglosen Fröhlichkeit und seinen schlagfertigen Antworten zuerst von den Lippen sizilianischer Winzer, gaben nicht die purpurnen und roten Flecken des schäumenden Weines auf Gesicht und Gliedern die erste Anregung zu dem Reiz und Zauber, der in der Verkleidung liegt? Zeigte sich nicht auf diese Weise der Wunsch, sein Selbst zu verbergen, der Sinn für den Wert der Objektivität, in den rohen Anfängen der Kunst? Wo immer aber er auch begraben lag, ob in dem kleinen Weinberge vor dem Tore der gotischen Stadt oder in irgendeinem dunklen Londoner Kirchhof, mitten im Lärm und Treiben unserer großen Stadt, kein schimmerndes Denkmal bezeichnet die Stätte seines Friedens. Sein wahres Grab, wie Shakespeare erkannte, war der Vers des Dichters, sein wahres Denkmal die Unsterblichkeit des Dramas. So war es mit andern gewesen, deren Schönheit ihrer Zeit schöpferische Impulse gab. Der elfenbeinerne Körper des bythinischen Sklaven modert im grünen Schlamme des Nils. Und auf den gelben Hügeln des Kerameikos ward die Asche des jungen Atheners ausgestreut. Aber Antinous lebt in der Bildhauerkunst und Charmides in der Philosophie.

III.

Als drei Wochen verstrichen waren, entschloss ich mich, Erskine energisch zu mahnen, dem Andenken Cyril Grahams Gerechtigkeit widerfahren zu lassen und der Welt seine wunderbare Deutung der Sonette vorzutragen, die einzige Deutung, die das Problem vollständig löse. Ich habe leider keine Abschrift meines Briefes mehr, noch war ich imstande, des Originals habhaft zu werden; aber ich erinnere mich, dass ich die ganze Sache durchging und Bogen über Bogen mit der leidenschaftlichen Wiederholung aller Argumente und Beweise füllte, die meine Nachforschungen mir eingegeben hatten. Es schien mir, als ob ich nicht nur Cyril Graham den ihm gebührenden Platz in der Literaturgeschichte anweise, sondern als ob ich auch die Ehre Shakespeares von der langweiligen Erinnerung an eine platte Intrige reinige. Ich gab meiner ganzen Begeisterung in dem Briefe Ausdruck. Ich legte meinen ganzen Glauben hinein.

Aber kaum hatte ich ihn tatsächlich abgeschickt, als eine merkwürdige Reaktion über mich kam. Es war mir, als hätte ich meine Fähigkeit, an die Willie-Hughes-Theorie der Sonette zu glauben, von mir gegeben, als wäre etwas gleichsam von mir fortgegangen und als wäre mir die ganze Sache nun vollständig gleichgültig. Was war denn geschehen? Es ist schwer zu sagen. Vielleicht hatte ich eine Leidenschaft erschöpft, indem ich den vollständigen Ausdruck dafür gefunden hatte. Gefühlskräfte haben wie die Kräfte des physischen Lebens ihre bestimmten Grenzen. Vielleicht bringt die bloße Anstrengung, einen anderen zu einer Theorie zu bekehren, in irgendeiner Form den Verzicht auf die Kraft des Glaubens mit sich. Vielleicht war ich bloß der ganzen Sache müde und mein Verstand war wieder fähig, leidenschaftslos zu urteilen, nachdem die Begeisterung ausgebrannt war. Sei dem wie immer, es kam so und ich kann es nicht erklären; jedenfalls wurde Willie Hughes plötzlich für mich ein bloßer Mythos, ein müßiger Traum, die kindische Fantasie eines jungen Mannes, dem es wie den meisten Feuergeistern mehr darum zu tun war, andere zu überzeugen als selbst überzeugt zu werden.

Da ich Erskine in meinem Briefe einige ungerechte und harte Dinge gesagt hatte, so entschloss ich mich, ihn sofort zu besuchen und mich bei ihm wegen meines Benehmens zu entschuldigen. Ich fuhr also am nächsten Morgen nach Birdcage Walk und fand Erskine in seinem Bibliothekszimmer, das falsche Bild Willie Hughes' vor sich.

»Mein lieber Erskine«, rief ich, »ich komme, mich bei Ihnen zu entschuldigen.«

»Sich zu entschuldigen?«, sagte er. »Wofür?«

»Wegen meines Briefes«, antwortete ich.

»In Ihrem Briefe steht nichts, was Sie nicht hätten sagen sollen«, sagte er. »Im Gegenteil, Sie haben mir den größten Dienst erwiesen, der in Ihrer Macht lag. Sie haben mir gezeigt, dass Cyril Grahams Theorie vollkommen richtig ist.«

»Sie wollen doch damit nicht etwa sagen, dass Sie an Willie Hughes glauben?«, rief ich aus.

»Warum nicht?«, entgegnete er. »Sie haben mir die Sache bewiesen. Glauben Sie, ich kann den Wert von Beweisen nicht schätzen?«

»Aber es gibt ja überhaupt keinen Beweis!«, stöhnte ich und sank in einen Sessel. »Als ich Ihnen schrieb, stand ich unter dem Einfluss einer ganz törichten Begeisterung. Die Geschichte von Cyril Grahams Tod hatte mich gerührt, seine romantische Theorie hatte mich geblendet, das Wunderbare und Eigenartige der ganzen Idee hatte mich eingesponnen. Jetzt sehe ich, dass die ganze Theorie auf einer Täuschung aufgebaut ist. Der ganze Beweis für das Dasein von Willie Hughes ist das Bild von Ihnen, und dieses Bild ist eine Fälschung. Lassen Sie sich doch nicht durch ein bloßes Gefühl in dieser Sache hinreißen. Was auch die Romantik zu der Willie-Hughes-Theorie zu sagen haben mag, die Vernunft hat nichts damit zu schaffen.«

»Ich verstehe Sie nicht«, sagte Erskine und schaute mich ganz verblüfft an. »Sie haben mich durch Ihren Brief überzeugt, dass Willie Hughes tatsächlich gelebt hat. Warum haben Sie Ihre Ansicht geändert? Oder war alles, was Sie mir gesagt haben, nur ein Scherz?«

»Ich kann es Ihnen nicht erklären«, sagte ich. »Aber ich sehe jetzt ein, dass zugunsten von Cyril Grahams Theorie gar nichts vorgebracht werden kann. Die Sonette sind an Lord Pembroke gerichtet. Verlieren Sie um Gottes willen Ihre Zeit nicht mit dem törichten Versuch, einen jungen Schauspieler aus der elisabethanischen Zeit zu entdecken, der niemals gelebt hat, und aus dem Phantom einer Puppe den Mittelpunkt der Shakespeareschen Sonette zu machen.«

»Ich sehe, dass Sie die Theorie nicht verstehen!«, antwortete er.

»Mein lieber Erskine«, rief ich, »ich sollte sie nicht verstehen ? Mir ist, als wäre sie aus meinem Kopf hervorgegangen. Gewiss hat Ihnen mein Brief gezeigt, dass ich nicht bloß die ganze Sache durchgesehen habe, sondern dass ich Beweise jeder Art beibrachte. Die einzige Lücke in der Hypothese ist der Umstand, dass sie die Existenz einer Person voraussetzt, deren Existenz eben der Gegenstand des Streites ist. Wenn wir zugeben, dass es in Shakespeares Truppe einen jungen Schauspieler namens Willie Hughes gegeben hat, so ist es nicht schwer, ihn zum Mittelpunkt der Sonette zu machen. Da wir aber wissen, dass es keinen Schauspieler dieses Namens am Globe-Theater gab, so ist es müßig, die Sache weiter zu verfolgen.«

»Aber das ist ja gerade, was wir nicht wissen«, sagte Erskine. »Es ist vollkommen richtig, dass sein Name in der Liste der ersten Folioausgabe nicht vorkommt. Aber wie Cyril ausführte, ist es eher ein Beweis für die Existenz von Willie Hughes als gegen sie, wenn wir uns erinnern, wie verräterisch er Shakespeare wegen eines dramatischen Nebenbuhlers verlassen hat.«

Wir debattierten stundenlang, aber nichts, was ich sagte, konnte Erskines Glauben an Cyril Grahams Hypothese erschüttern. Er sagte mir, dass er die Absicht habe, sein Leben dem Beweis der Theorie zu widmen, dass er entschlossen sei, dem Andenken Cyril Grahams Gerechtigkeit widerfahren zu lassen. Ich beschwor ihn, lachte ihn aus, ich bat, ich flehte, alles umsonst. Endlich schieden wir, nicht gerade im Bösen, aber sicherlich mit dem Schatten einer Verstimmung zwischen uns. Er hielt mich für einfältig, ich ihn für töricht. Als ich ihn wieder besuchte, sagte mir sein Diener, er sei nach Deutschland gereist.

Zwei Jahre später übergab mir der Portier in meinem Klub einen Brief mit einer ausländischen Postmarke. Er war von Erskine und im Hotel d'Angleterre in Cannes geschrieben. Als ich ihn gelesen hatte, war ich starr vor Schrecken, wenn ich auch nicht glaubte, dass er toll genug sein könnte, sein Vorhaben auszuführen. Der Kern des Briefes war, dass er auf jede Weise versucht habe, die Willie-Hughes-Theorie zu beweisen und dass ihm dies missglückt sei. Und da Cyril Graham sein Leben für die Theorie geopfert habe, so sei er auch entschlossen, sein eigenes Leben für dieselbe Sache hinzugeben. Die letzten Worte des Briefes lauteten folgendermaßen: »Ich glaube immer noch an Willie Hughes. Wenn Sie diesen Brief erhalten, werde ich durch eigene Hand für die Sache Willie Hughes gestorben sein: für seine Sache und für die Sache von Cyril Graham, den ich durch meinen leichtsinnigen Zweifel und meinen törichten Mangel an Glauben in den Tod getrieben habe. Die Wahrheit war Ihnen einst offenbar, und Sie haben sie verworfen. Sie steht nun wieder vor Ihnen, befleckt mit dem Blut von zwei Menschen – wenden Sie sich nicht von ihr ab.«

Es war ein schrecklicher Augenblick. Mich lähmte das Grauen, und doch konnte ich es nicht glauben. Der schlimmste Gebrauch, den ein Mensch von seinem Leben machen kann, ist, es für seinen theologischen

Glauben zu opfern. Aber für einen literarischen Glauben zu sterben? Es schien mir unmöglich.

Ich sah das Datum an. Der Brief war eine Woche alt. Ein unglückseliger Zufall hatte mich verhindert, einige Tage in den Klub zu gehen, sonst hätte ich den Brief noch rechtzeitig erhalten, um Erskine retten zu können. Vielleicht war es noch nicht zu spät. Ich eilte nach Hause, packte meine Sachen und fuhr mit dem Nachtzug von Charing Cross ab. Die Reise war unerträglich. Ich glaubte, sie würde gar kein Ende nehmen.

Kaum war ich angekommen, so fuhr ich in das Hotel d'Angleterre. Man sagte mir, dass Erskine zwei Tage vorher auf dem englischen Friedhof begraben worden sei. Es lag etwas furchtbar Groteskes über der ganzen Tragödie. Ich sprach allerlei wildes Zeug, und die Leute in der Halle blickten mich neugierig an.

Plötzlich kam Lady Erskine in tiefer Trauer durch die Vorhalle. Als sie mich sah, kam sie auf mich zu, murmelte etwas über ihren armen Sohn und brach in Tränen aus. Ich führte sie auf ihr Zimmer. Ein älterer Herr erwartete sie dort. Es war der englische Arzt. Wir sprachen viel von Erskine, aber ich sagte nichts über die Motive, die ihn zum Selbstmord getrieben hatten. Es war klar, dass er seiner Mutter nicht gesagt hatte, was ihn zu einer so furchtbaren und tollen Tat getrieben habe. Endlich stand Lady Erskine auf und sagte: »George hat Ihnen etwas zur Erinnerung hinterlassen. Etwas, was er sehr hoch schätzte. Ich hole es Ihnen.«

Kaum hatte sie das Zimmer verlassen, so wandte ich mich zum Arzt und sagte: »Welch ein furchtbarer Schlag muss das für Lady Erskine gewesen sein. Ich wundere mich, dass sie es so trägt.«

»Oh, sie wusste seit Monaten, was kommen musste«, antwortete er.

»Sie wusste es seit Monaten?«, rief ich aus. »Aber warum hinderte sie ihn nicht? Warum ließ sie ihn aus dem Auge? Er muss ja wahnsinnig gewesen sein!«

Der Arzt starrte mich an. »Ich weiß nicht, was Sie meinen«, sagte er.

»Wie«, rief ich aus, »wenn eine Mutter weiß, dass ihr Sohn im Begriffe ist, einen Selbstmord zu begehen –«

»Selbstmord?«, antwortete er. »Der arme Erskine hat keinen Selbstmord begangen. Er starb an Auszehrung. Er kam her, um zu sterben. Gleich wie ich ihn sah, wusste ich, dass keine Hoffnung war. Eine Lunge war fast ganz aufgezehrt, und die andere war sehr stark angegriffen. Drei Tage vor seinem Tode fragte er mich, ob ich noch Hoffnung hätte. Ich sagte ihm aufrichtig, wie die Sache stünde und dass er nur einige Tage zu leben habe. Er schrieb einige Briefe, war ganz gefasst und blieb bis zum Ende bei Bewusstsein.«

In diesem Augenblick trat Lady Erskine ins Zimmer, mit dem unglückseligen Bilde von Willie Hughes in der Hand. »Als Georg im Sterben lag, bat er mich, Ihnen dies zu geben«, sagte sie. Als ich das Bild entgegennahm, fiel ihre Träne auf meine Hand.

Das Bild hängt jetzt in meinem Bibliothekszimmer, und meine künstlerischen Freunde bewundern es sehr. Sie sind übereingekommen, dass es kein Clouet ist, sondern ein Luvry. Ich habe ihnen die wahre Geschichte des Bildes nie erzählt. Aber manchmal, wenn ich es betrachte, glaube ich doch, dass sich noch manches für die Willie-Hughes-Theorie der Shakespeareschen Sonette sagen ließe.

De Profundis

Widmung an den deutschen Herausgeber

MY DEAR DR. MEYERFELD, – It is a great pleasure to dedicate this new edition of *De Profundis* to yourself. But for you I do not think the book would have ever been published. When first you asked me about the manuscript which you heard Wilde wrote in prison, I explained to you vaguely that some day I hoped to issue portions of it, in accordance with the writer's wishes; though I thought it would be premature to do so at that moment. You begged however that Germany (which already held Wilde's plays in the highest esteem) should have the opportunity of seeing a new work by one of her favourite authors. I rather reluctantly consented to your proposal; and promised, at a leisured opportunity, to extract such portions of the work as might be considered of general public interest. I fear that I postponed what was to me a rather painful task; it was only your visits and more importunate correspondence (of which I frankly began to hate the sight) that brought about the fulfilment of your object. There was no idea of issuing the work in England; but after despatching to you a copy for translation in *Die neue Rundschau*, it occurred to me that a simultaneous publication of the original might gratify Wilde's English friends and admirers who had expressed curiosity on the subject. The decision was not reached without some misgiving, for reasons which need only be touched upon here. Wilde's name unfortunately did not bring very agreeable memories to English ears: his literary position, hardly recognised even in the zenith of his successful dramatic career, had come to be ignored by Mr. Ruskin's countrymen, unable to separate the man and the artist; how rightly or wrongly it is not for me to say. In Germany and France, where tolerance and literary enthusiasm are more widely distributed, Wilde's works were judged independently of the author's career, *Salomé*, prohibited by the English censor in the author's lifetime, had become part of the repertoire of the European stage, long before the finest of all his dramas inspired the great opera of Dr. Strauss; whilst the others, performed occasionally in the English provinces without his name, were still banned in the London theatres. His great intellectual endowments were either denied or forgotten. Wilde (who in *De Profundis* exaggerates his lost contemporary position in England and shows no idea of his future European reputation) gauges fairly accurately the nadir he had reached when he says that his name was become a synonym for folly.

In sending copy to Messrs. Methuen (to whom alone I submitted it) I anticipated refusal, as though the work were my own. A very distinguished man of letters who acted as their reader advised, however, its acceptance, and urged, in view of the uncertainty of its reception, the excision of certain passages, to which I readily assented. Since there has been a demand to see these passages already issued in German, they are here replaced along with others of minor importance. I have added besides some of those letters written to me from Reading, which though they were brought out by you in Germany, I did not, at first, contemplate publishing in this country. They show Wilde's varying moods in prison. Owing to a foolish error in transcription, I sent you these letters with wrong dates – dates of other unpublished letters. The error is here rectified. By the courtesy of the editor and the proprietors of the *Daily Chronicle* I have included the two remarkable contributions to their paper on the subject of prison life: these and *The Ballad of Reading Gaol* being all that Wilde wrote after his release other than private correspondence. The generous reception accorded to *De Profundis* has justified the preparation of a new and fuller edition. The most sanguine hopes have been realised; English critics have shown themselves ready to estimate the writer, whether favourably or unfavourably, without emphasising their natural prejudice against his later career, even in reference to this book where the two things occasion synchronous comment. The work has met of course with some severe criticisms, chiefly from >narrow natures and hectic-brains<.

But in justice to the author and myself there are two points which I ought to make clear: the title *De Profundis*, against which some have cavilled, is, as you will remember from our correspondence, my own; for this I do not make any apology. Then, certain people (among others a well-known French writer) have paid me the compliment of suggesting that the text was an entire forgery by myself or a *cento* of Wilde's letters to myself. Were I capable either of the requisite art, or the requisite fraud, I should have made a name in literature ere now. I need only say here that *De Profundis* is a manuscript of eighty close-written pages on twenty folio sheets; that it is cast in the form of a letter to a friend not myself; that it was written at intervals during the last six months of the author's imprisonment on blue stamped prison foolscap paper. Reference to it and directions in regard to it occur in the letters addressed to myself and printed in this volume. Wilde handed me the document on the day of his release; he was not allowed to send it to me from prison. With the exception of Major Nelson, then Governor of Reading, myself and a confidential typewriter, no one has read the whole of it. Contrary to a general impression, it contains nothing scandalous. There is no definite scheme or plan in the work; as he proceeded the writer's intention obviously and constantly changed; it is desultory; a large portion of it is taken up with business and private matters of no interest whatever. The manuscript has, however, been seen and authenticated by yourself by Mr. Methuen, and Mr. Hamilton Fyfe, when editor of *The Daily Mirror*, where a leaf of it was facsimiled.

Editorial egoism has led me to make this introduction longer than was intended, but I must answer one question: both you and other friends have asked why I do not write any life of Wilde. I can give you two reasons: I am not capable of doing so; and Mr. Robert Sherard has ably supplied the deficiency. Mr. Sherard's book contains all the important facts of his career; the errors are of minor importance, except in regard to certain gallant exaggerations about myself. His view of Wilde, however, is not *my* view, especially in reference to the author's unhappiness after his release. That Wilde suffered at times from extreme poverty and intensely from social ostracism I know very well; but his temperament was essentially a happy one, and I think his good spirits and enjoyment of life far outweighed any bitter recollections or realisation of an equivocal and tragic position. No doubt he felt the latter keenly, but he concealed his feeling as a general rule, and his manifestations of it only lasted a very few days. He was, however, a man with many facets to his character; and left in regard to that character, and to his attainments, both before and after his downfall, curiously different impressions on professing judges of their fellowmen. To give the whole man would require the art of Boswell, Purcell or Robert Browning. My friend Mr. Sherard will only, I think, claim the biographical genius of Dr. Johnson; and I, scarcely the talent of Theophrastus. – Believe me, dear Dr. Meyerfeld, yours very truly,

Robert Ross
Reform Club, August 31st, 1907.

Einleitung

Seit Langem war es mein Wunsch, »De Profundis« in neuer deutscher Fassung darzubieten; ich wollte nur die englische Gesamtausgabe der Werke Oscar Wildes abwarten, weil ich von ihr beträchtliche Vermehrungen und, vor allem, den endgültigen Text erhoffte.

Meine (zuerst im Februar 1905 erschienene) Übersetzung, der eine mit der Schreibmaschine hergestellte Kopie zugrunde lag, wich von der (ursprünglich nicht geplanten, dann aber bald darauf veröffentlichten) englischen Ausgabe, besonders in der Gliederung und gelegentlich auch im Wortlaut, recht erheblich ab. Zwei unbestreitbare Vorzüge hatte sie vor dem Text des englischen Buches: Sie gab vielfach – darüber konnte kein Zweifel sein – das Original getreuer wieder, und sie war vollständiger.

Robert Ross, der literarische Testamentsvollstrecker des Dichters, musste im Jahre 1905 auf die in England herrschende Stimmung Rücksicht nehmen. Noch immer war Oscar Wildes Name verpönt, und es ließ sich schwer voraussagen, welchen Empfang ein britisches Publikum diesem persönlichsten Werke des Verfemten bereiten werde. Daher empfahl es sich, heikle Stellen zu streichen oder im Ausdruck zu mildern. Nur wer die Empfindlichkeit der angelsächsischen Lesewelt nicht kennt, wird Ross daraus einen Vorwurf machen. Und der die kühnsten Erwartungen übertreffende Erfolg hat seinem Verfahren recht gegeben: »De Profundis« wurde so einmütig in England begrüßt, wie kein Werk des Autors bei seinen Lebzeiten und ist seitdem wohl in alle europäischen Kultursprachen übersetzt worden.

Daraufhin konnte Ross es wagen, dem unter seiner Leitung herausgegebenen Oeuvre Oscar Wildes (im Verlage von Methuen & Co. in London) ein vermehrtes »De Profundis« einzuverleiben. Nicht nur die früher für Mrs. Grundy unterdrückten, in Deutschland publizierten Abschnitte sind hinzugekommen, sondern auch einige bis dahin unbekannte, sodass der nun vorliegende Text als letzte Fassung seiner Hand zu betrachten ist. Da Ross das alleinige Verfügungsrecht über die Werke seines Freundes besitzt, muss er als oberste Instanz gelten.

Vollständiger ist also »De Profundis« geworden, aber noch weit, weit entfernt von Vollständigkeit. Wir dürften jetzt etwas mehr als ein Drittel des Ganzen haben. Die erste Hälfte fehlt nach wie vor, weil sie sich auf »geschäftliche und Privatangelegenheiten von gar keinem Interesse« beschränken soll; das andre Sechstel verteilt sich auf die veröffentlichten Partien: wo jetzt drei Punkte stehn, ist eine Lücke angedeutet.

Wie die Dinge in England liegen, konnten wir das Ganze nicht erhalten, werden es auch in absehbarer Zeit nicht erhalten. Kein Brite braucht seinen Namen in einem für ihn unerfreulichen Zusammenhang drucken zu lassen; er kann, wenn er über die nötigen Mittel verfügt, eine Beleidigungsklage gegen den Urheber des Dokuments oder seinen Bevollmächtigten anstrengen. Es wäre pekuniärer Selbstmord gewesen, hätte sich Ross solcher Gefahr ausgesetzt. Er war einfach gezwungen, eine Auswahl zu treffen, bei der sein Taktgefühl das entscheidende Wort zu sprechen hatte. So bedauerlich eine derartige Kürzung vom psychologischen Standpunkt aus sein mag, so begreiflich, ja notwendig ist sie vom praktischen. Noch leben die meisten dramatis personae. Es lebt Lord Alfred Douglas; es leben die beiden Söhne Wildes; es leben die Freunde; es leben die mit Namen angeführten englischen Schriftsteller. Da war Vorsicht geboten, hieß es Rücksichten nehmen, nach den verschiedensten Seiten hin. Mag Ross dem Ideal eines philologischen Herausgebers nicht entsprechen, die Beteiligten werden ihn als das Ideal eines taktvollen Menschen rühmen.

In Deutschland denkt man zum Glück über solche Fragen etwas freier. Ich konnte mich ungehemmter bewegen und habe deshalb keine Bedenken getragen, überall da, wo ich Striche aufmachen und Anfangsbuchstaben erraten konnte, den vollen Namen hinzusetzen. Die Engländer werden es mir schwerlich danken; trotzdem hielt ich es für meine Pflicht, nichts zu verschweigen.

Auch dem Text der englischen Gesamtausgabe vermochte ich nicht durchgehend zu folgen, so sehr ich im Allgemeinen bemüht war, mich ihm anzuschließen. Bei genauer Vergleichung des Buches und meiner Vorlage kam ich häufig zu dem Schluss, dass in ihr das steht, was Wilde wirklich geschrieben hat, während Robert Ross, sicher von den besten Absichten geleitet, im Buche mitunter kleine Retuschen vornehmen zu müssen glaubte. Es sind nicht allzu viele Stellen, und die Stellen sind nicht allzu wichtig; immerhin scheint es mir wichtig genug, im Interesse eines fantasielosen englischen Dramatikers und seines fantasieloseren deutschen Verhunzers darauf hinzuweisen.

Erst jetzt rückt das Werk in die rechte Beleuchtung, wo es als Brief kenntlich wird. »De Profundis« oder das, was wir »De Profundis« zu nennen pflegen, ist ein Brief, so gut wie die hier mitgeteilten Briefe an Robert Ross: ein Brief Oscar Wildes aus dem Zuchthaus in Reading an seinen Freund Lord Alfred Douglas; ein sehr langer Brief allerdings von achtzig eng beschriebenen Seiten, aber doch seinem ganzen Charakter nach ein Brief. Und dass sein Verfasser ihn als solchen empfunden, zeigt der von ihm vorgeschlagene Titel »Epistola: in Carcere et Vinculis«. Da ihn Wilde selbst gewählt hat (vgl. S. 142), entschloss ich mich, ihn beizubehalten, obwohl sich »De Profundis« schon eingebürgert hat. Für den ganzen Band habe ich den Rossschen Titel akzeptiert, während ich für das sogenannte »De Profundis« zu dem rechtmäßigen Wildeschen Titel »Epistola« zurückgekehrt bin.

Als Oscar Wilde den Brief zu schreiben begann, dachte er nicht an eine Veröffentlichung. Es war ein Privatbrief mit »wechselvollen, unsicheren Stimmungen«. Erst allmählich, da er wieder Freude am Darstellen gewann, kam ein Plan hinein, während der Anfang noch ganz unzusammenhängend ist. Und indem die alte Kunst des Gestaltens wieder erwachte, tauchte auch wohl der Gedanke auf, den Brief nicht nur als intime Aussprache mit dem Adressaten gelten zu lassen, sondern wenige erlesene Freunde in einen Teil seines Inhalts einzuweihn. So viel aber steht fest: von vornherein vorgesehn war eine Publikation nicht.

Dies sollte man bei der Beurteilung des Werkes nie außer Acht lassen. Etliche Kritiker haben innere Widersprüche festgestellt und den Schreiber, im Hinblick auf sein späteres Leben, der Unaufrichtigkeit geziehn. Wilde hat einen solchen Standpunkt im »Dorian Gray« als typisch englisch bezeichnet (was deutsche Rezensenten nicht hinderte, in das gleiche Horn zu blasen); dort sagt er durch den Mund seines Lord Henry: »Der Wert einer Idee hat nicht das Geringste mit der Aufrichtigkeit dessen zu tun, der sie äußert.« Und was von einer Idee gilt, lässt sich auch von einem Buche behaupten. Gleichwohl braucht man sich diesen Satz nicht anzueignen, um den, der ihn ausgesprochen, gegen den Vorwurf der Unaufrichtigkeit zu schützen. Es versteht sich von selbst, dass die Stimmung des Gefangnen heftigen Schwankungen unterworfen war. Hoffnung und Verzweiflung lösten sich beständig bei ihm ab. Heute schien er zu wissen, wie er sein künftiges Leben gestalten solle, morgen erfasste ihn wieder Mutlosigkeit. Der Brief ist eben im Gefängnis geschrieben, wo – außer Sokrates – nicht allzu viele Philosophen den Gleichmut der Seele bewahren dürften, ist vor allem in größeren Zwischenräumen geschrieben. Wilde hatte zu Empörendes durchgemacht und litt noch zu sehr, um das stoische Gut der *αταραξια* zu besitzen; und fortwährend stürmten neue Unannehmlichkeiten von der Außenwelt auf ihn ein. Er hätte mit Shakespeares Leonato den Einwänden seiner Kritiker entgegenhalten können:

»Nein! Nein! Stets war's der Brauch, Geduld zu rühmen
Dem Armen, den die Last des Kummers beugt:
Doch keines Menschen Kraft noch Willensstärke
Genügte solcher Weisheit, wenn er selbst
Das gleiche duldete ...
Denn noch bis jetzt gab's keinen Philosophen,
Der mit Geduld das Zahnweh könnt' ertragen.«

Im Gefängnis hörte der Selbstbetrug auf.

Da starrte den Elenden meist nur das Elend an. Wenn Wilde einmal das, was er schrieb, glaubte, so war es hier. Eine andre Frage ist freilich, ob er es noch glaubte, als ihm die Freiheit wiedergeschenkt wurde, als ihn das Leben wieder in seinen Strudel gezogen hatte. »Das Denken ist für die, die allein, stumm und in Fesseln dasitzen, kein ›geflügeltes, lebendiges Wesen‹, wie Plato es sich vorstellte«[1], schrieb er, als er noch ein halbes Jahr Kerkerhaft vor sich hatte. Ganz anders schon klingt es, wenn er zwei Monate vor seiner Entlassung nicht mehr daran erinnern zu müssen glaubte, »was für ein flüssiger Körper das Denken bei mir – bei uns allen – ist«. Wär' es anders gewesen, er hätte vielleicht Talent zum »Kirchendiener«, aber nicht zum Dichter gehabt.

Gewiss, sein beklagenswertes Leben nach Reading scheint die »Epistola: in Carcere et Vinculis« Lügen zu strafen; scheint es, denn was ist uns eigentlich bis jetzt von diesem späteren Leben bekannt, abgesehn von ein paar kahlen Tatsachen? Und diese beweisen nicht die Unaufrichtigkeit der Epistel, sondern zeigen nur, dass das Leben eine irrationale Zahl ist, die noch kein Mensch zu berechnen vermochte, dass es mit seiner furchtbaren Wirklichkeit alles, was ein armes Menschenhirn ersinnt, im Nu hinwegbläst. So hat es auch in einem Augenblick all das zertrümmert, was Oscar Wilde in langen Monaten aufgebaut hatte. Gerade darin besteht aber der Reiz des Werkes. Wäre es Wilde vergönnt gewesen, seine guten Vorsätze zu verwirklichen, nach Reading Kunstwerke zu schaffen und zur alten Höhe hinanzusteigen: »In Carcere et Vinculis« wäre nur eine traurige, aber keine tragische Schrift.

Und man darf ferner nicht vergessen, dass die Epistel an einen feingebildeten Menschen, selbst einen Dichter von außerordentlicher Begabung, gerichtet ist. Das erklärt ihren »artistischen« Ton. Oscar Wilde, der Schüler und Verehrer Walter Paters, kann sich nicht einmal im Gefängnis so weit verleugnen, dass er die Welt der Schatten, will sagen: die Kunst, die er so geliebt, verleugnet. Er ist bemüht, »auch dieser Existenz

---

1 Plato sagt im »Phaidros« von der Seele, sie sei ein lebendiges, geflügeltes Wesen.

in Elend und Schande einen Stil zu geben, sie aus der blöden Zufälligkeit der Schicksalstücke durch vertiefende Deutung herauszuheben, dass selbst sie sinnvoll werde und eine Vollendung für das Gesamtkunstwerk seines Seins«. Darum langweilt er den Freund nicht mit seinen schaurigen Erlebnissen im Zuchthaus, sondern er sucht sie.

Epistola: in carcere et vinculus

... und mein Platz wäre zwischen Gilles de Retz und dem Marquis de Sade.[2]

---

2 »My place would be between Gilles de Retz and the Marquis de Sade«. So lautet jetzt der erste Satz in der neuen englischen Ausgabe. Dass er unvollständig ist, zeigt schon grammatikalisch das ›would be‹. Tatsächlich hat Wilde an Alfred Douglas geschrieben: »In a letter to Robbie I said that you were the infant Samuel, and that my place would be between Gilles de Retz and the Marquis de Sade.« Er zitiert also eine Stelle aus dem zweiten – von mir ›November 1896‹ – datierten Brief an Robert Ross. Schon daraus ginge deutlich hervor, dass der uns bekannt gegebene Teil der »Epistola: in Carcere et Vinculis« nicht vor November 1896 geschrieben sein könnte. Wann Wilde mit ihr begonnen hat, lässt sich aufgrund innerer Kriterien erst durch Einsichtnahme des ganzen Werkes feststellen. Ob er nun, wie Ross angibt, sechs Monate oder, wie Ingleby in seiner Biografie (p. 75) schreibt, drei Monate dazu gebraucht hat, der uns vorliegende Teil der »Epistola« kann nicht vor 1897 abgefasst sein, Wilde spricht von Dingen, die sich ›in der ersten November-Hälfte des vorletzten Jahres‹ zugetragen haben, d. h. November 1895, und fährt fort: »Eine Woche später schafft man mich hierher.« Wie er erzählt, hat die Überführung von Wandsworth – einem südwestlichen Vororte Londons – nach Reading – einem lieblichen Themsestädtchen auf halbem Wege zwischen London und Oxford – am 13. November 1895 stattgefunden. Abermals drei Monate später wird dann der Tod der Mutter verzeichnet: Lady Wilde ist am 3. Februar 1896 gestorben. Die chronologischen Angaben stimmen also durchaus, so schwer es anfänglich infolge der Lücken scheint, sich in ihnen zurechtzufinden. Gilles de Retz (eigentlich: Gilles de Laval, Baron de Retz, c. 1396-1440) focht an der Seite der Jungfrau von Orleans gegen die Engländer und erhielt für seine Tapferkeit den Marschallstab. Überverschuldet zog er sich auf sein Schloss bei Nantes zurück, wo er mehrere Hundert Kinder geschändet haben soll. Er wurde zum Flammentod verurteilt, jedoch vorher erwürgt. (Vgl. die Romane »Vathek« von William Beckford und »Là-Bas« von Huysmans, wo der Schrift-

So ist es wohl am besten. Ich will mich nicht darüber beklagen. Eine der vielen Lehren, die man dem Gefängnis verdankt, ist die: dass die Dinge sind, was sie sind, und es in alle Zukunft bleiben werden. Ich zweifle auch nicht im Geringsten daran, dass der mittelalterliche Wüstling und der Verfasser der »Justine« bessere Gesellschafter sind als Sandford und Merton ...[3]

All das hat sich in der ersten Novemberhälfte des vorletzten Jahres zugetragen. Ein breiter Lebensstrom fließt zwischen mir und einem so entfernten Zeitpunkt. Kaum, wenn überhaupt, kannst Du einen so weiten Zwischenraum überblicken. Mir aber kommt es vor, als wär' es mir, ich will nicht sagen: gestern, nein, heute zugestoßen. Leiden ist ein sehr langer Augenblick. Es lässt sich nicht nach Jahreszeiten abteilen. Wir können nur seine Stimmungen aufzeichnen und ihre Wiederkehr buchen. Für uns schreitet die Zeit selbst nicht fort. Sie dreht sich. Sie scheint um einen Mittelpunkt zu kreisen: den Schmerz. Die lähmende Unbeweglichkeit eines Lebens, das in allem und jedem nach einer unverrückbaren Schablone geregelt ist, sodass wir essen und trinken und spazieren gehn und uns hinlegen und beten oder wenigstens zum Gebet niederknien nach den unabänderlichen Satzungen einer eisernen Vorschrift: Diese Unbeweglichkeit, die jeden Tag mit seinen Schrecken bis auf die kleinste Einzelheit seinem Bruder gleichen lässt, scheint sich den äußern Gewalten mitzuteilen, deren ureignes Wesen der beständige Wechsel ist. Von Saat und Ernte, von den Schnittern, die sich über das Getreide neigen, von den Winzern, die sich durch die Rebstöcke schlängeln, von dem

---

steller Durtal mit einer Studie über den perversen Marschall beschäftigt ist.) Marquis de Sade (Donatien Alphonse Francois, Marquis de Sade, 1740–1814) wurde 1772 wegen Sodomie zum Tode verurteilt, entkam jedoch in die Schweiz; 1777 wegen neuer Ausschweifungen angeklagt, ward er erst 1790 wieder in Freiheit gesetzt. Seine beiden berüchtigtsten Romane sind »Justine ou les malheurs de la vertu« (4 Bde., Paris 1791) und »Juliette ou les bonheurs du vice« (6 Bde., 1798).

3 »The History of Sandford and Merton« von Thomas Day (1748–1789), ein höchst moralisches englisches Kinderbuch, an Popularität vielleicht nur von »Robinson Crusoe« übertroffen.

Gras im Garten, über das sich die weiße Decke der abgefallenen Blüten breitet oder die reifen Früchte ausgestreut sind: davon wissen wir nichts und können nichts wissen.

Für uns gibt es nur eine Jahreszeit: die Jahreszeit des Grams. Die Sonne selbst und der Mond scheinen uns genommen. Draußen mag der Tag in blauen und goldnen Farben leuchten – das Licht, das zu uns hereinkriecht durch das dicht beschlagene Glas des kleinen, mit Eisenstäben vergitterten Fensters, unter dem wir sitzen, ist grau und karg. In unsrer Zelle herrscht stets Zwielicht, in unserm Herzen Mitternacht. Und im Bereich des Denkens stockt, ebenso wie im Kreislauf der Zeit, alle Bewegung. Was Du persönlich längst vergessen hast oder leicht vergessen kannst, trifft mich heut und wird mich morgen wiederum treffen. Das bedenke, und Du vermagst ein wenig zu verstehn, warum ich schreibe und so schreibe ...

Eine Woche später schafft man mich hierher. Drei Monate verstreichen, da stirbt meine Mutter.[4] Du weißt, niemand weiß es besser, wie sehr ich sie geliebt und verehrt habe. Ihr Tod war mir furchtbar; aber ich, einst der Sprache Meister, finde nicht Worte, meinen Kummer und meine Beschämung auszudrücken. Niemals, nicht einmal in den glücklichsten Tagen meiner künstlerischen Entwicklung, wär' ich imstande gewesen, Worte

---

4 Lady Wilde (Jane Francesca Elgee, 1826–1896) war seit 1851 mit dem Dubliner Augen- und Ohrenarzt William Wilde vermählt, der im Jahre 1864 in den Ritterstand erhoben wurde. Schon als Mädchen nahm sie regen Anteil an der politischen Bewegung in Irland und schrieb unter dem Pseudonym Speranza ein Pamphlet, das sie mit der englischen Regierung in Konflikt brachte. Als Schriftstellerin hat sich die exzentrische, aber hochgebildete und vielseitig begabte Frau auf verschiedenen Gebieten betätigt; von ihren Büchern wären zu nennen: »Driftwood from Scandinavia« (1884), »Legends of Ireland« (1886), »Social Studies« (1893). Ihre Gedichte (»Poems by Speranza«) sind vor einigen Jahren in Dublin neu gedruckt worden. Auch als Übersetzerin aus dem Deutschen wirkte sie und übertrug u. a. Wilhelm Meinholds Roman »Sidonia von Bork, die Klosterhexe«. Zuletzt lebte sie in London bei ihrem ältesten Sohne William, 146 Oakley Street in Chelsea; dort ist sie auch, in recht kümmerlichen Verhältnissen, gestorben.

zu finden, die eine so erhabene Last hätten tragen oder wohllautend und hoheitsvoll genug im purpurnen Zuge meines unaussprechlichen Wehs hätten einherschreiten können. Von ihr und meinem Vater hatte ich einen Namen geerbt, dem sie Ruhm und Ehre verschafft, nicht nur in der Literatur, Kunst, Archäologie und Naturwissenschaft, sondern auch in der politischen Geschichte meines Vaterlands, in seiner nationalen Entwicklung. Ich hatte diesen Namen für ewig geschändet. Zu einem gemeinen Schimpfworte bei gemeinen Menschen gemacht. In den Schlamm gezerrt. Rohen Gesellen ausgeliefert, dass sie ihn verrohen lassen durften, Verrückten, dass er ihnen gleichbedeutend mit Verrücktheit werden durfte. Was ich damals gelitten habe und noch leide, kann keine Feder schreiben, kein Buch künden. Meine Frau[5], die in jenen Tagen sehr gütig und liebenswert gegen mich war, wollte es mir ersparen, dass ich die Nachricht von gleichgültigen Menschen, von fremden Lippen hörte, und kam trotz ihrem Kranksein den ganzen Weg von Genua nach England gereist, um mir die Botschaft eines so unersetzlichen, so unermesslichen Verlustes selbst zu überbringen. Von allen, die mir noch zugetan waren, erreichten mich Beileidskundgebungen. Sogar Leute, die mich nicht persönlich gekannt hatten, ließen mir, als sie hörten, dass ein neuer Schmerz in mein Leben getreten sei, den Ausdruck ihrer Teilnahme übermitteln ...

Drei Monate verstreichen. Der tägliche Ausweis über meine Führung und Arbeit, der draußen an der Tür meiner Zelle hängt, – auch mein Name und mein Urteil stehn darauf – sagt mir, es ist Mai ...

Glück, Wohlleben und Erfolg mögen von rauer Oberfläche und aus gemeinem Stoffe sein: das Leid ist das Zarteste in aller Schöpfung. Es

5 Constance Mary Lloyd (1857–1898) war seit dem 29. Mai 1884 mit Oscar Wilde vermählt. Der Ehe sind zwei Söhne entsprossen: Cyril (geb. 1885) und Vyvyan (geb. 1886). Constance Wilde hat ihren Mann zum ersten Mal am 21. September 1895 im Gefängnis in Wandsworth besucht und ihm später, in Reading, die Nachricht vom Tode seiner Mutter überbracht. Dies war ihre letzte Begegnung. Nachdem Wilde das Zuchthaus verlassen hat, haben sie sich nicht mehr gesehn. Sie wohnte damals schon in Genua und ist dort auch, am 7. April 1898, gestorben.

gibt nichts in der ganzen geistigen Welt, an das der Schmerz mit seinem schrecklichen, überaus feinen Pulsschlag nicht heranreicht. Das dünne, ausgehämmerte Zittergold-Blättchen, das die Richtung der dem Auge nicht wahrnehmbaren Kräfte anzeigt, ist im Vergleich damit grob. Das Leid ist eine Wunde, die zu bluten anfängt, wenn eine andre Hand als die der Liebe daran rührt, und selbst dann von Neuem bluten muss, wenn auch nicht vor Schmerz.

Wo Leid ist, da ist geweihte Erde. Eines Tages wird die Menschheit begreifen, was das heißt. Vorher weiß sie nichts vom Leben. Robbie[6] und Wesen seiner Art können es ermessen. Als ich zwischen zwei Polizisten aus dem Zuchthaus vor den Konkursgerichtshof geführt wurde, da wartete Robbie in dem langen, düstern Korridor, um zum Erstaunen der ganzen Menge, die ob einer so lieben, schlichten Handlung verstummte, ernst den Hut vor mir abzuziehn, während ich in Handschellen gesenkten Hauptes an ihm vorüberging. Um kleinerer Dienste willen sind Menschen in den Himmel gekommen. Von diesem Geiste beseelt, von solcher Liebe erfüllt, knieten die Heiligen nieder, um den Armen die Füße zu waschen, neigten sie sich, um den Aussätzigen auf die Wange zu küssen. Ich habe nie ein Wort darüber zu ihm gesagt. Bis zur Stunde weiß ich nicht einmal, ob er eine Ahnung hat, dass ich seine Handlungsweise überhaupt bemerkte. Dafür kann man nicht in förmlichen Worten förmlichen Dank aussprechen. In der Schatzkammer meines Herzens lasse ich es lagern. Dort bewahr' ich es als eine geheime Schuld, die ich zu meiner Freude wahrscheinlich nie zurückzahlen kann. Dort ist es einbalsamiert und behält sein liebliches Aussehn durch die Myrrhen und Narden vieler Tränen. Wenn alle Klugheit mir wertlos, die Philosophie

---

6 Robbie, d. i. Robert Ross (geb. 1869), Kunsthändler und Kunstschriftsteller, Mitinhaber der Carfax Gallery in London, auch literarisch vielfach tätig, besonders in satirischen und parodistischen Skizzen ausgezeichnet. Er war einer der wenigen Freunde, die Wilde auch im Unglück nicht verlassen haben, wurde von ihm zum literarischen Testamentsvollstrecker ernannt und hat als solcher die bei Methuen & Co. in London erschienene dreizehnbändige Gesamtausgabe der Werke Oscar Wildes besorgt, nach der im folgenden alle Zitate angeführt sind.

unfruchtbar und die Redensarten und Sprüche derer, die mich zu trösten suchten, wie Staub und Asche im Munde erschienen, dann hat mir die Erinnerung an diesen kleinen, holden, stummen Akt der Liebe alle Brunnen des Mitleidens rauschen, die Wüste wie eine Rose aufblühn lassen, mich aus der Bitternis der einsamen Verbannung herausgehoben und in Einklang gebracht mit dem verwundeten, gebrochnen, großen Weltenherz. Wer fähig ist zu begreifen, nicht allein, wie schön Robbies Handlungsweise war, sondern warum sie mir so viel bedeutete und immer so viel bedeuten wird, der kann vielleicht einsehn, wie und mit welcher Gesinnung er mir nahen sollte ...

Der erste Gedichtband, den ein junger Mensch im Lenze seines Mannesalters in die Welt hinausschickt, soll wie eine Frühlingsblüte oder -blume sein, wie der Hagedorn auf den Wiesen Oxfords oder wie die Primeln auf den Feldern Cumnors[7]. Das Werk soll nicht mit dem Gewicht einer schrecklichen, empörenden Tragödie, eines schrecklichen, empörenden Skandals belastet sein.[8] Hätte ich einem solchen Buche meinen Namen als Herold dienen lassen, es wäre ein schwerer künstlerischer Irrtum gewesen; es hätte das ganze Werk in ein falsches Milieu gestellt, und in der modernen Kunst hat das Milieu so großen Wert. Das moderne Leben ist kompliziert und relativ; dies sind seine beiden unterscheidenden Merkmale. Um das erste wiederzugeben, bedürfen wir des Milieus mit seinen zarten Nuancen und Andeutungen, seinen seltsamen Perspektiven; das zweite verlangt Hintergrund. Deswegen ist die Plastik für uns keine repräsentierende Kunst mehr, ist es die

7 Cumnor, ein anmutiges Dorf in der Nähe Oxfords, viel besungen in der englischen Literatur, so von Matthew Arnold in »The Scholar Gipsy« und in »Thyrsis«, wo es in Strophe 10 heißt: »Her foot the Cumner cowslips never stirr'd«. Wilde, dem diese Stelle in den »Intentions« (p. 145) und den »Reviews« (p. 22) vorschwebt, schreibt Cumnor. Walter Scotts Roman »Kenilworth« sollte ursprünglich Cumnor Hall heißen.

8 Lord Alfred Douglas hatte Wilde geschrieben, er beabsichtige – wohl ›pour épater le bourgeois‹ – ihm seinen ersten Gedichtband zu widmen. Davor warnt Wilde hier, um den Skandal nicht aufs Neue zu entfachen. Die Gedichte sind, unter dem Titel »The City of the Soul«, 1899 ohne die Widmung erschienen.

Musik, ist, war und wird die Literatur stets die höchste repräsentierende Kunst bleiben.

Jedes Vierteljahr schickt mir Robbie ein kleines Bündel literarischer Neuigkeiten. Es kann nichts Entzückenderes geben als seine Briefe, die so witzig, so geschickt zusammengefasst, so leicht hingeworfen sind. Es sind wirkliche Briefe: Plaudereien unter vier Augen. Sie haben die Vorzüge einer französischen ›causerie intime‹; und in seiner feinen Art, mir zu huldigen, die sich bald an meine Urteilsgabe, bald an meinen Humor, dann wieder an meine angeborene Neigung zur Schönheit oder an meine Bildung wendet und mich auf hunderterlei Weise zart daran erinnert, dass ich einst vielen als Autorität in künstlerischen Stilfragen, einigen als die höchste Autorität galt, zeigt er, dass er den Takt der Liebe ebenso wie literarischen Takt besitzt. Seine Briefe sind die Boten gewesen zwischen mir und der herrlichen, unwirklichen Kunstwelt, in der ich ehedem König war und König geblieben wäre, hätte ich mich nicht in die unzulängliche Welt rauer, unvollkommner Leidenschaften, eines wahllosen Geschmackes, eines Verlangens ohne Grenzen und einer formlosen Gier locken lassen. Doch wenn alles gesagt ist, wirst Du gewiss verstehn oder Dir vorstellen können, dass zum Mindesten rein als psychologische Kuriosität es mich mehr interessiert hätte, etwas Näheres von Dir zu hören, als zu erfahren, dass Alfred Austin[9] einen Band Gedichte zu veröffentlichen plane, dass George Street[10] jetzt Theaterkritiken für die Daily Chronicle schreibe, oder dass Mrs. Meynell[11] von einem, der kein begeis-

---

9 Alfred Austin (geb. 1835), seit 1896 poeta laureatus, ein politisches Temperament, ein literarischer Epigone. Im Jahre 1897 brachte er »The Conversion of Winckelmann« heraus; vermutlich spielt Wilde darauf an. Über Austin hat er sich einmal (Reviews, p. 130) so geäußert: »Austin ist weder ein Olympier noch ein Titan, und alle Verlegerreklame kann ihn nicht auf den Parnaß setzen.«

10 George Slythe Street (geb. 1867), Journalist und Schriftsteller. Hauptwerk: »The Autobiography of a Boy« (1894); schrieb 1907 das viel beachtete Buch »The Ghosts of Piccadilly«.

11 Alice Meynell, geb. Thompson, Lyrikerin und Essayistin. In einem Aufsatz über »Englische Dichterinnen« (neugedruckt Miscellanies, p. 110 ff.) zählt Wilde Mrs. Meynell

tertes Loblied singen kann, ohne zu stottern, als die neue Sybille des Stils ausgerufen worden sei ... beklagenswerte Geschöpfe, die ins Gefängnis geworfen werden, sind, wenn ihnen die Schönheit der Welt geraubt ist, wenigstens bis zu einem gewissen Grade vor den tückischsten Schlingen, den bittersten Pfeilen der Welt sicher. Sie können sich im Dunkel ihrer Zelle verbergen und aus ihrer Schande noch eine Art unverletzliches Heiligtum machen. Der Welt ist Genüge geschehn, die Welt geht ihren Weg weiter; man lässt sie ungestört leiden. Nicht so bei mir. Ein Leid nach dem andern hat auf der Suche nach mir an die Gefängnistüren geklopft; man hat ihm die Tore weit geöffnet und es hereingelassen. Meinen Freunden ist kaum oder gar nicht gestattet worden, mich zu besuchen. Aber meine Feinde haben jederzeit in vollem Maße Zutritt zu mir gehabt: zweimal, als ich vor dem Konkursgerichtshof öffentlich erscheinen musste, und dann noch zweimal, als ich von einem Kerker zum andern öffentlich transportiert wurde, war ich unter unsagbar erniedrigenden Umständen den Blicken und dem Gespött der Menge preisgegeben. Der Bote des Todes hat mir seine Zeitung gebracht und ist davongegangen; völlig vereinsamt, ausgeschlossen von allem, was mich hätte trösten oder meinen Schmerz lindern können, habe ich die unerträgliche Pein des Elends und der Gewissensbisse erdulden müssen, die das Andenken an meine Mutter in mir hervorrief und noch immer hervorruft. Kaum hat die Zeit diese Wunde verharscht, nicht geheilt, da lässt mir meine Frau durch ihren Anwalt barsche, bittere, schroffe Briefe schreiben. Man droht mir mit Armut und macht sie mir gleichzeitig zum Vorwurf. Das kann ich ertragen. Ich kann mich an noch Schlimmeres gewöhnen. Aber

---

unter den Frauen auf, die ›wirklich Gutes in der Dichtkunst‹ geleistet haben. George Meredith hatte im August-Heft der »National Review« vom Jahre 1896 über »Mrs. Meynell's two Books of Essays« – gemeint sind »The Rhythm of Life« (1893) und »The Colour of Life« (1896) – begeistert geschrieben; sein überschwengliches Lob gipfelt in dem Schlusssatze: »A woman who thinks and who can write.« Über George Meredith, den verehrten Doyen der englischen Romanschriftsteller, hat sich Wilde ähnlich, wenn auch weniger schroff als hier, in den »Intentions« (p. 17) und ebenso in den »Reviews« (p. 261) ausgesprochen: »... as an artist he is everything, except articulate.«

meine beiden Kinder nimmt man mir auf gesetzlichem Wege. Das verursacht und wird mir stets unendlichen Schmerz, unendlichen Kummer, grenzenlosen Gram verursachen. Dass das Gesetz bestimmen kann und sich die Bestimmung anmaßt, mir stehe es nicht zu, bei meinen eignen Kindern zu sein, ist mir etwas ganz Fürchterliches. Die Schande, im Kerker zu sitzen, ist im Vergleich damit ein Nichts. Ich beneide die andern Männer, die mit mir im Gefängnishof auf- und abschreiten. Ihre Kinder warten gewiss auf sie, freun sich auf ihr Kommen, werden lieb und gut gegen sie sein.

Die Armen sind klüger, barmherziger, freundlicher, empfindungstiefer als wir.[12] In ihren Augen ist das Gefängnis eine Tragödie im Leben eines Menschen, ein Missgeschick, eine Fügung des Zufalls, etwas, das bei andern Teilnahme weckt. Sie sprechen von einem, der im Gefängnis sitzt, als von einem, der einfach ›im Unglück‹ ist. Das ist die Redensart, die sie immer gebrauchen, und der Ausdruck enthält die höchste Weisheit der Liebe. Bei Leuten unseres Standes ist es anders. Bei uns macht das Gefängnis einen zum Paria. Ich und meinesgleichen haben kaum noch ein Anrecht auf die Luft und die Sonne. Unsre Gegenwart besudelt die Freuden der andern. Wir sind ungebetene Gäste, wenn wir wieder zum Vorschein kommen. Aufs Neu des Mondes Dämmerschein[13] zu besuchen, steht uns nicht zu. Unsre Kinder werden uns genommen. Diese holden Bande, die uns an die Menschheit knüpfen, werden zerrissen. Wir sind dazu verurteilt, einsam zu sein, während unsre Söhne noch am Leben sind. Uns verwehrt man das eine, das uns heilen und erhalten, das dem zerschlagenen Herzen Balsam und der Seele in ihrem Schmerz Frieden bringen könnte …

12 Wilde hatte nicht immer so von den Armen gedacht; in »The Soul of Man« heißt es: »Wealthy people are, as a class, better than impoverished people; more moral, more intellectual, more well-behaved.«

13 Anspielung auf »Hamlet« (I, 4), wo Hamlet den Geist seines Vaters fragt: »Was bedeutet's, dass, toter Leichnam, du in vollem Stahl aufs neu des Mondes Dämmerschein besuchst?«

Ich muss mir sagen, dass weder Du noch Dein Vater, und wenn man Euch mit tausend multiplizierte, einen Menschen wie mich hätten zugrunde richten können; dass ich mich selbst zugrunde gerichtet habe; dass niemand, ob hoch oder niedrig, zugrunde gerichtet werden kann außer von seiner eignen Hand. Ich bin gern bereit, das zu sagen. Ich versuche, es zu sagen, mag man es mir auch gegenwärtig nicht zutraun. Habe ich eine unbarmherzige Klage erhoben, so bedenke: Dies ist eine Klage, die ich ohn' Erbarmen gegen mich selbst erhebe. So Schreckliches mir auch die Welt angetan hat: Ich habe weit Schrecklicheres an mir selbst getan. Ich war ein Repräsentant der Kunst und Kultur meines Zeitalters. Ich hatte dies selbst schon an der Schwelle meines Mannesalters erkannt und meine Zeitgenossen später zur Anerkennung gezwungen. Wenige Menschen nehmen eine solche Stellung bei Lebzeiten ein, und wenigen wird sie so bestätigt. Gewöhnlich, wenn überhaupt, wird sie erst vom Historiker oder Kritiker bestimmt, lange nachdem der Mann wie sein Zeitalter dahingegangen sind. Bei mir war es anders. Ich habe sie selbst empfunden und andre empfinden lassen. Auch Byron war ein Repräsentant, aber er spiegelte die Leidenschaft seiner Zeit und ihren Leidenschaftsüberdruss. Ich vertrat etwas Edleres, Bleibenderes, etwas von vitalerer Bedeutung, von weiterem Umkreis.

Die Götter hatten mir fast alles verliehn. Ich besaß Genie, einen erlauchten Namen, eine hohe soziale Stellung, Ruhm, Glanz, intellektuellen Wagemut; ich habe die Kunst zu einer Philosophie, die Philosophie zu einer Kunst gemacht; ich habe die Menschen anders denken gelehrt und den Dingen andre Farben gegeben; alles, was ich sagte oder tat, setzte die Leute in Erstaunen. Ich nahm das Drama, die objektivste Form, die die Kunst kennt, und machte es zu einem so persönlichen Ausdrucksmittel, wie das lyrische Gedicht oder das Sonett; zugleich erweiterte ich seinen Bezirk und bereicherte es in der Charakteristik. Drama, Roman, Gedicht in Prosa, Versgedicht, den geistreichen oder den fantastischen Dialog – alles, was ich berührte, hüllte ich in ein neues Gewand der Schönheit; der Wahrheit selbst gab ich das Falsche ebenso wie das Wahre als ihr rechtmäßiges Reich und zeigte, dass das Falsche und das Wahre lediglich intellektuelle Daseinsformen sind. Die Kunst behandelte ich als die oberste Wirklichkeit, das Leben nur als einen Zweig der Dichtung. Ich erweckte die Fantasie meines Jahrhunderts, sodass es rings um mich Mythen und Legenden erschuf. Alle philosophischen Systeme fasste ich in einen Satz, das ganze Dasein in ein Epigramm zusammen. Daneben hatte ich noch andres. Aber ich ließ mich in lange Perioden eines sinnlosen, sinnlichen Wohlbehagens locken. Ich belustigte mich damit, ein Flaneur, ein Dandy, ein Modeheld zu sein. Ich umgab mich mit den kleineren Naturen und den geringeren Geistern. Ich ward zum Verschwender meines eignen Genies und fand absonderliches Wohlgefallen daran, eine ewige Jugend zu vergeuden. Müde, auf den Höhen zu wandeln, stieg ich aus freien Stücken in die Tiefen und fahndete nach neuen Reizen. Was mir das Paradoxe in der Sphäre des Denkens war, wurde mir das Perverse im Bereich der Leidenschaft. Die Begierde war schließlich eine Krankheit oder Wahnsinn oder beides. Ich kümmerte mich nicht mehr um das Leben andrer. Ich vergnügte mich, wo es mir beliebte, und schritt weiter. Ich vergaß, dass jede kleine Handlung des Alltags den Charakter prägt oder zerstört, und dass man deshalb das, was man im geheimen Zimmer getan hat, eines Tages mit lauter Stimme vom Dach herunter rufen muss. Ich verlor die Herrschaft: über mich. Ich war nicht mehr der Steuermann meiner Seele und wusste es nicht. Ich ließ mich vom Vergnügen knechten. Ich endete in greulicher Schande. Jetzt bleibt mir nur eins: völlige Demut.

Ich habe fast zwei Jahre im Kerker gelegen. Wilde Verzweiflung ist bei mir zum Ausbruch gekommen; ein Wühlen im Jammer, dessen Anblick schon Mitleid erregte; schreckliche, ohnmächtige Wut; Bitterkeit und Verachtung; Seelenpein, die laut weinte; Elend, das keine Stimme finden konnte; Schmerz, der stumm blieb. Alle erdenklichen Leidensmöglichkeiten habe ich durchgemacht. Besser als Wordsworth selbst weiß ich, was er mit den Versen sagen wollte:

»Das Leiden ist beständig, trüb und finster
Und hat das Wesen der Unendlichkeit.«[14]

Aber während ich zuzeiten in der Vorstellung selig war, dass meine Leiden endlos sein sollten, konnte ich es nicht ertragen, dass sie keine Bedeutung hatten. Jetzt finde ich an einem fernen Punkt in meinem Wesen etwas verborgen, das mir sagt, nichts in der Welt sei ohne Bedeutung, am allerwenigsten das Leiden. Dieses Etwas, das tief in mir vergraben liegt, wie ein Schatz auf einem Felde, ist die Demut.

Sie ist das Letzte, das noch in mir, und das Beste; das äußerste Ziel, an dem ich angelangt bin; der Ausgangspunkt einer neuen Entwicklung. Ganz aus mir selbst heraus ist sie gekommen; ich weiß darum, dass sie zur rechten Zeit gekommen. Sie hätte nicht eher, aber auch nicht später kommen können. Hätte mir einer davon gesprochen, ich hätte sie von mir gewiesen. Hätte man sie mir gebracht, ich hätte sie abgelehnt. Ich habe sie gefunden und will sie deshalb bewahren. Ich kann nicht anders. Sie ist das Einzige, was Lebenskeime in sich birgt, Keime eines neuen Lebens, einer Vita[15] für mich. Von allen Dingen ist sie das Wunderbarste; man kann sie nicht verschenken und sich nicht von einem andern schenken lassen. Man kann sie nicht erwerben, es sei denn, dass man allem entsage, was man sein Eigen nennt. Erst wenn man alles verloren hat, weiß man, dass man sie besitzt.

Jetzt, da ich überzeugt bin, dass sie in mir liegt, seh' ich klar und deutlich, was ich tun soll, unbedingt tun muss. Und wenn ich mich eines solchen Ausdrucks bediene, brauche ich nicht zu versichern, dass damit keine An-

---

14 »Suffering is permanent, obscure, and dark And shares the nature of infinity«, steht im dritten Akte von William Wordsworths Drama »The Borderers« (1795-96). – Die Zitate, die Wilde anführt, stimmen häufig aufs Wort, obwohl er einzig und allein auf sein Gedächtnis angewiesen war.

15 Dante hat in der »Vita Nuova« seiner Liebe zu Beatrice Portinari ein Denkmal gesetzt. Das Werk wurde von Dante Gabriel Rossetti ins Englische übertragen und seinem Sammelband »The Early Italian Poets« (1861) einverleibt.

spielung auf irgend ein äußeres Gesetz oder Gebot gemeint ist. Für mich gibt es keine. Ich bin weit mehr Individualist, als ich es je war. Alles scheint mir ganz wertlos, was man nicht aus sich selbst hat. Meine Natur ist auf der Suche nach einer neuen Art der Selbstverwirklichung. Das ist das Einzige, was mich beschäftigt. Und das Erste, was ich zu tun habe, ist. mich von einer etwa vorhandenen Verbitterung gegen die Welt zu befrein.

Ich bin völlig mittellos, gänzlich obdachlos. Allein es gibt Härteres auf der Welt als das. Es ist mein heiliger Ernst, wenn ich sage: Eh' ich dies Gefängnis mit Groll gegen die Welt verlasse, will ich lieber herzlich gern von Tür zu Tür gehn und um Brot betteln. Wenn ich in den Häusern der Reichen nichts bekäme, würden mir die Armen etwas schenken. Wer viel besitzt, ist oft geizig; wer wenig hat, ist immer zum Teilen bereit. Mir wär' es ganz gleich, müsste ich im Sommer im kühlen Gras schlafen und, wenn der Winter käme, in einem warmen, dichten Heuschober oder unter dem Wetterdach einer großen Scheune Zuflucht suchen – vorausgesetzt, dass ich Liebe im Herzen hätte. Die äußern Dinge des Lebens scheinen mir jetzt von gar keiner Bedeutung mehr. Daraus magst Du ersehn, wie weit ich es schon im Individualismus gebracht habe – oder vielmehr allmählich bringen werde, denn der Weg ist lang, und ›wo ich gehe, sind Dornen‹.[16]

Ich weiß freilich, auf der Landstraße um Almosen betteln wird nicht mein Los sein, und wenn ich je bei Nacht im kühlen Gras liege, werde ich Sonette an den Mond schreiben. Verlasse ich das Gefängnis, dann wird Robbie draußen vor dem großen Tore mit den Eisenpfosten auf mich warten, und er deutet nicht nur seine eigne Zuneigung sinnbildlich an, sondern auch die Zuneigung vieler andrer außer ihm. Ich soll, glaube ich, so viel bekommen, dass ich auf jeden Fall ungefähr anderthalb Jahre davon leben kann;[17] wenn ich dann keine schönen Bücher

16 »... and where I walk there are thorns«, sagt Mrs. Arbuthnot in »A Woman of no Importance« (p. 170).

17 Wildes Freunde hatten eine Summe von achthundert Pfund Sterling für ihn gesam-

schreibe, bin ich wenigstens in der Lage, schöne Bücher zu lesen. Gibt es eine größere Freude? Danach werde ich hoffentlich meine Schaffenskraft neu schaffen können.

Aber wäre es anders: Hätte ich keinen Freund mehr auf der Welt; stünde mir nicht ein Haus mitleidig offen; müsste ich das Felleisen und den zerlumpten Mantel der baren Armut nehmen: solang ich von aller Rachbegierde, Grausamkeit und Verachtung frei bin, könnte ich dem Leben mit viel größerer Ruhe und Zuversicht ins Auge schaun, als wenn mein Leib in Purpur und feines Linnen gekleidet und meine Seele krank vor Hass wäre.

Und ich werde wirklich keine Schwierigkeit haben. Wer wahrhaft Liebe begehrt, wird sie für sich bereit finden.

Ich brauche nicht zu sagen, dass meine Aufgabe hier noch nicht endet. Sonst wäre sie verhältnismäßig leicht. Viel mehr steht mir bevor. Ich habe weit steilere Höhen zu ersteigen, viel dunklere Täler zu durchwandern. Und ich muss alles aus mir selbst haben. Nicht die Religion, nicht die Moral, nicht die Vernunft können mir irgendwie dabei helfen.

Die Moral hilft mir nicht. Ich bin ein geborener Antinomist. Ich gehöre zu denen, die für Ausnahmen, nicht für Gesetze geschaffen sind. Aber so gut ich einsehe, dass kein Unrecht in dem liegt, was man tut, sehe ich auch ein, dass ein gewisses Unrecht in dem liegt, was man wird. Diese Erkenntnis kommt einem zustatten.

Die Religion hilft mir nicht. Glauben andre an das Unsichtbare,[18] so glaube ich an das, was man berühren und erblicken kann. Meine Göt-

---

melt, die er nach seiner Entlassung aus dem Gefängnis erhalten sollte; es ist bezeichnend, dass er nur anderthalb Jahre davon leben zu können glaubte.

18 vgl. »Dorian Gray«, Kap. 1: »The true mystery of the world is the visible, not the invisible.«

ter bewohnen von Menschenhand erbaute Tempel; und innerhalb des Bereichs der wirklichen Erfahrung vervollständigt und vervollkommnet sich mein Evangelium – vielleicht allzu sehr: denn wie die meisten oder alle von denen, die ihren Himmel auf dieser Erde suchen, habe ich auf ihr sowohl die Schönheit des Himmels wie die Greuel der Hölle gefunden. Wenn ich überhaupt an Religion denke, ist es mir, als ob ich gern einen Orden für die gründen möchte, die nicht glauben können: Brüderschaft der Ungläubigen[19] möchte man ihn nennen. Hier würde an einem Altar, auf dem keine Kerze brennte, ein Priester, in dessen Herzen der Friede keine Ruhestatt hätte, mit ungeweihtem Brot und einem Kelche, in dem kein Wein wäre, die Messe lesen. Um wahr zu sein, muss alles zur Religion werden. Und die Lehre der Agnostiker sollte ebenso ihr Ritual haben wie der Glaube. Sie hat ihre Märtyrer gesät, sie sollte ihre Heiligen ernten und Gott täglich dafür danken, dass er sich den Blicken der Menschen verborgen hat. Doch ob Glaube ob Agnostizismus: es darf nichts Äußerliches für mich sein. Ich muss seine Symbole selbst geschaffen haben. Transzendent ist nur, was sich seine eigne Form gestaltet. Finde ich sein Geheimnis nicht in mir, dann werde ich es nie finden; besitze ich es nicht schon, so wird es mir nie zuteilwerden.

Die Vernunft hilft mir nicht. Sie sagt mir, dass die Gesetze, deren Opfer ich geworden bin, verkehrt und ungerecht sind, dass das System, unter dem ich gelitten habe, verkehrt und ungerecht ist. Aber irgendwie habe ich diese beiden Dinge für mich gerecht und richtig zu machen. Und ganz so, wie man sich in der Kunst nur damit abgibt, was einem ein besondrer Gegenstand in einem besondern Moment ist, verhält es sich mit der ethischen Entwicklung des Charakters. Es ist meine Aufgabe, alles, was mich betroffen hat, zum Guten für mich zu wenden. Die Lat-

19 Die neue Ausgabe liest hier »Confraternity of the Fatherless« statt, wie früher, »Faithless« (d. h. die Brüderschaft derer, die keinen Vater oder keinen Vater im Himmel haben). Wilde soll tatsächlich »Fatherless« geschrieben haben, offenbar durch das vorausgehende »Confraternity« beeinflusst; natürlich ist »Faithless« dem Sinn nach besser.

tenpritsche, die ekelerregende Nahrung, die rauen Stricke, die man zu Werg zerzupft, bis einem vor Schmerz die Fingerspitzen empfindungslos werden, die Gesindeverrichtungen, mit denen jeder Tag beginnt und endet, die schroffen Befehle, die das Herkommen zu erfordern scheint, die abscheuliche Kleidung, die den Kummer grotesk erscheinen lässt, das Schweigen, die Einsamkeit, die Schande – alle diese Erfahrungen habe ich ins Geistige umzusetzen. Es gibt keine einzige körperliche Erniedrigung, die ich nicht zu einer geistigen Erhebung zu machen versuchen muss.

Ich wünsche dahin zu gelangen, ganz schlicht und ohne Heuchelei sagen zu können, dass mein Leben zwei große Wendepunkte hatte: als mich mein Vater nach Oxford[20] und als mich die Gesellschaft ins Gefängnis schickte. Ich will nicht sagen: das Gefängnis war das beste, was mich hätte treffen können; denn das würde zu sehr nach Verbitterung gegen mich schmecken. Ich möchte lieber sagen oder von mir gesagt wissen, ich sei ein so typisches Kind meiner Zeit gewesen, dass ich in meiner Perversität und um dieser Perversität willen das Gute meines Lebens in Schlechtes und das Schlechte meines Lebens in Gutes verkehrte.

Indes, was ich oder andre sagen, darauf kommt es wenig an. Das Wichtige, das, was vor mir liegt, was ich zu tun habe, wenn der kurze Rest meiner Tage[21] nicht verstümmelt, vernichtet und unvollständig werden soll, ist: alles, was an mir getan worden ist, in mich aufzusaugen, zu einem Teil von mir zu machen, ohne Murren, Bangen und Sträuben hinzunehmen. Das höchste Laster ist Oberflächlichkeit. Was sich verwirklicht hat, ist recht.

20 Wilde wurde am 17. Oktober 1874, am Tage nach seinem zwanzigsten Geburtstag, in Oxford (Magdalen College) immatrikuliert.

21 Wenn Wilde hier schon von dem »kurzen Rest« seiner Tage spricht, so hat sich dieser Glaube oder Aberglaube später in ihm noch befestigt; denn er gab seiner Überzeugung wiederholt Ausdruck, dass er das neue Jahrhundert nicht erleben werde, und er hat auch schließlich damit recht behalten.

Als meine Gefängniszeit eben begonnen hatte, gaben mir einige Leute den Rat, ich möge zu vergessen suchen, wer ich sei. Es war ein verderblicher Rat. Nur darin, dass mir zum Bewusstsein kommt, was ich bin, habe ich irgendwelchen Trost gefunden. Jetzt raten mir andre, ich solle, wenn ich freigelassen werde, zu vergessen suchen, dass ich je im Gefängnis war. Ich weiß, das wäre ebenso verhängnisvoll. Es hieße, dass ich zeitlebens von einem unerträglichen Gefühl der Schande verfolgt würde, dass das, was für mich ebenso gut bestimmt ist wie für jeden andern – die Schönheit der Sonne und des Mondes, der Festzug der Jahreszeiten, die Musik bei Tagesanbruch und das Schweigen langer Nächte, der Regen, der durch die Blätter rieselt, der Tau, der über das Gras schleicht und es versilbert – dass all das für mich befleckt und seine Heilkraft und seine Fähigkeit, Freude zu spenden, verloren sein sollte. Seine eignen Erfahrungen bedauern heißt seine eigne Entwicklung hemmen. Seine eignen Erfahrungen verleugnen heißt seinem eignen Leben eine Lüge auf die Lippen legen. Es ist nicht weniger, als wollte man seine Seele verleugnen.

Denn ebenso wie der Körper alles Mögliche in sich aufnimmt, Gewöhnliches und Unreines nicht minder als das, was der Priester oder die Ekstase geweiht hat, und es in Rüstigkeit oder Kraft umwandelt, in das Spiel schöner Muskeln und die Formen des leuchtenden Fleisches, in die Rundungen und Farben des Haares, der Lippen, des Auges: so hat die Seele ihrerseits ihre nährende Tätigkeit und kann das, was an und für sich gemein, grausam und erniedrigend ist, in edle Regungen und Leidenschaften voll tiefer Bedeutung umsetzen – ja, noch mehr: gerade darin ihren erhabensten Stoff zur Betätigung finden und sich oft am vollkommensten durch das offenbaren, was ursprünglich eine entweihende oder zerstörende Absicht hatte.

Die Tatsache, dass ich in einem gemeinen Zuchthaus ein gemeiner Gefangner war, muss ich bedingungslos hinnehmen, und so merkwürdig es auch scheinen mag, eine von den Lehren, die ich mir beizubringen habe, ist, mich dessen nicht zu schämen. Ich muss es als Strafe hinnehmen, und wenn man sich einer Strafe schämt, dann ist es ebenso gut, als hätte man sie nie empfangen. Allerdings, ich bin für viel verurteilt worden, was ich nicht getan habe, aber auch für viel, was ich getan habe, und es gibt noch mehr in meinem Leben, für das ich niemals zur Rechenschaft gezogen wurde. Und wie ich schon in diesem Briefe gesagt habe: Da die Götter wunderlich sind und uns für das, was gut und menschenfreundlich in uns ist, ebenso strafen wie für das, was schlecht und pervers ist, so muss ich die Tatsache hinnehmen, dass man gleichermaßen für das Gute wie für das Schlechte, das man tut, bestraft wird. Ich zweifle nicht daran, dass es durchaus mit Recht geschieht. Es hilft einem oder sollte einem helfen, beides zu durchschaun und sich auf keins von beiden zu viel einzubilden. Wenn ich mich demnach meiner Strafe nicht schäme – und ich hoffe das –, dann werde ich frei denken, frei herumgehn und leben können.

Viele nehmen bei ihrer Entlassung das Gefängnis mit sich hinaus und verbergen es als geheimen Schimpf in ihrem Herzen und kriechen schließlich wie arme vergiftete Wesen in ein Loch und sterben. Es ist abscheulich, dass ihnen nichts andres übrig bleibt, und es ist unrecht, schrecklich unrecht von der Gesellschaft, sie dahin zu treiben. Die Gesellschaft maßt sich das Recht an, dem Individuum entsetzliche Strafen aufzuerlegen; aber sie besitzt auch das höchste Laster der Oberflächlichkeit, und es gelingt ihr nicht, sich über das, was sie getan hat, klar zu werden. Hat der Betreffende seine Strafe abgebüßt, dann überlässt sie ihn sich selbst, will sagen: Sie lässt ihn just in dem Augenblicke fallen, wo ihre vornehmlichste Pflicht gegen ihn anfängt. Sie schämt sich tatsächlich ihrer eignen Handlungen und meidet die Bestraften, wie Leute einem Gläubiger ausweichen, dem sie ihre Schulden nicht bezahlen können, oder einem, dem sie unersetzlichen, unwiderruflichen Schaden zugefügt haben. Ich kann meinerseits den Anspruch erheben, wenn ich mir vergegenwärtige, was ich gelitten habe, dass die Gesellschaft sich vergegenwärtige, was sie mir angetan hat, und dass auf beiden Seiten keine Verbitterung, kein Hass herrsche.

Selbstverständlich weiß ich, dass von einem Gesichtspunkt aus die Dinge sich für mich schwieriger gestalten werden als für andre, durch die

Natur der Sache es sein müssen. Die armen Diebe und Vagabunden, die hier mit mir eingesperrt sind, sind in vieler Hinsicht glücklicher als ich. Der kurze Weg in grauer Stadt oder auf grünem Felde, der ihre Sünde sah, ist eng; sie brauchen, wollen sie Menschen finden, die von ihrem Verschulden nichts wissen, nicht weiter zu gehn, als ein Vogel zwischen Zwielicht und Morgendämmerung fliegt. Für mich dagegen ist die Welt zu einer Handbreite[22] zusammengeschrumpft, und überall, wo ich mich hinwende, ist mein Name in ehernen Lettern an die Felsen geschrieben. Denn ich bin nicht aus dem Dunkel in das grelle Licht momentaner Verbrecherberühmtheit getreten, sondern von unsterblichem Ruhm zu ewiger Ehrlosigkeit gelangt, und manchmal scheint es mir, als hätte ich dargetan, wenn es dieses Beweises überhaupt bedurfte, dass vom Berühmten zum Berüchtigten nur ein Schritt ist oder noch weniger als ein Schritt.

Immerhin, gerade in dem Umstand, dass die Menschen mich erkennen werden, wo ich mich auch zeige, und alles aus meinem Leben wissen, soweit seine Torheiten in Betracht kommen, kann ich noch Gutes für mich entdecken. Daraus erwächst mir die Notwendigkeit, mich wieder als Künstler durchzusetzen – und zwar so bald wie irgend möglich. Kann ich auch nur ein schönes Kunstwerk hervorbringen,[23] dann werde ich imstande sein, der Bosheit ihr Gift, der Feigheit ihr Hohnlächeln zu rauben und der Schmähsucht die Zunge an der Wurzel auszureißen.

Und sollte das Leben, wie es gewiss der Fall ist, für mich ein Problem sein, so bin ich für das Leben nicht minder ein Problem. Die Leute müssen mir gegenüber einen Modus finden, wie sie sich zu verhalten haben, und dadurch sich wie mir das Urteil sprechen. Ich brauche nicht zu

22 »For me the world is shrivelled to a palm's breadth«, sagt Mrs., Arbuthnot in »A Woman of no Importance« (p. 170).

23 Wilde hat tatsächlich nach seiner Entlassung aus dem Gefängnis nur noch »ein schönes Kunstwerk« hervorgebracht: »The Ballad of Reading Gaol« (Zuchthausballade), geschrieben während des Sommers und Herbstes 1897 im Chalet Bourgeat in Berneval bei Dieppe.

sagen, dass ich nicht auf bestimmte Individuen anspiele. Die einzigen Menschen, die ich jetzt um mich wünsche, sind Künstler und solche, die gelitten haben: solche, die wissen, was Schönheit, und solche, die wissen, was Schmerz ist. Sonst interessiert mich niemand. Ich stelle auch keine Ansprüche an das Leben. Alles, was ich hier geäußert habe, zielt einfach auf meine eigne geistige Stellung gegenüber dem Leben in seiner Gesamtheit; und ich fühle, dass mich meiner Strafe nicht zu schämen einer der ersten Punkte ist, die ich erreichen muss, um meiner eignen Vollendung willen und weil ich so unvollkommen bin.

Dann muss ich glücklich sein lernen. Einst wusste ich es oder glaubte es zu wissen, instinktmäßig. Ehedem war immer Frühling in meinem Herzen. Mein Temperament war der Lebensfreude verwandt. Bis hoch zum Rande füllte ich mein Leben mit Vergnügen, wie man einen Becher bis zum Rande mit Wein füllt. Jetzt trete ich von einem völlig neuen Standpunkt an das Leben heran, und mir auch nur eine Vorstellung vom Glück zu machen, wird mir oft überaus schwer. Ich erinnre mich aus meinem ersten Semester in Oxford der Lektüre von Paters Renaissance[24] – des Buches, das einen so seltsamen Einfluss auf mein Leben gewonnen hat –, wie Dante in den Tiefen des Inferno die ansiedelt, die eigenwillig in Traurigkeit leben; ich ging in die College-Bibliothek und schlug die Stelle in der Göttlichen Komödie nach, wo unter dem Höllenmoor diejenigen hausen, die »in der süßen Luft grämlich« waren und nun ewig in ihren Seufzern stöhnen:

24 »Studies in the History of the Renaissance« by Walter Pater (1873); die zweite Auflage des Buches erschien vier Jahre später unter dem veränderten Titel »The Renaissance: Studies in Art and Poetry« (deutsche Ausgabe von Wilhelm Schölermann, Leipzig 1902). Pater sagt in dem Aufsatz über die »Dichtung des Michelangelo«: »Indem wir sein Leben verfolgen ..., kommt uns wieder und wieder der Gedanke, dass er einer von denen war, welche, nach Dantes Strafurteil, zu leiden hatten, ›weil sie in eigenwilliger Traurigkeit gelebt‹.«

Tristi fummo
Neil' aer dolce che dal sol s'allegra.[25]

Ich wusste, die Kirche verurteilte accidia, aber die ganze Idee schien mir ziemlich fantastisch, so recht die Art Sünde, dachte ich mir, die ein lebensunkundiger Priester erfinden würde. Ebenso wenig begriff ich, wie Dante, der doch sagt: »Der Schmerz vereint uns wiederum mit Gott«,[26] so schroff gegen die sein konnte, die in der Wonne der Wehmut schwelgten, wenn es wirklich solche gab. Ich ahnte nicht, dass dies eines Tages eine der größten Versuchungen meines Lebens werden sollte.

Während ich im Gefängnis in Wandsworth saß, sehnte ich den Tod herbei. Sterben war mein einziger Wunsch. Als ich nach einem Aufenthalt von zwei Monaten in der Krankenabteilung hierhergebracht wurde und meine physische Gesundheit sich allmählich besserte, schäumte ich vor Wut. Ich beschloss, an dem Tage meiner Entlassung Selbstmord zu begehn. Nach einiger Zeit legte sich diese Verstimmung, und ich setzte es mir in den Kopf zu leben, aber Trübsal anzutun, wie ein König seinen Purpur; nie wieder zu lächeln; jedes Haus, das ich betrat, zu einem Hause der Trauer zu machen; meine Freunde langsamen Schrittes in Schwermut neben mir gehn zu lassen; sie zu lehren, dass die Melancholie das wahre Geheimnis des Lebens ist; ihre Freude durch fremdes Leid zu vergällen; sie mit meinem eignen Schmerze zu peinigen. Jetzt denke ich ganz anders. Ich sehe ein, es wäre undankbar und unliebenswürdig von mir, ein so langes Gesicht zu machen, dass meine Freunde, wenn sie mich besuchten, noch längere Gesichter machen müssten, um mir ihr Mitgefühl auszudrücken, oder, wenn ich sie bewirten wollte, sie einzuladen, sich schweigend zu bittern Kräutern und einem Leichenschmause niederzusetzen. Ich muss lernen, guter Dinge werden und glücklich sein.

25 Inferno VII, 121 ff.
26 »Del buon dolor ch'a Dio ne rimarita«, Purgatorio XXIII, 81.

Die beiden letzten Male, als ich meine Freunde hier empfangen durfte, gab ich mir Mühe, so heiter wie möglich zu sein und ihnen meine Frohlaune zu zeigen, um sie doch ein klein wenig dafür zu entschädigen, dass sie den ganzen Weg von London zu mir hergekommen waren. Ich weiß, es ist nur ein spärlicher Dank, aber keiner – davon bin ich durchdrungen – wäre ihnen lieber. Ich habe mich Sonnabend vor acht Tagen eine Stunde mit Robbie unterhalten und ließ es mir angelegen sein, ihn die herzliche Freude, die ich über unser Zusammensein empfand, so deutlich wie möglich merken zu lassen. Dass ich mit den Ansichten und Auffassungen, die ich mir hier im Stillen bilde, auf der rechten Fährte bin, das beweist mir die Tatsache, dass ich jetzt zum ersten Male seit meiner Verurteilung wahres Verlangen nach dem Leben habe.

Vor mir liegt so viel, dass ich es als eine schreckliche Tragödie betrachten würde, wenn ich sterben müsste, eh' es mir verstattet wäre, wenigstens einen kleinen Teil davon durchzuführen. Ich sehe neue Entwicklungen in der Kunst und im Leben, von denen jede eine ungebrauchte Form der Vollkommenheit ist. Ich sehne mich nach dem Leben, damit ich erforschen kann, was jetzt so gut wie eine neue Welt für mich ist. Willst Du wissen, was diese neue Welt ist? Du kannst es wohl erraten. Es ist die Welt, in der ich zuletzt gelebt habe. Das Leid also und alles, was man von ihm lernt, ist meine neue Welt.

Ich habe früher ausschließlich dem Vergnügen gelebt. Ich ging Schmerzen und Leiden jeder Art aus dem Wege. Sie waren mir beide zuwider. Ich hatte mir vorgenommen, sie so weit wie möglich nicht zu beachten, sie gewissermaßen als Formen der Unvollkommenheit zu behandeln. Sie gehörten nicht zu meinem Lebensgebäude. Für sie war in meiner Philosophie kein Platz. Meine Mutter, die das Leben durch und durch kannte, pflegte mir oft die Goetheschen Verse zu zitieren, die ihr vor langen Jahren Carlyle in ein Buch geschrieben hatte und die – wenn ich mich recht erinnre – in seiner Übersetzung folgendermaßen lauteten:

Who never ate his bread in sorrow,
 Who never spent the midnight hours
Weeping and waiting for the morrow, –
 He knows you not, ye heavenly powers.[27]

Diese Verse pflegte die edle Königin von Preußen, die Napoleon so brutal behandelt hat, in ihrer Erniedrigung und Verbannung zu zitieren; diese Verse hat meine Mutter im Ungemach ihres späteren Lebens oft angeführt. Ich lehnte es rundweg ab, die ungeheure Wahrheit, die darin verborgen liegt, mir zu eigen zu machen oder einzuräumen. Ich konnte sie nicht verstehn. Ich erinnre mich noch sehr wohl, wie ich damals meiner Mutter sagte, ich hätte keine Lust, mein Brot in Tränen zu essen, die Nächte zu durchweinen und einem noch traurigeren Morgen entgegenzuwachen.

Ich ahnte nicht, dass es zu den besondern Dingen gehörte, die mir das Schicksal vorbehalten hatte: dass ich ein ganzes Jahr meines Lebens kaum etwas andres tun sollte. Aber so ist mir mein Teil zugemessen worden; und während der letzten Monate ist es mir nach fürchterlichen Überwindungen und Kämpfen gelungen, einige Lehren zu begreifen, die im Herzen des Grams verborgen sind. Geistliche und Leute, die Redensarten ohne Sinn und Verstand anwenden, sprechen manchmal vom Leiden als einem Geheimnis. In Wahrheit ist es eine Offenbarung. Man erkennt Dinge, die einem nie aufgefallen sind. Man tritt unter einem andern Gesichtswinkel an die Geschichte heran. Was man schwach, instinktiv von der Kunst geahnt hat, gewahrt man im Bereich des Denkens und Fühlens mit vollendeter Klarheit des Sehvermögens und mit absoluter Stärke der Vorstellungskraft.

27 In »Wilhelm Meisters Lehrjahren« (2, 13) singt der Harfner: »Wer nie sein Brot mit Tränen aß« usw. Dazu bemerkt Goethe in den »Sprüchen in Prosa« (No. 153): »Diese tiefschmerzlichen Zeilen wiederholte sich eine höchst vollkommene, angebetete Königin in der grausamsten Verbannung, zu grenzenlosem Elend verwiesen.«

Jetzt erkenne ich, dass der Schmerz als die edelste Regung, deren der Mensch fähig ist, gleichermaßen Urform und Prüfstein aller großen Kunst ist. Wonach der Künstler immer sucht, das ist die Daseinsart, in der Leib und Seele eins und unzertrennlich sind; in der das Äußere der Ausdruck des Innern ist; in der sich die Form enthüllt. Solcher Daseinsarten gibt es etliche: der junge Menschenleib und die Künste, die mit seiner Darstellung beschäftigt sind, können uns gelegentlich als Modell dienen; dann wieder mag uns der Gedanke erfreun, dass in der Zartheit und Feinheit ihrer Eindrücke, in der Weise, wie sie einen Geist andeutet, der im Äußerlichen wohnt und sich aus Erde und Luft, aus Nebel und Städtebild sein Gewand schafft, die moderne Landschaftsmalerei in ihrer krankhaft reizbaren Harmonie von Stimmungen, Tönen und Farben das für uns koloristisch verwirklicht, was die Griechen zu so plastischer Vollendung gebracht. Die Musik, in der alles Stoffliche im Ausdruck aufgeht und nicht von ihm getrennt werden kann,[28] ist ein kompliziertes Beispiel und eine Blume oder ein Kind ein einfaches Beispiel für das, was ich meine; aber der Schmerz ist der höchste Typ, im Leben sowohl wie in der Kunst.

Hinter Lust und Lachen mag ein Temperament stecken, rau, hart und knorrig: hinter dem Schmerz ist stets nur Schmerz. Das Leid trägt keine Maske wie die Freude. Die Wahrheit in der Kunst ist keine Verbindung zwischen der wesenhaften Idee und der zufälligen Existenz; ist nicht die Ähnlichkeit von Gestalt und Schatten oder von dem Spiegelbild der Form und der Form selbst; ist kein Echo, das aus einem hohlen Hügel tönt, so wenig wie ein silberner Quell im Tale, dessen Wasser den Mond dem Monde und Narkissos dem Narkissos zeigt. Die Wahrheit in der Kunst ist die Übereinstimmung eines Dinges mit sich selbst; das Äußere Ausdruck des Innern geworden; die Seele Fleisch; der Leib vom Geiste belebt. Darum lässt sich keine Wahrheit dem Leiden vergleichen. Zu Zeiten scheint mir das Leiden die einzige Wahrheit. Andre Dinge

28 Über die Musik findet sich eine ganz ähnliche Stelle in der Vorlesung »The English Renaissance of Art« (Miscellanies, p. 262).

mögen Wahngebilde des Auges oder des Hungers sein, jenes zu blenden, diesen zu sättigen; aber aus dem Leiden sind die Welten erbaut, und bei der Geburt eines Kindes oder eines Sternes geht es nicht ohne Schmerz ab. Ja, noch mehr: Das Leiden hat eine ungewöhnlich starke Wirklichkeit an sich. Ich habe von mir gesagt, ich sei ein Repräsentant der Kunst und Kultur meines Zeitalters gewesen. Es gibt keinen Elenden in diesem Hause des Elends, keinen meiner Mitgefangnen, der nicht ein Repräsentant des Lebensgeheimnisses wäre. Denn das Geheimnis des Lebens heißt Leiden. Hinter allem ist es verborgen. Kaum fangen wir zu leben an, so schmeckt uns das Süße so süß, das Bittere so bitter, dass wir unvermeidlich unser ganzes Verlangen auf Freuden richten und nicht nur »einen Monat oder zwei von Honig zehren«[29] wollen, sondern unser ganzes Leben lang keine andre Nahrung kosten möchten, und wissen doch die ganze Zeit nicht, dass wir die Seele in Wirklichkeit verhungern lassen.

Ich erinnre mich, ich sprach einmal hierüber mit einem der herrlichsten Wesen,[30] die ich je gekannt habe, einer Frau, deren reges Mitgefühl und edle Güte, sowohl vor wie seit der Tragödie meiner Kerkerhaft, sich unmöglich beschreiben lassen; die mir, wenn sie es auch nicht weiß, wirklich mehr als irgendjemand auf der ganzen Welt beigestanden hat, die Last meiner Sorgen zu tragen, und zwar bloß durch die Tatsache, dass sie lebt, dass sie ist, was sie ist – teils ein Ideal, teils eine einflussreiche Macht: eine Andeutung dessen, was man werden könnte, wie eine wirkliche Stütze des Vorsatzes, dahin zu gelangen; eine Seele, die der Alltagsluft Süßigkeit leiht und Geistiges einfach und natürlich erscheinen lässt wie das Licht der Sonne oder das Meer; für die Schönheit

29 »A month or twain to live on honeycomb Is pleasant; but one tires of scented time« Algernon Charles Swinburne, »Before Parting« (Poems and Ballads I, 184; vgl. Otto Hauser »Aus fremden Gärten«: »Von Honig leben einen Monat lang Ist schön; doch wird man satt des süßen Seins.«

30 Gemeint ist Miss Adela Schuster, die als die »Dame in Wimbledon« noch öfter genannt wird. Sie hatte Wilde, als sein Bankrott erklärt wurde, eine Summe von tausend Pfund Sterling geschenkt.

und Leid Hand in Hand gehn und dieselbe Botschaft haben. Ich besinne mich genau, wie ich ihr bei der Gelegenheit, die mir vorschwebt, sagte: es gäbe in einer engen Gasse in London schon genug Kummer, zu beweisen, dass Gott die Menschen nicht liebe, und überall, wo jemand leide, sei es auch nur ein Kind, das in einem Gärtchen weine über ein Vergehn, dessen es sich schuldig oder nicht schuldig gemacht, da sei das ganze Antlitz der Schöpfung entstellt. Ich hatte völlig unrecht. Sie sagte mir das auch, doch ich konnte es nicht glauben. Ich lebte nicht in dem Vorstellungskreis, der einen zu solchem Glauben gelangen lässt. Jetzt dünkt mich, dass Liebe irgendeiner Art die einzig mögliche Erklärung ist für das ungeheure Maß von Weh, das es auf der Welt gibt. Eine andre Erklärung kann ich mir nicht denken. Ich bin überzeugt, es gibt keine andre; und wenn die Welt wirklich, wie ich vorhin sagte, aus Leid gebaut ist, so ist sie von der Hand der Liebe gebaut, weil auf keine Weise sonst die Seele des Menschen, für den die Welt erschaffen ist, zu dem ganzen Wuchs ihrer Vollendung gelangen könnte. Freude für den schönen Körper, Schmerz für die schöne Seele.

Wenn ich sage, ich sei hiervon überzeugt, so liegt allzu viel Stolz in meinen Worten. Weit in der Ferne kann man, wie eine Perle sonder Fehl, die Stadt Gottes sehn. Sie ist so wundervoll, dass man meinen möchte, ein Kind könne sie an einem Sommertag erreichen. Und ein Kind kann es. Aber mit mir und meinesgleichen verhält es sich anders. In einem einzigen Augenblick kann man etwas in seiner ganzen Stärke fühlen, aber es geht einem wieder verloren in den langen Stunden, die bleiernen Fußes folgen. Es ist so schwer, »Höhen zu behaupten, darauf mit Fug die Seele wandeln darf«. Unsre Gedanken gehören der Ewigkeit, doch wir bewegen uns langsam durch die Zeit. Wie langsam die Zeit für uns vergeht, die wir im Gefängnis sitzen – davon brauche ich nicht mehr zu reden, nicht von der Müdigkeit und Verzweiflung, die in unsre Zelle und die Zelle unsers Herzens mit so seltsamer Beharrlichkeit zurückschleichen, dass man gewissermaßen sein Haus für sie fegen und schmücken muss wie für einen unerwünschten Gast, einen gestrengen Herrn oder Sklaven, dessen Sklave man durch Zufall oder eigne Wahl ist.

Vielleicht finden es meine Freunde jetzt schwer, es zu glauben, es ist aber trotzdem so: Sie, deren Leben Freiheit, Müßiggang und Wohlbehagen enthalten, haben es leichter, die Lehren der Demut zu erlernen als ich, der ich den Tag damit beginne, auf den Knien den Boden meiner Zelle aufzuwaschen. Denn das Leben im Gefängnis mit seinen zahllosen Entbehrungen und Einschränkungen macht einen zum Rebellen. Das Schrecklichste daran ist nicht, dass es einem das Herz bricht – Herzen sind dazu da, zu brechen[31] –, sondern dass es einem das Herz in Stein verwandelt. Manchmal hat man das Gefühl, man könne den Tag überhaupt nur mit einer Stirn von Eisen und mit Hohn auf den Lippen überleben. Und wer sich im Zustande der Empörung befindet, kann nicht der Gnade teilhaftig werden, um den Ausdruck zu gebrauchen, dessen sich die Kirche mit Vorliebe bedient – und zwar mit Recht, möchte ich behaupten –, denn im Leben wie in der Kunst verschließt die aufrührerische Stimmung die Kanäle der Seele und sperrt die Luft des Himmels aus. Doch, soll ich diese Lehren irgendwo erlernen, so muss es hier geschehn, und ich muss voller Freude sein, wenn meine Füße auf der rechten Straße sind und mein Angesicht »dem Tore zugekehrt, das schön genannt wird«,[32] mag ich auch vielmals im Schmutz fallen und oft im Nebel irregehn.

Dieses Neue Leben, wie ich es bisweilen aus Liebe zu Dante gern nenne, ist natürlich überhaupt kein neues Leben, sondern einfach, vermittelst Entwicklung und Evolution, die Fortsetzung meines früheren Lebens. Ich erinnre mich, dass ich in Oxford zu einem meiner Freunde sagte, als wir eines Morgens in dem Jahr, eh' ich promovierte,[33] auf den engen, von Vögeln umschwärmten Wegen um Magdalen College wandelten, es gelüste mich, von der Frucht aller Bäume im Garten der Welt zu essen, und mit dieser Leidenschaft im Herzen träte ich in die Welt hinaus. Und so,

31 »Hearts live by being wounded«, heißt es in »A Woman of no Importance« (p. 172).

32 »... the gate of the temple which is called Beautiful«, Apostelgeschichte 3, 2.

33 Wilde promovierte in Oxford am 28. November 1878, nachdem er im vorhergehenden Semester mit seinem Gedicht »Ravenna« den Newdigate-Preis errungen hatte.

auf mein Wort, trat ich hinaus, und so lebte ich. Mein einziger Fehler war, dass ich mich so ausschließlich auf die Bäume beschränkte, welche, wie mir schien, auf der Sonnenseite des Gartens standen, während ich den andern Teil mit seinem Schatten und seiner Düsterheit mied. Misserfolg, Schande, Armut, Kummer, Verzweiflung, Leid, selbst Tränen, die Worte, die Lippen im Schmerze stammeln, die Reue, die Dornen auf unsern Pfad streut, das Gewissen, das verdammt, die Selbsterniedrigung, die straft, das Elend, das Asche auf sein Haupt gießt, die Seelenpein, die sich in Sackleinwand kleidet und Galle in ihr eignes Getränk mischt: – all dem wich ich ängstlich aus. Und da ich beschlossen hatte, nichts davon wissen zu wollen, so wurde ich gezwungen, sie alle der Reihe nach zu kosten, mich von ihnen zu nähren, eine Zeit lang auf jede andre Speise zu verzichten.

Keinen Augenblick bedaure ich, dem Vergnügen gelebt zu haben. Ich tat es bis zum Rande, wie man alles tun soll, was man tut. Es gab kein Vergnügen, das ich nicht genoss. Ich warf die Perle meiner Seele in einen Becher Weins. Ich schritt zum Klange der Flöten den Blumenpfad[34] hinab. Ich lebte von Honig. Aber es wäre falsch gewesen, dieses Leben fortzusetzen, weil es einseitig gewesen wäre. Ich musste weiter. Die andre Hälfte des Gartens hatte auch ihre Geheimnisse für mich. Natürlich ist all das in meiner Kunst vorgebildet und wirft seine Schatten voraus. Spuren davon sind im »Glücklichen Prinzen«[35]; auch in dem Märchen »Der junge König«[36], besonders an der Stelle, wo der Bischof zu dem knienden Jüngling spricht: »Ist Er, der das Elend schuf, nicht weiser als du?«[37] – Worte, die mir, als ich sie schrieb, kaum mehr schienen als Worte; ein gut Teil davon ist hineingeheimnisst in die mahnende Stimme, die sich wie ein Purpurfaden durch den Goldbrokat des »Dorian Gray«[38] zieht;

34 Anspielung auf Hamlet I, 3, 50 (»den Blumenpfad der Lust«).

35 »Der Glückliche: Prinz« ist das erste Märchen der Sammlung »The Happy Prince and other Tales« (London 1888, David Nutt).

36 »Der Junge König« eröffnet den Märchenband »A House of Pomegranates« (London 1891, Osgood, Mc Ilvaine & Co.).

37 »Is not He who made misery wiser than thou art?« (Gesamtausgabe, p. 25).

38 »The Picture of Dorian Gray« wurde zuerst in Lippincott's Monthly Magazine vom

in vielen Farben schimmert es in der »Kritik als Kunst«[39]; in allzu leicht lesbaren Lettern steht es in der »Seele des Menschen«[40]; es ist einer der Refrains, deren wiederkehrendes Motiv »Salome«[41] so sehr einem Musikstück gleichen lässt und wie eine Ballade zusammenschließt; in dem Prosagedicht[42] von dem Manne, der aus dem Erz des Bildes der »Freude, die einen Augenblick lebt« das Bild der »Sorge, die ewig währet«, zu schaffen hat, ist es Fleisch und Blut geworden. Anders hätte es auch gar nicht sein können. In jedem einzelnen Moment seines Lebens ist man das, was man sein wird, nicht minder als das, was man gewesen ist. Die Kunst ist ein Symbol, weil der Mensch ein Symbol ist.

Kann ich ganz dahin gelangen, so ist es die letzte Verwirklichung des Künstlerlebens. Denn das Künstlerleben ist einfach Selbstentwicklung. Die Demut beim Künstler liegt darin, dass er alle Erfahrungen bedingungslos hinnimmt, genauso wie die Liebe beim Künstler einfach der Sinn für Schönheit ist, der der Welt ihren Körper und ihre Seele offenbart. In »Marius dem Epikuräer« sucht Pater das Künstlerleben mit dem religiösen Leben in der tiefen, holden und herben Bedeutung des Wortes in Einklang zu bringen. Aber Marius[43] ist wenig mehr als ein Zuschauer – ein idealer Zuschauer allerdings, einer, dem es gegeben ist,

---

Juli 1890 veröffentlicht; als Buch erschien der Roman, um sieben Kapitel erweitert, im folgenden Jahre bei Ward, Lock & Co. in London.

39 »Kritik als Kunst« (»The Critic as Artist«, zuerst unter dem Titel »The True Function and Value of Criticism« im Nineteenth Century vom Juli und September 1890 veröffentlicht) steht in dem Essayband »Intentions« (London 1891, Osgood, Mc Ilvaine & Co.).

40 »The Soul of Man under Socialism« (später kürzer »Die Seele des Menschen« genannt) erschien als Aufsatz in der Fortnightly Review vom Februar 1901.

41 »Salome«. Drame en un acte: Paris 1893, Librairie de l'Art Independant; englische Ausgabe (translated by Lord Alfred Douglas): London 1893, Elkin Mathews & John Lane.

42 Sechs »Poems in Prose« erschienen in der Fortnightly Review vom Juli 1894; das erste, »The Artist«, ist hier gemeint.

43 »Marius the Epicurean«, ein philosophischer Roman von Walter Pater (1839–1894), erschien 1885; eine deutsche Ausgabe hat der Insel-Verlag 1908 veranstaltet.

»das Schauspiel des Lebens mit eignen Empfindungen zu betrachten«, was Wordsworth[44] als die wahre Bestimmung des Dichters bezeichnet; doch ein Zuschauer nur und vielleicht ein wenig zu sehr mit der Anmut der Bänke im Tempel beschäftigt, um zu gewahren, dass es der Leidenstempel ist, auf dem sein Blick ruht.

Ich sehe eine weit innigere, unmittelbarere Verbindung zwischen dem wahren Leben Christi und dem wahren Leben des Künstlers, und der Gedanke erfüllt mich mit großer Freude, dass ich, lange bevor sich das Leid meiner Tage bemächtigt und mich an sein Rad gebunden hatte, in der »Seele des Menschen«[45] geschrieben habe: wer ein Christus ähnliches Leben fuhren wolle, müsse ganz und gar er selbst sein, und als Beispiele nicht nur den Schäfer auf der Heide und den Gefangnen in seiner Zelle angeführt habe, sondern auch den Maler, dem die Welt ein Mummenschanz, und den Dichter, dem die Welt ein Lied ist. Ich erinnre mich, ich sagte einmal zu André Gide[46], als wir in einem Pariser Café zusammensaßen, die Metaphysik besitze für mich nur geringes wirkliches Interesse und die Moral nicht das mindeste; indessen ließe sich alles, was Plato und Christus gesagt hätten, ohne Weiteres auf das Gebiet

---

44 Wordsworth schreibt in dem Essay Supplementary to the Preface to the Edition of the Poems, 1815: »The appropriate business of poetry ..., her appropriate employment, her privilege and her duty, is to treat of things not as they are, but as they appear ...« Diese Stelle kommt dem von Wilde angeführten Ausdruck »to contemplate the spectacle of life with appropriate emotions« am nächsten; wahrscheinlich schwebte ihm aber eine Stelle aus der Abhandlung Walter Paters über Wordsworth vor (in dessen Buche »Appreciations, with an Essay on Style«, 1889), wo Pater sagt: »To witness this spectacle (sc. of life) is the aim of all culture.«

45 »And so he who would lead a Christlike life is he who is perfectly and absolutely himself«: »The Soul of Man«, p. 292; den Gefangnen hat Wilde allerdings hier nicht besonders namhaft gemacht.

46 André Gide, als Stilkünstler geschätzter Schriftsteller. Von seinen Werken (»Les Cahiers d'André Walter«, »Nourritures terrestes« u. a.) sind in Deutschland sein Roman »L'Immoraliste« und sein Drama »Le roi Candaule« am bekanntesten geworden. Er hat mit Wilde in seiner letzten Pariser Zeit verkehrt und ihm einen an persönlichen Erinnerungen reichen Aufsatz in der Zeitschrift »L'Ermitage« (Juni 1902) gewidmet.

der Kunst übertragen und fände hier seine vollkommne Erfüllung. In dieser Verallgemeinerung war das ebenso tief wie neu.

Die enge Verbindung von Persönlichkeit und Vollkommenheit, die wir in Christus entdecken können, ist es nicht allein, die den wirklichen Unterschied zwischen klassischer und romantischer Kunst bildet und Christus als den wahren Vorläufer der romantischen Bewegung im Leben erscheinen lässt, sondern die Grundlage seines Wesens war dieselbe, die das Wesen des Künstlers ausmacht: eine starke, lodernde Fantasie. Er empfand in dem ganzen Bereich menschlicher Beziehungen jene Anteilnahme der Fantasie, die in der Kunst das einzige Geheimnis des Schaffens ist. Er begriff die Krankheit des Aussätzigen, das Dunkel des Blinden, das grimme Elend derer, die dem Vergnügen leben, die wundersame Armut der Reichen. Mir hat einer in meinem Unglück geschrieben: »Wenn Sie nicht auf Ihrem Piedestal stehn, sind Sie uninteressant.« Wie weit war der Briefschreiber von dem entfernt, was Matthew Arnold das »Geheimnis Jesu«[47] nennt! Sie beide hätten ihn belehrt, dass alles, was einen andern trifft, einen selbst trifft; und wenn Du eine Inschrift haben willst, die Du in der Frühe und am Abend lesen kannst, im Schmerz und in der Freude, dann schreib' an die Wände Deines Hauses, dass es die Sonne vergolde und der Mond versilbere: »Alles, was einen andern trifft, trifft einen selbst.«

Christus gehört fürwahr unter die Dichter. Seine ganze Auffassung von der Menschheit entsprang geradeswegs der Fantasie und kann nur von ihr begriffen werden. Was Gott dem Pantheisten war, das war ihm der Mensch. Er hat zuerst die unterschiedlichen Rassen als eine Einheit erfasst. Vor ihm hatte es Götter und Menschen gegeben; und da er durch eine geheimnisvolle Sympathie fühlte, dass beide in ihm Fleisch geworden waren, nennt er sich den Sohn des einen oder den Sohn des andern, wie es ihm eben beifiel. Mehr als irgendjemand in der Geschich-

47 Matthew Arnold (1822–1888) spricht in seinem Werke »Literature and Dogma« (1873) in dem Kapitel »The Testimony of Jesus to Himself« vom ›Geheimnis Jesu‹.

te erweckt er in uns jene Stimmung für das Wunder, an die sich die Romantik allemal wendet. Die Idee hat für mich noch immer fast etwas Unglaubliches an sich, dass ein junger galiläischer Landmann sich vorstellt, er könne auf seinen Schultern die Last der ganzen Welt tragen: alles, was bereits getan und erduldet worden war, und alles, was dereinst noch getan und erduldet werden sollte: die Sünden Neros, Cesare Borgias, Alexanders VI. und dessen, der Kaiser von Rom und Sonnenpriester[48] war; die Leiden derer, deren Zahl Legion ist und die zwischen Gräbern hausen, der unterdrückten Völker, der Kinder in Fabriken, der Diebe, der Sträflinge, der Enterbten, derer, die in ihrer Knechtschaft stumm sind und deren Schweigen nur von Gott vernommen wird; und sich nicht bloß vorstellt, sondern es auch tatsächlich durchsetzt, sodass noch im gegenwärtigen Augenblick alle, die mit seiner Person in Berührung kommen, selbst wenn sie weder vor seinem Altar sich neigen noch vor seinem Priester knien, doch irgendwie die Empfindung haben, dass die Hässlichkeit ihrer Sünde von ihnen genommen und die Schönheit ihres Leidens ihnen offenbart werde.

Ich hatte gesagt: Christus zählt zu den Dichtern. Das ist so. Shelley und Sophokles sind seine Brüder. Doch auch sein ganzes Leben ist das wundervollste Gedicht. Wenn man nach »Furcht und Mitleid« sucht, gibt es nichts im ganzen Sagenkreise der griechischen Tragödie,[49] was sich damit messen könnte. Die makellose Reinheit des Protagonisten erhebt das ganze Gebäude zu einer Höhe romantischer Kunst, von der die Leiden des thebanischen Hauses und der Pelopiden schon durch ihre Gräuel ausgeschlossen sind, und zeigt, wie falsch der Ausspruch des Aristoteles in seiner Abhandlung über das Drama ist, der Anblick eines schuldlos Leidenden sei unausstehlich. Weder bei Äschylus noch bei Dante, den strengen Meistern der Zartheit, weder bei Shakespeare, dem am reinsten

48 Heliogabal; vgl. Dorian Gray, Kap. 11: »... und wie er als Heliogabal ... den Mond aus Karthago geholt und ihn in mystischer Ehe der Sonne vermählt habe.«

49 Aristoteles hat in seiner Poetik die Tragödie als Nachahmung einer Handlung definiert, »welche durch Mitleid und Furcht die Reinigung dieser Affekte vollzieht.«

Menschlichen von allen großen Künstlern, noch in sämtlichen keltischen Mythen und Legenden, darinnen die Lieblichkeit der Welt durch einen Tränennebel blinkt und das Leben eines Menschen nicht mehr gilt als das Leben einer Blume, gibt es irgendetwas, das an ergreifender Einfachheit, die sich der Erhabenheit tragischer Wirkung paart und in ihr aufgeht, dem letzten Akt der Leidensgeschichte Christi gleich oder auch nur nahekäme. Das schlichte Mahl mit seinen Jüngern, von denen ihn einer schon des Gewinnstes willen verkauft hat; die Seelenangst in dem ruhigen, mondbeglänzten Garten – der falsche Freund tritt dicht an ihn heran, um ihn mit einem Kusse zu verraten; der Freund, der noch an ihn glaubte und auf dem er wie auf einem Felsen eine Zufluchtsstätte für die Menschheit zu gründen gehofft hatte, verleugnet ihn, als der Hahn dem dämmernden Tag entgegenkräht – seine völlige Vereinsamung, seine Unterwürfigkeit und wie er sich allem fügt; daneben wiederum solche Szenen, da der Hohepriester der Orthodoxie im Zorne sein Gewand zerreißt und der Beamte des bürgerlichen Gerichtshofs Wasser holen lässt in der eitlen Hoffnung, sich von dem Fleck unschuldigen Blutes zu reinigen, der ihn zur Scharlachfigur der Geschichte macht; der Krönungsakt mit dem Dornenkranz – eine der wunderbarsten Begebenheiten in den Büchern aller Zeiten – die Kreuzigung des Unschuldigen vor den Augen seiner Mutter und des Jüngers, den er lieb hatte – die Soldaten spielen und würfeln um seine Kleider – der schreckliche Tod, durch den er der Welt ihr ewigstes Symbol gab; und schließlich sein Begräbnis in der Gruft des reichen Mannes – sein Leichnam wird mit kostbaren Spezerein und Wohlgerüchen gesalbt und in ägyptische Leinwand gewickelt, als wär' er eines Königs Sohn gewesen –: wenn man all das einzig und allein von künstlerischem Standpunkt aus betrachtet, muss man dafür dankbar sein, dass der feierlichste Gottesdienst der Kirche die Darstellung der Tragödie ohne das Blutvergießen ist: die mystische Vorführung der Leidensgeschichte des Herrn mithilfe von Dialog, Kostüm und Gesten sogar; und der Gedanke ist für mich stets eine Quelle ehrfürchtiger Erhebung, dass der letzte Überrest des griechischen Chors, der der Kunst sonst verloren gegangen ist, sich in dem Ministranten findet, der dem Messe lesenden Priester antwortet.

Doch in seiner Gesamtheit ist das Leben Christi – so völlig können Leid und Schönheit in ihrer Bedeutung und ihrer Darstellung verschmelzen – wirklich ein Idyll – mag es auch damit enden, dass der Vorhang im Tempel zerreißt, Finsternis das Antlitz der Erde bedeckt und der Stein vor des Grabes Tür gewälzt wird. Man stellt sich ihn immer als einen jungen Bräutigam im Kreise seiner Jünger vor, wie er sich ja an einer Stelle beschreibt; als einen Hirten, der mit seinen Schafen durch ein Tal streift auf der Suche nach grünen Auen oder einem kühlenden Strom; als einen Sänger, der die Mauern der Stadt Gottes durch Musik aufbaun möchte; als einen Liebenden, für dessen Liebe die ganze Welt zu klein war. Seine Wunder dünken mich köstlich wie das Nahen des Lenzes und ebenso natürlich. Ich sehe durchaus keine Schwierigkeit darin, an einen solchen Zauber seiner Persönlichkeit zu glauben, dass seine bloße Gegenwart gequälten Seelen Frieden bringen konnte und dass die, welche sein Gewand oder seine Hände berührten, ihres Schmerzes vergaßen; oder dass, wenn er auf der Heerstraße des Lebens vorüberschritt, Leute, denen bisher des Lebens Geheimnis verborgen geblieben war, es deutlich sahen, und dass andre, die jedem Laut ihr Ohr verschlossen hatten außer dem der Lust, zum ersten Mal die Stimme der Liebe vernahmen und sie »musikalisch wie Phöbus' Leier«[50] fanden; oder dass üble Leidenschaften bei seiner Ankunft flohen und Menschen, deren stumpfes, fantasieloses Leben nur eine Form des Todes gewesen war, gleichsam aus dem Grabe auferstanden, da er sie rief; oder dass die Menge, als er am Hang des Hügels predigte, ihres Hungers und Durstes und der Sorgen dieser Welt vergaß und dass seinen Freunden, die ihm lauschten, als er beim Mahle saß, die grobe Nahrung wohlschmeckte, das Wasser wie trefflicher Wein mundete und das ganze Haus von dem süßen Duft der Narden erfüllt war.

---

50 Shakespeare »Verlorene Liebesmüh« IV, 3 : »... as sweet and musical as bright Apollo's lute« (Schlegel: »so süß und musikalisch wie Phöbus' Lei'r«).

Renan sagt irgendwo in seinem »Leben Jesu«[51] – dem anmutigen fünften Evangelium, dem Evangelium, das man nach dem heiligen Thomas nennen möchte –: Christi großes Werk sei es gewesen, dass er sich die Liebe, die er bei Lebzeiten besessen, nach seinem Tode zu erhalten gewusst habe. Sicherlich, wenn sein Platz unter den Dichtern ist, so führt er den Reigen der Liebenden. Er erkannte, dass die Liebe an erster Stelle das Geheimnis der Welt sei, nach dem die Weisen ausgeschaut hatten, und dass man sich nur durch Liebe dem Herzen des Aussätzigen und den Füßen Gottes nähern könne.

Vor allem aber: Christus ist der höchste Individualist. Die Demut ist, wie die Künstler alle Erfahrungen hinnehmen, bloß eine Offenbarungsform. Nach der Seele des Menschen fahndet Christus immer. Er nennt sie »das Reich Gottes« τήν βασιλείαν τούδ εού[52] – und findet sie bei jedem. Er vergleicht sie mit Kleinigkeiten: einem winzigen Saatkorn,[53] einer Handvoll Sauerteig,[54] einer Perle.[55] Aus dem Grunde: weil man seine Seele nur dadurch ausbildet, dass man alle fremden Leidenschaften, alle erworbne Kultur und allen äußerlichen Besitz – ob gut oder schlecht – abstreift.

Mit der Hartnäckigkeit meines Willens und mehr noch mit dem Widerspruchsgeist meines Wesens bäumte ich mich gegen alles auf, bis ich nichts, gar nichts mehr auf der Welt hatte als Cyril. Ich hatte meinen Namen, meine Stellung, mein Glück, meine Freiheit, mein Vermögen eingebüßt. Ich war ein Sträfling und bettelarm. Aber noch war mir ein holder Besitz geblieben: meine Söhne. Plötzlich wurden sie mir vom

---

51 Ernest Renan »Vie de Jésus«, chap. XXVIII: Caractère essentiel de l'oeuvre de Jésus: »S'être fait aimer, ›à ce point qu'après sa mort on ne cessa pas de l'aimer‹, voilà le chef-d'oeuvre de Jésus et ce qui frappa le plus ses contemporains.«

52 »Trachtet am ersten nach dem Reich Gottes«, Matth. 6, 33.

53 »Das Himmelreich ist gleich einem Senfkorn«, Matth. 13, 31.

54 »Das Himmelreich ist einem Sauerteige gleich«, Matth. 13, 33.

55 »Abermal ist gleich das Himmelreich einem Kaufmann, der gute Perlen suchte«, Matth. 13, 45.

Gesetz genommen. Es war ein so betäubender Schlag, dass ich nicht aus noch ein wusste; ich warf mich auf die Knie, neigte das Haupt, weinte und sprach: »Der Leib eines Kindes ist wie der Leib des Herrn; ich verdiene sie beide nicht«. Dieser Augenblick hat mich, scheint's, gerettet. Damals erkannte ich, dass es nichts andres für mich gäbe, als alles hinzunehmen. Seitdem – so merkwürdig es unzweifelhaft klingen wird – bin ich glücklicher gewesen. Ich hatte nämlich meine Seele in ihrem letzten Wesensgehalt gefunden. In vieler Hinsicht war ich ihr Feind gewesen, aber ich fand, dass sie wie ein Freund auf mich wartete. Wenn man mit der Seele in Berührung kommt, lässt sie einen einfältig werden wie ein Kind, was man nach Christi Worten sein soll.

Es ist tragisch, wie wenige Menschen vor ihrem Tode im Besitze ihrer Seele sind.[56] Emerson sagt: »Nichts ist bei einem Menschen so selten, wie eine eigne Willenshandlung.« Das trifft ganz zu. Die meisten Leute sind andre Leute. Ihre Gedanken sind die Meinungen andrer, ihr Leben Mimikry, ihre Leidenschaften ein Zitat. Christus war nicht nur der größte Individualist, sondern auch der erste in der Geschichte. Man hat versucht, aus ihm einen gewöhnlichen Philanthropen zu machen, vom Schlage der schauderhaften Philanthropen des neunzehnten Jahrhunderts, oder hat ihn als Altruisten unter die Ungebildeten und Gefühlsschwärmer eingereiht. In Wirklichkeit war er weder das eine noch das andre. Gewiss, er hat Mitleid mit den Armen, den Eingekerkerten, den Niedrigen und Elenden; aber er hat viel mehr Mitleid mit den Reichen, den eingefleischten Hedonisten, mit denen, die ihre Freiheit verschwenden, indem sie Sklaven der Dinge werden, mit denen, die weiche Gewänder tragen und in königlichen Schlössern wohnen. Reichtum und Wohlleben schienen ihm größere Tragödien als Armut und Gram. Und was den Altruismus betrifft – wer wusste besser als er, dass es Anlage und

---

56 Der englische Ausdruck »possess their souls« spielt auf Luk. 21, 19 an (»In your patience possess ye your souls«); Luthers Übersetzung: »Fasset eure Seelen mit Geduld« verschiebt den Sinn, sodass die Stelle hier nicht als Zitat wiedergegeben werden konnte.

nicht Willenskraft ist, was bei uns den Ausschlag gibt, und dass man nicht Trauben von Dornen oder Feigen von Disteln lesen kann?[57]

Für andre leben als bestimmter, einem selbst bewusster Zweck: das war nicht seine Lehre. Nicht die Grundlage seiner Lehre. Wenn er sagt: »Vergebet euren Feinden«[58], so sagt er es nicht dem Feind zuliebe, sondern um unser selbst willen, und weil Liebe schöner ist als Hass. Wenn er den reichen Jüngling auffordert: »Verkaufe, was du hast, und gib es den Armen«[59], so denkt er dabei nicht an die Lage der Armen, sondern an die Seele des Jünglings, die liebliche Seele, die der Reichtum ins Verderben zog. In seiner Lebensauffassung ist er eins mit dem Künstler, der weiß, dass infolge des unvermeidlichen Gesetzes der Selbstvollendung der Dichter singen, der Bildhauer in Bronze denken,[60] der Maler die Welt zum Spiegel seiner Stimmungen machen muss, so unbedingt sicher, wie der Hagedorn im Frühling blühn, das Getreide im Herbst zur goldnen Fracht reifen und der Mond auf seiner vorgezeichneten Bahn von der Scheibe zur Sichel, von der Sichel zur Scheibe werden muss.

Hat Christus also nicht zu den Menschen gesprochen: »Lebet für andere«, so hat er vielmehr dargetan, dass gar kein Unterschied zwischen dem Leben der andern und unserm eignen Leben besteht. Hierdurch gab er dem Menschen eine ausgedehnte, titanische Persönlichkeit. Seitdem er erschienen, ist die Geschichte jedes einzelnen Individuums die Weltgeschichte oder kann dazu werden. Freilich, die Kultur hat die Persönlichkeit des Menschen gesteigert. Die Kunst hat unsern Myriaden-

---

57 »Kann man auch Trauben lesen von den Dornen, oder Feigen von den Disteln?«, Matth. 7, 16.

58 ›Vergebet euren Feinden‹ steht nicht in den Evangelien; Christus sagt: »Liebet eure Feinde«, Matth. 5, 44.

59 »Verkaufe, was du hast, und gib es den Armen«, Matth. 19, 21 (vgl. »The Soul of Man«, p. 1890).

60 Der Ausdruck ›in Bronze denken‹ stammt aus dem Prosagedicht »The Artist« (p. 203).

geist[61] geschaffen. Wer das Künstlernaturell besitzt, der geht mit Dante ins Exil und lernt, wie salzig das Brot der andern ist[62] und wie steil ihre Stufen sind; der erlangt einen Augenblick die heitere Ruhe Goethes und weiß dennoch nur zu gut, dass Baudelaire zu Gott aufschrie:

»O Seigneur, donnez-moi la force et le courage
De contempler mon corps et mon coeur sans dégoût«[63]

Aus Shakespeares Sonetten holt er – sich selbst vielleicht zum Schaden – das Geheimnis seiner Liebe heraus[64] und macht es sich zu eigen; er sieht mit andern Augen das moderne Leben, weil er einem von Chopins Nocturnen gelauscht oder sich mit griechischen Künsten abgegeben oder die Geschichte der Leidenschaft eines toten Mannes gelesen hat zu einer toten Frau, deren Haar feinen Goldfäden, deren Mund einem Granatapfel glich. Aber das Mitfühlen des künstlerischen Temperaments richtet sich notwendigerweise auf das, was zum Ausdruck gelangt ist. In Worten oder Farben, in Tönen oder Marmor, hinter den gemalten Masken eines Äschyleischen Dramas oder durch die durchbohrten und aneinander gefügten Schilfrohre eines sizilischen Hirten[65] muss der Mensch und seine Sendung offenbart worden sein.

---

61 Samuel Taylor Coleridge(1772–1834) hat den Ausdruck »our myriad-minded Shakespeare« in seiner »Biographia Literaria« (1817) geprägt.

62 Anspielung auf Paradiso XVII, 58ff.: »Tu proverai sì com' sa di sale Lo pane altrui, e com' è duro calle Lo scendere e il salir per l'altrui scale.« Schon in seinem Oxforder Preisgedicht »Ravenna« (1878) schwebten Wilde diese Verse vor: »Alas! my Dante! thou hast known ... How steep the stairs within kings' houses are« (die allzu steilen Stufen fremder Stiegen).

63 »Ah! Seigneur! donnez-moi la force et le courage De contempler mon coeur et mon corps sans degoût«, Schluss des Gedichtes »Un Voyage à Cythère« aus den »Fleurs du Mal« von Charles Baudelaire (1821–1867).

64 Das ›Geheimnis der Liebe‹ liegt in Shakespeares Sonetten darin, dass sie zugleich von dem Seelenbund mit einem jungen, blonden Aristokraten und von der Liebe zu einer koketten, schwarzen Dame handeln.

65 Mit den ›Schilfrohren eines sizilischen Hirten‹ wird, neben der tragischen Dichtung eines Aischylos, die bukolische Poesie Theokrits bezeichnet.

Dem Künstler ist Ausdruck die einzige Form, unter der er das Leben überhaupt begreifen kann. Für ihn ist tot, was stumm ist. Anders bei Christus. Mit einer wunderbar umfangreichen Fantasie, die einen geradezu mit heiliger Scheu erfüllt, erkor er die ganze Welt des Unausgesprochnen, die Welt des Schmerzes, die keine Stimme hat, zu seinem Königreich und machte sich zu ihrem ewigen Sprachrohr. Die, von denen ich schon gesprochen habe, die unter einem Druck stumm sind und »deren Schweigen nur von Gott vernommen wird«, wählte er sich zu Brüdern. Er suchte, das Auge des Blinden, das Ohr des Tauben und ein Notschrei auf den Lippen derer zu werden, denen die Zunge gebunden war. Sein Wunsch war es, den Myriaden, die keine Sprache gefunden hatten, eine Drommete zu sein, durch die sie zum Himmel rufen könnten. Und da er mit der Künstlernatur eines, dem Leiden und Kummer Formen waren, durch die er seinen Schönheitsbegriff verwirklichen konnte, empfand, dass eine Idee wertlos sei, bis sie Fleisch wird und zum Bilde, so machte er aus sich das Bild des Leidenden, und als solches hat er die Kunst angeregt und beherrscht, wie es niemals einem griechischen Gotte gelang.

Denn die griechischen Götter waren trotz dem Weiß und Rot ihrer schönen, geschmeidigen Glieder in Wirklichkeit nicht das, was sie zu sein schienen. Die geschwungne Stirn Apolls glich der Sonnenscheibe, die in der Dämmerung über einem Hügel steht, und seine Füße den Fittichen des Morgens; aber er selbst war grausam gegen Marsyas gewesen und hatte Niobe ihrer Kinder beraubt. In den Stahlschilden der Augen Athenes blitzte kein Erbarmen mit Arachne[66]; die prunkvolle Hoheit und die Pfauen Heras waren alles, was wirklich vornehm an ihr war; und der Vater der Götter selbst hatte die Menschentöchter zu gern gehabt. Die beiden bedeutungsvollsten Gestalten der griechischen Mythologie waren in der Religion Demeter[67], eine irdische Gottheit, keine der

66 Arachne wurde von Athene, weil sie die Göttin zum Wettstreit in der Webekunst herausgefordert hatte, in eine Spinne verwandelt (Ovids Metamorphosen).

67 Demeter, die Mutter Proserpinas, wird von Homer nicht unter den Göttern des Olym-

Olympischen, und in der Kunst Dionys, der Sohn einer Sterblichen,[68] für die der Augenblick seiner Geburt auch zum Augenblick ihres Todes geworden.

Aber das Leben selbst brachte aus seiner untersten, bescheidensten Schicht eine weit herrlichere Gestalt hervor, als die Mutter Proserpinas oder den Sohn der Semele. Aus der Zimmermannswerkstatt in Nazareth war eine unendlich größere Persönlichkeit hervorgegangen, als je eine in Mythe und Sage erstandene, eine Persönlichkeit, die seltsamerweise dazu bestimmt war, der Welt die geheimnisvolle Bedeutung des Weins und die wahre Schönheit der Lilien des Feldes zu enthüllen, wie es keiner je auf dem Kithäron oder in Enna getan hatte.

Die Worte Jesaias[69]: »Er war der allerverachtetste und unwerteste, voller Schmerzen und Krankheit. Er war so verachtet, dass man das Angesicht vor ihm verbarg«, hatten ihm wie eine Vorankündigung seiner selbst geklungen, und die Prophezeiung ward an ihm erfüllt. Wir brauchen einen solchen Ausdruck nicht zu scheun. Jedes Kunstwerk ist die Erfüllung einer Prophezeiung; denn jedes Kunstwerk ist die Umwandlung einer Idee in ein Bild. Jedes menschliche Wesen sollte die Erfüllung einer Prophezeiung sein; denn jedes menschliche Wesen sollte die Verwirklichung eines Ideals sein, entweder in den Augen Gottes oder der Menschen. Christus fand den Typus und legte ihn fest, und der Traum eines Virgilischen Dichters[70] in Jerusalem oder Babylon verkörperte sich im langen Lauf der Jahrhunderte in ihm, auf dessen Ankunft die Welt

---

pos genannt. In Enna auf Sizilien, wo Pluton die Proserpina geraubt haben soll, stand das Heiligtum der Demeter.

68 Semele, des Kadmos Tochter, gebar sterbend den Dionys, als Zeus auf ihre Bitten hin mit Blitz und Donner vor ihr erschien. In Böotien, dem Geburtslande des Dionys, war sein Kult zu Hause, besonders auf dem Kithäron, dem Grenzgebirge, nach Attika zu.

69 Jesaia 53, 3.

70 Mit dem ›Traum eines Virgilischen Dichters‹ meint Wilde Virgils vierte Ekloge, deren sechste Zeile: »Jam redit et virgo, redeunt Saturnia regna« als Vorankündigung des Christentums gedeutet wurde.

harrte. »Seine Gestalt war hässlicher denn anderer Leute und sein Ansehen denn der Menschen Kinder«[71]: das hatte Jesaia unter den Erkennungsmerkmalen des neuen Ideals aufgezeichnet; und sobald die Kunst verstand, was damit gemeint war, brach sie auf wie ein Blumenkelch in Gegenwart dessen, an dem die Wahrheit in der Kunst zutage trat wie nie zuvor. Denn ist nicht Wahrheit in der Kunst, wie ich schon sagte, das, worin »das Äußere Ausdruck des Innern, worin die Seele Fleisch und der Leib vom Geiste belebt« ist, worin die Form sich offenbart?

Für mich gehört es mit zum Bedauerlichsten in der Geschichte, dass die richtige christliche Renaissance, die den Dom in Chartres,[72] den Legendenzyklus von König Arthur,[73] das Leben des Heiligen Franz von Assisi,[74] die Kunst Giottos und Dantes Göttliche Komödie hervorgebracht hat, in ihrer eignen Bahn sich nicht weiterentwickeln durfte, sondern gehemmt und verdorben wurde von der traurigen klassischen Renaissance, die uns Petrarca schenkte und Raphaels Fresken und Palladios Architektur und die formenstarre französische Tragödie und die St. Paulskirche und Popes Dichtung[75] und allem, was von außen und nach toten Regeln gemacht ist, statt von innen zu kommen aus einem belebenden Geiste.

---

71 Jesaia 51, 14.

72 Die Kathedrale in Chartres, ein frühes Bauwerk der Gotik (aus dem Anfang des dreizehnten Jahrhunderts), die größte und eine der schönsten Kirchen Frankreichs.

73 Die Arthur- oder Artussage, ursprünglich walisisch-bretonisch, hat sich im frühen Mittelalter über die romanischen und germanischen Länder verbreitet. Arthur, ein mythischer König der Briten, der das alte Keltentum gegen die angelsächsische Invasion verteidigte, wurde auch zum Mittelpunkt der Gralsage. In Deutschland gewann der Legendenzyklus Popularität durch Richard Wagners Opern, in England hauptsächlich durch Alfred Tennysons »Idylls of the King«. Darin wird auch von der verräterischen Liebe Lancelots, eines Ritters der Tafelrunde, zu Arthurs Gemahlin Guinevere erzählt.

74 Franz von Assisi (Giovanni Bernardone, 1182–1226), Stifter des Franziskanerordens, wegen seines frommen Lebenswandels verehrt. Er hat vornehmlich die Künstler angeregt und keinen mehr als Giotto (c. 1276–1337), dessen Darstellungen aus dem Leben dieses Heiligen die Wände der berühmten Kirche in Assisi schmücken.

75 Alexander Pope (1688–1744) der Hauptvertreter der klassizistischen Dichtung in England, dessen lehrhafte Gedichte noch das Entzücken Byrons bildeten.

Allein überall, wo es eine romantische Bewegung in der Kunst gibt, ist irgendwie und unter irgendeiner Gestalt Christus oder Christi Seele. Er ist in »Romeo und Julia«, im »Wintermärchen«, in der provençalischen Poesie, im »Alten Matrosen«[76], in der »Belle Dame sans merci«[77] und in Chattertons »Ballade von der Barmherzigkeit«[78].

Wir verdanken ihm die unterschiedlichsten Dinge und Menschen. »Les Misérables«[79] von Hugo, Baudelaires »Fleurs du Mal«[80], die Mitleidsnote in russischen Romanen,[81] Verlaine und seine Gedichte,[82] das bunte Glas, die Tapeten und die Quattrocento-Arbeiten von Burne-Jones[83] und Morris gehören ebenso zu ihm wie der Glockenturm Giottos, Lancelot und Guinevere, Tannhäuser, die qualvollen romantischen Marmorwerke Michelangelos und der Spitzbogenstil. Auch die Liebe zu

---

76 »The Rime of the Ancient Mariner« von Coleridge erschien 1797, im Geburtsjahr der englischen Romantik. Ferdinand Freiligrath hat die Ballade vom »Alten Matrosen« ins Deutsche übertragen.

77 »La Belle Dame sans Merci« von John Keats (1795–1821).

78 »An excelente Balade of Charitie«, angeblich 1464 von dem guten Priester Thomas Rowley verfasst, ist eines der letzten Gedichte des Wunderknaben Thomas Chatterton (1752–1770). Helene Richter hat die »Ballade von der Barmherzigkeit« verdeutscht.

79 Victor Hugos Roman »Les Misérables« erschien 1862.

80 Charles Baudelaires berühmteste Gedichtsammlung »Fleurs du Mal« ist zuerst 1857 erschienen, dann in wesentlich veränderter Form 1861.

81 Über seine Bewunderung russischer Schriftsteller hat sich Wilde zu André Gide (L'Ermitage, p. 421) ausgesprochen: »Les écrivains de la Russie sont extraordinaires. Ce qui rend leurs livres si grands, c'est la pitié qu'ils y ont mise«(vgl. »The Soul of Man«, p. 333).

82 Paul Verlaine (1844–1896), der Dichter der »Poèmes Saturniens«, der »Romances sans paroles« u. a., war mit Wilde persönlich bekannt. Über ihre erste und einzige Begegnung im Café François Premier in Paris hat Robert Sherard (»The Story of an Unhappy Friendship«, p. 56) Bericht erstattet.

83 Edward Burne-Jones (1833–1898), das größte Maltalent der Präraphaeliten, hat einer Reihe von Städten Großbritanniens und Irlands Glasfenster geliefert. Schon seit seiner Oxforder Zeit war er befreundet mit dem Dichter William Morris (1834-1896), der, durch Begründung seines Geschäfts für dekorative Kunst in London, der Reformator des englischen Kunstgewerbes wurde.

Kindern und Blumen. Für beide war in der klassischen Kunst nur wenig Raum übrig, kaum so viel, dass sie darin wachsen und spielen konnten; doch vom zwölften Jahrhundert an bis herab zu unsern Tagen sind sie immerwährend unter verschiedenen Formen und zu verschiedenen Zeiten erschienen – launenhaft und eigenwillig, wozu Kinder, wozu Blumen neigen. Der Lenz machte einem stets den Eindruck, als ob sich die Blumen versteckt hielten und nur ans Licht der Sonne träten, aus Furcht, Erwachsene möchten es müde werden, nach ihnen auszuschaun, und nicht weiter suchen. Und das Leben eines Kindes war nicht mehr als ein Apriltag, an dem die Narzisse bald Regen, bald Sonnenschein hat.

Das Fantasiereiche in Christi eignem Wesen macht ihn zum Puls und Mittelpunkt der Romantik. Die seltsamen Gestalten des poetischen Dramas und der Ballade werden von der Fantasie andrer erdacht, aber völlig aus seiner eignen Fantasie erschuf sich Jesus von Nazareth. Der Prophetenruf Jesaias hatte wirklich mit seinem Erscheinen nicht mehr zu tun, als das Lied der Nachtigall mit dem Aufgang des Mondes – nicht mehr, doch vielleicht auch nicht weniger. Er war sowohl die Verneinung wie die Bestätigung des Prophetenwortes. Auf jede Erwartung, die er erfüllte, kam eine andre, die er vernichtete. »In aller Schönheit«, sagt Bacon, »liegt eine absonderliche Proportion«[84], und von denen, die vom Geiste geboren, will sagen: die wie er dynamische Kräfte sind, sagt Christus, dass sie dem Winde gleichen, der »blaset, wo er will, aber du weißt nicht, von Wannen er kommt und wohin er fährt«[85]. Darum bezaubert er Künstler so. Ihm eignen alle farbigen Lebenselemente: Rätsel, Neuheit, Pathos, Anregung, Verzückung, Liebe. Er spricht das für Wunder empfängliche Naturell an und erzeugt jene Stimmung, aus der heraus er einzig verstanden werden kann.

84 »There is no Excellent Beauty, that hath not some Strangenesse in the Proportion«, heißt es in dem Essay »Of Beauty of Person« von Francis Bacon Lord Verulam (1561-1626).

85 »Der Wind blaset, wo er will ...«, Joh. 3, 8.

Und mit Freuden denke ich daran, dass, wenn er ganz und gar ›aus Einbildung besteht‹[86], die Welt aus demselben Stoffe ist. Im »Dorian Gray« habe ich gesagt, die großen Sünden der Welt vollzögen sich im Hirn.[87] Im Hirn vollzieht sich aber alles. Wir wissen jetzt, dass wir nicht mit dem Auge sehn und nicht mit dem Ohre hören. Auge und Ohr sind in Wirklichkeit zweckdienliche oder unzulängliche Leitungskanäle der Sinneseindrücke. Im Hirn ist der Mohn rot, duftet der Apfel, singt die Feldlerche.

Seit einiger Zeit studiere ich mit heißem Bemühn die vier Prosagedichte, die von Christus handeln. Zu Weihnachten gelang es mir, ein griechisches Testament aufzutreiben, und jeden Morgen, wenn ich meine Zelle gereinigt und mein Zinngeschirr geputzt hatte, las ich ein wenig in den Evangelien, ein Dutzend Verse, aufs Geratewohl herausgegriffen. Es ist eine entzückende Art, damit den Tag zu beginnen. Jeder, selbst wenn er ein stürmisches, schlecht geregeltes Leben führt, sollte es tun. Endlose Wiederholung – zur rechten Zeit und unzeitgemäß – hat uns die Frische, die Naivität, den schlichten, romantischen Zauber der Evangelien verdorben. Wir hören sie viel zu oft und viel zu schlecht lesen, und alle Wiederholung ist geisttötend. Kehrt man aber zum Griechischen zurück, so ist es, als träte man aus enger, dunkler Stube in einen Liliengarten.

Und mir wird die Freude verdoppelt durch die Erwägung, dass wir höchstwahrscheinlich die tatsächlichen Ausdrücke, ipsissima verba Christi vor uns haben. Früher herrschte allgemein die Ansicht, Christus habe aramäisch gesprochen. Sogar Renan dachte es noch.[88] Jetzt aber

---

86 »Aus Einbildung (of Imagination all compact) bestehn Wahnwitzige, Poeten und Verliebte«, Sommernachtstraum V, 1. Die Prägnanz des im Englischen als Zitat gebrauchten Ausdrucks ist in Schlegels Übersetzung verloren gegangen.

87 »It has been said that the great events of the world take place in the brain. It is in the brain, and the brain only, that the great sins of the world take place also«, Dorian Gray, Kap. 2.

88 »Ce qui est indubitable, en tout cas, c'est que de très-bonne heure on mit par ecrit les

wissen wir, dass die Bauern in Galiläa zwei Sprachen redeten, wie heutzutage die irischen Bauern, und dass Griechisch in ganz Palästina, ja im ganzen Orient die übliche Verkehrssprache war. Ich konnte mich nie mit dem Gedanken befreunden, dass wir die eignen Worte Christi nur durch die Übersetzung einer Übersetzung kennen sollten. Mit Entzücken denke ich jetzt daran, dass Charmides seiner Unterhaltung zugehört,[89] Sokrates mit ihm philosophiert, Plato ihn verstanden haben könnte; dass er wirklich sagte: Εγω ειμι ο ποιμην ο χαλοσ;[90] dass, als er der Lilien auf dem Felde gedachte, die nicht arbeiten und nicht spinnen, sein Ausdruck unbedingt lautete: »Καταμαθετε τα χρινα του αγρου πωσ αυξανει ου χοπια, ουδε νηθει«[91]; und dass sein letztes Wort, als er ausrief: »Mein Leben ist zu Ende, hat seine Erfüllung gefunden, ist vollendet«, genau hieß, wie Johannes uns mitteilt: »Τετελεσται«[92] – nichts weiter.

Beim Lesen der Evangelien – zumal dessen, das Johannes selbst verfasst hat oder sonst ein Gnostiker[93] der Frühzeit, der seinen Namen als Deckmantel benutzte – erblicke ich darin, wie sich die Fantasie beständig geltend macht, die Grundlage alles geistigen und materiellen Lebens, sehe ich ferner, dass für Christus die Fantasie einfach eine Form der Liebe und die Liebe im vollsten Sinne des Wortes Herr war.

---

discours de Jesus en langue arameenne, que de bonne heure aussi on ecrivit ses actions remarquables«, Renan, Vie de Jésus, Introduction.

89 Charmides, vornehmer Athener, Anhänger der oligarchischen Partei, fiel mit seinem Vetter Kritias am Kephisos. Plato hat einen seiner Dialoge nach ihm benannt, Wilde den Namen für eines seiner schönsten Gedichte entlehnt (vgl. Intentions, p. 112 und Miscellanies, p. 12).

90 »Ich bin der gute Hirte«, Joh. 10, 11.

91 »Schauet die Lilien auf dem Felde, wie sie wachsen; sie arbeiten nicht, auch spinnen sie nicht«, Matth. 6, 28.

92 »Es ist vollbracht«, Joh. 19, 30.

93 Gnostiker nennt man die (vom zweiten bis fünften Jahrhundert tätigen) Theosophen, die ›das Christentum durch Umdeutung seines dogmatischen Inhalts als absolutes Weltprinzip zu erweisen suchten‹.

Ungefähr vor sechs Wochen erlaubte mir der Arzt, Weißbrot zu essen statt des groben schwarzen oder braunen Brotes, der üblichen Gefängniskost. Es ist ein Leckerbissen. Es wird seltsam klingen, dass einem trocknes Brot ein Leckerbissen sein kann. Mir ist es das so sehr, dass ich nach jeder Mahlzeit sorgsam alle Krumen esse, die auf meinem Zinnteller übrig geblieben oder auf das raue Handtuch gefallen sind, das man über seinen Tisch deckt, um ihn nicht zu beschmutzen; ich tue es nicht aus Hunger – jetzt bekomme ich völlig ausreichend zu essen – sondern einfach, damit nichts von dem, was man mir gibt, verschwendet werde. So soll man es mit der Liebe halten.

Christus besaß, wie alle bestrickenden Persönlichkeiten, die Gabe, nicht nur selbst Schönes zu sagen, sondern sich auch von andern Schönes sagen zu lassen. Ich liebe die Geschichte, die uns Markus von dem griechischen Weib erzählt,[94] das, als Jesus, um ihren Glauben zu prüfen, zu ihr sprach, er könne ihr nicht das Brot der Kinder Israels geben, ihm antwortete: »Die Hündlein – χυναρια – unter dem Tische essen von den Brosamen der Kinder.« Die meisten Menschen leben für Liebe und Bewunderung.[95] Von Liebe und Bewunderung sollten wir leben. Erweist man uns Liebe, so sollten wir erkennen, dass wir ihrer ganz unwert sind. Niemand verdient geliebt zu werden. Die Tatsache, dass Gott die Menschen liebt, zeigt uns, dass in der göttlichen Anordnung der ideellen Güter geschrieben steht, ewige Liebe solle dem ewig Unwürdigen geschenkt werden. Oder, wenn der Satz zu bitter klingt, sagen wir so: Jeder verdient Liebe, nur der nicht, der glaubt, dass er sie verdiene. Die Liebe ist ein Sakrament, das man kniend empfangen soll, und »Domine, non sum dignus« müsste auf den Lippen und im Herzen derer sein, die es erhalten.

Wenn ich je wieder schreibe, ich meine: ein Kunstwerk schaffe, möchte ich mich just über und durch zwei Themen äußern: das eine heißt

94 Mark. 7, 25 ff. Wilde bemängelt, dass das griechische κυνάρια im englischen Bibeltext mit ›dogs‹ übersetzt ist, während es mit ›little dogs‹ wiedergegeben sein sollte.

95 Vgl. Wordsworth, Excursion IV, 763: »We live by admiration, hope, and love.«

»Christus als Vorläufer der romantischen Bewegung im Leben«; das andre »Künstlerleben und Lebenskunst«. Das erste ist natürlich außerordentlich verlockend; denn ich erblicke in Christus nicht nur die wesentlichen Merkmale des höchsten romantischen Typus, sondern auch alles Zufällige, sogar die Eigenwilligkeiten des romantischen Temperaments. Er hat als Erster die Menschen aufgefordert, ein ›blumengleiches Leben‹[96] zu führen. Er hat den Ausdruck geprägt. Er sah in Kindern das Vorbild dessen, was man streben soll zu werden. Er stellte sie älteren Leuten als Muster hin; das habe auch ich stets für den Hauptzweck der Kinder gehalten, sofern das Vollkommne einen Zweck haben soll. Dante beschreibt die Seele eines Menschen, wie sie aus der Hand des Schöpfers hervorgeht, »weinend und lachend wie ein kleines Kind«, und auch Christus erkannte, dass die Seele eines jeden »a guisa di fanciulla che piangendo e ridendo pargoleggia«[97] sein soll. Er fühlte, dass das Leben wechselvoll, flüssig, handlungsreich und dass es der Tod sei, es in irgendeine starre Form zwängen zu lassen. Er sah ein, dass die Menschen die materiellen Interessen des Tages nicht zu ernst nehmen dürften; dass es etwas Großes sei, unpraktisch zu sein; dass man sich nicht zu viel Gedanken über den Lauf der Welt machen dürfe. Die Vögel kümmerten sich ja auch nicht darum, warum also die Menschen? Es ist köstlich, wenn er sagt: »Sorget nicht für den anderen Morgen![98] Ist nicht das Leben mehr denn die Speise? und der Leib mehr denn die Kleidung?«[99] Ein Grieche hätte das Letzte sagen können, so sehr spricht sich darin griechisches Fühlen aus. Aber Christus allein konnte beides sagen und damit für uns die Summe des Lebens zusammenfassen.

Seine Moral ist durchaus Liebe, eben was Moral sein soll. Hätte er nichts weiter gesagt als: »Ihr sind viele Sünden vergeben, denn sie hat

---

96 Christus hat den Ausdruck ›blumengleiches Leben‹ nicht geprägt; er ließe sich ableiten aus Matth. 6, 28.

97 Purgatorio XVI, 86 f.

98 »Sorget nicht für den anderen Morgen«, Matth. 6, 34.

99 »Ist nicht das Leben mehr denn die Speise ...«, Matth. 6, 25.

viel geliebet«[100], es hätte sich verlohnt, für ein solches Wort zu sterben. Seine Gerechtigkeit ist durchaus poetische Gerechtigkeit, genau das, was Gerechtigkeit sein soll. Der Bettler kommt in den Himmel, weil er unglücklich gewesen ist. Ich kann mir keinen besseren Grund dafür denken. Die Leute, die eine Stunde am kühlen Abend im Weinberg arbeiten, erhalten ebenso viel Belohnung wie die, welche sich den ganzen Tag über in der heißen Sonne abgemüht haben. Warum auch nicht? Wahrscheinlich hat keiner etwas verdient. Oder es waren vielleicht Menschen von verschiedener Art. Christus konnte die stumpfen, leblosen, mechanischen Systeme nicht ausstehn, die Menschen wie Dinge und folglich alle gleich behandeln. Gesetze gab es für ihn nicht, nur Ausnahmen, als ob jeder und jedes seinesgleichen nicht noch einmal auf der Welt hätte.

Das, was der Grundton der romantischen Kunst ist, war für ihn die eigentliche Basis des natürlichen Lebens. Eine andre sah er nicht. Und als man ein Weib zu ihm brachte, das auf frischer Tat im Ehebruch ergriffen war, und ihm ihr Urteil, wie es im Gesetz geschrieben stand, vorwies und ihn fragte, was geschehn solle, da schrieb er mit dem Finger auf die Erde, wie wenn er sie nicht höre, und als sie von Neuem in ihn drangen, da blickte er schließlich auf und sprach: »Wer unter euch ohne Sünde ist, der werfe den ersten Stein auf sie.«[101] Es verlohnte sich, für ein solches Wort zu leben.

Wie alle Dichternaturen liebte er Ungebildete. Er wusste, dass in der Seele eines Ungebildeten stets Raum für eine große Idee ist. Aber Dumme waren ihm unerträglich, besonders die, welche die Erziehung verdummt hat: Leute, die voll Ansichten sind, davon sie keine einzige wirklich verstehn – ein vornehmlich moderner Typus, den Christus zusammenfassend als den Typus dessen beschreibt, der den Schlüssel zum Wissen hat, ihn selbst nicht gebrauchen kann und andern den Gebrauch

---

100 Luk. 7, 47 (vgl. »The Soul of Man«, p. 291).
101 Matth. 23, 27.

nicht gestattet, wenn der Schlüssel auch dazu da ist, das Tor zum Reiche Gottes zu öffnen.

Sein Hauptkrieg war gegen die Philister gerichtet. Diesen Krieg hat jedes Kind des Lichts zu führen. Das Philistertum war das Kennzeichen des Zeitalters und des Staates, darin er lebte. In ihrer schwerfälligen Unzugänglichkeit, ihrer stumpfen Ehrbarkeit, ihrer langweiligen Orthodoxie, ihrer Anbetung der Tagesgötzen, ihrer völligen Befangenheit in grob materialistischen Lebensfragen, ihrem lächerlichen Selbstdünkel und ihrer Wichtigtuerei waren die Juden in Jerusalem zur Zeit Christi genau das Seitenstück zum britischen Philister unsrer Tage. Christus verspottete die »übertünchten Gräber« der Ehrbarkeit und hat diesen Ausdruck für alle Zeiten geprägt. Er behandelte den weltlichen Erfolg als etwas durchaus Verächtliches. Er sah gar nichts darin. Er betrachtete den Reichtum als eine Beschwer für den Menschen. Er wollte von einem Leben nichts wissen, das irgendeinem philosophischen oder ethischen System geopfert wird. Er setzte auseinander, dass Formen und Bräuche für den Menschen da seien, aber nicht der Mensch für Formen und Bräuche. Er hielt die Sabbatheiligung für etwas Nichtiges. Die kalte Philanthropie, das Schaugepränge der öffentlichen Wohltätigkeitsanstalten, der lästige Formalismus, den der Spießbürgerverstand so liebt, wurden von ihm mit äußerstem, unerbittlichem Hohn gegeißelt. Uns ist, was Orthodoxie heißt, bloß ein bequemes, geistloses Ja-und-Amen-Sagen; ihnen aber und in ihrer Hand war es eine furchtbare, lähmende Tyrannei. Christus räumte damit auf. Er zeigte, dass der Geist allein von Wert sei. Es bereitete ihm hohe Lust, ihnen klarzumachen, dass sie zwar beständig das Gesetz und die Propheten läsen, in Wirklichkeit aber nicht die geringste Ahnung hätten, was beide bedeuteten. Im Gegensatz zu ihnen, die jeden einzelnen Tag mit seiner starren Schablone vorgeschriebener Pflichten verzehnteten, ebenso wie sie Minze und Raute verzehnten,[102] predigte er, wie es über alle Maßen wichtig sei, durchaus dem Augenblick zu leben.

---

102 »Wehe euch Pharisäern, dass ihr verzehntet die Minze und Raute«, Luk. 11, 42.

Die er von ihren Sünden erlöste, die werden einfach um schöner Momente willen in ihrem Leben erlöst. Als Maria Magdalena Christus erblickt, zerbricht sie die kostbare Alabastervase, die einer ihrer sieben Liebhaber ihr geschenkt hat, und gießt die wohlriechenden Salben über seine ermüdeten, staubigen Füße aus; dieses einen Moments wegen sitzt sie für alle Zeiten mit Ruth und Beatrice unter den Gewinden aus schneeweißen Rosen im Paradiese. Alles, was Christus in leise mahnendem Tone zu uns spricht, ist, dass jeder Augenblick schön, dass die Seele stets zur Ankunft des Bräutigams gerüstet sein und immer auf die Stimme des Liebenden warten soll, wobei das Philistertum einfach der Teil des menschlichen Wesens ist, der nicht von der Fantasie erhellt wird. Christus betrachtet alle lieblichen Einflüsse des Lebens als Lichtgattungen: die Fantasie selbst ist das Weltlicht, το φωσ του χοσμου. Die Welt ist von ihr erschaffen, und sie kann es doch nicht fassen; das kommt daher, dass die Fantasie nur eine Offenbarung der Liebe ist, und die Liebe und die Fähigkeit zu lieben unterscheiden ein Geschöpf vom andern.

Aber wenn er es mit einem Sünder zu tun hat, ist Christus am romantischsten im Sinne von am wirklichsten. Die Welt hatte von jeher den Heiligen als die nächstmögliche Stufe zur Vollendung Gottes geliebt. Christus scheint vermöge eines göttlichen Instinkts den Sünder von jeher als die nächstmögliche Stufe zur Vollendung des Menschen geliebt zu haben. Sein vornehmlichster Zweck war nicht, die Leute zu bessern, so wenig wie es sein vornehmlichster Zweck war, Leiden zu lindern. Ihm kam es nicht darauf an, einen interessanten Dieb in einen langweiligen Ehrenmann zu verwandeln. Er hätte von der Gesellschaft zur Unterstützung haftentlassener Sträflinge und ähnlichen modernen Bestrebungen wenig gehalten. Die Bekehrung eines Zöllners zu einem Pharisäer wäre ihm nicht als Heldentat erschienen. Doch in einer von der Welt noch nicht begriffenen Weise erachtete er Sünde und Leiden als etwas an sich Schönes und Heiliges, als Grade der Vollendung.

Das klingt sehr gefährlich. Ist es auch – alle großen Ideen sind gefährlich. Dass dies Christi Glaube war, daran ist kein Zweifel möglich. Dass es der wahre Glaube ist, bezweifle ich selbst nicht.

Der Sünder muss natürlich bereun. Aber warum? Einfach aus dem Grunde, weil er sonst nicht imstande wäre, das, was er getan hat, zu begreifen. Der Moment der Reue ist der Moment der Weihe. Ja, noch mehr: ist das Mittel, durch das man seine Vergangenheit ändert. Die Griechen hielten das für unmöglich. In ihren Sinnsprüchen heißt es oft: »Nicht einmal die Götter können die Vergangenheit ändern.«[103] Christus zeigte, dass der gemeinste Sünder dazu in der Lage sei; dass es das Einzige sei, was er tun könne. Hätte man Christus gefragt, er würde – ich bin dessen ganz sicher – gesagt haben, dass der verlorene Sohn, nachdem er sein Gut mit Dirnen verprasst und dann die Schweine gehütet und Hunger gelitten und nach den Trebern begehrt hatte, die sie aßen, in dem Augenblick, da er auf die Knie fiel und weinte, all das zu schönen und heiligen Momenten seines Lebens machte. Den meisten Menschen wird es schwer, den Gedanken zu fassen. Vielleicht muss man im Gefängnis gewesen sein, um ihn zu verstehn. Dann verlohnte es sich der Mühe, im Gefängnis zu sitzen.

Christi Gestalt hat etwas so Einziges. Gewiss, gerade so wie es trügerische Lichtschimmer vor der Dämmerung gibt und Wintertage, an denen die Sonne plötzlich so hell scheint, dass sie den vorsichtigen Krokus verlocken, sein Gold vor der Zeit zu verschwenden, und ein törichter Vogel seinem Weibchen zuruft, das Nest auf kahlen Zweigen zu baun: so gab es Christen vor Christus. Dafür müssten wir dankbar sein. Leider hat es nur seitdem keine mehr gegeben. Mit einer Ausnahme: Franz von Assisi. Aber ihm hatte Gott bei seiner Geburt die Seele eines Dichters verliehn, so wie er selbst, da er noch ganz jung war, in mystischer Ehe

---

103 Vgl. Aristoteles »Eth. Nic.« VI, 2: Pindar »Olympia« II, 17; ähnlich sagt Milton im »Par. Lost« IX, 926: »But past who can recall, or done undo? Not God omnipotent, nor Fate!«

die Armut zu seiner Braut erkoren hatte; und mit der Seele eines Dichters und dem Leib eines Bettlers fand er den Weg zur Vollendung nicht schwer. Er verstand Christus und ward ihm dadurch ähnlich. Wir wollen nicht vom Liber Conformitatum[104] belehrt sein, dass das Leben des Heiligen Franz die wahre Imitatio Christi[105] gewesen sei – ein Gedicht, im Vergleich mit dem das Buch jenes Namens bare Prosa ist.

In der Tat, das ist in letztem Betracht der Reiz, der von Christus ausgeht: er gleicht völlig einem Kunstwerk. Er lehrt uns wirklich nichts, aber dadurch, dass wir mit ihm in Berührung kommen, werden wir etwas. Und jeder ist dazu prädestiniert. Einmal mindestens im Leben geht jeder Mensch mit Christus nach Emmaus.

Was das andre Thema betrifft, »Künstlerleben und Lebenskunst«, so wirst Du es zweifellos merkwürdig finden, dass ich es mir wähle. Die Menschen deuten auf das Zuchthaus in Reading und sagen: »Dahin führt einen das Künstlerleben.« Nun, es könnte zu noch schlimmeren Stätten führen. Banausen, denen das Leben eine scharfsinnige Spekulation ist, die sich aus einer sorgfältigen Berechnung der Mittel und Wege ergibt, wissen immer, wohin sie gehn, und gehn dahin. Sie treten mit dem idealen Lebenszweck auf den Plan, Kirchendiener zu werden, und einerlei, auf welchen Posten man sie stellt, es gelingt ihnen. Mehr nicht. Wer danach trachtet, etwas zu werden, das nicht in ihm liegt: Parlamentsmitglied, ein erfolgreicher Gewürzkrämer, ein hervorragender Anwalt, Richter oder sonst etwas gleich Langweiliges, sieht allemal sein Streben von Erfolg gekrönt. Das ist seine Strafe. Wer eine Larve will, muss sie tragen.

---

104 Der Verherrlichung des zwei Jahre nach seinem Tode heilig gesprochenen Franz von Assisi widmete Bartholomäus von Pisa seinen »Liber Conformitatum« (1399); darin werden vierzig Ähnlichkeiten zwischen Christus und Franziskus aufgezählt und diesem häufig der Preis der Heiligkeit verliehn.

105 Thomas à Kempis (1380–1471) ist der Verfasser der »Invitatio Christi«.

Doch mit den treibenden Kräften des Lebens und denen, die diese Kräfte verkörpern, verhält es sich anders. Menschen, die nur auf die Entfaltung ihres eignen Ichs aus sind, wissen niemals, wohin ihr Weg sie führt. Sie können es nicht wissen. In einer Bedeutung des Wortes ist es natürlich nötig, wie es das griechische Orakel verlangte, sich selbst zu kennen;[106] das ist der erste Schritt zu allem Wissen. Aber die Erkenntnis, dass die Menschenseele unergründlich sei, ist der Weisheit letzter Schluss. Wir selbst sind das Endgeheimnis. Hat man die Sonne auf die Waagschale gelegt, den Lauf des Mondes gemessen und die sieben Himmel Stern für Stern auf der Karte verfolgt, so bleibt noch eins übrig: wir selbst. Wer kann die Bahn seiner eignen Seele berechnen? Als der Sohn ausging, seines Vaters Eselinnen zu suchen,[107] wusste er nicht, dass ein Mann Gottes mit dem Krönungssalböl auf ihn wartete und dass seine Seele bereits die Seele eines Königs war.

Ich hoffe, so lange am Leben zu bleiben und solche Werke zu schaffen, dass ich am Ende meiner Tage sprechen darf: »Da seht ihr es nun, wohin das Künstlerleben einen Menschen führt!« Zu dem Vollkommensten, das mir im Bereich meiner Erfahrung begegnet ist, gehört das Leben Verlaines und das des Fürsten Kropotkin[108]. Beides Männer, die jahrelang im Gefängnis gesessen haben: Verlaine der einzige christliche Dichter seit Dante; der andre ein Mann mit der Seele jenes schönen, weißen Christus, der aus Russland hervorzugehn scheint.

---

106 Γνῶθι σεαυτόν (erkenne dich selbst) stand über dem Eingang des Apollo-Tempels in Delphi.

107 Anspielung auf 1. Sam. 9, 3.

108 Fürst Peter Kropotkin (geb. 1842), aus uraltem Adelsgeschlecht, zuerst Militär, wirkte seit 1872 im Geheimen unter den russischen Arbeitern für den Umsturz, wurde als Agitator 1874 verhaftet, entfloh 1876 nach England, wandte sich von da nach Genf, wo er seit 1879 das Anarchistenblatt »La Révolte« herausgab; 1881 aus der Schweiz ausgewiesen, wurde er 1883 in Lyon verhaftet, wegen Zugehörigkeit zur Internationalen Arbeiter-Assoziation zu fünf Jahren Gefängnis verurteilt, 1886 aber begnadigt. Seitdem lebte er in England.

Und während der letzten sieben oder acht Monate habe ich, trotz einer Reihe großer Unannehmlichkeiten, die ohne Unterbrechung von der Außenwelt an mich herangetreten sind, enge Fühlung unterhalten mit einem neuen Geist, der in diesem Gefängnis Menschen und Dinge beseelt und mir mehr, als ich es in Worten auszudrücken vermöchte, zugutegekommen ist. Habe ich im ersten Jahre meiner Haft nichts andres getan und kann ich mich an nichts andres erinnern, als dass ich in ohnmächtiger Verzweiflung die Hände rang und ausrief: »Was für ein Ende, was für ein entsetzliches Ende!«, so versuche ich jetzt mir zu sagen und sage auch manchmal, wenn ich mich nicht selbst quäle, wirklich und aufrichtig: »Was für ein Anfang, was für ein wunderbarer Anfang!« Das mag es wahrhaft werden. Und wenn es dazu kommt, so verdanke ich viel der neuen Persönlichkeit[109], die das Leben aller an diesem Orte geändert hat. Die Dinge an sich sind von geringer Bedeutung. – Lasst uns wenigstens einmal der Philosophie für etwas danken, das sie uns gelehrt hat – ich meine nicht die Vorschriften, denn die sind nach eisernen Regeln bestimmt, sondern den Geist, der in ihnen waltet.

Du kannst das ermessen, wenn ich sage: Wär' ich letzten Mai auf freien Fuß gesetzt worden, wie ich es versuchte, ich hätte diesen Ort voll Abscheu verlassen und alle Beamten hier mit so bittrem Hasse, dass er mein Leben vergiftet hätte. Ich musste noch ein Jahr im Kerker bleiben, aber Menschlichkeit war für uns alle ins Gefängnis eingezogen; und wenn ich jetzt loskomme, werde ich mich stets der großen Freundlichkeit erinnern, die ich hier fast von allen erfahren habe, und am Tage meiner Entlassung werde ich vielen vielmals danken und sie bitten, sich meiner mitunter zu erinnern.

---

109 Die neue Persönlichkeit, die den segensreichen Wandel hervorgebracht, ist Major Nelson. Er trat im Juli 1896 an die Stelle des grausamen, ›fantasielosen‹ Gefängnisdirektors Isacson und führte alsbald ein milderes System ein. Dieses kam auch Wilde zugute: Unter dem neuen Herrn wurden ihm allerlei Vergünstigungen eingeräumt, nicht als geringste die, dass er nach Belieben schreiben durfte.

Die Gefängniseinrichtungen sind durch und durch verkehrt. Ich gäbe alles darum, wenn ich hierin später Wandel schaffen könnte. Ich habe auch vor, es zu versuchen.[110] Aber nichts in der Welt ist so verkehrt, dass der Geist der Humanität, der der Geist der Liebe ist, der Geist Christi, den man nicht in Kirchen antrifft, es wenn auch nicht ins rechte Geleise bringen, so doch ohne allzu große Verbitterung erträglich machen könnte.

Ich weiß ferner, dass draußen vieles meiner harrt, was entzückend ist: von dem angefangen, was der Heilige Franz von Assisi »meinen Bruder den Wind und meine Schwester das Wasser« nennt[111] – beides eine Wonne –, bis zu den Schaufenstern und den Sonnenuntergängen der Großstädte. Wenn ich eine Liste machen wollte von alledem, was mir hoch bleibt, ich wüsste nicht, wo ich aufhören sollte: denn wahrlich, Gott hat die Welt ebenso gut für mich wie für irgendjemand erschaffen. Vielleicht trete ich hinaus im Besitze von etwas, das ich zuvor nicht hatte. Ich brauche Dir nicht zu sagen, dass für mich Moralreformen ebenso bedeutungslos und abgeschmackt sind wie theologische Reformen. Aber während es unwissenschaftliche Heuchelei wäre, wollte man sich vornehmen, ein besserer Mensch zu werden, ist es das Vorrecht dessen, der gelitten, ein tieferer Mensch geworden zu sein. Und das bin ich, glaube ich, geworden.

Gäbe nach meiner Entlassung einer meiner Freunde ein Fest und lüde mich nicht dazu ein, so wäre mir gar nichts daran gelegen. Ich kann mit mir selbst ganz glücklich sein. Mit Freiheit, Blumen, Büchern und dem Monde – wer könnte nicht ganz glücklich sein? Außerdem passen Feste nicht mehr zu mir. Ich habe zu viele gegeben, um ihnen noch einen Reiz

110 Wilde hat sein Vorhaben später ausgeführt, und der Aufsatz über die Behandlung der Kinder im Gefängnis brachte sofort einen Wandel zum Bessern herbei.

111 »Laudato si, misigniore, per frate vento« und »Laudato si, misignore, per sor acqua« heißt es in den »Laudes Creaturum«, dem einzigen uns erhaltenen Liede des Heiligen Franz von Assisi.

abzugewinnen. Dieser Teil des Lebens ist für mich vorüber, sehr zu meinem Glück, möchte ich sagen. Aber wenn nach meiner Entlassung einer meiner Freunde einen Kummer hätte und mir nicht gestatten wollte, ihn zu teilen, das würde ich schmerzlich empfinden. Wenn er mir die Tore des Trauerhauses verschlösse, würde ich immer wieder kommen und um Einlass bitten, damit ich an dem Anteil hätte, wozu ich befugt wäre. Wenn er mich für unwürdig hielte, für ungeeignet, mit ihm zu weinen, würde ich es als die grausamste Erniedrigung betrachten, als die schrecklichste Art, auf die mir ein Schimpf zugefügt werden könnte. Aber das wäre ja gar nicht möglich. Ich habe ein Recht, den Gram zu teilen; wer die Lieblichkeit der Welt schaun, ihren Gram teilen und etwas von dem Wunderbaren, das in beiden liegt, ermessen kann, der steht in unmittelbarer Berührung mit göttlichen Dingen und ist Gottes Geheimnis so nahe gekommen, wie es irgend jemandvermag.

Vielleicht dringt auch in meine Kunst, nicht minder als in mein Leben, eine noch tiefere Note, eine Note von größerer Einheitlichkeit der Leidenschaft und stärkerer Unmittelbarkeit. Intensität, nicht Extensität ist das wahre Ziel der modernen Kunst. Wir haben es in der Kunst nicht mehr mit dem Typus zu tun, sondern mit der Ausnahme. Ich kann meine Leiden nicht in eine Form bringen, die sie gehabt haben – das brauche ich kaum zu sagen. Die Kunst fängt erst da an, wo die Nachahmung aufhört; aber etwas muss in mein Werk kommen: ein vollerer Wortklang vielleicht, reichere Melodie, seltsamere Wirkungen, ein schlichteres architektonisches Gefüge – auf jeden Fall ästhetische Werte.

Als Marsyas ›aus der Scheide seiner Glieder gezogen wurde‹ – della vagina delle membra sue,[112] um eins von Dantes furchtbarsten, taciteischen Bildern zu gebrauchen – da war es mit seinem Lied zu Ende, sagten die Griechen. Apollo war Sieger geblieben. Die Hirtenflöte war der Leier unterlegen. Aber vielleicht befanden sich die Griechen im Irrtum. Ich

112 Paradiso I, 21.

höre in der modernen Kunst vielfach den Schrei des Marsyas[113]: bitter bei Baudelaire, süß und klagend bei Lamartine[114], geheimnisvoll bei Verlaine. In den hingehaltenen Auflösungen der Chopinschen Musik. In dem Missvergnügen, das die immer wiederkehrenden Frauengesichter bei Burne-Jones umwittert. Sogar Matthew Arnold, dessen Lied des Callicles[115] von dem »Triumph der süßen, eindrucksvollen Leier« und dem »berühmten schließlichen Siege« in so hellen Tönen von lyrischer Schönheit erzählt – sogar er hat in der angstvollen Unterstimme seiner Verse, aus denen Zweifel und Pein klingen, ein gut Teil davon; weder Goethe noch Wordsworth[116] konnten ihm helfen, obwohl er sich abwechselnd beiden anschloss. Und wenn er »Thyrsis«[117] zu beklagen oder von dem »Zigeuner-Studenten«[118] zu singen versucht, muss er zur Hirtenflöte greifen, um seine Stimmung wiederzugeben. Ob nun der phrygische Faun verstummt ist oder nicht: ich kann nicht schweigen. Mir ist Darstellen eine Notwendigkeit, wie Treiben und Blühn den

113 vgl. Intentions, p. 45: » ... the singer of life is not Apollo but Marsyas« (vgl. auch Reviews, p. 348).

114 Alphonse de Lamartine (1790–1869) wurde durch seine schwärmerischen Naturschilderungen, aus denen eine unbefriedigte Sehnsucht sprach (»Meditations«, »Harmonies poetiques et religieuses«, »Jocelyn« u. a.), der Lieblingsdichter der vornehmen Welt während der Restauration.

115 Callicles ist der junge Harfenspieler in Matthew Arnolds dramatischem Gedicht »Empedocles on Etna« (1852). In dem Schlussgesang des Callicles, der von dem Wettstreit Apolls mit dem phrygischen Faun Marsyas handelt, finden sich die Verse:
»Oh, that Fate had let me see
That triumph of the sweet persuasive lyre,
That famous, final victory
When jealous Pan with Marsyas did conspire.«

116 Dass Goethe und Wordsworth die beiden großen Vorbilder Matthew Arnolds waren, hat er selbst in den »Stanzas in Memory of the Author of ›Obermann‹ (Etienne Pivert de Senancour)« bezeugt, in denen er »Wardsworth's sweet calm« und »Goethe's wide and luminous view« feiert.

117 »Thyrsis« ist eine Monodie zur Erinnerung an Arnolds 1861 in Florenz verstorbenen Freund Arthur Hugh Clough (vgl. Reviews, p. 432).

118 »The Scholar Gipsy« ist eine Elegie auf einen Oxforder Studenten, der aus Armut die Universität verlassen musste und sich einer Zigeunergesellschaft anschloss.

schwarzen Ästen der Bäume,[119] die über die Gefängnismauern ragen und so ruhelos im Winde schwanken. Zwischen meiner Kunst und der Welt klafft jetzt eine weite Kluft, aber nicht zwischen der Kunst und mir. Ich hoffe es wenigstens nicht.

Einem jeden von uns ist ein andres Los beschieden. Dir: Freiheit, Freuden, Vergnügungen, Wohlbehagen; mir sind öffentliche Schande, lange Kerkerhaft, Elend, Bankrott, Entehrung zugefallen, doch ich bin es nicht wert – noch nicht zum Mindesten. Ich erinnre mich, davon gesprochen zu haben, ich dächte, eine wirkliche Tragödie ertragen zu können, wenn sie mir im Purpurmantel und in der Maske eines edlen Schmerzes nahe;[120] das Schreckliche der Moderne sei dagegen, dass sie die Tragödie ins Gewand der Komödie stecke, wodurch die großen Wirklichkeiten alltäglich, grotesk oder stillos erschienen. Das mit der Moderne hat seine Richtigkeit. Auf das gegenwärtige Leben ist es vermutlich immer zugetroffen. Man hat behauptet, alle Martyrien[121] kämen dem Zuschauer gemein vor. Das neunzehnte Jahrhundert macht keine Ausnahme von der Regel.

Alles an meiner Tragödie ist scheußlich, gemein, abstoßend, stillos gewesen; schon unsre Kleidung lässt uns grotesk erscheinen.

Wir sind die Hanswürste des Leids. Wir sind Clowns mit gebrochnem Herzen. Wir haben die besondre Bestimmung, auf die Lachmuskeln zu wirken. Am 13. November 1895 hat man mich von London hierher geschafft. Von zwei bis halb drei Uhr nachmittags musste ich an diesem Tag in Sträflingskleidung und Handschellen auf dem mittleren Bahnsteig der Station Clapham Junction[122] stehn, den Blicken der Welt aus-

---

119 Der Vergleich des darstellenden Dichters mit dem Knospen treibenden Baume begegnet wieder im dritten Briefe an Robert Ross.

120 Vgl. Intentions, p. 165. »We come across some noble grief that we think will lend the purple dignity of tragedy to our days.«

121 »It is said, all martyrdoms looked mean when they were suffered«, Emerson, »Essay on Experience« (Essays, second series, Boston 1844).

122 Clapham Junction ist eine der belebtesten Londoner Vorortstationen.

gesetzt. Ich war aus der Krankenabteilung geholt worden, ohne auch nur eine Minute vorher darauf vorbereitet zu werden. Unter allen möglichen Verworfenen war ich der groteskeste. Als mich die Leute sahen, lachten sie. Mit jedem neuen Zug, der ankam, vermehrten sich die Zuschauer. Ihr Spaß kannte keine Grenzen. Das war natürlich so, ehe sie wussten, wer ich war. Sobald sie es erfahren hatten, lachten sie noch mehr. Eine halbe Stunde lang stand ich im grauen Novemberregen da, vom johlenden Pöbel umringt.

Noch ein Jahr, nachdem mir das widerfahren, habe ich jeden Tag zur selben Stunde gleich lange geweint. Das ist nicht so tragisch, wie es Dir wahrscheinlich klingt. Denen, die im Gefängnis sitzen, sind Tränen ein Teil ihrer täglichen Erfahrung. Ein Tag im Gefängnis, an dem man nicht weint, ist ein Tag, an dem unser Herz verhärtet, kein Tag, an dem unser Herz glücklich ist.

Nun denn, ich bedaure allmählich die Leute, die lachten, wirklich mehr als mich. Als sie mich sahen, stand ich natürlich nicht auf meinem Piedestal, ich stand am Pranger. Aber ein ganz fantasieloses Wesen kümmert sich nur um Leute auf dem Piedestal. Ein Piedestal kann etwas sehr Unwirkliches sein; der Pranger ist eine fürchterliche Wirklichkeit. Sie hätten auch den Schmerz besser auslegen sollen. Ich sagte schon: Hinter dem Schmerze birgt sich stets Schmerz. Es wäre noch richtiger zu sagen: Hinter dem Schmerze birgt sich stets eine Seele. Und eine Seele in ihrer Qual verspotten ist etwas Grausiges. Wer das tut, dessen Leben ist unschön. In dem merkwürdig einfachen Haushalt der Welt bekommt man nur, was man fortgibt; kann man denen, die nicht genug Fantasie haben, die bloße Außenseite der Dinge zu durchschaun und Mitleid zu empfinden, ein andres Mitleid zollen als das der Verachtung?

Ich schreibe diesen Bericht über meine Überführung in dieses Gefängnis nur nieder, damit es einleuchte, wie schwer es mir wurde, meiner Strafe irgendetwas andres als Verbitterung und Verzweiflung abzugewinnen. Immerhin muss ich es tun, und ab und zu habe ich Momente der Ergebung und Unterwürfigkeit. In der einzelnen Knospe mag sich der ganze Frühling verstecken, und das Nest der Lerche in den Ackerfurchen kann alle Wonne umspannen, die dereinst dem Fuße mancher rosigen Morgenröte vorauseilt. So ist vielleicht auch alle Schönheit, die mir das Leben noch aufspart, in einem Augenblick der Hingabe, der Erniedrigung und Demütigung enthalten. Wie dem auch sei, ich kann lediglich in den Geleisen meiner eignen Entwicklung weiterschreiten und dadurch, dass ich alles hinnehme, was mir widerfahren ist, mich dessen würdig erzeigen.

Man pflegte mir nachzusagen, ich sei zu individuell. Ich muss ein noch viel größerer Individualist werden, als ich je war. Ich muss weit mehr aus mir herausholen, als ich je tat, und weniger von der Welt heischen. Im Grunde war mein Verderben nicht die Folge eines zu großen, sondern eines zu geringen Individualismus. Der einzige schändliche, unverzeihliche und für alle Zeiten verächtliche Schritt meines Lebens bestand darin, dass ich mir erlaubte, die Gesellschaft um Hilfe und Schutz anzugehn. Vom individualistischen Standpunkt aus wäre es schon schlimm genug gewesen, derart bei ihr Zuflucht zu suchen; aber welche Entschuldigung lässt sich je zu meinen Gunsten vorbringen? Sobald ich einmal die Kräfte der Gesellschaft in Gang gebracht hatte, wandte sie sich selbstverständlich gegen mich und sagte: ›Du hast die ganze Zeit meinen Gesetzen zum Trotz gelebt und rufst nun diese Gesetze zum Schutz an? Man wird dich diese Gesetze in vollem Maße spüren lassen. Du sollst die Folgen davon tragen.‹ Das Ergebnis ist, dass ich im Kerker sitze. Und ich hab' im Laufe meiner drei Prozesse die schmachvolle Ironie meiner Stellung bitter empfunden.

Sicher ist nie ein Mensch so schändlich und durch so schändliche Werkzeuge gefallen wie ich. An einer Stelle des »Dorian Gray« heißt es: »Man kann in der Wahl seiner Feinde nicht vorsichtig genug sein«.[123] Ich ließ es mir nicht träumen, dass ich durch Parias selbst zum Paria werden sollte. Deshalb verachte ich mich so.

123 »A man cannot be too careful in the choice of his enemies«, Dorian Gray, Kap. 1.

Das Philisterhafte im Leben besteht nicht in dem Unvermögen, die Kunst zu begreifen. Reizende Menschen wie Fischer, Hirten, Pflüger, Bauern und dergleichen wissen nichts von der Kunst und sind doch das Salz der Erde.[124] Der ist der wahre Philister, der den schwerfälligen, lästigen, blinden, mechanischen Kräften der Gesellschaft Vorschub leistet und sie unterstützt, ohne die dynamische Kraft, wenn er sie in einem Menschen oder in einer Bewegung trifft, zu erkennen.

Man hat es mir entsetzlich verdacht, dass ich die Schädlinge des Lebens zu Tische lud und an ihrer Gesellschaft Vergnügen fand. Jedoch von dem Standpunkt aus, von dem ich ihnen als Künstler im Leben nahetrete, waren sie herrlich anregende Reizmittel. Es war, wie wenn man mit Panthern schwelgte; die Gefahr war der halbe Rausch. Ich kam mir vor wie ein Schlangenbeschwörer, wenn er die Kobra durch seinen Lockruf dahin bringt, sich von dem bunten Tuch oder aus dem Rohrkorb zu erheben, und sie auf seinen Befehl ihr Schild breiten und in der Luft hin und her schwingen lässt, wie eine Pflanze geruhig im Strome schwingt. Sie waren für mich die leuchtendsten vergoldeten Schlangen, ihr Gift ein Teil ihrer Vollkommenheit. Ich wusste nicht, dass sie ihren Angriff auf mich nach der Pfeife eines andern[125] und gegen Bezahlung unternehmen sollten. Ich schäme mich keineswegs, sie gekannt zu haben, sie waren höchst interessant; wessen ich mich aber schäme, das ist der greulich philiströse Dunstkreis, in den ich geschleppt wurde. Meine Beschäftigung als Künstler rief mich zu Ariel[126]. Ich machte mich daran, mit Caliban zu ringen. Statt prachtvoll farbige, musikalische Werke zu schreiben, wie »Salome«, die »Florentinische Tragödie«[127] und »La

---

124 »das Salz der Erde«, Matth. 5, 13.

125 Der andre, nach dessen Pfeife die ›vergoldeten Schlangen‹ tanzten, ist natürlich Lord Queensberry.

126 Ariel ist der freundliche Geist der Lüfte, Caliban das auf der Erde kriechende Scheusal in Shakespeares »Sturm«.

127 »Eine Florentinische Tragödie« ist eine der letzten dramatischen Arbeiten Wildes. Das Manuskript wurde ihm im April 1895 aus seiner Wohnung gestohlen. Ross hat eine frühere fragmentarische Niederschrift gefunden. (Näheres im Vorwort der deut-

Sainte Courtisane«[128], zwang ich mir lange Advokatenbriefe ab und sah mich genötigt, mich unter den Schutz eben der Dinge zu begeben, gegen die ich mich von jeher verwahrt hatte. Clibborn und Atkins[129] waren wundervoll in ihrem niederträchtigen Kriege gegen das Leben. Sie zu bewirten war ein erstaunliches Wagestück; der ältere Dumas, Cellini[130], Goya[131], Edgar Allan Poe[132], Baudelaire würden genau dasselbe getan haben. Abscheulich ist mir die Erinnerung an endlose Besuche, die ich dem Rechtsanwalt Humphreys[133] machte: In dem grässlich blendenden Licht eines kahlen Zimmers saß ich da mit ernsthaftem Gesicht und redete einem glatzköpfigenHerrn ernsthafte Lügen vor, bis ich wirklich vor Langweile ächzte und gähnte. Da befand ich mich so recht im Mittelpunkt von Philistäa, von allem entfernt, was schön, glänzend, wunderbar, kühn ist. Ich war als Vorkämpfer der Ehrbarkeit, der Sittenstrenge im Leben und der Moral in der Kunst aufgetreten. Voilà où menent les mauvais chemins ... aber ich kann derer dankbar gedenken, die durch maßlose Güte, grenzenlose Ergebenheit, heitere Freude am Schenken mir meine schwarze Last erleichtert, mich immer wieder besucht, mir

---

schen Buchausgabe, Berlin 1907.)

128 »La Sainte Courtisane or the Woman covered with Jewels« ist gleichfalls ein verschollenes Drama, von dem bis heute nur spärliche Bruchstücke aufgetaucht sind (Miscellanies, p. 229–239). Sie lassen inhaltlich eine gewisse Ähnlichkeit mit Anatole France' Roman »Thaïs«, formell mit »Salome« erkennen. Eine ausführlichere Darstellung der Fabel findet sich in Leonard Cresswell Inglebys Wilde-Biographie, p. 220 ff.

129 Clibborn und Atkins waren Belastungszeugen im Wilde-Prozess.

130 Benvenuto Cellini (1500–1571) wird von Wilde in den »Intentions« (p. 100) »der größte Spitzbube der Renaissance« genannt. (Vgl. »The Soul of Man«, p. 323 f., und »Impressions of America« by Oscar Wilde, Keystone Press, 1906).

131 Francisco Goya (1746–1828), neben Velasquez und Murillo der größte Maler Spaniens und vielleicht die problematischste Gestalt der gesamten Kunstgeschichte, an bizarrer Fantasie unerreicht.

132 Edgar Allan Poe (1809–1849), von Wilde als der bedeutendste amerikanische Dichter verehrt (vgl. »Impressions of America« p. 13).

133 Rechtsanwalt Humphreys vertrat Wilde in seinem Beleidigungsprozess gegen Lord Queensberry.

schöne, teilnehmende Briefe geschrieben, meine Angelegenheiten für mich besorgt, für mein künftiges Leben Vorkehrungen getroffen und zu mir gehalten haben, der Verleumdung, Stichelei, dem offnen Hohn, ja selbst Beleidigungen zum Trotz. Ich verdanke ihnen alles. Sogar die Bücher in meiner Zelle hat Robbie von seinem Taschengelde bezahlt; aus derselben Quelle sollen mir, wenn ich entlassen werde, Kleider zukommen. Ich schäme mich nicht, zu nehmen, was in herzlicher Liebe geschenkt wird; ich bin stolz darauf. Ja wahrhaftig, ich denke an meine Freunde, an More Adey[134], Robbie, Robert Sherard[135], Frank Harris[136], Arthur Clifton[137], und daran, was sie mir durch ihre Hilfe, Liebe und Teilnahme gewesen sind. Ich denke an jeden einzelnen Menschen, der gut zu mir war in meinem Gefängnisleben, bis herab zu dem Wärter, der mir ›Guten Morgen‹ und ›Gute Nacht‹ wünscht (keine seiner vorgeschriebenen Pflichten), bis herab zu den gemeinen Schutzmännern, die in ihrer vertraulichen, rauen Art mich zu trösten suchten, als ich zum Konkursgerichtshof und zurück im Zustand schrecklicher Seelennot fuhr – bis herab zu dem armen Dieb, der mich erkannte, als wir

134 More Adey (geb. 1858), der erste englische Übersetzer von Ibsens »Brand«; früher unter dem Pseudonym William Wilson schriftstellerisch tätig, jetzt Mitinhaber der Carfax Gallery in London.

135 Robert Harborough Sherard (geb. 1861), ein Urenkel William Wordsworths, bekannter englischer Journalist und Schriftsteller, einer der ältesten Freunde Wildes, dessen Biograf er geworden ist. Seinen beiden Büchern – »Oscar Wilde: The Story of an Unhappy Friendship« (London 1902) und »The Life of Oscar Wilde« (London 1906) – verdanken wir die wichtigsten Aufschlüsse über den Dichter. Sherard, der ›vieler Menschen Städte gesehn und Sitte gelernt hat‹, der mit Zola und Daudet befreundet war – vgl. seine interessanten Lebenserinnerungen »Twenty Years in Paris« (London 1903) – ist auch mit eignen Romanen wie »Jacob Niemand«, »After the Fault« u. a. erfolgreich gewesen.

136 Frank Harris (geb. 1856), damals Herausgeber der »Saturday Review«, jetzt von »Vanity Fair«, Verfasser von »The Man William Shakespeare« (1898) und eines Dramas »Mr. and Mrs. Daventry« (1900), zu dem ihm Wilde den Stoff geliefert haben soll. Ihm ist »An Ideal Husband« in schmeichelhaften Ausdrücken gewidmet.

137 Arthur Clifton (geb. 1863), Familienfreund, Mitinhaber der Carfax Gallery in London.

im Gefängnishof zu Wandsworth die Runde machten, und mir mit der heiseren Kerkerstimme, die man von langem, unfreiwilligem Schweigen bekommt, die Worte zuflüsterte: »Sie tun mir leid; es trifft einen Ihresgleichen härter als unsereinen.«[138]

Ein guter Freund von mir,[139] der sich in zehn Jahren bewährt hat, besuchte mich unlängst und sagte mir, er glaube von all dem, was gegen mich vorgebracht werde, kein einziges Wort; er gab mir zu verstehn, dass er von meiner Unschuld überzeugt sei und mich für das Opfer eines abscheulichen Komplotts halte. Ich brach in Tränen aus, als er so zu mir sprach, und sagte ihm, viele Punkte der Anklage,[140] die mir schließlich zur Last gelegt wurden, seien völlig unwahr und mit empörender Tücke auf mich übertragen worden, mein Leben jedoch sei voll perverser Freuden und absonderlicher Leidenschaften gewesen, und wenn er sich nicht mit dieser Tatsache abfinde und sie sich deutlich vergegenwärtige, dann könne ich unmöglich länger sein Freund sein oder je wieder in seiner Gesellschaft weilen. Es war ein fürchterlicher Schlag für ihn; aber wir sind noch befreundet, und ich habe seine Freundschaft: nicht unter falschen Vorspiegelungen erschlichen. Ich habe Dir gesagt: Die Wahrheit sprechen ist etwas Peinliches; Lügen sagen müssen ist viel schlimmer.

Es war während meines letzten Prozesses, ich saß auf der Sünderbank und lauschte Lockwoods[141] niederschmetternder Anklage; sie hörte sich

138 Diese Episode hat Wilde auch André Gide erzählt (L'Ermitage, p. 423; Hugo von Hofmannsthal, »Sebastian Melmoth«, Prosaschriften II, 88); in etwas andrer Form bei Sherard (»Story of an Unhappy Friendship«, p. 236).

139 Wer der gute Freund war, ist nicht sicher zu ermitteln; wahrscheinlich Robert Sherard.

140 Dass Wilde die Sünden andrer auf sich genommen, hat er auch später noch versichert: »Fünf der Anklagepunkte bezogen sich auf Dinge, mit denen ich ganz und gar nichts zu tun hatte. Eine gewisse Grundlage war für einen Punkt da« (Sherard, »Life«, p. 368).

141 Sir Frank Lockwood war der Vertreter der Anklagebehörde in dem letzten Prozess gegen Wilde (22.–25. Mai 1895); er sprach mit besondrer Erbitterung.

an wie eine Stelle aus Tacitus, ein Vers aus Dante, eine von Savonarolas[142] Brandreden wider die römischen Päpste. Auch mich packte der Ekel bei dem, was mein Ohr vernahm. Da plötzlich fuhr's mir durch den Kopf: ›Wie großartig wär' es, wenn ich all das selbst über mich aussagte!‹ Sofort leuchtete mir ein: Das, was von einem Menschen gesagt wird, ist nichts; es kommt darauf an, wer es sagt. Der höchste Augenblick eines Menschen – daran hege ich nicht den mindesten Zweifel – ist der, wenn er im Staube niederkniet, sich an die Brust schlägt und alle Sünden seines Lebens bekennt.

Gefühlskräfte[143] sind, wie ich an einer Stelle der »Intentions« sage, in ihrer Ausdehnung und Dauer ebenso begrenzt wie die Kräfte körperlicher Energie. Der kleine Becher, der ein gewisses Quantum fassen soll, kann so viel aufnehmen und nicht mehr, wenn auch alle Purpurfässer Burgunds bis zum Rande mit Wein gefüllt sind und die Kelterer bis an die Knie in der Traubenlese der gerölligen Weinberge Spaniens stehn. Kein Irrtum ist weiter verbreitet als der, dass Menschen, welche große Tragödien verursachen oder veranlassen, die der tragischen Stimmung entsprechenden Gefühle teilen; kein Irrtum verhängnisvoller, als das von ihnen zu erwarten. Der Märtyrer in seinem »Flammenhemd«[144] erschaut vielleicht das Antlitz Gottes, aber dem, der die Reisigbündel aufschichtet oder das Holz lockert, damit der Wind hindurchblasen kann, bedeutet die ganze Szene nicht mehr als dem Metzger, wenn er einen Ochsen schlachtet, dem Köhler im Walde, wenn er einen Baum fällt, oder einem, der das Gras mit der Sense mäht, wenn eine Blume umsinkt. Große Leidenschaften sind für große Seelen, und große Ereignisse können nur von denen erkannt werden, die auf gleicher Höhe

142 Girolamo Savonarola (1452–98), Dominikanermönch, wetterte gegen die Sittenlosigkeit der Medici und die Verderbtheit des römischen Hofes. Nachdem ihn das Volk zuerst vergötterte, wurde er als Ketzer gefangen genommen und erdrosselt.

143 »Emotional forces, like the forces of the physical sphere, are limited in extent and energy«, Intentions, p. 174.

144 »Like a pale martyr in his shirt of flame«: Alexander Smith (1830–67), »A Life Drama«.

mit ihnen stehn. Wir glauben, wir könnten unsre Gefühle umsonst haben. Wir können es nicht. Auch die edelsten, opferfreudigsten Gefühle müssen bezahlt werden. Seltsamerweise macht sie gerade das edel. Das Verstandes- und Gemütsleben gewöhnlicher Menschen ist etwas sehr Verächtliches. Ebenso wie sie ihre Ideen aus einer Art Gedankenleihbibliothek beziehn – dem Zeitgeist[145], der keine Seele hat – und sie am Ende jeder Woche beschmutzt zurückschicken, versuchen sie immer, ihre Gefühle auf Kredit zu bekommen, oder weigern sich, die Rechnung zu bezahlen, wenn sie ihnen ins Haus geschickt wird. Wir müssen aus dieser Lebensauffassung herauskommen; sobald wir für ein Gefühl zu zahlen haben, kennen wir seinen Wert und sind durch solche Kenntnis besser daran. Bedenke, dass der sentimentale Mensch immer ein Zyniker im Herzen ist. Ja, Sentimentalität ist nur der Sonn- und Feiertagszynismus. Und so entzückend der Zynismus von seiner intellektuellen Seite ist, jetzt, wo er das Fass mit dem Klub vertauscht hat,[146] kann er niemals mehr sein als die vollendete Philosophie für einen Menschen, der keine Seele besitzt. Der Zynismus hat seinen sozialen Wert; und für den Künstler sind alle Ausdrucksformen interessant, aber an und für sich ist er ein armseliges Ding, denn dem echten Zyniker wird nie etwas offenbart.

Von künstlerischem Gesichtspunkt aus kenne ich in der gesamten dramatischen Literatur nichts Unvergleichlicheres, in der Feinheit der Beobachtung Anregenderes als die Art, wie Shakespeare Rosenkranz und Güldenstern[147] zeichnet. Sie sind Hamlets Universitätsfreunde; sind sei-

---

145 Wilde führt das Wort ›Zeitgeist‹ in deutscher Sprache an. Es kommt schon in der Vorrede zu Matthew Arnolds »Literature and Dogma« (1873) vor.

146 Der Zynismus »has left the tub for the club« will sagen: ist vom Fasse des Diogenes, der den Alten als radikalster Vertreter der zynischen Philosophie galt, in die Klubs gelangt. Der Reim lässt sich im Deutschen nicht ohne Beeinträchtigung des Sinnes wiedergeben.

147 Über Rosenkranz und Güldenstern hat Wilde (Reviews, p. 19) gesagt, er habe nie einen Unterschied zwischen beiden zu machen vermocht, und es seien die einzigen Charaktere, die Shakespeare nicht individualisieren wollte (vgl. auch Reviews, p. 148).

ne Gefährten gewesen. Sie bringen Erinnerungen an gemeinsam verlebte frohe Tage mit. In dem Augenblick, da sie Hamlet im Stücke begegnen, taumelt er unter der Last einer Bürde, die für einen Menschen seiner Gemütsart unerträglich ist. Der Tote ist gewaffnet aus dem Grabe auferstanden, um ihm eine Mission aufzuerlegen, die zu groß und gleichzeitig zu niedrig für ihn ist. Er ist ein Träumer und soll handeln. Er hat die Veranlagung eines Dichters, und man verlangt von ihm, er solle mit der gewöhnlichen Verknüpfung von Ursache und Wirkung ringen, mit dem Leben in seiner praktischen Gestalt, von dem er nichts weiß, nicht mit dem Leben in seinem idealen Wesen, von dem er so viel weiß. Er hat keine Ahnung, was er tun soll, und sein Wahnsinn besteht darin, Wahnsinn zu heucheln. Brutus[148] benutzte die Schwermut als Mantel, das Schwert seiner Absicht, den Dolch seines Wissens darunter zu verbergen; aber Hamlets Tollheit ist lediglich eine Maske für seine Schwäche. Im Grimassenschneiden und Witzereißen erblickt er eine Gelegenheit zum Aufschub. Er spielt beständig mit der Tat, wie ein Künstler mit einer Theorie spielt. Er macht sich zum Späher seiner eignen Handlungen, und wenn er seinen eignen Worten lauscht, weiß er, es sind nur »Worte, Worte, Worte«[149]. Statt einen Versuch zu wagen, der Held seiner eignen Geschichte zu werden, bemüht er sich, der Zuschauer seiner eignen Tragödie zu sein. Er glaubt an nichts, sich selbst mitgerechnet, und doch nützt ihm sein Zweifeln nicht, da es nicht dem Skeptizismus, sondern einem zwiespältigen Willen entspringt.

Von alledem begreifen Güldenstern und Rosenkranz nichts. Sie verbeugen sich und schmunzeln und lächeln, und was der eine sagt, echot der andre mit widerlichem Tonfall. Als schließlich, mithilfe des Spiels im Spiele und der Marionetten in ihrem Getändel, Hamlet den König in der »Schlinge seines Gewissens«[150] fängt und den Unhold in seiner

148 Brutus in Shakespeares »Julius Caesar«.

149 Hamlet II, 2.

150 » ... Das Schauspiel sei die Schlinge,
In die den König sein Gewissen bringe«,

Angst vom Throne jagt, da sehn Güldenstern und Rosenkranz in seinem Betragen höchstens eine ziemlich peinliche Verletzung der Hofetikette. So weit ist es ihnen nur gegeben, »das Schauspiel des Lebens mit eignen Empfindungen zu betrachten«. Sie sind in der Nähe seines Geheimnisses und wissen nichts davon. Und es hätte auch keinen Zweck, sie einzuweihn. Sie sind die kleinen Becher, die so viel fassen und nicht mehr. Gegen Ende wird angedeutet, dass sie bei einem hinterlistigen Anschlag, den sie gegeneinander planen, abgefasst werden und einen gewaltsamen, plötzlichen Tod gefunden haben oder finden werden.[151] Aber ein tragisches Ende solcher Art, wenn Hamlets Humor ihm auch einen Anstrich von komödienhafter Überraschung und Gerechtigkeit gibt, kommt Burschen ihres Schlags wirklich nicht zu. Sie sterben nie.[152] Horatio, der, um »Hamlet und seine Sache den Unbefriedigten zu erklären«,

»sich noch verbannet von der Seligkeit
und in der herben Welt mit Mühe atmet«

– Horatio stirbt, wenn auch nicht vor den Zuhörern, und hinterlässt keinen Bruder. Güldenstern und Rosenkranz jedoch sind unsterblich wie Angelo[153] und Tartüff und sollten mit ihnen in einer Reihe stehn. Sie sind der Beitrag des modernen Lebens zum antiken Freundschaftsideal. Wer künftig ein neues Buch »De amicitia«[154] schreibt, muss ihnen eine Nische anweisen und sie in ciceronianischer Prosa preisen. Sie sind stehende Typen für alle Zeiten. Sie schelten, hieße es an der richtigen Würdigung fehlen lassen. Sie sind einfach nicht an ihrem Platze: das ist das Ganze. Seelengröße ist nicht ansteckend. Erhabne Gedanken und erhabne Gefühle stehn eben von Haus aus allein da.

Hamlet, Schluss des zweiten Aufzugs.

151 Von Rosenkranz' und Güldensterns Ende erzählt Hamlet dem Freunde Horatio.

152 Hamlet V, 2.

153 Angelo ist der schurkische Statthalter in Shakespeares »Maß für Maß«.

154 Cicero schrieb ein Werk »Laelius« oder »De amicitia«, worin er das freundschaftliche Verhältnis zwischen Scipio und Laelius feiert.

Ich werde, wenn alles mit mir gut geht, gegen Ende Mai freikommen[155] und hoffe dann, mit Robbie und More Adey sogleich nach einem kleinen Platz an der See ins Ausland zu fahren.

Das Meer, sagt Euripides in einer seiner Iphigenien, spült die Flecken und Wunden der Welt hinweg.[156]

Ich hoffe, mindestens einen Monat mit meinen Freunden zu verbringen und in ihrer gesunden, liebevollen Gesellschaft Frieden und Gleichgewicht, ein weniger geängstigtes Herz und eine sanftere Stimmung zu gewinnen; und dann, wenn ich dazu imstande bin, will ich durch Robbie Anstalten treffen lassen zu einem Aufenthalt in einer ruhigen Stadt des Auslands, wie Brügge, dessen graue Häuser, grüne Kanäle, kühle, stille Wege vor Jahren einen Zauber für mich hatten. Ich habe ein eigentümliches Verlangen nach den großen, einfachen Urdingen, wie dem Meer, das mir ebenso wie die Erde eine Mutter ist. Mir will es scheinen, als sähen wir alle die Natur zu viel an und lebten zu wenig mit ihr. Ich erblicke viel gesunden Verstand in der Haltung der Griechen gegenüber der Natur. Sie schwatzten nie von Sonnenuntergängen, erörterten nie die Frage, ob die Schatten auf dem Grase wirklich violett seien oder nicht. Aber sie erkannten, dass das Meer für den Schwimmer und der Sand für die Füße des Wettläufers da sei. Sie liebten die Bäume um der Schatten willen, die sie werfen, und den Wald um seines Schweigens willen zur Mittagszeit. Der Winzer im Weinberg kränzte sein Haar mit Efeu, um die Sonnenstrahlen abzuwehren, wenn er sich über die jungen Schößlinge neigte, und für den Künstler und den Athleten – die beiden Typen, die uns Hellas geschenkt hat – flochten sie die Blätter des bittern Lorbeers und der wilden Petersilie, die sonst dem Menschen nichts getaugt hätten, zum Kranze.

155 Wilde hat das Gefängnis in Reading Mittwoch, 19. Mai 1897, verlassen. Er fuhr mit seinen Freunden nach Erledigung der Formalitäten sofort nach Frankreich, blieb einige Zeit in Dieppe und mietete dann in dem kleinen Küstenplatz Le petit Berneval nordöstlich von Dieppe ein Häuschen. Fortan hieß er Sebastian Melmoth.

156 »δάλασσα χλύζει πάντα τάνδρώπων χαχά«, Iphigenie in Tauris, v. 1193.

Wir nennen uns ein Utilitätszeitalter und wissen kein einziges Ding zu nützen. Wir haben vergessen, dass Wasser reinigen, Feuer läutern kann und dass die Erde unsre Allmutter ist. Infolgedessen ist unsre Kunst vom Monde und spielt mit Schatten, während die griechische Kunst von der Sonne ist und sich unmittelbar mit den Dingen befasst. Ich bin überzeugt, die Elemente haben läuternde Kraft, und ich will zu ihnen zurückkehren und in ihrer Gesellschaft leben.

Nicht umsonst und nicht vergeblich bin ich in meinem lebenslänglichen Kult der Literatur zu einem geworden, der

»Mit Laut und Silbe geizt, nicht minder als
Mit seinem Golde Midas«.[157]

Ich darf mich vor der Vergangenheit nicht fürchten; wenn mir die Menschen sagen, sie sei unabänderlich, glaube ich ihnen nicht: Vergangenheit, Gegenwart und Zukunft sind ein Augenblick vor Gott, vor dem wir zu leben bemüht sein sollten. Zeit und Raum, Aufeinanderfolge und Ausdehnung sind bloß zufällige Gedankenverbindungen; die Fantasie kann sie überschreiten und sich in einer freien Sphäre idealer Existenzen bewegen. Auch die Dinge sind ihrem Wesen nach das, was uns daraus zu machen beliebt; ein Ding ist, entsprechend der Art, wie wir es anschaun. »Wo andre«, sagt Blake, »nur die Dämmerung über den Berg kommen sehn, da sehe ich die Söhne Gottes vor Freude jauchzen.«[158] Was die Welt und ich selbst als meine Zukunft auffassten, das habe ich

---

157 »Misers of sound and syllable, no less
Than Midas of his coinage«,
John Keats, »Sonnet on the Sonnet«.

158 William Michael Rossetti erzählt in der Einleitung zu seiner Ausgabe der poetischen Werke William Blakes (1757–1827): »›What!‹ it will be questioned, ›when the sun rises, do you not see a disc of fire, somewhat like a guinea?‹ ›Oh no, no! I see an innumerable company of the heavenly host, crying ›Holy, holy, holy is the Lord God almighty!‹« – »The Sons of God shouting for joy« (Hiob 38, 7) ist ein Bild Blakes. (Vgl. Miscellanies, p. 249)

verloren, als ich mich in den Prozess gegen Queensberry hetzen ließ; ich habe sie wohl schon lange vorher verloren, Vor mir liegt meine Vergangenheit. Ich habe mich dahin zu bringen, dass ich sie mit andern Augen ansehe, habe Gott dahin zu bringen. Das kann ich nicht, wenn ich sie unbeachtet lasse, geringschätzig behandle, lobe oder verleugne; es lässt sich nur erreichen, wenn ich sie als einen unvermeidlichen Teil der Entwicklung meines Lebens und Charakters hinnehme: indem ich vor allem, was ich erduldet, den Kopf neige. Wie weit ich von dem wahren Seelengleichmut entfernt bin, zeigt ganz deutlich dieser Brief mit seinen wechselvollen, unsicheren Stimmungen, seiner Verachtung und seiner Bitterkeit, seinem Streben und dem Unvermögen, dieses Streben in die Tat umzusetzen; vergiss aber nicht, in einer wie schrecklichen Schule ich an meiner Aufgabe sitze, und so unvollständig, so unvollkommen ich bin, meine Freunde haben noch viel zu gewinnen. Sie wollten bei mir die Lebensfreude und die Kunstfreude lernen. Vielleicht bin ich dazu berufen, sie etwas Wundervolleres zu lehren: die Bedeutung des Schmerzes und seine Schönheit.

Für einen, der so modern ist wie ich, so sehr »enfant de mon siècle«[159], wird es natürlich stets eine Lust sein, die Welt auch nur zu sehn. Ich zittre vor Freude, wenn ich daran denke, dass an dem Tag, an dem ich das Gefängnis verlasse, Goldregen und Flieder in den Gärten blühn, und dass ich sehn werde, wie der Wind das hangende Gold des einen ohne Rast und Ruh rütteln und das blass-purpurne Gefieder des andern zausen wird, sodass die ganze Luft Arabien für mich sein soll. Linné[160] sank auf die Knie und weinte vor Seligkeit, als er zum ersten Mal die lange Heide eines englischen Hochlands sah, das die würzigen Ginsterblüten gelb gefärbt hatten; und ich, dem Blumen ein Teil der Sehnsucht sind, ich weiß, dass Tränen meiner in den Blättern einer Rose harren. Von

159 Alfred de Musset schrieb 1836 einen autobiografischen Prosaroman »La Confession d'un Enfant du Siècle.«

160 Karl von Linné (ursprünglich Linnaeus, 1707–78), der berühmte schwedische Naturforscher, der die Systematik der Pflanzen feststellte. Er war 1736 in England.

Jugend auf war es so mit mir. Es gibt nicht eine Farbe, die sich in dem Kelch einer Blume oder in der Rundung einer Muschel versteckt, auf die ich vermöge einer zarten Sympathie mit der Seele aller Kreatur nicht einginge. Wie Gautier bin ich stets einer von denen gewesen, »pour qui le monde visible existe«.[161]

Immerhin weiß ich jetzt, dass hinter all dieser Schönheit, so überzeugend sie auch sein mag, ein Geist verborgen ist, von dem die bunten Formen und Gestalten nur Erscheinungsspielarten sind, und mit diesem Geist wünsche ich mich in Einklang zu bringen. Des deutlich vernehmbaren Ausdrucks der Menschen und Dinge bin ich überdrüssig geworden. Das Mystische in der Kunst, das Mystische im Leben, das Mystische in der Natur – das ist es, wonach ich suche, und in den großen Musiksymphonien, dem weihevollen Schmerz und den Tiefen des Meeres werde ich es vielleicht finden. Ja, es ist unbedingt nötig, dass ich es irgendwo finde.

Alle Prozesse sind Prozesse, bei denen es ums Leben geht, genauso wie alle Urteile Todesurteile sind; und dreimal ist mir der Prozess gemacht worden. Das erste Mal verließ ich den Gerichtssaal, um verhaftet zu werden, das zweite Mal, um in das Haftlokal zurückgeführt, das dritte Mal, um auf zwei Jahre in eine Gefängniszelle zu gehn. Die Gesellschaft, wie wir sie eingerichtet, wird keinen Platz für mich haben, hat mir keinen zu bieten; aber die Natur, deren süßer Regen auf Gerechte und Ungerechte gleichermaßen fällt, wird Felsschluchten im Gebirge für mich haben, wo ich mich verstecken kann, und geheime Täler, in deren Schweigen ich ungestört weinen darf. Sie wird die Nacht mit Sternen behängen, dass ich, ohne zu straucheln, im Finstern außer Landes gehn kann, und den Wind meine Fußstapfen verwehn lassen, dass niemand mich zu meinem Schaden verfolgen kann. Sie wird mich in großen Wässern entsühnen und mit bittern Kräutern heilen.

161 Auch von Dorian Gray wird gesagt (Kap. 11), er sei gleich Gautier einer, »pour qui le monde visible existe«.

Vier Briefe aus dem Zuchthaus Reading an Robert Ross

I.

10. März 1896.

Mein lieber Robbie!

Lass an den Rechtsanwalt Holman sofort einen Brief schreiben des Inhalts: Da meine Frau versprochen habe, mir ein Drittel auszusetzen, falls sie vor mir sterben sollte, wünsche ich, dass man ihrem Vorhaben, mir eine Lebensrente zu kaufen, keinerlei Widerstand leiste. Ich bin mir bewusst, solches Unglück über sie und solches Verderben über meine Kinder gebracht zu haben, dass ich kein Recht habe, ihren Wünschen irgendwie zuwider zu handeln. Sie war hier freundlich und gut gegen mich, als sie mich besuchte. Ich habe volles Vertraun zu ihr. Bitte erledige das sofort und danke meinen Freunden für ihre Gefälligkeit. Ich fühle, dass ich recht handle, indem ich dies meiner Frau überlasse.

Schreibe bitte an Stuart Merrill[162] in Paris oder an Robert Sherard, welche freudige Genugtuung mir die Aufführung meines Stückes bereitet habe, und Lass Lugné-Poë meinen Dank überbringen: Es ist etwas, dass ich trotz Schimpf und Schande noch als Künstler gelte. Ich wünschte,

162 Stuart Merrill, amerikanischer Journalist, der damals schon in Paris lebte, jetzt völlig zur französischen Literatur zählend. Seine Gedichtsammlungen – »Les Quatre Saisons«, »Poèmes« u. a. – bezeugen seine Zugehörigkeit zur Gruppe der Parnassiens.

ich könnte mich mehr freun, aber ich bin offenbar für alle Empfindungen abgestorben, außer für Gram und Verzweiflung. Einerlei, teile bitte Lugné-Poë[163] mit, dass ich die Ehre zu schätzen wisse, die er mir angetan. Er ist selbst ein Dichter. Ich fürchte, Du wirst dies nur schwer lesen können, aber da man mir nicht den Gebrauch von Schreibzeug erlaubt, scheint es, als hätte ich das Schreiben verlernt – Du musst mich entschuldigen. Danke More, dass er sich um Bücher bemüht hat; unglücklicherweise leide ich an Kopfschmerz, sobald ich meine griechischen und römischen Dichter lese – sie haben mir daher noch nicht viel geholfen –, aber es war sehr freundlich von ihm, mir die Auswahl zu besorgen. Lass ihn der Dame, die in Wimbledon wohnt, meinen Dank ausdrücken. Antworte mir bitte hierauf schriftlich und erzähle mir von literarischen Dingen, was für neue Bücher usw. – auch von Jones' Stück[164] und Forbes-Robertsons[165] Theaterleitung – von irgendwelchen neuen Tendenzen im Pariser oder Londoner Bühnenleben. Versuche auch zu Gesicht zu bekommen, was Lemaître, Bauer und Sarcey[166] über »Salome« gesagt haben, und gib mir ein kurzes Resumé. Bitte schreibe Henri Bauer, ich sei gerührt über seinen freundlichen Aufsatz; Robert Sherard kennt ihn. Es war lieb von Dir, dass Du mich besucht hast. Du musst das nächste Mal wieder kommen. Hier umgibt mich das Graun

---

163 Lugné-Poë (eigentlich: Aurélien-Marie Lugné, geb. 1869), Begründer der Theatergesellschaft »L'Oeuvre«, führte als Erster im Jahre 1896 »Salome« am Théâtre Libre auf; er selbst spielte den Herodes, Lina Muntz die Titelrolle. Wilde hat André Gide (L'Ermitage, p. 424) erzählt, wie ihm diese Aufführung zustatten gekommen ist.

164 Das Stück von Henry Arthur Jones (geb. 1851), auf das hier angespielt wird, ist »Michael and his Lost Angel«, dessen erste Aufführung im Lyceum am 15. Januar 1896 stattfand.

165 Johnston Forbes-Robertson (geb. 1853), hervorragender englischer Schauspieler, bis dahin bei Bancroft und John Hare engagiert, wurde im Jahre 1896 Theaterdirektor. Da Wilde mit ihm befreundet war, interessierte er sich natürlich ganz besonders für seinen Erfolg als Manager.

166 Jules Lemaître, Henri Bauer, Francisque Sarcey: einflussreiche Pariser Theaterkritiker. Ross hatte Wilde in seinem letzten Briefe mitgeteilt, er habe gehört, dass sich Henri Bauer freundlich über »Salome« geäußert hätte, ohne indes seine Rezension schon gelesen zu haben.

des Todes, samt dem noch größeren, zu leben, und schweigend und elend . . . .[167]

Ich denke stets mit tiefer Zuneigung an Dich.

Ich wünschte, Ernest[168] würde meinen Handkoffer, meinen Pelz, meine Kleider und die von mir verfassten Bücher, die ich meiner lieben Mutter geschenkt habe, in Oakley Street abholen – frage Leverson, auf wessen Namen die Grabstätte meiner Mutter genommen worden ist.

Immer Dein Freund
Oscar Wilde.

II.

Undatiert; November 1896.[169]

... Auf diese rein geschäftlichen Angelegenheiten wird vielleicht More Adey die Güte haben zu erwidern. Wenn sein Brief nur von Geschäften handelt, darf ich ihn empfangen. Ich meine, er wird Deinem literarischen Bericht nicht ins Gehege kommen; was diesen anlangt, so hat mir der Direktor eben Deine freundliche Meldung vorgelesen.

167 »Schweigend und elend« . . . danach größere Lücke. Wilde hatte vermutlich von Grausamkeiten und schlechter Behandlung im Gefängnis berichtet, was den Direktor, Major Isacson, veranlasste, diesen Teil des Briefes einfach wegzuschneiden. Auch sonst hatten die Gefangnen sehr unter diesem Streber zu leiden.

168 Ernest Leverson, der Mann Ada Leversons.

169 Die Datierung der Briefe lag früher im Argen (vgl. Widmungsepistel, p. IX). Ross setzt diesen Brief jetzt »später als September 1896« an, ohne sich an Wildes eigne Angabe zu halten, dass er schon »achtzehn schreckliche Monate« in einer Gefängniszelle gewesen, und begründet es damit, sein Freund habe zeitlebens nicht rechnen können. Ich glaube, wir dürfen ihm hier getrost folgen: Da Wilde am 25. Mai 1895 verurteilt wurde, ist dieser Brief im November 1896 geschrieben. Jedenfalls sprechen die Zeitangaben der »Epistola: in Carcere et Vinculis« nicht dagegen.

Persönlich, mein lieber Robbie, hab ich wenig zu sagen, was Dich erfreun kann. Die Ablehnung meines Begnadigungsgesuches war wie ein Streich von einem bleiernen Schwerte. Ein dumpfes Schmerzgefühl betäubt mich. Ich hatte mich von Hoffnung genährt, und jetzt nährt sich die Qual in ihrem Heißhunger von mir,[170] als wäre sie an ihrer eignen Gier verschmachtet. Gütigere Elemente[171] jedoch sind in dieser schlimmen Gefängnisluft als früher: Man hat es nicht an Sympathie für mich fehlen lassen, und ich fühle mich nicht mehr völlig von menschenfreundlichen Einflüssen ausgeschlossen, was mir bisher Schrecken und Ungemach verursacht hat. Und ich lese Dante[172] und mache Exzerpte und Anmerkungen aus Freude, dass ich Feder und Tinte gebrauchen darf. Es scheint, als ginge es mir in vieler Beziehung besser, und ich will auch wieder das Studium des Deutschen aufnehmen.[173] Wahrhaftig, dafür scheint das Gefängnis der geeignete Platz. Allein noch schneidet mir ein Pfahl ins Fleisch – so spitzig wie der des Apostels Paulus,[174] wenn er auch ganz andrer Art ist – den ich in diesem Briefe herausziehn muss. Seine Ursache ist die Nachricht, die Du mir auf ein Stück

---

170 Anspielung auf Hamlets Worte im Monolog I, 2:
»Why, she would hang on him
As if increase of appetite had grown
By what it fed on. «

171 Die ›gütigeren Elemente‹, die in Reading Einzug gehalten, sind Major Nelson zu danken.

172 Über seine Lektüre Dantes hat Wilde André Gide erzählt (L'Ermitage, p. 425): »Et tout d'un coup j'ai pense à Dante ... oh! Dante! ... J'ai lu le Dante tous les jours; en italien; je l'ai lu tout entier; mais ni le Purgatoire, ni le Paradis ne me semblaient écrits pour moi. C'est son Inferno surtout que j'ai lu; comment ne l'aurais-je pas aimé? Comprenezvous? L'Enfer, nous y étions. L'Enfer, c'était la prison ...«.

173 Über Wildes deutsche Sprachstudien erzählt Sherard (Life, p. 31): »Während der Eisenbahnfahrten, die er auf seiner Vortragstournee im Winter 1883/84 in England unternahm, hatte er ein kleines Taschenwörterbuch und einen Band Heine bei sich, in jeder Tasche seines Pelzrockes ein Buch, und brachte sich das Deutsche so gründlich bei, dass ihm späterhin die ganze deutsche Literatur zugänglich war.« An seinem letzten Sonntag im Gefängnis hat Wilde übrigens Goethes »Faust« gelesen.

174 Anspielung auf 2. Kor. 12, 7.

Papier geschrieben hast. Würde ich sie geheim halten, dann würde sie in meinem Kopf anwachsen (wie Giftiges im Dunkeln wächst) und sich andern schrecklichen Gedanken gesellen, die an mir nagen ... Das Denken ist für die, die allein, stumm und in Fesseln dasitzen, kein ›geflügeltes lebendiges Wesen‹, wie Plato es sich vorstellte, sondern ein totes, das Grauenvolles ausbrütet, wie ein Morast, der dem Mond Ungetüme zeigt.

Ich meine natürlich Deine Bemerkung darüber, dass mir das Mitgefühl andrer entfremdet werde, oder dass Gefahr dazu vorhanden sei durch die tiefe Bitterkeit meiner Empfindungen; und ich glaube, mein Brief wurde andern geliehn und gezeigt... Ich wünsche aber nicht, dass man meine Briefe als Kuriositäten herumzeige; es ist mir höchst zuwider. Ich schreibe an Dich offen wie an einen der liebsten Freunde, die ich habe oder je gehabt habe; mit ein paar Ausnahmen berührt mich das Mitgefühl andrer, wenn es mir verloren geht, sehr wenig. Ein Mensch meines Ranges kann nicht in den Kot des Lebens fallen, ohne dass ihm von Leuten, die unter ihm stehn, in reichem Maße Mitleid gezollt würde; und ich weiß, dass die Zuschauer, wenn Stücke zu lange dauern, müde werden. Meine Tragödie hat viel zu lange gedauert; ihr Höhepunkt ist vorüber; ihr Ende gemein. Und ich bin mir der Tatsache wohl bewusst, dass ich, wenn das Ende wirklich kommt, als ungebetner Gast zurückkehren werde in eine Welt, die mich nicht haben will; als Revenant, wie die Franzosen sagen, als einer, dessen Gesicht durch die lange Haft grau und schmerzverzerrt geworden ist. So entsetzlich die Toten sind, wenn sie aus ihren Gräbern auferstehn: die Lebenden, die aus dem Grabe kommen, sind noch entsetzlicher. All das weiß ich nur zu gut. Ist man erst achtzehn schreckliche Monate in einer Gefängniszelle gewesen, dann sieht man Dinge und Menschen, wie sie wirklich sind. Der Anblick versteinert einen. Glaube nicht, dass ich irgendwem an meinen Lastern Schuld gebe. Meine Freunde hatten damit ebenso wenig zu tun wie ich mit ihren Lastern. Die Natur war uns allen hierin eine Stiefmutter. Ich mache ihnen daraus einen Vorwurf, dass sie den Mann, den sie zugrunde gerichtet haben, nicht zu würdigen wussten. Solange meine Tafel rot war von Wein und

Rosen, was kam es ihnen darauf an? Mein Genie, mein Leben als Künstler, meine Arbeiten und die Ruhe, deren ich dazu bedurfte, galten ihnen nichts. Ich gebe zu, ich verlor den Kopf. Ich war verwirrt, hatte keine Urteilskraft mehr. Ich tat den einen verhängnisvollen Schritt. Und jetzt sitze ich hier auf einer Bank in einer Zuchthauszelle. In allen Tragödien liegt ein groteskes Element. Du kennst das Groteske in meiner Tragödie. Denke nicht, dass ich mir keine Vorwürfe mache. Ich verfluche mich bei Nacht und am Tage, weil ich so töricht war, einem Etwas die Herrschaft über mein Leben einzuräumen. Gäb' es ein Echo in diesen Mauern, unaufhörlich würde es ›Narr!‹ rufen. Ich schäme mich meiner Freundschaften aufs Äußerste... Denn nach ihren Freundschaften lassen sich die Menschen beurteilen. Es ist für jeden ein Prüfstein. Und ich empfinde stechende Erniedrigung aus Scham über meine Freundschaften ..., von denen Du eine ausführliche Darstellung in meinem Prozessbericht lesen kannst.

Täglich ist das für mich eine Quelle geistiger Demütigung. An einige von ihnen denke ich nie. Sie behelligen mich nicht, Sie sind belanglos ... In der Tat, meine ganze Tragödie scheint mir grotesk – sonst nichts. Denn infolge davon, dass ich mich ... in eine Falle locken ließ, sitze ich im tiefsten Schlamm von Malebolge[175] zwischen Gilles de Retz und dem Marquis de Sade. An gewissen Plätzen ist es niemand, mit Ausnahme der wirklich Verrückten, gestattet, zu lachen; und selbst in ihrem Fall verstößt es gegen das Reglement: sonst würde ich wohl darüber lachen ... Im Übrigen braucht keiner zu denken, dass ich andern unwürdige Beweggründe auf ihr Konto schreibe. Sie hatten wahrhaftig überhaupt keine Motive im Leben. Motive sind etwas Intellektuelles. Sie hatten lediglich Leidenschaften, und solche Leidenschaften sind falsche Götter, die um jeden Preis Opfer haben wollen und im vorliegenden Fall ein mit dem Lorbeerkranz geschmücktes fanden. Nun habe ich den Pfahl herausgerissen – die kurze, von Deiner Hand hingekritzelte Zeile ei-

175 »Malebolge«, ein Ort des Grauens in Dantes Inferno (XVIII, 1): »Luogo è in Inferno, detto Malebolge.«

terte fürchterlich. Jetzt denke ich nur noch daran, dass Du wieder ganz gesund wirst und endlich die wundervolle Geschichte niederschreibst von ...

Bitte empfiehl mich mit dem Ausdruck meines Dankes Deiner lieben Mutter und auch Aleck[176]. Die »Vergoldete Sphinx«[177] ist wahrscheinlich noch immer prachtvoll. Und sende alles, was in meinen Gedanken und Gefühlen gut ist, und so viele Grüße und Huldigungen sie von mir annehmen will, der Dame in Wimbledon, deren Seele ein Heiligtum ist für die Verwundeten und eine Zufluchtsstätte für die Leidenden. Zeige diesen Brief andern nicht – komme auch in Deiner Antwort nicht darauf zurück. Erzähle mir von der Welt der Schatten, die ich so geliebt habe. Auch vom Leben und der Seele. Ich wüsste gar zu gern etwas von den Dingern, die mich gestochen haben; und mein Schmerz kennt noch Erbarmen.

Dein

Oscar.

III.

1. April 1897.

Mein lieber Robbie!

Ich schicke Dir getrennt hiervon ein Manuskript, das hoffentlich sicher ankommt. Sobald Du es gelesen hast und natürlich auch More Adey, den ich immer mit einbegreife, lass mir eine sorgfältige Abschrift her-

176 Aleck Ross (geb. 1860), Robert Ross' älterer Bruder, früher Mitarbeiter der »Saturday Review«.

177 Die »Vergoldete Sphinx« ist ein Scherzname für Mrs. Ada Leverson, die Wildes Gedicht »The Sphinx« im »Punch« (vom 21. Juli 1894) sarkastisch glossiert hat: »The Minx. A Poem in Prose.« Seitdem nannte er sie, auf ihr »golden hair« anspielend, »The Gilded Sphinx«. Sie nahm den Dichter in ihrem Hause auf, als er gegen Bürgschaft aus der Haft entlassen wurde. Neuerdings ist sie mit zwei Romanen hervorgetreten: »The Twelfth Hour« und »Love's Shadow«.

stellen. Aus verschiedenen Gründen wünsche ich es. Einer genügt. Ich möchte Dich für den Fall meines Todes zu meinem literarischen Testamentsvollstrecker ernennen; Du sollst vollständiges Verfügungsrecht über meine Dramen, Bücher und Aufsätze haben. Sobald ich finde, dass ich ein gesetzliches Recht habe, ein Testament zu machen, will ich es tun. Meine Frau versteht meine Kunst nicht, auch kann man von ihr nicht erwarten, dass sie sich dafür interessiere, und Cyril[178] ist noch ein Kind. Ich wende mich daher natürlich an Dich, wie ich es ja mit allem tue, und möchte Dir gern meine sämtlichen Werke schenken. Das Defizit aus dem Erlös mag Cyril und Vivian[179] gutgeschrieben werden. Bist Du also mein literarischer Testamentsvollstrecker, so musst Du im Besitze des einzigen Dokuments sein, das über mein außergewöhnliches Verhalten Aufschluss gibt ... Wenn Du den Brief gelesen hast, wirst Du die psychologische Erklärung für ein Betragen finden, das dem Außenstehenden eine Verbindung von absolutem Blödsinn und vulgärer Renommisterei scheint. Eines Tages muss die Wahrheit bekannt werden – es braucht ja nicht bei meinen Lebzeiten zu sein ... Aber ich habe keine Lust, für alle Zeit an dem lächerlichen Pranger zu stehn, an den man mich gestellt hat; aus dem einfachen Grunde, weil ich von meinem Vater und meiner Mutter einen in der Literatur und der Kunst hochgeehrten Namen geerbt habe, und ich kann nicht in alle Ewigkeit dulden, dass dieser Name geschändet sein soll. Ich verteidige meine Handlungsweise nicht. Ich erkläre sie. In meinem Briefe finden sich auch etliche Stellen, die von meiner geistigen Entwicklung im Zuchthaus handeln und der unausbleiblichen Wandlung meines Charakters und meiner intellektuellen Stellung zum Leben, die sich vollzogen hat. Du und andre, die noch fest zu mir stehn und mich gern haben, sollen genau erfahren, in welcher Stimmung und Haltung ich der Welt entgegenzutreten hoffe.

---

178 Cyril war damals zwölf Jahre alt.

179 Wenn Wilde hier scherzend seinen Kindern »das Defizit aus dem Erlös« seiner Bücher vermacht, so zeigt er damit, ein wie schlechter Rechenmeister er war; damals konnte er freilich nicht ahnen, dass seine Werke einmal eine reiche Einnahmequelle für seine Kinder (und viele andre) werden würden.

Freilich, von einem Gesichtspunkt aus weiß ich, dass ich am Tage meiner Entlassung lediglich von einem Gefängnis ins andre gehe, und zu Zeiten scheint mir die ganze Welt nicht größer als meine Zelle und ebenso voller Schrecken für mich. Immerhin glaube ich, dass im Anfang Gott für jeden Menschen gesondert eine Welt erschaffen hat, und in dieser Welt, die in uns liegt, sollen wir zu leben suchen. Auf alle Fälle wirst Du diese Teile meines Briefs mit weniger Schmerz lesen als die andern. Ich brauche Dich sicher nicht daran zu erinnern, was für ein flüssiger Körper das Denken bei mir ist – bei uns allen –, und aus wie flüchtigem Stoffe unsre Empfindungen bestehn. Gleichwohl sehe ich ein mögliches Ziel vor Augen, dem ich durch die Kunst vielleicht nahe kommen kann. Es ist nicht unwahrscheinlich, dass Du mir hierbei helfen wirst.

Was nun die Art der Abschrift betrifft, so ist das Manuskript für einen Sekretär natürlich zu lang; und Deine eigne Handschrift, lieber Robbie, in Deinem letzten Brief sollte mich offenbar besonders daran mahnen, dass ich Dich nicht mit der Aufgabe betraun darf. Meiner Ansicht nach können wir nichts andres tun, als ganz modern sein und die Schreibmaschine nehmen. Selbstverständlich darfst Du das Manuskript nicht aus der Hand geben, aber könntest Du nicht Mrs. Marshall[180] veranlassen, eine von ihren jungen Damen – Frauen sind am verlässlichsten, weil sie kein Gedächtnis für das Wichtige haben – nach Hornton Street oder Phillimore Gardens[181] kommen zu lassen, damit sie es unter Deiner Aufsicht mache? Die Schreibmaschine ist, wenn sie mit Ausdruck gespielt wird, auf mein Wort nicht unangenehmer, als wenn eine Schwester oder eine nahe Anverwandte Klavier spielt. Ja, viele, die für ein inniges Familienleben schwärmen, ziehn sie sogar vor. Die Kopie soll nicht auf Seidenpapier angefertigt werden, sondern auf gutem Papier, wie man es für Theaterstücke verwendet, mit einem breiten, rot abgeteilten Rand für

180 Mrs. Marshall ist die Leiterin eines bekannten Schreibmaschinenbureaus am Strand in London.

181 Robert Ross wohnte damals 24 Hornton Street in Kensington, seine Mutter: 11 Phillimore Gardens.

Verbesserungen ... Wenn eine Abschrift hergestellt und nach dem Manuskript durchgeprüft ist, soll das Original an ... abgeschickt und dann eine zweite Kopie von der Maschinistin angefertigt werden,[182] damit Du ein Exemplar erhältst, ebenso wie ich. Zwei Abschriften sollen ferner von Seite 4 des neunten Bogens bis zur letzten Seite des vierzehnten Bogens gemacht werden: von »und das Ende von alledem« bis »aber nicht zwischen der Kunst und mir« (ich zitiere aus dem Gedächtnis); desgleichen von Seite 3 des achtzehnten Bogens von »ich werde, wenn alles gut geht, freikommen« bis »zu bittern Kräutern ...« auf Seite 4. Schweiße das mit andern Stellen zusammen, die Du nach Belieben auswählen kannst, sofern es gut und die Absicht edel ist, wie z. B. der ersten Seite des fünfzehnten Bogens, und schicke das eine Exemplar der Dame in Wimbledon, von der ich gesprochen habe, ohne ihren Namen zu erwähnen, das andre an Miss Frances Forbes-Robertson[183]. Ich weiß, diese beiden liebreizenden Damen werden mit Interesse hören, wie es meiner Seele geht – nicht im theologischen Sinne, sondern einzig und allein im Sinne jenes geistigen Bewusstseins, das von den wirklichen Beschäftigungen des Leibes getrennt ist. Es ist eine Art Botschaft oder Brief, was sie von mir erhalten – das Einzige, was ich ihnen zu schicken wage. Wenn es Miss Forbes-Robertson ihrem Bruder zeigen will, den ich immer gern hatte, so mag sie es tun; aber vor der Welt soll es natürlich strenges Geheimnis bleiben. Das gebe man auch der Dame in Wimbledon zu verstehn.

Wird die Abschrift in Hornton Street hergestellt, so lässt man die Schreibdame vielleicht durch einen Schieber in der Tür füttern, wie die Kardinäle, wenn sie zur Papstwahl schreiten, bis sie auf den Balkon hinaustritt und der Welt verkünden kann: »Habet Mundus Epistolam«; denn tatsächlich ist es eine Enzyklika, und wie die Bullen des Heiligen Vaters nach den einleitenden Worten heißen, mag man von ihr als der »Epistola: in Carcere et Vinculis« sprechen ... braucht nicht zu erfah-

182 Das Original des Briefes sollte wohl für den Adressaten bestimmt sein.
183 Miss Frances Forbes-Robertson, die Schwester des Schauspielers.

ren, dass eine Kopie angefertigt worden ist.

Wahrhaftig, Robbie, das Leben im Gefängnis lässt einen Dinge und Menschen sehn, wie sie wirklich sind. Deshalb verwandelt es einen in Stein. Die Menschen draußen in der Welt, die lassen sich von den Trugbildern eines Lebens täuschen, das ständig in Bewegung ist. Sie drehn sich mit dem Leben um und tragen zu seiner Unwirklichkeit bei. Wir, die wir regungslos sind, sehn und wissen. Ob der Brief engherzigen Naturen und hektischen Hirnen zuträglich sein wird oder nicht: Bei mir hat er Gutes gewirkt. Ich habe »die volle Brust des argen Stoffs entladen«, um bei dem Dichter eine Anleihe zu machen, den Du und ich einmal den Philistern zu entreißen gedachten.[184] Ich brauche Dir nicht zu sagen, dass Darstellen für den Künstler die höchste und einzige Lebensform ist. Wir leben, indem wir uns offenbaren. Für viel, für sehr viel habe ich dem Direktor zu danken, doch für nichts mehr als dafür, dass er mir erlaubt hat, so ausführlich zu schreiben, wie ich nur wünsche.

Nahezu zwei Jahre habe ich die immer schwerer werdende Bürde der Verbitterung in mir getragen; viel davon habe ich jetzt abgeschüttelt. Auf der andern Seite der Gefängnismauer stehn einige armselige, schwarze, rußbeschmierte Bäume, die gerade jetzt Knospen treiben von einem fast schrillen Grün. Ich weiß recht wohl, was sich bei ihnen vollzieht: Sie bringen sich zum Ausdruck.

Stets Dein
Oscar.

184 » ... den Du und ich einmal den Philistern zu entreißen gedachten« bezieht sich auf die von Ross scherzhaft angeregte Gründung einer »Anti-Shakespearian Society«, die der übertriebenen Wertschätzung des ›Barden‹ entgegentreten sollte. Lord Alfred Douglas schleuderte wutentbrannt gegen die Bilderstürmer ein geharnischtes Sonett »To Shakespeare« (The City of the Soul, p. 61).

IV.

6. April 1897.

... Überlege Dir jetzt, lieber Robbie, meinen Vorschlag. Meine Frau, die in Geldsachen sehr vornehm und hochherzig ist, wird wohl die für meinen Teil gezahlten 75 Pfund zurückerstatten. Daran zweifle ich nicht. Aber ich meine, das Anerbieten müsste von mir ausgehn, und ich sollte von ihr nichts als Einkommen annehmen; ich kann annehmen, was man mir aus Liebe und herzlicher Zuneigung gibt, aber nicht, was man widerwillig oder unter Bedingungen herausrückt. Sonst gäbe ich lieber meine Frau ganz frei.[185] Dann mag sie sich wieder verheiraten. Auf alle Fälle glaube ich, dass sie mir, wäre sie frei, gestatten würde, meine Kinder von Zeit zu Zeit zu sehn. Das will ich ja gerade. Doch erst muss ich sie freigeben, und es wäre besser, ich täte es, wie es einem Ehrenmann ansteht, indem ich den Kopf senke und mich allem füge. Du musst die ganze Sache reiflich überlegen, da sie Dir und Deiner unbesonnenen Handlungsweise zuzuschreiben ist. Teile mir dann mit, was Du und andre davon denken. Selbstverständlich hast Du nur das Beste gewollt; aber Deine Auffassung war falsch. Ich darf offen und ehrlich sagen: Allmählich gelange ich in einen geistigen Zustand, dass ich glaube, alles, was geschieht, ist zu unserm Besten. Vielleicht ist das Philosophie oder ein gebrochnes Herz oder Religion oder die stumpfe Gleichgültigkeit der Verzweiflung. Einerlei, welchen Ursprung das Gefühl hat: Es ist stark in mir. Meine Frau gegen ihren Willen an mich fesseln wäre verkehrt. Sie hat ein volles Recht auf ihre Freiheit. Und es wäre mir eine Freude, wenn ich nicht von ihr unterstützt würde. Es ist eine schimpfliche Lage, von ihr unterhalten zu werden. Besprich das mit More Adey. Lass Dir von

185 Zu einer Scheidung ist es nicht gekommen, aber auch nicht zu einer Wiedervereinigung. Constance Wilde, schon damals kränklich, lebte bis zu ihrem baldigen Ende in Genua. Es ist merkwürdig, wie schnell die nächsten Angehörigen Oscar Wildes nach der Katastrophe hinweggestorben sind: seine Mutter im Februar 1896, seine Frau im April 1898, sein einziger Bruder William im März 1899.

ihm den Brief zeigen, den ich ihm geschrieben habe. Bitte auch Deinen Bruder Aleck, mir seinen Rat zu erteilen. Er hat glänzenden Geschäftsverstand.

Nun zu andern Dingen.

Ich habe noch keine Gelegenheit gehabt, Dir für die Bücher zu danken. Sie waren mir sehr willkommen. Dass mir die Zeitschriften verboten wurden, war ein schwerer Schlag; aber der Roman von Meredith[186] hat mich entzückt. Was für ein gesundes Künstlernaturell! Er hat durchaus recht, wenn er das Gesunde als die Hauptsache im Roman verficht. Immerhin, bis jetzt hat nur das Abnorme im Leben und in der Literatur Ausdruck gefunden. Rossettis[187] Briefe sind schrecklich; offenbar Fälschungen seines Bruders. Trotzdem habe ich mit Interesse daraus ersehn, dass meines Großonkels[188] »Melmoth« und meiner Mutter »Sidonia«[189] unter den Büchern gewesen sind, die ihn in der Jugend

---

186 Gemeint ist »The Amazing Marriage« (1895) von George Meredith (geb. 1828). Seiner Bewunderung für den »Prosa-Browning« hat Wilde in den Intentions (p. 16) Ausdruck gegeben.

187 Dante Gabriel Rossetti: His Family Letters. With a Memoir by William Michael Rossetti. 2 vols. London, 1895. (Ellis & Elvey)

188 Charles Robert Maturin (1782–1814), Lady Wildes Großonkel – also eigentlich Oscar Wildes Urgroßonkel –, Pfarrer an der St. Peterskirche in Dublin, ein letzter Vertreter der Schauerromantik, die sich an den Namen des Monk-Lewis heftet (»Familie Montorio«). Sein von Walter Scott warm empfohlenes Drama »Bertram« wurde auf Lord Byrons Veranlassung hin 1816 in Drury Lane aufgeführt. Sein bedeutendstes Werk ist der genialische Roman »Melmoth the Wanderer«, der von Balzac, Thackeray, Baudelaire überschwenglich gelobt wurde. »Célèbre voyageur Melmoth, la grande création satanique du révérend Maturin. Quoi de plus grand, quoi de plus puissant relativement à la pauvre humanité que ce pâle et ennuyé Melmoth?«, urteilte der entzückte Baudelaire. Nach dem unsteten Helden des Romans hat sich Oscar Wilde für die kurze Spanne seines Lebens, die ihm nach Reading noch verblieb, Sebastian Melmoth genannt – Sebastian in Erinnerung an das Bild des Heiligen von Guido Reni, das er in Genua gesehn hatte (vgl. Miscellanies, p. 3).

189 »Sidonia« ist der Roman »Sidonia von Bork, die Klosterhexe« (1847) des in England sehr hoch geschätzten Wilhelm Meinhold (1797–1851), den Lady Wilde im

bezaubert haben.[190] Was die Verschwörung gegen ihn in spätem Jahren betrifft, so glaube ich, dass sie wirklich bestanden hat und dass die Mittel dazu aus Hakes Bank kamen.[191] Das Verhalten einer Drossel in Cheyne Walk[192] scheint höchst verdächtig, wenn William Rossetti auch sagt: »Ich konnte in dem Singen der Drossel gar nichts Ungewöhnliches entdecken.« Stevensons Briefe[193] sind ebenfalls eine herbe Enttäuschung – ich sehe, dass für einen Romanschriftsteller ein romantisches Milieu das denkbar schlechteste ist. In Gower Street[194] hätte Stevenson ein neues

---

Jahre 1849 übersetzt hat. »Die Bernsteinhexe war neben Lady Wildes Übersetzung von »Sidonia, die Klosterhexe« meine romantische Lieblingslektüre in der Knabenzeit«, erzählt Wilde (Reviews, p. 388).

190 Über »Melmoth« und »Sidonia« schreibt William Rossetti (I, p. 101): »Earlier than most of these – beginning, I suppose, in 1844 – was the Irish romancist Maturin, who held Dante Rossetti spellbound with the gloomy and thrilling horrors of Melmoth the Wanderer. He and I used often to sit far into the night reading the pages one over the other's Shoulder«. – – Und ebenda: »He had a positive passion for Meinhold's wondrous Sidonia the Sorceress (translated), which he much preferred to the Amber Witch of the same phenomenal author.«

191 In seinem geistig gestörten Zustand hielt sich Rossetti für das Opfer einer Verschwörung. Sein Bruder William berichtet darüber (I, p. 307): »On 2 June 1872 I was with my brother all day at No. 16 Cheyne Walk. It was one of the most miserable days of my life, not to speak of his. From his wild way of talking – about conspiracies and what not – I was astounded to perceive that he was, past question, not entirely sane.« Die angebliche Verschwörung benutzt Wilde dazu, über Egmont Hake einen Witz zu machen. Dieser, ein Sohn des mit Rossetti befreundeten Dr. Thomas Gordon Hake, war der Verfasser eines Buches »Free Trade in Capital« und schrieb Pamphlete über ein Banksystem seiner Erfindung, die Wilde höchlichst amüsierten. »Hakes Bank« ist natürlich nur Chimäre.

192 Cheyne Walk in Chelsea wohnte Rossetti. Auch die Drossel gehörte zu den Halluzinationen des unglücklichen Dichters.

193 Die Briefe Robert Louis Stevensons (1850–1894) sind die sog. »Vailima Letters being Correspondence addressed by R. L. St. to Sidney Colvin Nov. 1890 – Oct. 1894« (London 1895, Methuen & Co.).

194 In Gower Street soll heißen: Wäre Stevenson in London geblieben, so hätte er in der Art des Alexandre Dumas' weiter Erfolge erringen können. Aber er musste seines Lungenleidens wegen England verlassen und ging nach Samoa, dessen deutsche Beamten er heftig angriff in Briefen an die Times (»Samoa« in der Times vom 17.

Buch à la »Drei Musketiere« schreiben können. Auf Samoa schrieb er Briefe über die Deutschen an die Times. Ich sehe auch Spuren davon, welchen furchtbaren Kampf es kostet, ein natürliches Leben zu führen. Wer zu eignem Vorteil oder zum Nutzen andrer Holz hackt, sollte nicht imstande sein, den Vorgang zu beschreiben. Tatsächlich ist das natürliche Leben ein unbewusstes. Stevenson erweiterte lediglich den Bezirk des Künstlichen, indem er sich aufs Graben verlegte. Ich habe etwas aus dem unerquicklichen Buche gelernt: Wenn ich mein künftiges Leben damit verbringe, Baudelaire in einem Cafe zu lesen, so werde ich ein natürlicheres Leben führen, als wenn ich die Arbeit eines Heckenausbesserers verrichte oder in schlammigem Moor Kakao pflanze. »En Route« wird sehr überschätzt.[195] Es ist bloßer Journalismus. Man hört nie eine Note von der Musik, die im Buch beschrieben wird. Das Thema ist entzückend, aber der Stil ganz gewiss wertlos, ausgetreten, schlaff. Es ist noch schlechteres Französisch als bei Ohnet[196]. Ohnet versucht, abgedroschen zu sein, und es gelingt ihm; Huysmans versucht, es nicht zu sein, und ist es. Hardys Roman[197] ist erfreulich, der Stil vollendet; und

---

Nov. 1891; »The Latest Difficulty in Samoa«, Times vom 4. Juni 1892, »Deadlock in Samoa«, Times vom 23. April 1894 usw.). Er versuchte dort ein natürliches Leben zu führen und berichtet etwa (p. 72 der Vailima Letters): »Days and days of unprofitable stubbing and digging, and the result still poor as literature.« Auf solche und ähnliche Stellen beziehn sich Wildes Auslassungen.

195 »En Route« (1895) von Joris Karl Huysmans (1848-1907). Dass Wilde, trotzdem er sich hier so schroff absprechend äußert, im Grunde ein Bewunderer des Dichters von »A Rebours« war, lehrt »Das Bildnis Dorian Grays«, dessen berühmtes elftes Kapitel durch den Herzog Des Esseintes inspiriert ist. Das Thema von »En Route« ist die Flucht einer sündigen Seele hinter Klostermauern.

196 Georges Ohnet (geb. 1848), Verfasser einer langen Reihe von Unterhaltungsromanen, deren populärster »Le Maître de Forges«. Kaum ein zweiter Schriftsteller ist so oft vernichtet worden und sitzt nach wie vor so fest in der Gunst des Publikums.

197 Thomas Hardy (geb. 1840), neben George Meredith der angesehenste englische Romanschriftsteller der Gegenwart, hatte 1895 den krass realistischen Roman »Jude the Obscure« veröffentlicht (»Juda, der Unberühmte«, deutsch von A. Berger, Stuttgart und Leipzig 1901). Falls Wilde dieses Buch meint, frappiert das Beiwort ›erfreulich‹, wenn es sich nicht durchaus auf den Stil beschränkt.

der von Harold Frederic[198] stofflich sehr interessant. Später gedenke ich, da in der Gefängnisbibliothek so gut wie keine Romane für meine armen Mitgefangnen sind, der Bibliothek etwa ein Dutzend guter Romane zum Geschenk zu machen: Stevenson (nichts vorhanden außer »The Black Arrow«[199]), einige von Thackeray (nichts vorhanden), von Jane Austen[200] (nichts vorhanden) und ein paar gute Bücher vom Schlage des älteren Dumas, von Stanley Weyman[201] z. B. und modernen jungen Leuten. Du sprachst von einem Protegé Henleys[202]? Auch von einem Anthony Hope-Jünger[203]. Nach Ostern könntest Du eine Liste von etwa vierzehn aufstellen und darum nachsuchen, dass ich sie bekomme. Den wenigen, die sich aus Goncourts Tagebuch[204] nichts machen, würden

198 Gemeint ist »Illumination« (1896) von Harold Frederic (1856–1898), einem in Amerika geborenen Journalisten und Romanschriftsteller, der 1884 nach England übersiedelte und auch ein Buch über Kaiser Wilhelm II. verfasst hat.

199 »The Black Arrow« von Robert Louis Stevenson, eine Erzählung aus den Kriegen der weißen und roten Rose, ist 1888 erschienen.

200 Jane Austen (1775–1817), eine der Standard-Autorinnen des englischen home; ihre wichtigsten Romane: »Sense and Sensibility« (1811) und »Pride and Prejudice« (1816).

201 Stanley John Weyman (geb. 1855), besserer Unterhaltungsschriftsteller, von Dumas stark beeinflusst. Spannende Handlung mit historischem Hintergrund: das erschöpft seine meisten Romane (»A Gentleman of France« 1893, »Under the Red Robe« 1894 u. v. a.)

202 William Ernest Henley (1849–1903), als Lyriker mit patriotischem Einschlag wie als Kritiker ausgezeichnet, vielleicht am bedeutendsten als Entdecker junger Talente, die er in dem von ihm geleiteten »National Observer« zu Worte kommen ließ; auch als Literarhistoriker verdient (gab mit Henderson den sog. Centenary Burns heraus). Seit dem Juli 1907 steht seine von Rodin geschaffene Bronzebüste in der Londoner St. Paulskirche. (Vgl. Reviews, p. 347 ff.)

203 Anthony Hope (eigentlich Hawkins, geb. 1863), amüsanter Belletrist, voll Witz und Anmut, aber ohne tiefere Bedeutung. Seine romantischen Anfänge (»The Prisoner of Zenda« usw.) gewannen ihm sogleich die Gunst der englischen Lesewelt. Zum Charakterroman hat er sich in »Quisante« (1900) erhoben. Mit dem Anthony Hope-Jünger ist Henry Seton Merriman (eigentlich Hugh Scott, 1863–1903) gemeint. Jedes Land, jede Zeit war ihm vertraut. Seinen größten Erfolg hatte er mit »The Sowers« (1896), einem Lieblingsroman der Königin Victoria.

204 »Le Journal des Goncourts«, im ganzen neun Bände, ist in den Jahren 1887–96 he-

sie gefallen. Vergiss nicht, dass ich selbst dafür zahlen möchte. Ich habe ein Grauen davor, in die Welt hinauszutreten, ohne ein einziges Buch mein eigen zu nennen. Ob mir wohl einige meiner Freunde, wie Cosmo Lennox[205], Reggie Turner[206], Gilbert Burgess[207], Max[208] und andre, ein paar Bücher schenken würden? Du weißt, welche Art Bücher ich haben möchte: Flaubert, Stevenson, Baudelaire, Maeterlinck, Dumas père, Keats, Marlowe, Chatterton, Coleridge, Anatole France, Gautier, Dante und die ganze Literatur über Dante, Goethe und Goethe-Literatur usw. Ich würde es als eine große Artigkeit betrachten, wenn Bücher für mich bereit wären – und vielleicht habe ich noch Freunde, die mir gern gefällig sein möchten. Man ist wahrhaftig sehr dankbar, wenn es auch leider oft den Anschein hat, als wäre ich's nicht. Aber Du musst mir zugutehalten, dass ich außer dem Leben im Gefängnis noch beständig Scherereien gehabt habe.

Als Antwort hierauf kannst Du mir einen langen Brief senden nur über Theaterstücke und Bücher. Deine Schrift im letzten Brief war so grässlich, dass es den Eindruck machte, als schriebest Du einen dreibändigen Roman über die beängstigende Verbreitung kommunistischer Ideen unter den Reichen oder richtetest auf irgendeine andre Art Deine Jugend zugrunde, die immer verheißungsvoll gewesen ist und es stets bleiben wird. Tu' ich Dir damit unrecht, dass ich einen solchen Grund anführe,

---

rausgekommen; der letzte Band, der zwei oder drei Stellen über Wilde enthält, war ihm nach Reading geschickt worden.

205 Cosmo Gordon Lennox, Übersetzer und Bearbeiter französischer Stücke, Verfasser der Burleske »The Marriage of Kitty«; dramatisierte Thackerays »Vanity Fair« für seine Gattin, die Schauspielerin Marie Tempest.

206 Reginald Turner (geb. 1870), Romanschriftsteller: »The Steeple«, »The Comedy of Progress«, »Peace on Earth« u. a.

207 Gilbert Burgess (geb. 1868), Journalist und Opernlibrettist, das Urbild des Gilbert der »Intentions« (vgl. »Decorative Art in America«, p. 163).

208 Max, d. i. Max Beerbohm (geb. 1872), Stiefbruder des Schauspielers Herbert Beerbohm Tree, vorzüglicher Theaterkritiker der »Saturday Review« und glänzender Karikaturist: »The Poets' Corner«, »Caricatures of 25 Gentlemen« usw.

so musst Du es der krankhaften Reizbarkeit zuschreiben, die eine Folge der langen Kerkerhaft ist. Aber schreibe bitte deutlich. Sonst sieht es aus, als ob Du etwas zu verheimlichen hättest.

In diesem Brief steht wohl manches Abscheuliche. Aber ich musste Dich vor Dir selbst tadeln, nicht vor andern. Gib meinen Brief More zu lesen. Harris wird mich hoffentlich Sonnabend besuchen. Grüße mir Arthur Clifton und Frau – ich finde, sie hat so viel Ähnlichkeit mit Rossettis Frau: das gleiche herrliche Haar, aber natürlich ein süßeres Wesen, obwohl Miss Siddal[209] bezaubernd ist und ihr Gedicht Ia.

Stets Dein
Oscar.

209 Elizabeth Eleanor Siddal, im Kreise der Präraphaeliten als Lizzie bekannt, Rossettis Modell und spätere Frau. Das Gedicht, auf das Wilde hier anspielt, heißt »A Year and a Day« (Family Letters I, 176). Gleich die Anfangszeilen:
»Slow days have passed that make a year,
Slow hours that make a day«
mögen dem Gefangnen starken Eindruck gemacht haben; und auch die Schlussstrophe entspricht seiner Stimmung.

Editorische Notiz

Der Sozialismus und die Seele des Menschen
Aus dem Zuchthaus zu Reading
Ästhetisches Manifest
Sonett an die Freiheit
Die Übersetzungen von Gustav Landauer und Hedwig Lachmann erschienen erstmals 1904 als zweiter Band der Reihe *Verschollene Meister der Literatur* des Berliner Verlags Karl Schnabel/Junckers Buchhandlung.

Der Kritiker als Künstler
Der Verfall der Lüge
Feder, Pinsel und Gift
Die Wahrheit der Masken
Die Übersetzungen von Paul Wertheimer erschienen erstmals 1906 als sechster Band in *Oscar Wildes Sämtliche Werke in deutscher Sprache,* Wiener Verlag, Wien und Leipzig.

Die Entwicklung der historisch-kritischen Methode
Die englische Renaissance in der Kunst
Hausdekoration
Die Kunst und der Handwerker
Vortrag vor Kunststudenten
Londons Modelle
Aus dem Englischen übersetzt von Tom Amarque, 2019.

Am Grab von Keats
L'Envoi
Amerikanische Impressionen

Mr. Whistlers Zehn-Uhr-Vortrag
Die Beziehung zwischen Kleidung und Kunst
Die amerikanische Invasion
Englische Dichterinnen
Sätze und Lehren zum Nutzen der Jugend
Über Kinder in Gefängnissen und andere Grausamkeiten aus dem Gefängnisleben
Aus dem Englischen übersetzt von Ulrike von Pritzbuer, 2019.

Das Bildnis des Herrn W. H.
Die Übersetzung von Frida Strindberg-Uhl erschien erstmals 1906 als vierter Band in *Oscar Wildes Sämtliche Werke in deutscher Sprache,* Wiener Verlag, Wien und Leipzig.

De Profundis
Vier Briefe aus dem Zuchthaus Reading an Robert Ross
Die Übersetzung von Max Meyerfeld erschien 1907 bei S. Fischer, Berlin.

Die Orthografie wurde nach den Regeln der neuen Rechtschreibung behutsam modernisiert. Eindeutige Druck- und Satzfehler wurden stillschweigend korrigiert.